lua nova

STEPHENIE MEYER

TRADUÇÃO DE RYTA VINAGRE

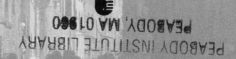

Título original
New Moon

Capa
Gail Doobinin

Adaptação do projeto gráfico
Angelo Bottino

Diagramação
Ilustrarte Design e Produção Editorial

Revisão
Liciane Guimarães Corrêa
Umberto Figueiredo Pinto
Maria da Glória de Carvalho
Antonio dos Prazeres

Imagem da capa
John Grant/Getty Images

Foto da autora
Karen Shell

CIP-BRASIL. CATALOGAÇÃO-NA-FONTE
SINDICATO NACIONAL DOS EDITORES DE LIVROS, RJ

M561l
2. ed.

Meyer, Stephenie, 1973-
    Lua nova / Stephenie Meyer ; tradução de Ryta
Vinagre. – 2. ed. – Rio de Janeiro : Intrínseca, 2008.

    Tradução de: New moon
    ISBN 978-85-98078-35-9

    1. Ficção americana. I. Vinagre, Ryta. II. Título.

08-3269.   CDD: 813
                                  CDU: 821.111(73)-3

[2008]
Todos os direitos desta edição reservados à
EDITORA INTRÍNSECA LTDA.
Rua dos Oitis, 50
22451-050 – Gávea
Rio de Janeiro – RJ
Telefone: (21) 3874-0914
Fax: (21) 3874-0578
www.intrinseca.com.br

Para meu pai, Stephen Morgan.
Ninguém um dia recebeu mais amor e apoio incondicional do que eu tive de você.
Eu também amo você.

━◄ ►━

SUMÁRIO

-+- -+-

Estas alegrias violentas têm fins violentos
Falecendo no triunfo, como fogo e pólvora
Que num beijo se consomem.

Romeu e Julieta, *Ato II, Cena VI*

PRÓLOGO

PARECIA QUE EU ESTAVA PRESA EM UM DAQUELES PESADELOS APA-
vorantes em que você precisa correr, correr até os pulmões explodirem, mas
não consegue fazer com que seu corpo se mexa com rapidez suficiente. Minhas pernas pareciam se mover com uma lentidão cada vez maior à medida
que eu lutava para atravessar a multidão insensível, mas os ponteiros do
enorme relógio da torre não eram lentos. Com uma força implacável, eles se
aproximavam inexoravelmente do fim — do fim de tudo.

Mas isso não era um sonho, e, ao contrário do pesadelo, eu não estava correndo para salvar a *minha* vida; eu corria para salvar algo infinitamente mais
precioso. Hoje minha própria vida pouco significava para mim.

Alice dissera que havia uma boa possibilidade de que morrêssemos ali.
Talvez fosse diferente se ela não estivesse na armadilha que era a luz do sol intensa; só eu estava livre para correr por aquela praça cintilante e abarrotada.

E eu não conseguia correr com rapidez suficiente.

Então não me importava que estivéssemos cercados de inimigos extraordinariamente perigosos. À medida que o relógio começava a soar a hora, vibrando sob a sola de meus pés lentos, eu sabia que era tarde demais para mim
— e fiquei feliz que alguma coisa sedenta de sangue esperasse nos bastidores.
Pois, falhando nisso, eu perderia qualquer desejo de viver.

O relógio soou novamente e o sol incidia exatamente do meio do céu.

1. FESTA

EU TINHA NOVENTA E NOVE POR CENTO DE CERTEZA DE QUE ES-
tava sonhando.

Os motivos para minha certeza eram que, primeiro, eu estava de pé em
um raio brilhante de sol — o sol claro e ofuscante que nunca luzia em minha
nova cidade chuvosa, Forks, no estado de Washington — e, segundo, eu
olhava minha avó Marie. Vovó morrera havia seis anos, então era uma prova
concreta da teoria do sonho.

Minha avó não mudara muito; seu rosto estava exatamente igual ao que
eu lembrava. A pele era macia e murcha, dobrando-se em centenas de pequenas rugas que pendiam delicadas. Como um damasco seco, mas com uma
nuvem de cabelo branco e espesso se destacando em volta dele.

Nossas bocas — a dela com rugas ressecadas — se estendiam no mesmo
meio sorriso de surpresa, exatamente ao mesmo tempo. Aparentemente, ela
também não esperava me ver.

Eu estava prestes a lhe fazer uma pergunta; tinha tantas — O que ela
estava fazendo ali, no meu sonho? O que ela andara fazendo nos últimos seis
anos? Vovô estava bem, e eles se encontraram, onde quer que estivessem? —,
mas ela abriu a boca quando tentei falar, então parei para permitir que ela
falasse primeiro. Ela fez uma pausa também e depois nós duas sorrimos com
o pequeno embaraço.

"Bella?"

Não era vovó que chamava meu nome, e nós duas nos viramos para ver
quem se unira a nossa reuniãozinha. Não precisava olhar para saber quem
era; aquela era uma voz que eu reconheceria em qualquer lugar — reconheceria e reagiria a ela, quer estivesse acordada ou dormindo... Ou até

morta, posso apostar. A voz pela qual eu pisaria em brasas — ou, sendo menos dramática, pela qual eu chapinharia na lama em cada dia de chuva fria e interminável.

Edward.

Embora eu sempre ficasse emocionada ao vê-lo — consciente ou não —, e embora eu *quase* tivesse certeza de que era um sonho, entrei em pânico enquanto Edward se dirigia a nós sob o sol reluzente.

Entrei em pânico porque vovó não sabia que eu estava apaixonada por um vampiro — ninguém sabia disso —, então, como eu explicaria o fato de que os feixes brilhantes de sol se dividiam em sua pele em mil fragmentos de arco-íris, como se ele fosse feito de cristal ou diamante?

Bom, vó, deve ter percebido que meu namorado brilha. É só uma coisa que ele faz no sol. Não se preocupe com isso...

O que ele estava *fazendo*? O motivo para ele morar em Forks, o lugar mais chuvoso do mundo, era que podia ficar ao ar livre durante o dia sem revelar o segredo de sua família. E no entanto ali estava ele, andando elegantemente em minha direção — com o sorriso mais lindo em seu rosto de anjo, como se eu fosse a única presente.

Nesse segundo, desejei não ser a única exceção a seu misterioso talento; em geral eu me sentia grata por ser a única pessoa cujos pensamentos ele não podia ouvir com clareza, como se fossem pronunciados em voz alta. Mas agora eu queria que ele fosse capaz de me ouvir também, assim poderia escutar o alerta que eu gritava em minha cabeça.

Lancei um olhar de pânico para minha avó e vi que era tarde demais. Ela estava se virando para olhar para mim de novo, os olhos tão alarmados quanto os meus.

Edward — ainda sorrindo daquele jeito tão lindo que fazia meu coração parecer inchar e explodir no peito — pôs o braço em meu ombro e virou-se para olhar minha avó.

A expressão de vovó me surpreendeu. Em vez de parecer apavorada, ela me olhava timidamente, como se esperasse por uma repreensão. E ela estava de pé numa posição tão estranha — um braço afastado canhestramente do corpo, esticado e, depois, envolvendo o ar. Como se estivesse abraçando alguém que eu não podia ver, alguém invisível...

Só então, enquanto eu olhava o quadro como um todo, foi que percebi a enorme moldura dourada que cercava as feições de minha avó. Sem compreender, levantei a mão que não estava na cintura de Edward e a estendi para tocá-la. Ela imitou o movimento com exatidão, espelhando-o. Mas onde nossos dedos deveriam se encontrar não havia nada, a não ser o vidro frio...

Com um sobressalto vertiginoso, meu sonho tornou-se abruptamente um pesadelo.

Não havia vovó alguma.

Aquela era *eu*. Eu em um espelho. Eu — anciã, enrugada e murcha.

Edward estava a meu lado, sem reflexo, lindo de morrer e com 17 anos para sempre.

Ele apertou os lábios perfeitos e gelados em meu rosto desgastado.

— Feliz aniversário — sussurrou.

Acordei assustada — minhas pálpebras se arregalando — e arfante. A luz cinzenta e embaçada, a familiar luz de uma manhã nublada, tomou o lugar do sol ofuscante de meu sonho.

Um sonho, disse a mim mesma. *Foi só um sonho.* Respirei fundo e pulei novamente quando meu despertador tocou. O pequeno calendário no canto do mostrador do relógio me informou que era dia 13 de setembro.

Um sonho, mas pelo menos, de certo modo, bastante profético. Era o dia do meu aniversário. Eu tinha oficialmente 18 anos.

Durante meses, tive pavor desse dia.

Por todo o verão perfeito — o verão mais feliz que tive na vida, o verão mais feliz que *qualquer um em qualquer lugar* teria e o verão mais chuvoso da história da península de Olympic — essa triste data ficou de tocaia, esperando para saltar sobre mim.

E, agora que chegara, era ainda pior do que eu temia. Eu podia sentir — eu estava mais velha. A cada dia eu ficava mais velha, mas isto era diferente, era pior, quantificável. Eu tinha 18 anos.

E Edward jamais teria essa idade.

Quando fui escovar os dentes, quase me surpreendi com o fato de que o rosto no espelho não mudara. Olhei para mim mesma, procurando por algum sinal de rugas iminentes em minha pele de marfim. Mas os únicos vincos eram os da minha testa, e eu sabia que, se conseguisse relaxar, eles desapareceriam. Não consegui. Minhas sobrancelhas se alojaram em uma linha de preocupação acima de meus angustiados olhos castanhos.

Foi só um sonho, lembrei a mim mesma de novo. Só um sonho... Mas também meu pior pesadelo.

Não tomei o café-da-manhã, com pressa para sair de casa o mais rápido possível. Não fui inteiramente capaz de evitar meu pai e tive de passar alguns minutos fingindo-me animada. Tentei ficar empolgada de verdade com os presentes que eu pedira que ele não comprasse para mim, mas sempre que eu tinha de sorrir, parecia que podia começar a chorar.

Lutei para me controlar enquanto dirigia para a escola. A visão de minha avó — eu *não* pensava nela como eu mesma — não saía de minha cabeça. Só o que consegui sentir foi desespero, até que parei no estacionamento conhecido atrás da Forks High School e vi Edward curvado e imóvel sobre seu Volvo prata polido, como um monumento de mármore em homenagem a algum esquecido deus pagão da beleza. O sonho não lhe fizera justiça. E ele esperava ali por *mim*, exatamente como nos outros dias.

O desespero desapareceu por um momento, substituído pela admiração. Mesmo depois de meio ano com ele, eu ainda não acreditava que merecia tanta sorte.

Sua irmã, Alice, estava a seu lado, também esperando por mim.

É claro que Edward e Alice não eram de fato parentes (em Forks, corria a história de que todos os irmãos Cullen tinham sido adotados pelo Dr. Carlisle Cullen e sua esposa, Esme, os dois indiscutivelmente novos demais para ter filhos adolescentes), mas sua pele tinha exatamente a mesma palidez, os olhos tinham o mesmo tom dourado, com as mesmas olheiras fundas, como hematomas. O rosto de Alice, como o dele, era de uma beleza incrível. Para alguém que sabia — alguém como eu —, essas semelhanças representavam a marca do que eles eram.

A visão de Alice esperando ali — seus olhos caramelo brilhantes de empolgação e um pequeno embrulho prateado nas mãos — deixou-me carrancuda. Eu disse a Alice que não queria nada, *nada mesmo*, nenhum presente, nem mesmo alguma atenção pelo aniversário. Obviamente, meus desejos estavam sendo ignorados.

Bati a porta de minha picape Chevy 53 — uma chuva de ferrugem caiu do teto molhado — e andei devagar na direção deles. Alice pulou à frente para me receber, a cara de fada reluzente sob o cabelo preto e desfiado.

— Feliz aniversário, Bella!

— Shhh! — sibilei, olhando o estacionamento para me certificar de que ninguém a ouvira. A última coisa que eu queria era uma espécie de comemoração do melancólico evento.

Ela me ignorou.

— Quer abrir seu presente agora ou depois? — perguntou ansiosamente enquanto seguíamos para onde Edward ainda esperava.

— Nada de presentes — protestei num murmúrio.

Ela por fim pareceu entender meu estado de espírito.

— Tudo bem... Mais tarde, então. Gostou do álbum que sua mãe mandou para você? E a câmera de Charlie?

Suspirei. É claro que ela saberia quais eram meus presentes de aniversário. Edward não era o único membro da família com habilidades incomuns. Alice teria "visto" o que meus pais planejavam assim que eles tomaram a decisão.

— É. São ótimos.

— *Eu* acho que é uma ótima idéia. Só se chega ao último ano da escola uma vez. Pode muito bem documentar a experiência.

— Quantas vezes *você* fez o último ano?

— Isso é diferente.

Chegamos então perto de Edward e ele estendeu a mão para mim. Eu a peguei ansiosa, esquecendo-me, por um momento, de meu mau humor. Sua pele, como sempre, era suave, dura e muito fria. Ele apertou meus dedos com delicadeza. Olhei em seus claros olhos de topázio e meu coração sentiu um aperto não tão delicado. Ouvindo meu coração vacilar, ele sorriu de novo.

Ele ergueu a mão livre e, ao falar, acompanhou o contorno de meus lábios com a ponta do dedo frio.

— E então, como discutimos, não tenho permissão para lhe desejar um feliz aniversário, é isso mesmo?

— É. É isso mesmo. — Eu não conseguia imitar o ritmo de sua pronúncia perfeita e formal. Era algo que só poderia ter sido adquirido em um século anterior.

— Só estou verificando. — Ele passou a mão no cabelo desgrenhado cor de bronze. — Você *bem que podia* ter mudado de idéia. A maioria das pessoas parece gostar de aniversários e presentes.

Alice riu e o som era todo prata, um sino de vento.

— É claro que você vai gostar. Todo mundo deve ser gentil com você hoje e fazer suas vontades, Bella. Qual é a pior coisa que pode acontecer? — Sua pergunta era retórica.

— Ficar mais velha — ainda assim respondi, e minha voz não era tão estável como eu queria que fosse.

A meu lado, o sorriso de Edward se estreitou em uma linha rígida.

— Dezoito anos não é muito velha — disse Alice. — Em geral as mulheres não esperam até ter 29 para se aborrecer com os aniversários?

— É mais do que Edward — murmurei.

Ele suspirou.

— Tecnicamente — disse ela, mantendo o tom leve. — Mas só por um ano.

E eu imaginei... Se eu pudesse ter *certeza* do futuro que queria, certeza de que passaria a eternidade com Edward, Alice e os demais Cullen (de preferência não como uma velhinha enrugada)... Então um ou dois anos a mais ou a menos não me importariam tanto. Mas Edward era rigorosamente contra qualquer futuro que me alterasse. Qualquer futuro que me tornasse igual a ele — que me tornasse imortal também.

Um impasse, ele tinha dito.

Para ser franca, eu não conseguia entender o argumento de Edward. O que havia de tão bom na mortalidade? Ser um vampiro não parecia tão terrível — não como faziam os Cullen, pelo menos.

— A que horas você vai estar em casa? — continuou Alice, mudando de assunto. A julgar por sua expressão, ela estava aprontando exatamente o tipo de coisa que eu esperava evitar.

— Não sei se vou para casa.

— Ah, por favor, Bella! — reclamou ela. — Não vai estragar toda a nossa diversão desse jeito, vai?

— Pensei que no meu aniversário eu pudesse fazer o que *eu* quisesse.

— Eu vou apanhá-la em casa logo depois da escola — disse-lhe Edward, ignorando-me completamente.

— Tenho que trabalhar — protestei.

— Na verdade, não tem — disse-me Alice, convencida. — Já falei com a Sra. Newton sobre isso. Ela vai trocar seus turnos. E me pediu para lhe dizer "Feliz aniversário".

— E eu ainda não posso ir — gaguejei, procurando uma desculpa. — Eu, bom, ainda não vi *Romeu e Julieta* para a aula de inglês.

Alice bufou.

— Você conhece *Romeu e Julieta* de cor.

— Mas o Sr. Berty disse que precisávamos ver uma representação para apreciá-lo plenamente... Era o que Shakespeare pretendia.

Edward revirou os olhos.

— Você já viu o filme — acusou Alice.

— Mas não a versão dos anos 60. O Sr. Berty disse que era a melhor.

Por fim, Alice perdeu o sorriso presunçoso e me fitou.

— Isso pode ser fácil ou pode ser difícil, Bella, mas de uma forma ou de outra...

Edward interrompeu sua ameaça.

— Relaxe, Alice. Se Bella quer ver um filme, então pode ver. É o aniversário dela.

— Viu? — acrescentei.

— Vou levá-la por volta das sete — continuou ele. — Isso lhe dará bastante tempo para preparar tudo.

O riso de Alice repicou de novo.

— Parece ótimo. Nos vemos à noite, Bella! Vai ser divertido, você verá.

Ela sorriu com malícia — o sorriso largo expôs todos os dentes perfeitos e reluzentes —, depois me deu um beliscão na bochecha e desapareceu para sua primeira aula antes que eu pudesse responder.

— Edward, por favor... — comecei a pedir, mas ele colocou um dedo frio em meus lábios.

— Discutiremos isso mais tarde. Vamos nos atrasar para a aula.

Ninguém se incomodou em olhar para nós enquanto assumíamos nossos lugares de sempre no fundo da sala (agora assistíamos a quase todas as aulas juntos — eram incríveis os favores que Edward conseguia que as mulheres da secretaria fizessem para ele). Edward e eu estávamos juntos havia tempo demais para ainda sermos objeto de fofoca. Nem Mike Newton se incomodava mais em me lançar o olhar de mau humor que antigamente me fazia sentir meio culpada. Ele agora sorria, e fiquei feliz por ele parecer ter aceitado que podíamos ser só amigos. Mike mudara no verão — estava menos rechonchudo, as maçãs do rosto mais proeminentes e o cabelo louro-claro estava diferente; em vez de arrepiado, estava mais comprido e com gel, em uma desordem cuidadosamente casual. Era fácil ver de onde vinha sua inspiração — mas o visual de Edward não era algo que se pudesse imitar.

À medida que o dia avançava, pensei em maneiras de me livrar do que quer que estivesse para acontecer na casa dos Cullen à noite. Já seria bem ruim ter de comemorar quando meu humor era colocar luto. Mas, pior do que isso, aquilo, com certeza, envolveria atenção e presentes.

Nunca é bom ter atenção, como concordaria qualquer outro desajeitado com tendência a sofrer acidentes. Ninguém quer um refletor sobre si quando é provável que vá cair de cara no chão.

E eu insisti — bom, na verdade ordenei — que ninguém me desse nenhum presente este ano. Aparentemente, Charlie e Renée não foram os únicos que decidiram ignorar isso.

Nunca tive muito dinheiro, e isso nunca me incomodou. Renée me criou com salário de professora de jardim-de-infância. Charlie também não ia enriquecer com seu emprego — ele era o chefe de polícia daqui, da cidadezinha de Forks. Minha única renda vinha dos três dias da semana em que eu trabalhava na loja de artigos esportivos da cidade. Em uma cidade tão pequena, eu tinha sorte por ter um emprego. Cada centavo que ganhava ia para meu microscópico fundo de universidade. (A universidade era o Plano B. Eu ainda esperava pelo Plano A, mas Edward teimava tanto em me deixar humana...)

Edward tinha *muito* dinheiro — eu nem queria pensar em quanto. O dinheiro não significava quase nada para ele e para os demais Cullen. Era só algo que se acumulava quando se tinha tempo ilimitado nas mãos e uma irmã com uma capacidade misteriosa de prever tendências no mercado de ações. Edward não parecia entender por que eu fazia objeção a ele gastar dinheiro comigo — por que me deixava pouco à vontade quando me levava a um restaurante caro em Seattle, por que não podia comprar para mim um carro que pudesse atingir mais de 90km/h, ou por que eu não deixaria que ele pagasse os custos da minha universidade (ele era ridiculamente entusiasmado com o Plano B). Edward pensava que eu estava sendo difícil sem necessidade.

Mas como eu podia deixar que ele me desse presentes quando eu não tinha nada para dar em troca? Ele, por algum motivo insondável, queria ficar comigo. Qualquer coisa que me desse além disso só aumentava ainda mais as diferenças entre nós.

Com o passar do dia, nem Edward nem Alice voltaram a comentar o tema de meu aniversário, e eu comecei a relaxar um pouco.

Nós nos sentamos à nossa mesa de sempre no almoço.

Havia uma espécie estranha de trégua naquela mesa. Nós três — Edward, Alice e eu — sentávamos no extremo sul da mesa. Agora que os irmãos Cullen mais "velhos", e de certa forma mais assustadores (no caso de Emmett, certamente), tinham se formado, Alice e Edward não pareciam intimidar tanto e não nos sentávamos sozinhos. Meus outros amigos — Mike e Jessica (que estavam na estranha fase de amizade pós-término), Angela e Ben (cuja relação sobreviveu ao verão), Eric, Conner, Tyler e Lauren (embora esta última não contasse de fato na categoria amizade) — sentavam-se à mesma mesa do outro lado de uma fronteira invisível. Essa fronteira se dissolvia nos dias de sol, quando Edward e Alice sempre matavam aula, e então a conversa passava com facilidade a me incluir.

Edward e Alice não achavam esse ostracismo estranho nem doloroso, como eu teria achado. Eles mal percebiam. As pessoas sempre se sentiam estranhamente pouco à vontade com os Cullen, quase com medo, por algum motivo que não conseguiam explicar a si mesmas. Eu era uma rara exceção a essa regra. Às vezes, incomodava a Edward que eu ficasse à vontade perto dele. Ele pensava que era perigoso para minha saúde — uma opinião que eu rejeitava com veemência sempre que ele a verbalizava.

A tarde passou rápido. As aulas terminaram e Edward me acompanhou até a picape, como sempre fazia. Mas dessa vez ele abriu a porta do carona para mim. Alice devia ter levado o carro dele para casa, para que ele pudesse impedir que eu fugisse.

Cruzei os braços e não fiz nenhum movimento para sair da chuva.

— É meu aniversário, não posso dirigir?

— Estou fingindo que não é seu aniversário, como é seu desejo.

— Se não é meu aniversário, então não tenho que ir para a sua casa hoje à noite...

— Muito bem... — Ele fechou a porta do carona e passou por mim para abrir a do motorista. — Feliz aniversário.

— Shhhh — pedi, meio indiferente. Entrei pela porta aberta, querendo que ele aceitasse a outra proposta.

Edward ficou mexendo no rádio enquanto eu dirigia, sacudindo a cabeça, desaprovando.

— Seu rádio tem uma recepção horrível.

Fechei a cara. Eu não gostava quando ele mexia na minha picape. O carro era ótimo — tinha personalidade.

— Quer um bom sistema de som? Dirija seu próprio carro. — Eu estava tão nervosa com os planos de Alice, além de meu humor já sombrio, que as palavras saíram mais ásperas do que pretendia. Quase nunca me exaltava com Edward, e meu tom de voz o fez apertar os lábios para conter o riso.

Quando estacionei diante da casa de Charlie, ele pegou meu rosto entre as mãos. Agia com muito cuidado comigo, colocando a ponta dos dedos de modo suave em minhas têmporas, nas maçãs do rosto, na linha do queixo. Como se eu fosse especialmente quebradiça. O que era exatamente a verdade — comparada com ele, pelo menos.

— Devia estar de bom humor, hoje é o seu dia — sussurrou ele. Seu hálito doce soprava em meu rosto.

— E se eu não quiser ficar de bom humor? — perguntei, minha respiração irregular.

Seus olhos dourados arderam.

— Isso é péssimo.

Minha cabeça já estava girando quando ele se aproximou mais de mim e colocou os lábios gelados nos meus. Como era a intenção dele, sem dúvida, eu me esqueci de todas as preocupações e me concentrei em lembrar como respirar.

Sua boca pairou na minha, fria, suave e gentil, até que passei os braços por seu pescoço e me atirei no beijo com um pouco de entusiasmo demais. Pude sentir os lábios dele se curvarem para cima enquanto ele se afastava de meu rosto e tentava sair do meu abraço.

Edward traçara limites muito cuidadosos para nossa relação física, com a intenção de me manter viva. Embora respeitasse a necessidade de preservar uma distância segura entre minha pele e seus dentes afiados, cobertos de veneno, eu tendia a me esquecer de questões banais como essa quando ele me beijava.

— Seja boazinha, por favor — sussurrou ele em minha bochecha. Ele apertou os lábios com delicadeza contra os meus mais uma vez e se afastou, cruzando meus braços em minha barriga.

Minha pulsação martelava nos ouvidos. Coloquei a mão no coração. Ele batia rápido demais sob minha palma.

— Acha que um dia vou superar isso? — perguntei, principalmente para mim mesma. — Que meu coração um dia vai parar de tentar pular do peito sempre que você tocar em mim?

— Eu realmente espero que não — disse ele, meio presunçoso.

Revirei os olhos.

— Vamos ver os Capuleto e os Montéquio se dilacerando, está bem?

— Seu desejo é uma ordem.

Edward se esparramou no sofá enquanto eu passava o filme, acelerando nos créditos de abertura. Quando me empoleirei na beira do sofá na frente dele, ele passou os braços em minha cintura e me puxou para seu peito. Não era exatamente tão confortável quanto um sofá, com seu peito duro e frio — e perfeito — como uma escultura de gelo, mas com certeza eu preferia isso. Ele puxou a velha manta oriental do encosto do sofá e me envolveu com ela, para que eu não congelasse junto de seu corpo.

— Sabe, nunca tive muita paciência com Romeu — comentou ele enquanto o filme começava.

— O que há de errado com Romeu? — perguntei, meio ofendida. Romeu era um de meus personagens de ficção preferidos. Até conhecer Edward, eu tinha uma espécie de queda por ele.

— Bem, antes de tudo, ele está apaixonado por essa Rosalina... Não acha que isso o deixa meio volúvel? E então, minutos depois do casamento, ele mata o primo de Julieta. Não é muito inteligente. Um erro depois do outro. Será que ele poderia destruir a própria felicidade de uma forma mais completa?

Eu suspirei.

— Quer que eu veja o filme sozinha?

— Não, vou assistir com você, de qualquer jeito. — Seus dedos traçaram desenhos em meu braço, me provocando arrepios. — Vai chorar?

— É provável — admiti —, se eu estiver prestando atenção.

— Então não vou distraí-la.

Mas senti seus lábios em meu cabelo, e esta era uma distração e tanto.

O filme, enfim, prendeu minha atenção, graças em grande parte às falas de Romeu que Edward sussurrava em meu ouvido — sua voz irresistível de veludo fazia com que a voz do ator parecesse fraca e grosseira. E eu chorei, para divertimento dele, quando Julieta acordou e descobriu o novo marido morto.

— Devo admitir que tenho um pouco de inveja dele aqui — disse Edward, secando minhas lágrimas com uma mecha do meu cabelo.

— Ela é linda.

Ele fez um som de repulsa.

— Não o invejo por causa da *garota*... Só pela facilidade do suicídio — esclareceu num tom de provocação. — Para vocês, humanos, é tão fácil! Só o que precisam fazer é engolir um vidrinho de extratos de ervas...

— Como é? — ofeguei.

— Foi uma idéia que tive certa vez e eu sabia, pela experiência de Carlisle, que não seria simples. Nem tenho certeza de quantas maneiras Carlisle tentou se matar no começo... Depois de perceber no que se transformara... — Sua voz, que se tornara séria, ficou leve de novo. — E ele claramente ainda goza de excelente saúde.

Virei-me para poder ver seu rosto.

— Do que está falando? — perguntei. — O que quer dizer, essa história de que pensa nisso de vez em quando?

— Na primavera passada, quando você estava... quase morta... — Ele parou para tomar fôlego, lutando para recuperar o tom de brincadeira. — É claro que eu tentava me concentrar em encontrar você viva, mas parte de minha mente fazia planos alternativos. Como eu disse, não é fácil para mim, como é para um humano.

Por um segundo, a lembrança de minha última viagem a Phoenix passou por minha cabeça e me deixou tonta. Eu podia ver tudo com tanta clareza — o sol ofuscante, as ondas de calor saindo do concreto enquanto eu corria com uma pressa desesperada para encontrar o vampiro sádico que queria me torturar até a morte. James, esperando na sala de espelhos com minha mãe de refém — ou assim eu pensava. Eu não sabia que era tudo um ardil. Assim como James não sabia que Edward estava correndo para me salvar. Edward daquela vez conseguira, mas foi por pouco. Sem pensar, meus dedos acompanharam a cicatriz em crescente lunar em minha mão, que sempre ficava alguns graus mais fria do que o restante de minha pele.

Sacudi a cabeça — como se eu pudesse me livrar das lembranças ruins — e tentei entender o que Edward dizia. Meu estômago afundou de um jeito desagradável.

— Planos alternativos? — repeti.

— Bem, eu não ia viver sem você. — Ele revirou os olhos como se este fato fosse óbvio até para uma criança. — Mas não tinha certeza de como *fazer*... Eu sabia que Emmett e Jasper não me ajudariam... Então pensei em talvez ir à Itália e fazer algo para provocar os Volturi.

Não podia acreditar que ele falava sério, mas seus olhos dourados estavam pensativos, focalizados em alguma coisa distante enquanto ele refletia sobre as maneiras de acabar com a própria vida. Abruptamente, fiquei furiosa.

— O que é um *Volturi*? — perguntei.

— Os Volturi são uma família — explicou ele, os olhos ainda distantes. — Uma família muito antiga e muito poderosa de nossa espécie. São a coisa mais próxima que nosso mundo tem de uma família real, imagino. Carlisle morou com eles por pouco tempo em seus primeiros anos, na Itália, antes de se estabelecer na América... Lembra a história?

— É claro que lembro.

Eu nunca me esqueceria da primeira vez que fui à casa dele, a enorme mansão branca bem no fundo da floresta, ao lado do rio, ou a sala em que Carlisle — pai de Edward de tantas maneiras genuínas — mantinha uma parede de pinturas que ilustravam sua história. A tela mais vívida, a mais colorida dali, a maior, era da época de Carlisle na Itália. É claro que eu me lembrava do tranqüilo quarteto de homens, cada um deles com um extraordinário rosto de serafim, pintados no balcão mais alto que dava para o violento torvelinho de cores. Embora a tela tivesse séculos, Carlisle — o anjo louro — continuava inalterado. E eu me lembrava dos outros três, os primeiros companheiros de Carlisle. Edward nunca usou o nome *Volturi* para o belo trio, dois de cabelos escuros, um de cabelos brancos. Ele os chamou de Aro, Caius e Marcus, patronos noturnos das artes...

— De qualquer modo, não se deve irritar os Volturi — prosseguiu Edward, interrompendo meus devaneios. — A não ser que se queira morrer... Ou o que quer que aconteça conosco. — Sua voz era tão calma que o fazia parecer quase entediado com a perspectiva.

Minha raiva transformou-se em pavor. Peguei seu rosto marmóreo entre as mãos e o segurei com força.

— Você nunca, nunca, jamais pense em nada parecido de novo! — eu disse. — Não importa o que possa acontecer comigo, você *não pode* se machucar!

— Eu jamais a colocarei em risco de novo, então esta é uma discussão inútil.

— Me *colocar* em risco! Pensei que tínhamos combinado que todo o azar era minha culpa. — Eu estava ficando com mais raiva. — Como se atreve a pensar desse jeito? — A idéia de Edward deixando de existir, mesmo que eu estivesse morta, era impossivelmente dolorosa.

— O que você faria, se a situação se invertesse? — perguntou ele.

— Não é o mesmo caso.

Ele não pareceu entender a diferença. Edward riu.

— E se alguma coisa acontecer com você? — Empalideci com a idéia. — Gostaria que eu *acabasse* comigo mesma?

Um vestígio de dor tocou seus traços perfeitos.

— Acho que entendo seu argumento... Um pouco — admitiu ele. — Mas o que eu faria sem você?

— O que estava fazendo antes de eu aparecer e complicar sua vida.

Ele suspirou.

— Parece tão fácil, do jeito que você fala.

— Devia ser. Eu não sou assim tão interessante.

Ele estava prestes a discutir, mas deixou passar.

— Discussão inútil — lembrou-me.

De repente, ele se colocou numa postura mais formal, passando-me para o lado para que não nos tocássemos mais.

— Charlie? — adivinhei.

Edward sorriu. Depois de um minuto, ouvi o som da radiopatrulha parando na entrada de carros. Peguei a mão dele com firmeza. Meu pai podia lidar com aquilo.

Charlie entrou segurando uma caixa de pizza.

— Oi, pessoal. — Ele sorriu para mim. — Pensei que ia gostar de uma folga da cozinha e dos pratos em seu aniversário. Está com fome?

— Claro. Obrigada, pai.

Charlie não comentou a aparente falta de apetite de Edward. Ele estava acostumado a ver Edward desprezar o jantar.

— Importa-se se eu pegar Bella emprestada esta noite? — perguntou Edward quando Charlie e eu terminamos.

Olhei cheia de esperança para Charlie. Talvez ele pensasse em aniversários como um programa de família que era passado em casa — era meu primeiro aniversário com ele, o primeiro aniversário desde que minha mãe, Renée, casara-se de novo e fora morar na Flórida, então eu não sabia o que ele esperava.

— Tudo bem... Os Mariners vão jogar contra os Sox esta noite — explicou Charlie, e minha esperança desapareceu. — Então não serei boa companhia... Toma. — Ele pegou a câmera que tinha comprado por sugestão de Renée (porque eu precisava de fotos para encher meu álbum) e a atirou para mim.

Ele devia saber muito bem — sempre tive problemas de coordenação. A câmera raspou na ponta de meus dedos e ia caindo no chão. Edward a pegou antes que se espatifasse no piso.

— Boa pegada — observou Charlie. — Se fizerem alguma coisa divertida na casa dos Cullen hoje, Bella, devia tirar umas fotos. Sabe como sua mãe é... Ela vai querer ver as fotos mais rápido do que você pode tirá-las.

— Boa idéia, Charlie — disse Edward, passando-me a câmera.

Liguei a câmera apontada para Edward e bati a primeira foto.

— Funciona.

— Que bom. Ei, dê um alô a Alice por mim. Ela não tem aparecido. — A boca de Charlie se repuxou em um canto.

— Faz três dias, pai — lembrei a ele. Charlie era louco por Alice. Ele ficou ligado a ela na última primavera, quando ela o ajudara em minha convalescença; Charlie lhe seria eternamente grato por tê-lo poupado do horror de uma filha quase adulta que precisava de ajuda no banho. — Vou dizer a ela.

— Tudo bem. Divirtam-se. — Era claramente uma dispensa. Charlie já estava indo para a sala de estar e a tevê.

Edward sorriu, triunfante, e pegou minha mão para me puxar da cozinha.

Quando entramos na picape, ele abriu a porta do carona para mim de novo e, desta vez, não discuti. Ainda tinha dificuldades para encontrar o discreto desvio para a casa dele no escuro.

Edward dirigiu para o norte, atravessando Forks, visivelmente forçando o limite de velocidade de meu Chevy pré-histórico. O motor gemeu ainda mais alto do que de costume enquanto ele o forçava a chegar a 80km/h.

— Vá com calma — alertei.

— Sabe o que você ia adorar? Um pequeno e lindo cupê Audi. Muito silencioso, muita potência...

— Não há nada de errado com minha picape. E por falar em supérfluos caros, se sabe o que é bom para você, não gaste dinheiro nenhum com presentes de aniversário.

— Nem um centavo — disse ele castamente.

— Ótimo.

— Pode me fazer um favor?

— Depende do que for.

Ele suspirou. Seu lindo rosto agora estava sério.

— Bella, o último aniversário de verdade que tivemos foi o de Emmett, em 1935. Relaxe um pouco e não seja difícil demais esta noite. Todos estão muito animados.

Sempre me surpreendia um pouco quando ele colocava a situação desse jeito.

— Tudo bem, vou me comportar.

— Preciso avisá-la...

— Por favor.

— Quando eu digo que estão todos animados... Quero dizer *todos* eles.

— Todos? — sufoquei. — Pensei que Emmett e Rosalie estivessem na África. — O restante de Forks pensava que os mais velhos dos Cullen tinham ido para a universidade este ano, para Dartmouth, mas eu sabia da verdade.

— Emmett queria estar aqui.

— Mas... Rosalie?

— Eu sei, Bella. Não se preocupe, ela vai se comportar bem.

Não respondi. Como se eu pudesse *não* ficar preocupada tão facilmente. Ao contrário de Alice, a outra irmã "adotiva" de Edward, a loura dourada e maravilhosa Rosalie, não gostava muito de mim. Na verdade, o sentimento era um pouco mais forte do que só a antipatia. No que dizia respeito a Rosalie, eu era uma intrusa indesejada na vida secreta de sua família.

Senti um remorso terrível pela situação, imaginando que a prolongada ausência de Rosalie e de Emmett era minha culpa, mesmo que no fundo me agradasse não precisar vê-la. De Emmett, o irmão de Edward que era um urso brincalhão, eu *tinha* saudade. De muitas maneiras, ele era como o irmão mais velho que eu sempre quis... Só que muito, muito mais apavorante.

Edward decidiu mudar de assunto.

— E, então, já que não me deixa comprar o Audi para você, não há nada que gostaria de aniversário?

As palavras saíram num sussurro.

— Você sabe o que eu quero.

Uma ruga funda vincou sua testa de mármore. Ele, obviamente, preferia ter continuado no assunto de Rosalie.

Parecia que íamos discutir muito hoje.

— Hoje não, Bella, por favor.

— Bom, talvez Alice me dê o que eu quero.

Edward grunhiu — um som grave e ameaçador.

— Este não será seu último aniversário, Bella — jurou ele.

— Isso não é justo!

Pensei ter ouvido seus dentes trincarem.

Agora estávamos parando na casa dele. Uma luz forte saía de cada janela dos dois primeiros andares. Uma longa fila de lanternas japonesas reluzentes pendia do beiral da varanda, refletindo uma radiância suave nos enormes cedros que cercavam a casa. Vasos grandes de flores — rosas cor-de-rosa — ladeavam a escada larga até a porta da frente.

Eu gemi.

Edward respirou fundo algumas vezes para se acalmar.

— Isto é uma festa — lembrou-me ele. — Procure levar na esportiva.

— Claro — murmurei.

Ele veio até minha porta e me ofereceu a mão.

— Tenho uma pergunta.

Ele esperou, preocupado.

— Se eu revelar este filme — disse, brincando com a câmera nas mãos —, vocês vão aparecer nas fotos?

Edward começou a rir. Ajudou-me a sair do carro, empurrou-me pela escada e ainda estava rindo enquanto abria a porta para mim.

Todos esperavam na enorme sala de estar branca; quando passei pela porta, eles me receberam com um coro alto de "Parabéns pra você" enquanto eu corava e olhava para baixo. Alice, imaginei, tinha coberto cada superfície plana da casa com velas cor-de-rosa e dezenas de vasos de cristal repletos de centenas de rosas. Havia uma mesa com uma toalha branca ao lado do piano de cauda de Edward com um bolo de aniversário cor-de-rosa, mais rosas, uma pilha de pratos de vidro e outra, pequena, de presentes embrulhados em papel prateado.

Era cem vezes pior do que eu imaginara.

Edward, sentindo minha angústia, passou um braço encorajador em minha cintura e beijou o alto de minha cabeça.

Os pais de Edward, Carlisle e Esme — incrivelmente jovens e lindos, como sempre —, eram os que estavam mais perto da porta. Esme me abraçou com cuidado, o cabelo macio cor de caramelo roçando meu rosto enquanto ela me dava um beijo na testa, e depois Carlisle pôs o braço em meus ombros.

— Desculpe por isso, Bella — ele sussurrou. — Não conseguimos refrear Alice.

Rosalie e Emmett estavam atrás deles. Rosalie não sorriu, mas pelo menos não me encarou. O rosto de Emmett estava esticado em um sorriso enorme. Fazia meses desde que eu os vira; tinha me esquecido de como Rosalie era gloriosamente bonita — quase doía olhar para ela. E será que Emmett sempre fora tão... *grande*?

— Você não mudou nada — disse Emmett com uma falsa decepção. — Eu esperava uma diferença perceptível, mas aqui está você, com a cara vermelha de sempre.

— Muito obrigada, Emmett — eu disse, corando ainda mais.

Ele riu.

— Preciso sair por um segundo. — Ele parou para dar uma piscadela para Alice. — Não faça nada de divertido na minha ausência.

— Vou tentar.

Alice soltou a mão de Jasper e pulou para a frente, todos os dentes cintilando na luz intensa. Jasper sorriu também, mas manteve distância. Ele se encostou, longo e louro, no pilar ao pé da escada. Nos dias que tivemos de passar juntos em Phoenix, pensei que ele tivesse superado sua aversão por mim, mas ele voltara a agir do mesmo modo que antes — evitando-me ao máximo — no momento em que se livrou da obrigação temporária de me proteger. Eu sabia que não era pessoal, só uma precaução, e tentava não ser muito sensível a isso. Jasper tinha mais problemas para se prender à dieta dos Cullen do que o restante deles; era muito mais difícil para ele resistir ao cheiro de sangue humano do que para os outros — ele não havia tentado por tanto tempo.

— Hora de abrir os presentes — declarou Alice. Ela pôs a mão fria sob meu cotovelo e me conduziu à mesa com o bolo e os pacotes cintilantes.

Fiz a melhor cara de mártir que pude.

— Alice, pensei ter dito a você que não queria nada...

— Mas eu não dei ouvidos — interrompeu ela, presunçosa. — Abra.
— Ela tirou a câmera de minha mão e a substituiu por uma caixa prateada grande e quadrada.

A caixa era tão leve que parecia vazia. A etiqueta em cima dizia que era de Emmett, Rosalie e Jasper. Constrangida, rasguei o papel de presente e olhei a caixa que ele abrigava.

Era algum produto eletrônico, com um nome cheio de números. Abri a caixa, esperando por mais esclarecimentos. Mas a caixa *estava mesmo* vazia.

— Hmmm... Obrigada.

Rosalie realmente deu uma risadinha. Jasper riu.

— É um sistema de som para sua picape — explicou ele. — Emmett está instalando agora mesmo para que você não possa devolver.

Alice sempre estava um passo além de mim.

— Obrigada, Jasper, Rosalie — eu lhes disse, sorrindo enquanto me lembrava das reclamações de Edward de meu rádio naquela tarde; tudo armação, ao que parecia. — Obrigada, Emmett! — gritei mais alto.

Ouvi sua risada estrondosa vinda de meu carro e não consegui deixar de rir também.

— Abra agora o meu e de Edward — disse Alice, tão empolgada que sua voz era uma melodia aguda. Ela segurava uma caixa quadrada e pequena.

Eu me virei para Edward com um olhar venenoso.

— Você prometeu.

Antes que ele pudesse responder, Emmett irrompeu pela porta.

— Bem a tempo! — gritou ele. Ele se espremeu ao lado de Jasper, que também tinha chegado mais perto do que o habitual para ver melhor.

— Não gastei um centavo — garantiu-me Edward. Ele tirou uma mecha de cabelo de meu rosto, deixando minha pele formigando com seu toque.

Respirei fundo e me virei para Alice.

— Pode me dar — suspirei.

Emmett riu de prazer.

Peguei o pacotinho, revirando os olhos para Edward enquanto passava o dedo sob a beira do papel e o puxava da fita.

— Droga — murmurei quando o papel cortou meu dedo. Puxei-o para examinar os danos. Uma única gota de sangue saía do corte minúsculo.

Então tudo aconteceu com muita rapidez.

— Não! — rugiu Edward.

Ele se atirou sobre mim, jogando-me de costas contra a mesa. Ela desabou, como eu, espalhando o bolo e os presentes, as flores e os pratos. Aterrissei na bagunça de cristal espatifado.

Jasper se lançou sobre Edward e o som era como o estrondo de pedregulhos rolando em uma ladeira.

Houve outro barulho, um grunhido terrível que parecia vir do fundo do peito de Jasper. Ele tentou passar por Edward, batendo os dentes a centímetros do rosto dele.

Emmett pegou Jasper por trás no segundo exato, fechando-o em um aperto de aço, mas Jasper lutava, os olhos desvairados e vazios focalizados só em mim.

Além do choque, também houve dor. Eu tombei no chão junto ao piano, com os braços estendidos instintivamente para me proteger dos cacos de vidro na queda. Só então senti a lancinante dor em brasa que subia de meu punho até a dobra de meu cotovelo.

Tonta e desorientada, desviei a atenção do sangue vermelho e brilhante que jorrava de meu braço — e olhei nos olhos febris dos seis vampiros repentinamente vorazes.

2. SUTURA

Apenas Carlisle permaneceu calmo. Os séculos de experiência no pronto-socorro eram evidentes em sua voz tranqüila e cheia de autoridade.

— Emmett, Rose, levem Jasper para fora.

Sem sorrir sequer uma vez, Emmett assentiu.

— Vamos, Jasper.

Jasper lutou contra o abraço inflexível de Emmett, girando o corpo, lançando-se para o irmão com os dentes à mostra, os olhos ainda irracionais.

O rosto de Edward estava mais branco do que osso quando ele se virou e se abaixou junto a mim, assumindo uma clara posição defensiva. Um rosnado baixo de alerta resvalou por entre seus dentes trincados. Eu sabia que ele não estava respirando.

Rosalie, o rosto divino estranhamente complacente, meteu-se na frente de Jasper — guardando uma distância cautelosa dos dentes dele — e ajudou Emmett a carregá-lo pela porta de vidro que Esme mantinha aberta, uma das mãos cobrindo com firmeza a boca e o nariz.

O rosto em forma de coração de Esme revelava que ela estava envergonhada.

— Eu sinto muito, Bella — gritou ao seguir os outros para o pátio.

— Deixe que eu me aproxime, Edward — murmurou Carlisle.

Um segundo se passou, Edward assentiu lentamente e relaxou.

Carlisle se ajoelhou a meu lado, inclinando-se a fim de examinar meu braço. Eu podia sentir o choque congelado em meu rosto e tentei recompô-lo.

— Tome, Carlisle — disse Alice, passando-lhe uma toalha.

Ele sacudiu a cabeça.

— Há vidro demais no ferimento. — Ele estendeu a mão e rasgou uma tira longa e fina da bainha da toalha de mesa branca. Enrolou-a em meu braço pouco acima do cotovelo, fazendo um torniquete. O cheiro de sangue me deixava tonta. Meus ouvidos tiniam.

— Bella — disse Carlisle de modo delicado. — Quer que eu a leve ao hospital ou prefere que cuide de você aqui?

— Aqui, por favor — sussurrei. Se ele me levasse ao hospital, não haveria jeito de esconder aquilo de Charlie.

— Vou pegar sua maleta — disse Alice.

— Vamos levá-la para a mesa da cozinha — disse Carlisle a Edward.

Edward me levantou sem qualquer esforço, enquanto Carlisle mantinha a pressão firme em meu braço.

— Como está se sentindo, Bella? — perguntou Carlisle.

— Estou bem. — Minha voz era quase estável, o que me agradou.

O rosto de Edward parecia de pedra.

Alice estava lá. A maleta preta de Carlisle já estava na mesa, uma mesa pequena, mas reluzente, embutida na parede. Edward me sentou gentilmente em uma cadeira e Carlisle assumiu outra. Logo passou ao trabalho.

Edward ficou de pé a meu lado, ainda protetor, ainda sem respirar.

— Pode ir, Edward — suspirei.

— Eu posso lidar com isso — insistiu ele. Mas seu queixo estava rígido; os olhos ardiam pela intensidade da sede que ele combatia, tão mais forte para ele do que para os outros.

— Não precisa ser um herói — eu disse. — Carlisle pode cuidar de mim sem sua ajuda. Vá tomar um ar fresco.

Estremeci quando Carlisle fez alguma coisa que doeu em meu braço.

— Vou ficar — disse ele.

— Por que é tão masoquista? — murmurei.

Carlisle decidiu interceder.

— Edward, você poderia aproveitar e encontrar Jasper antes que ele vá longe demais. Tenho certeza de que ele está aborrecido consigo mesmo e duvido que agora vá ouvir alguém que não seja você.

— É — concordei ansiosa. — Vá falar com Jasper.

— Você podia fazer algo de útil — acrescentou Alice.

Os olhos de Edward se estreitaram ao ver que nos uníamos contra ele, mas, por fim, concordou e saiu suavemente pela porta dos fundos da cozinha. Eu tinha certeza de que ele não respirara sequer uma vez desde que cortei o dedo.

Uma dormência se espalhava por meu braço. Embora anulasse a pontada de dor, lembrava-me do corte, e fiquei olhando o rosto de Carlisle com atenção para me distrair do que suas mãos faziam. Seu cabelo tinha um brilho dourado na luz forte enquanto ele se curvava sobre o meu braço. Eu podia sentir o desconforto se agitando fraquinho na boca do estômago, mas estava decidida a não deixar que meus melindres habituais me dominassem. Agora não sentia dor, só um repuxar suave, que tentei ignorar. Não havia motivo para ficar nauseada como um bebê.

Se ela não estivesse em minha linha de visão, eu não teria percebido Alice desistindo e saindo do cômodo. Com um sorriso mínimo de desculpas nos lábios, ela desapareceu pela porta da cozinha.

— Bom, todos foram embora — suspirei. — Pelo menos consigo esvaziar um ambiente.

— Não é culpa sua — Carlisle me confortou com uma risadinha. — Podia acontecer com qualquer um.

— *Podia* — repeti. — Mas em geral só acontece comigo.

Ele riu de novo.

Sua calma relaxada era ainda mais incrível em contraste direto com a reação de todos os outros. Não consegui ver nenhum vestígio de angústia em seu rosto. Ele trabalhava com movimentos rápidos e seguros. O único som além de nossa respiração baixa era o *plinc, plinc* delicado dos pequenos cacos de vidro largados um a um na mesa.

— Como consegue fazer isso? — perguntei. — Nem Alice e Esme... — Minha voz falhou e eu sacudi a cabeça, pasma. Embora os outros tivessem desistido da dieta tradicional de vampiros com o mesmo rigor de Carlisle, ele era o único que conseguia suportar o cheiro de meu sangue sem sofrer uma tentação intensa. Evidentemente, isso era muito mais difícil do que ele demonstrava.

— Anos e anos de prática — disse-me ele. — Agora mal percebo o cheiro.

— Acha que seria mais difícil se tirasse umas férias longas do hospital? E não houvesse mais sangue por perto?

— Talvez. — Ele deu de ombros, mas as mãos continuavam firmes. — Nunca senti necessidade de férias prolongadas. — Ele abriu um sorriso luminoso para mim. — Gosto muito do meu trabalho.

Plinc, plinc, plinc. Surpreendi-me com a quantidade de vidro que parecia estar em meu braço. Fiquei tentada a olhar a pilha crescente, só para ver o tamanho, mas sabia que a idéia não seria útil para minha estratégia de não vomitar.

— Do que é que você gosta nele? — perguntei. Não fazia sentido para mim; os anos de luta e autonegação que ele deve ter vivido para chegar ao ponto de suportar isso com tanta facilidade. Além de tudo, eu queria que ele continuasse falando; a conversa afastava minha mente da náusea em meu estômago.

Seus olhos escuros eram calmos e pensativos quando ele respondeu.

— Hmmm. O que mais aprecio é quando minhas... capacidades aprimoradas me permitem salvar alguém que, de outra maneira, seria perdido. É agradável saber que, graças ao que posso fazer, a vida de algumas pessoas é melhor porque eu existo. Às vezes até o cheiro é uma ferramenta diagnóstica útil. — Um lado de sua boca se ergueu em um meio sorriso.

Refleti sobre isso enquanto ele examinava meu braço, certificando-se de que todos os cacos de vidro haviam sido retirados. Depois ele mexeu em sua maleta em busca de novos instrumentos e eu tentei não imaginar a agulha e a sutura.

— Você se esforça muito para compensar uma situação que não foi culpa sua — comentei, enquanto um novo tipo de puxão começava na beirada de minha pele. — O que quero dizer é que você não quis isso. Não escolheu esse tipo de vida, e ainda assim tem que se esforçar *tanto* para ser bom.

— Não sei se estou compensando alguma coisa — ele discordou alegremente. — Como tudo na vida, só tive de decidir o que fazer com o que me foi dado.

— Isso faz tudo parecer fácil demais.

Ele examinou meu braço de novo.

— Pronto — disse, cortando o fio de sutura. — Está terminado. — Ele esfregou uma bola de algodão enorme, pingando um líquido cor de xarope por todo o local do procedimento. O cheiro era estranho; fez minha cabeça girar. O xarope manchou minha pele.

— Mas, no começo — falei, pressionando enquanto ele colocava no lugar outra longa tira de gaze, prendendo-a em minha pele —, por que chegou a pensar num caminho diferente do óbvio?

Seus lábios se ergueram num sorriso reservado.

— Edward lhe contou essa história?

— Sim. Mas estou tentando entender o que você estava pensando...

Seu rosto de repente voltou a ficar sério, e me perguntei se os pensamentos de Carlisle tinham chegado ao mesmo ponto que os meus. Imaginando o que eu pensaria quando — eu me recusava a pensar em *se* — fosse eu.

— Meu pai era um clérigo — disse ele ao limpar a mesa com cuidado, esfregando tudo com gaze molhada e repetindo todo o processo. Meu nariz ardeu com o cheiro de álcool. — Ele tinha uma visão muito rigorosa do mundo, que eu já começava a questionar antes da época de minha mudança.

Carlisle colocou toda a atadura suja e os cacos de vidro numa tigela vazia de cristal. Não entendi o que ele estava fazendo, mesmo quando ele acendeu um fósforo. Depois ele o atirou nas fibras encharcadas de álcool e o clarão repentino me fez pular.

— Desculpe — disse ele. — Foi necessário fazer isso... Assim, eu não concordava com a crença particular de meu pai. Mas nunca, nem em quatrocentos anos, desde que nasci, vi algo que me fizesse duvidar de que Deus existe, de uma forma ou de outra. Nem mesmo o reflexo no espelho.

Fingi examinar o curativo em meu braço para esconder minha surpresa com o rumo que tomava nossa conversa. Religião era o último tema que eu esperava, considerando tudo aquilo. Minha própria vida era destituída de crenças. Charlie se considerava luterano, porque os pais dele eram, mas aos domingos ele idolatrava o rio com uma vara de pesca na mão. Renée de vez em quando ia à igreja, mas, assim como suas breves passagens por aulas de tênis, cerâmica, ioga e francês, ela abandonava a prática no momento em que eu tomava conhecimento da novidade.

— Sei que isso parece meio estranho, partindo de um vampiro. — Ele sorriu, sabendo como seu uso despreocupado daquela palavra jamais deixaria de me chocar. — Mas estou esperando que ainda haja algum sentido nesta vida, até para nós. Admito que as chances são muito poucas — continuou ele, num tom ameno. — Todos dizem que somos amaldiçoados, apesar de tudo. Mas eu espero, talvez como um tolo, que levemos algum crédito por tentar.

— Não acho que seja tolice — murmurei. Não conseguia imaginar ninguém, incluindo um deus, que não ficasse impressionado com Carlisle. Além disso, o único tipo de paraíso que *eu* podia valorizar teria de incluir Edward. — E não acho que alguém acharia.

— Na verdade, você é a primeira a concordar comigo.

— Os outros não pensam o mesmo? — perguntei, surpresa, pensando em uma única pessoa.

Outra vez Carlisle adivinhou o rumo de meus pensamentos.

— Até certo ponto, Edward concorda comigo. Deus e o paraíso existem... e o inferno também. Mas ele não acredita que haja outra vida para nossa espécie. — A voz de Carlisle era muito suave; ele olhava a escuridão pela janela grande acima da pia. — Imagine, ele acha que perdemos nossa alma.

Imediatamente pensei nas palavras de Edward naquela tarde: *A não ser que se queira morrer... Ou o que quer que aconteça conosco.* Uma lâmpada se acendeu em minha cabeça.

— É este o verdadeiro problema, não é? — presumi. — É por isso que ele está dificultando tanto as coisas comigo.

Carlisle falou devagar.

— Eu olho para meu... *filho*. Sua força, sua bondade, a luz que emana dele... E isso só alimenta essa esperança, essa fé, mais do que nunca. Como pode não haver mais nada para alguém como Edward?

Eu assenti, numa aquiescência fervorosa.

— Mas se eu compartilhasse das crenças dele... — Carlisle baixou os olhos insondáveis para mim. — Se você acreditasse nelas. Você colocaria a alma *dele* a perder?

O modo como ele elaborou a pergunta me impediu de responder. Se ele me perguntasse se eu arriscaria minha alma por Edward, a resposta seria óbvia. Mas eu arriscaria a alma de Edward? Franzi os lábios, infeliz. Não era uma troca justa.

— Você entende o problema.

Sacudi a cabeça, ciente da conformação obstinada de meu queixo.

Carlisle suspirou.

— A decisão é minha — insisti.

— É dele também. — Ele ergueu a mão quando viu que eu estava prestes a discordar. — De qualquer modo, ele é responsável por fazer isso a você.

— Ele não é o único capaz de fazer isso. — Olhei especulativamente para Carlisle.

Ele riu, tornando de repente a atmosfera mais leve.

— Ah, não! Vai ter que resolver isso com *ele*. — Mas depois Carlisle suspirou. — Esta é a única parte de que não posso ter certeza. Eu *penso*, de muitas maneiras, que fiz o melhor que pude com aquilo com que tive de lidar. Mas será certo condenar os outros a esta vida? Não consigo chegar a nenhuma conclusão.

Não respondi. Imaginei como seria minha vida se Carlisle resistisse à tentação de mudar sua existência solitária... e estremeci.

— Foi a mãe de Edward quem me fez decidir. — A voz de Carlisle era quase um sussurro. Ele fitava sem ver as janelas escuras.

— A mãe dele? — Sempre que eu perguntava a Edward sobre os pais, ele dizia apenas que haviam morrido muito tempo antes e que suas recordações eram vagas. Percebi que a lembrança que Carlisle tinha deles, apesar da brevidade de seu contato, era perfeitamente clara.

— Sim. O nome dela era Elizabeth. Elizabeth Masen. O pai dele, Edward Senior, não recuperou a consciência no hospital. Morreu no primeiro surto de gripe espanhola. Mas Elizabeth ficou alerta quase até o fim. Edward é muito parecido com ela... Elizabeth tinha cabelos do mesmo tom estranho de bronze e os olhos eram daquele mesmo tom de verde.

— Os olhos dele eram verdes? — murmurei, tentando imaginar.

— Sim... — Os olhos ocre de Carlisle estavam a cem anos de distância.
— Elizabeth tinha uma preocupação obsessiva com o filho. Ela anulou as próprias chances de sobrevivência tentando cuidar dele no hospital. Pensei que ele fosse primeiro, seu estado era muito pior do que o dela. Quando chegou o fim de Elizabeth, foi muito rápido. Era pouco depois do poente e eu havia chegado para render os médicos que tinham trabalhado o dia todo. Era tão difícil fingir... Havia muito trabalho a ser feito e eu não precisava descansar. Como eu odiava voltar para casa, esconder-me no escuro e fingir dormir enquanto tantos estavam morrendo!

Ele continuou:

— Fui ver Elizabeth e o filho primeiro. Eu me apegara a eles; uma postura que é sempre perigosa, considerando a natureza frágil dos humanos. Logo vi que ela havia piorado. A febre aumentava de modo descontrolado e seu corpo estava fraco demais para continuar lutando. Mas ela não parecia debilitada quando olhou para mim de seu leito. "Salve-o!", exigiu na voz rouca que era o máximo que sua garganta conseguia emitir. Farei tudo o que estiver em meu poder, prometi, pegando-lhe a mão. A febre estava tão alta que ela não devia sentir como minha mão era estranhamente fria. Tudo parecia frio para sua pele. "Deve fazer isso", insistiu ela, segurando minha mão com tal força que me perguntei se ela, afinal, havia superado a crise. Seus olhos eram duros, feito pedra, como esmeraldas. "Deve fazer tudo o que estiver em *seu* poder. O que os outros não podem fazer, é o que deve fazer por meu Edward." Isso me assustou. Ela me fitou com aqueles olhos penetrantes, e por um momento tive certeza de que sabia de meu segredo. Em seguida a febre a dominou e ela não recuperou a consciência. Morreu uma hora depois de fazer seu pedido. Eu passara décadas considerando a idéia de criar uma companhia para mim. Simplesmente outra criatura que pudesse me conhecer de verdade, em vez de apenas o que eu fingia ser. Mas não podia justificar isso para mim mesmo — fazer o que fizeram comigo. Lá estava Edward, morrendo. Era evidente que só lhe restavam algumas horas. Ao lado dele, a mãe, cuja face até então não estava tranqüila, ainda não estava morta.

Carlisle viu tudo de novo, a lembrança nítida ao longo do século que se passou. Eu também podia ver com clareza enquanto ele falava — a desesperança do hospital, a atmosfera de morte que a tudo sobrepujava. Edward ardendo de febre, sua vida se esvaindo a cada movimento dos ponteiros do relógio... Estremeci mais uma vez e, à força, tirei a imagem da cabeça.

— As palavras de Elizabeth ecoaram em minha mente. Como ela saberia o que eu podia fazer? Será que alguém de fato iria querer isso para um filho? Olhei para Edward. Mesmo tão doente, ele ainda era lindo. Havia algo de puro e bom em seu rosto. O tipo de rosto que eu desejaria que um filho meu tivesse. Depois de todos aqueles anos de indecisão, eu simplesmente agi por capricho. Primeiro levei a mãe dele ao necrotério, depois voltei para levá-lo. Ninguém percebeu que ele ainda respirava. Não havia mãos nem olhos suficientes para atender nem à metade das necessidades dos pacientes. O necrotério estava vazio — pelo menos, de gente viva. Eu o levei pela porta dos fundos e o carreguei pelos telhados até minha casa. Não tinha certeza do que devia ser feito. Preparei-me para recriar as feridas que eu mesmo recebi, tantos séculos antes, em Londres. Mais tarde me senti mal por isso. Foi mais doloroso e mais demorado do que o necessário. Mas eu não lamentava. Nunca lamentei por ter salvado Edward.

Ele sacudiu a cabeça, voltando ao presente. Sorriu para mim:

— Agora acho que devo levá-la para casa.

— Eu faço isso — disse Edward. Ele passou pela sala de jantar escura, andando devagar até Carlisle. Seu rosto era suave e indecifrável, mas havia algo de errado nos olhos — algo que ele se esforçava muito para esconder.

Senti um espasmo de ansiedade no estômago.

— Carlisle pode me levar — eu disse. Olhei minha blusa; o algodão azul-claro estava ensopado de meu sangue. Meu ombro direito estava coberto de uma espessa crosta rosada.

— Eu estou bem. — A voz de Edward não tinha emoção. — Vai precisar se trocar. Charlie teria um infarto se a visse desse jeito. Vou pedir a Alice para lhe arrumar alguma roupa. — Ele saiu de novo pela porta da cozinha.

Olhei ansiosa para Carlisle.

— Ele está muito aborrecido.

— Sim — concordou Carlisle. — Esta noite aconteceu exatamente o tipo de situação que ele mais teme. Você em perigo devido ao que somos.

— Não é culpa dele.

— Nem sua.

Olhei em seus lindos olhos sábios. Não podia concordar com aquilo.

Carlisle me ofereceu a mão e me ajudou a sair da mesa. Eu o segui para a sala principal. Esme voltara; estava limpando o chão onde eu havia caído — com água sanitária, a julgar pelo cheiro que senti.

— Esme, deixe que eu faça isso. — Eu podia sentir meu rosto vermelho de novo.

— Já terminei. — Ela sorriu para mim. — Como se sente?

— Bem — garanti. — Carlisle costura mais rápido do que qualquer outro médico que conheci.

Os dois riram.

Alice e Edward entraram pela porta dos fundos. Alice correu para meu lado, mas Edward ficou para trás, o rosto indecifrável.

— Vamos — disse ela. — Vou lhe dar alguma peça menos macabra para vestir.

Ela encontrou para mim uma blusa de Esme que era de uma cor próxima à que eu usava. Charlie nem perceberia, disso eu tinha certeza. A longa atadura branca em meu braço não parecia mais tão grave, agora que eu não estava mais suja de sangue. Charlie nunca se surpreendeu por me ver de curativo.

— Alice — sussurrei quando ela voltava à porta.

— Sim? — Ela também manteve a voz baixa e olhou para mim com curiosidade, a cabeça tombada de lado.

— A coisa está muito ruim? — Eu não podia ter certeza se meus sussurros eram um esforço inútil. Embora estivéssemos no segundo andar, a portas fechadas, talvez ele pudesse me ouvir.

O rosto de Alice ficou tenso.

— Ainda não tenho certeza.

— Como está Jasper?

Ela suspirou.

— Está muito infeliz. Isso tudo é um desafio muito maior para Jasper, e ele odeia se sentir fraco.

— Não é culpa dele. Você vai dizer a ele que não estou chateada, de maneira alguma, não vai?

— Claro que vou.

Edward estava esperando por mim na porta da frente. Quando cheguei ao pé da escada, ele abriu a porta sem dizer uma palavra.

— Leve suas coisas! — gritou Alice, enquanto eu andava com cautela até Edward. Ela pegou os dois pacotes, um aberto pela metade, e minha câmera no piano, e os colocou em meu braço bom. — Pode me agradecer depois, quando tiver aberto.

Esme e Carlisle deram um boa-noite em voz baixa. Vi que eles trocavam olhares rápidos com o filho, tão impassível quanto eu.

Foi um alívio sair dali; passei correndo pelas lanternas e pelas rosas, agora lembretes inadequados. Edward me acompanhou em silêncio. Abriu a porta do carona para mim e eu entrei sem me queixar.

No painel havia uma grande fita vermelha, presa ao novo sistema de som. Eu a arranquei, atirando-a no chão. Assim que Edward entrou pelo outro lado, chutei a fita para baixo de meu banco.

Ele não olhou para mim, nem para o som. Nenhum de nós o ligou, e o silêncio de algum modo foi intensificado pelo ronco súbito do motor. Ele dirigiu rápido demais pela rua escura e sinuosa.

O silêncio estava me deixando louca.

— Diga alguma coisa — pedi, por fim, enquanto ele entrava na estrada.

— O que quer que eu diga? — perguntou, numa voz indiferente.

Eu me encolhi com seu distanciamento.

— Diga que me perdoa.

Isso trouxe uma chama de vida a seu rosto — uma chama de raiva.

— Perdoar *você*? Pelo quê?

— Se eu tivesse sido mais cuidadosa, nada teria acontecido.

— Bella, você se cortou com papel... Isso não é motivo para pena de morte.

— Ainda é minha culpa.

Minhas palavras abriram a comporta.

— Sua culpa? Se você tivesse se cortado na casa de Mike Newton, com Jessica, Angela e seus outros amigos normais, qual seria a pior coisa que poderia acontecer? Talvez eles não achassem um curativo? Se você tivesse tropeçado e caído sozinha em uma pilha de pratos de vidro... sem que ninguém a atirasse nela... mesmo assim, qual seria a pior conseqüência? Você teria sangrado no banco do carro enquanto eles a levavam para o pronto-socorro? Mike Newton poderia ter segurado sua mão enquanto eles a suturavam... E ele não teria reprimido o impulso de matá-la enquanto estivesse por lá. Não tente assumir responsabilidade por nada disso, Bella. Só me deixará mais revoltado comigo mesmo.

— Como é que Mike Newton veio parar nesta conversa? — perguntei.

— Mike Newton parou nesta conversa porque Mike Newton seria uma companhia muito mais saudável para você — rosnou ele.

— Eu prefiro morrer a ficar com Mike Newton — protestei. — Prefiro morrer a ficar com alguém que não seja você.

— Por favor, não seja melodramática.

— Então não seja ridículo.

Ele não respondeu. Olhou pelo pára-brisa, a expressão sombria.

Revirei meu cérebro, procurando alguma idéia para salvar a noite. Quando encostamos na frente de minha casa, eu ainda não tinha pensado em nada.

Ele desligou o motor, mas as mãos continuavam grudadas ao volante.

— Vai passar a noite aqui? — perguntei.

— Tenho que ir para casa.

A última coisa que eu queria era que ele se afundasse em remorso.

— Por meu aniversário — pressionei.

— Não pode ter as duas coisas... Ou quer que as pessoas ignorem seu aniversário, ou não. Ou uma, ou outra.

Sua voz era severa, mas não tão séria quanto antes. Soltei um suspiro silencioso de alívio.

— Tudo bem. Decidi que não quero que você ignore meu aniversário. Vejo você lá em cima.

Eu saí do carro, pegando meus pacotes. Ele franziu o cenho.

— Não precisa levar isso.

— Eu quero — respondi automaticamente e depois me perguntei se ele estava usando de psicologia reversa.

— Não quer, não. Carlisle e Esme gastaram dinheiro com você.

— Vou sobreviver a isso. — Desajeitada, enfiei os presentes sob o braço bom e bati a porta. Em menos de um segundo ele tinha saído do carro e estava a meu lado.

— Pelo menos me deixe levar — disse ele ao pegá-los. — Estarei em seu quarto.

Eu sorri.

— Obrigada.

— Feliz aniversário — ele suspirou e se inclinou para tocar meus lábios com os dele.

Fiquei na ponta dos pés para que o beijo durasse mais quando ele se afastou. Ele abriu meu sorriso torto preferido e desapareceu na escuridão.

O jogo ainda não havia acabado; assim que passei pela porta da frente, pude ouvir o narrador divagando mais alto que o murmúrio da multidão.

— Bell? — chamou Charlie.

— Oi, pai — eu disse ao aparecer no canto. Mantive o braço junto do corpo. A leve pressão provocou ardência e franzi o nariz. Ao que parecia, estava passando o efeito do anestésico.

— Como foi? — Charlie estava estendido no sofá, com os pés descalços no braço do móvel. O que restava de seu cabelo castanho crespo estava achatado na lateral.

— Alice exagerou. Flores, bolo, velas, presentes... O pacote completo.

— O que eles deram a você?

— Um som para meu carro. — E várias incógnitas.

— Puxa vida.

— É — concordei. — Bom, vou dormir.

— Vejo você de manhã.

Eu acenei.

— Tchau.

— O que aconteceu com seu braço?

Eu me virei e xinguei em silêncio.

— Tropecei. Não foi nada.

— Bella — suspirou ele, sacudindo a cabeça.

— Boa noite, pai.

Corri para o banheiro, onde eu mantinha o pijama para noites como essa. Vesti o conjunto de blusa e calça de algodão que agora substituía os moletons furados que antes eu usava para dormir, estremecendo quando o movimento puxou os pontos da sutura. Lavei o rosto com uma só mão, escovei os dentes e pulei para meu quarto.

Ele estava sentado no meio da cama, brincando ociosamente com uma das caixas prateadas.

— Oi — disse. Sua voz era triste. Ele estava chateado.

Fui para a cama, tirei os presentes das mãos dele e subi em seu colo.

— Oi. — Eu me aninhei no peito de pedra. — Posso abrir meus presentes agora?

— De onde veio esse entusiasmo todo? — perguntou ele.

— Você me deixou curiosa.

Peguei o retângulo comprido e achatado que devia ser de Carlisle e Esme.

— Permita-me — sugeriu ele. Ele pegou o presente de minha mão e rasgou o papel prateado com um único movimento. Entregou-me a caixa branca retangular.

— Tem certeza de que consigo levantar a tampa? — murmurei, mas ele me ignorou.

Dentro da caixa havia uma longa folha de papel grosso com uma quantidade imensa de letras impressas. Levei um minuto para entender a essência daquelas informações.

— Nós vamos a Jacksonville? — E eu fiquei animada, contra minha vontade. Eram passagens de avião, para mim e para Edward.

— A idéia é essa.

— Nem acredito. Renée vai ficar louca! Mas você não se importa, não é? É ensolarado, você terá que ficar entre quatro paredes o dia inteiro.

— Acho que posso lidar com isso — disse ele, depois franziu o cenho. — Se eu fizesse alguma idéia de que você ia reagir de modo assim tão adequado a um presente, eu a teria feito abrir na frente de Carlisle e Esme. Pensei que você fosse reclamar.

— Bom, é claro que é demais. Mas vou levar você comigo!

Ele riu.

— Agora eu queria ter gastado dinheiro com seu presente. Não percebi que você era capaz de ser razoável.

Coloquei as passagens de lado e peguei o presente dele, minha curiosidade inflamada de novo. Ele o tirou da minha mão e o desembrulhou, como fizera com o primeiro.

Edward me passou uma caixa de CD sem capa, com um CD prateado dentro dela.

— O que é? — perguntei, perplexa.

Ele não disse nada; tirou o CD e estendeu o braço em volta de mim para pegar o CD player na mesinha-de-cabeceira. Apertou *play* e esperou em silêncio. Depois a música começou.

Eu ouvi, muda e de olhos arregalados. Sabia que ele esperava por minha reação, mas eu não conseguia falar. As lágrimas encheram meus olhos e as enxuguei antes que elas pudessem cair.

— Seu braço está doendo? — perguntou ele, angustiado.

— Não, não é meu braço. É lindo, Edward. Não poderia ter me dado nada que eu amasse mais. Eu nem acredito. — Fiquei quieta para poder ouvir.

Era a música dele, as composições dele. A primeira peça no CD era minha cantiga de ninar.

— Não achei que me deixaria comprar um piano para eu tocar para você aqui — explicou ele.

— E tem razão.

— Como está seu braço?

— Está bem. — Na verdade, começava a arder por baixo do curativo. Eu queria gelo. Teria sossegado com a mão dele, mas isso me entregaria.

— Vou pegar um Tylenol para você.

— Não preciso de nada — protestei. Mas ele me tirou do colo e foi para a porta.

— Charlie — sibilei. Charlie não estava exatamente ciente de que Edward costumava ficar aqui. Na verdade, ele infartaria se o fato chegasse a seu conhecimento. Mas eu não me sentia muito culpada por enganá-lo. Não era como se estivéssemos prestes a fazer alguma coisa que ele não queria que eu fizesse. Edward e suas regras...

— Ele não vai me pegar — prometeu Edward ao desaparecer sem fazer barulho pela porta... e voltar, chegando à porta antes que ela tocasse o batente. Ele trazia o copo do banheiro e o frasco de comprimidos em uma das mãos.

Peguei sem questionar os comprimidos que ele me entregou — eu sabia que perderia a discussão. E meu braço estava mesmo começando a incomodar.

Minha cantiga de ninar continuava, suave e linda, ao fundo.

— Está tarde — observou Edward.

Ele me levantou da cama com um braço e puxou o cobertor com o outro. Deitou-me com a cabeça no travesseiro e prendeu o cobertor em volta de mim. Deitou-se a meu lado — por cima do cobertor, para que eu não ficasse com frio — e passou o braço por meu corpo. Encostei a cabeça em seu ombro e suspirei, feliz.

— Obrigada de novo — sussurrei.

— Não há de quê.

Fez-se silêncio por um momento, enquanto eu ouvia minha cantiga de ninar se aproximar do fim. Começou outra música. Reconheci a preferida de Esme.

— No que está pensando? — perguntei, num sussurro.

Ele hesitou por um segundo antes de me dizer.

— Estava pensando no certo e no errado.

Senti um arrepio gelado percorrer minha espinha.

— Lembra que eu decidi que você *não* deveria ignorar meu aniversário? — perguntei logo, esperando que não ficasse claro demais que eu queria distraí-lo.

— Sim — concordou ele, cauteloso.

— Bom, eu estava pensando, uma vez que ainda é meu aniversário, que eu gostaria que me beijasse de novo.

— Está gananciosa esta noite.

— Sim, estou... Mas, por favor, não faça nada que não queira — acrescentei, irritada.

Ele riu, depois suspirou.

— Deus me livre de fazer algo que eu não queira — disse ele num tom estranhamente desesperado ao colocar a mão sob meu queixo e puxar meu rosto para o dele.

O beijo começou normal — Edward foi cuidadoso, como sempre, e meu coração começou uma reação exagerada, como sempre. E depois algo pareceu mudar. De repente seus lábios ficaram muito mais urgentes, sua mão livre girava por meu cabelo e segurava meu rosto com firmeza no dele. E, embora minhas mãos também mexessem em seu cabelo, embora eu claramente estivesse começando a atravessar os limites da cautela, desta vez ele não me impediu. Seu corpo era frio no cobertor fino, mas eu me espremi contra ele com ansiedade.

Quando parou, foi repentino; ele me afastou com as mãos firmes e gentis.

Eu desabei no travesseiro, arfando, minha cabeça girava. Algo surgia em minha lembrança, esquivo, nas margens.

— Desculpe — disse Edward, e ele também estava sem fôlego. — Isso não estava nos planos.

— *Eu* não me importo — disse, ofegando.

Ele franziu a testa para mim no escuro.

— Procure dormir, Bella.

— Não, quero que me beije de novo.

— Está superestimando meu autocontrole.

— O que é mais tentador para você: meu sangue ou meu corpo? — eu o desafiei.

— Dá empate. — Ele abriu um breve sorriso, contra a vontade, depois ficou sério de novo. — Agora, por que não pára de abusar da sorte e vai dormir?

— Tudo bem — concordei, aninhando-me mais perto dele.

Já me sentia exausta. Fora um longo dia em muitos aspectos, e no entanto não senti alívio algum com seu fim. Era quase como se algo pior fosse acontecer no dia seguinte. Era uma premonição boba — o que podia ser pior do que aquele dia? Era o choque que só agora me ocorria, sem dúvida.

Tentando me esquivar dessa sensação, apertei o braço machucado contra o ombro dele, para que sua pele fria atenuasse a ardência. Melhorou imediatamente.

Eu estava meio adormecida, talvez mais, quando percebi o que o beijo dele me lembrou: na primavera passada, quando precisou me deixar para desviar James de mim, Edward me deu um beijo de despedida, sem saber quando — ou se — nos veríamos outra vez. Este beijo teve o mesmo toque quase doloroso por um motivo que eu não conseguia perceber. Estremeci em minha inconsciência, como se já estivesse tendo um pesadelo.

3. O FIM

PELA MANHÃ, EU ME SENTIA ABSOLUTAMENTE HORRÍVEL. NÃO TI-
nha dormido bem; meu braço queimava e a cabeça doía. Não ajudou em
nada o fato de que o rosto de Edward estivesse calmo e distante quando ele
beijou minha testa às pressas e saiu pela janela do quarto. Eu tinha medo
do tempo que passara inconsciente, medo de que mais uma vez ele tivesse
pensado no certo e no errado enquanto me via dormir. A angústia parecia
intensificar o latejar em minha cabeça.

Edward esperava por mim na escola, como sempre, mas sua fisionomia
ainda não estava boa. Havia algo no fundo de seus olhos que eu não conseguia entender — e isso me assustava. Eu não quis falar a respeito na noite
anterior, mas não tinha certeza se seria pior evitar o assunto.

Ele abriu a porta para mim.

— Como você está?

— Perfeita — menti, encolhendo-me quando a batida da porta ecoou em
minha cabeça.

Andamos em silêncio, ele diminuindo o ritmo para me acompanhar. Havia
tantas perguntas que eu queria fazer, mas a maioria delas teria de esperar, porque
eram para Alice: Como estava Jasper esta manhã? O que eles disseram quando fui
embora? O que Rosalie disse? E, mais importante, o que ela achava que ia acontecer agora, pelas visões estranhas e imperfeitas que tinha do futuro? Ela poderia
adivinhar o que Edward estava pensando, por que ele estava tão sombrio? Haveria
fundamento para os medos sutis e instintivos que eu não conseguia afugentar?

A manhã passou devagar. Fiquei impaciente para ver Alice, embora não
pudesse de fato conversar com ela na presença de Edward. Ele continuou indiferente. De vez em quando, perguntava sobre meu braço, e eu mentia.

Alice, em geral, chegava antes de nós no almoço; ela não precisava acompanhar uma lerda como eu. Mas ela não estava à mesa, esperando com uma bandeja de comida que não ia consumir.

Edward não disse nada sobre a ausência dela. Imaginei se sua aula teria se estendido até mais tarde — até que vi Conner e Ben, que freqüentavam a aula de francês com ela no quarto tempo.

— Onde está Alice? — perguntei a Edward ansiosa.

Ao responder, ele olhava a barra de granola que quebrava devagar com as pontas dos dedos.

— Está com Jasper.

— Ele está bem?

— Ele se afastou por um tempo.

— O quê? Para onde?

Edward deu de ombros.

— Nenhum lugar específico.

— E Alice também — eu disse, num desespero mudo. É claro que, se Jasper precisava dela, ela também iria.

— Sim. Ela vai ficar fora por um tempo. Estava tentando convencê-lo a ir a Denali.

Era em Denali que morava o outro clã de vampiros singulares — bons, como os Cullen. Tanya e a família dela. De vez em quando eu ouvia falar deles. Edward tinha fugido para lá no inverno passado, quando minha chegada tornou Forks difícil para ele. Laurent, o membro mais civilizado do pequeno bando de James, tinha ido para lá em vez de ficar ao lado de James contra os Cullen. Fazia sentido para Alice incentivar Jasper a ir.

Engoli em seco, tentando desalojar o bolo repentino na garganta. A culpa fez minha cabeça explodir e meus ombros caírem. Eu os expulsara da própria casa, assim como Rosalie e Emmett. Eu era uma praga.

— Seu braço está incomodando? — perguntou ele, cheio de atenção.

— Quem liga para meu braço idiota? — murmurei, revoltada.

Ele não respondeu e eu baixei a cabeça na mesa.

No final do dia, o silêncio estava se tornando ridículo. Não queria que fosse quebrado por mim, mas, ao que parecia, essa seria a única opção se quisesse que Edward voltasse a falar comigo.

— Vai aparecer esta noite? — perguntei enquanto ele me acompanhava em silêncio até a picape. Ele sempre me acompanhava.

— Mais tarde?

Fiquei satisfeita por ele parecer surpreso.

— Tenho que trabalhar. Preciso compensar com a Sra. Newton por ter faltado ontem.

— Ah! — murmurou ele.

— Então, você vai quando eu estiver em casa, não vai? — Eu odiava me sentir, de repente, insegura com relação a isso.

— Se quiser.

— Eu sempre quero — lembrei a ele, talvez com uma intensidade um pouco maior do que a conversa exigia.

Eu esperava que ele risse, ou desse um sorriso, ou reagisse de algum modo às minhas palavras.

— Tudo bem, então — disse ele com indiferença.

Edward me deu outro beijo na testa antes de fechar a porta para mim. Depois virou as costas e saltou, gracioso, para o carro dele.

Consegui sair do estacionamento antes que o pânico realmente me atingisse, mas estava sem ar quando cheguei à loja dos Newton.

Ele só precisava de tempo, eu disse a mim mesma. Edward superaria aquilo. Talvez estivesse triste porque sua família estava desaparecendo. Mas Alice e Jasper voltariam em breve, e Rosalie e Emmett também. Se fosse de alguma ajuda, eu me manteria longe da grande casa branca na margem do rio — nunca mais colocaria os pés lá. Isso não importava. Ainda veria Alice na escola. Ela voltaria à escola, não é? E ela ia até minha casa o tempo todo. Não ia querer magoar os sentimentos de Charlie, afastando-se desse jeito.

Sem dúvida, eu também veria Carlisle com regularidade — no pronto-socorro.

Afinal, o que acontecera na noite passada não tinha sido nada. Nada *acontecera*. Eu caí — essa era a história de minha vida. Comparada com a primavera passada, parecia especialmente insignificante. James me quebrara os ossos e me deixara quase morta devido à perda de sangue — e, no entanto, Edward lidara com as semanas intermináveis no hospital *muito* melhor do que agora. Seria porque, desta vez, não era de um inimigo que ele precisava me proteger? Porque era o irmão dele?

Talvez fosse melhor se ele me levasse embora, em vez de a família dele se espalhar. Fiquei um pouco menos deprimida ao considerar todo o tempo ininterrupto que teríamos sozinhos. Se ele conseguisse agüentar o ano letivo inteiro, Charlie não poderia fazer qualquer objeção. Podíamos ir para a faculdade, ou fingir que era o que estávamos fazendo, como Rosalie e Emmett este ano. Certamente, Edward podia esperar um ano. O que era um ano para um imortal? Nem para mim parecia muito tempo.

Consegui recuperar compostura suficiente para sair da picape e entrar na loja. Hoje Mike Newton havia chegado antes de mim, e sorriu e acenou quando entrei. Peguei meu avental, assentindo vagamente para ele. Ainda estava imaginando hipóteses agradáveis que consistiam em Edward fugindo comigo para vários lugares exóticos.

Mike interrompeu minha fantasia.

— Como foi seu aniversário?

— Argh — murmurei. — Fico feliz que tenha acabado.

Mike me olhou pelo canto do olho como se eu fosse louca.

O trabalho se arrastava. Eu queria ver Edward de novo, rezando para que ele tivesse superado o pior da situação, o que quer que fosse exatamente, quando o visse de novo. Não é nada, disse a mim mesma repetidas vezes. Tudo vai voltar ao normal.

O alívio que senti quando entrei na minha rua e vi o carro prata de Edward estacionado diante da minha casa foi dominador e estonteante. E me incomodou profundamente que fosse assim.

Corri para a porta da frente, chamando antes de entrar por completo.

— Pai? Edward?

Ao falar, eu podia ouvir a inconfundível música tema do *SportsCenter* da ESPN vindo da sala de estar.

— Aqui — gritou Charlie.

Pendurei minha capa de chuva e corri para o canto.

Edward estava na poltrona, meu pai no sofá. Os dois tinham os olhos grudados na tevê. O interesse era normal para meu pai. Mas não muito para Edward.

— Oi — eu disse baixinho.

— Ei, Bella — respondeu meu pai, sem desviar os olhos. — Acabamos de comer pizza fria. Acho que ainda está na mesa.

— Tudo bem.

Esperei na soleira da porta. Por fim, Edward olhou para mim com um sorriso educado.

— Vou logo depois de você — prometeu ele. Seus olhos se voltaram para a tevê.

Fiquei olhando por um minuto, chocada. Nenhum dos dois pareceu perceber. Eu podia sentir alguma coisa crescendo em meu peito, talvez pânico. Fugi para a cozinha.

A pizza não me interessava. Sentei em minha cadeira, botei as pernas para cima e abracei os joelhos. Algo estava muito errado, talvez mais errado do que eu percebera. O som de conversas e brincadeiras masculinas continuava vindo do televisor.

Tentei me controlar, raciocinar comigo mesma. *Qual é a pior coisa que pode acontecer?* Eu me encolhi. Esta era, sem dúvida, a pergunta errada. Eu tinha dificuldade de respirar direito.

Tudo bem, pensei novamente, *qual é a pior coisa pela qual posso passar?* Também não gostei muito desta pergunta. Mas pensei nas possibilidades que considerei hoje.

Ficar longe da família de Edward. É claro que ele não podia esperar que Alice compactuasse com isso. Mas se Jasper estava longe, isso diminuiria o tempo que eu teria com ela. Assenti para mim mesma — eu podia viver com isso.

Ou ir embora. Talvez ele não quisesse esperar até o final do ano letivo, talvez tivesse de ser agora.

Na minha frente, na mesa, os presentes de Charlie e de Renée estavam onde eu os havia deixado, a câmera que não tive a oportunidade de usar na casa dos Cullen ao lado do álbum. Toquei a capa bonita do álbum de retratos que minha mãe me dera e suspirei, pensando em Renée. De algum modo, viver sem ela por tanto tempo não tornava mais fácil para mim a idéia de uma separação mais permanente. E Charlie continuaria aqui completamente sozinho, abandonado. Os dois ficariam tão magoados...

Mas voltaríamos, não é? Viríamos de visita, é claro, não viríamos?

Eu não podia ter certeza dessa resposta.

Encostei o rosto no joelho, olhando para as provas concretas do amor de meus pais. Eu sabia que o caminho que escolhi seria difícil. E, afinal, eu estava pensando na pior hipótese — a pior pela qual eu pudesse passar.

Toquei o álbum de novo, virando a capa. Já havia cantoneiras de metal para segurar a primeira foto. Não era má idéia fazer um registro de minha vida aqui. Senti o impulso estranho de começar. Talvez não me restasse muito tempo em Forks.

Brinquei com a alça da câmera, perguntando-me sobre a primeira foto do rolo. Poderia surgir alguma imagem parecida com o original? Eu duvidava disso, mas ele não demonstrou preocupação com a possibilidade de não aparecer na foto. Sorri comigo mesma, pensando em seu riso despreocupado na noite anterior. O sorriso desapareceu. Tanto havia mudado, e tão de repente. A idéia me deixou meio tonta, como se eu estivesse parada na beira de um precipício de algum lugar muito alto.

Não queria mais pensar nisso. Peguei minha câmera e subi a escada.

Meu quarto não mudara quase nada nos dezessete anos desde que minha mãe estivera aqui. As paredes ainda eram azul-claras, as mesmas cortinas de renda amarelada pendiam diante da janela. Havia uma cama, em vez de um berço, mas ela reconheceria a manta desarrumada por cima dela — fora um presente de minha avó.

Apesar disso, tirei uma foto de meu quarto. Não havia muito mais a fazer esta noite — estava escuro demais lá fora e a sensação ficava mais forte, agora era quase uma compulsão. Eu registraria tudo sobre Forks antes de ter de partir.

A mudança estava vindo. Eu podia sentir. Não era uma perspectiva agradável, não quando a vida era perfeita do jeito que estava.

Levei algum tempo para descer a escada, com a câmera na mão, tentando ignorar a agonia em meu estômago ao pensar na estranha distância que eu não queria ver nos olhos de Edward. Ele ia superar isso. Provavelmente, estava preocupado que eu me aborrecesse quando ele me pedisse para ir embora. Eu o deixaria lidar com isso sem me intrometer. E estaria preparada quando ele pedisse.

Estava com a câmera pronta ao chegar na sala, andando de modo furtivo. Tinha certeza de que não era possível pegar Edward de surpresa, mas ele não olhou. Senti um breve tremor, como se algo gelado revirasse em minha barriga; ignorei a sensação e bati a foto.

Os dois olharam para mim, Charlie de testa franzida. A cara de Edward era vazia, sem expressão.

— O que está fazendo, Bella? — reclamou Charlie.

— Ah, sem essa. — Fingi sorrir ao me sentar no chão diante do sofá em que Charlie se espreguiçava. — Você sabe que mamãe vai ligar logo para saber se estou usando meus presentes. Tenho de fazer alguma coisa antes que ela fique magoada.

— Mas por que está tirando fotos de mim? — rosnou ele.

— Porque você é lindo — respondi, mantendo o ânimo. — E porque, como comprou a câmera, tem a obrigação de ser um de meus modelos.

Ele murmurou alguma frase ininteligível.

— Ei, Edward — eu disse com uma indiferença admirável. — Tire uma de mim e meu pai juntos.

Entreguei a câmera a ele, com o cuidado de evitar seus olhos, e me ajoelhei ao lado do braço do sofá, onde estava o rosto de Charlie, que suspirou.

— Você tem que sorrir, Bella — murmurou Edward.

Fiz o melhor que pude e o *flash* da câmera disparou.

— Deixem que eu tire uma de vocês, crianças — sugeriu Charlie.

Eu sabia que ele só estava tentando desviar dele mesmo o foco da câmera.

Edward se levantou e jogou a câmera para ele cuidadosamente.

Fui me colocar ao lado de Edward, e a composição me pareceu formal e estranha. Ele pôs a mão de leve em meu ombro e eu abracei mais forte sua cintura. Eu queria olhar no rosto dele, mas tive medo.

— Sorria, Bella — lembrou-me Charlie de novo.

Respirei fundo e sorri. O *flash* me cegou.

— Chega de fotos por hoje — disse Charlie então, enfiando a câmera numa fresta das almofadas do sofá e rolando sobre ela. — Não precisa usar o filme todo agora.

Edward tirou a mão de meu ombro e livrou-se com delicadeza de meu braço. Voltou a se sentar na poltrona.

Eu hesitei, depois me sentei encostada no sofá de novo. De repente senti tanto medo que minhas mãos tremiam. Apertei-as contra a barriga para escondê-las, coloquei o queixo nos joelhos e fitei a tela da tevê diante de mim, sem ver nada.

Quando o programa terminou, não me mexi nem um centímetro. Pelo canto do olho, vi Edward se levantar.

— É melhor eu ir para casa — disse ele.

Charlie não desviou os olhos do comercial.

— Tchau.

Coloquei-me desajeitada de pé — eu estava rígida de ficar sentada tão imóvel — e acompanhei Edward até a porta da frente. Ele foi direto para o carro.

— Vai ficar? — perguntei, sem esperança na voz.

Já sabia qual seria a resposta dele, então não doeu tanto assim.

— Esta noite não.

Não pedi um motivo para isso.

Ele entrou no carro e arrancou enquanto eu estava parada ali, sem me mexer. Mal percebi que chovia. Esperei, sem saber o que aguardava, até que a porta se abriu atrás de mim.

— Bella, o que você está fazendo? — perguntou Charlie, surpreso por me ver parada ali, sozinha e tomando chuva.

— Nada. — Virei-me e cambaleei de volta para casa.

Foi uma noite longa, com pouco descanso.

Levantei assim que uma luz fraca entrou pela janela. Vesti-me mecanicamente para a escola esperando que o tempo clareasse, e depois que comi uma tigela de cereais concluí que havia luz suficiente para as fotos. Tirei uma da minha picape, depois uma da frente da casa. Virei-me e tirei algumas do bosque ao lado da casa de Charlie. Engraçado como não parecia sinistro como costumava ser. Percebi que ia sentir falta disso — do verde, daquele caráter eterno, do mistério do bosque. De tudo.

Coloquei a câmera na mochila da escola antes de sair. Tentei me concentrar em meu novo projeto, em vez de pensar que Edward pelo visto não tinha superado os acontecimentos durante a noite.

Junto com o medo, eu começava a sentir impaciência. Quanto tempo isso duraria?

Durou a manhã inteira. Ele andou em silêncio ao meu lado, sem parecer olhar realmente para mim. Tentei me concentrar nas aulas, mas nem a de inglês conseguiu prender minha atenção. O Sr. Berty teve de repetir a pergunta sobre Lady Capuleto duas vezes antes que eu percebesse que estava falando comigo. Edward sussurrou a resposta correta e voltou a me ignorar.

No almoço, o silêncio continuou. Achei que ia começar a gritar a qualquer momento, então, para me distrair, inclinei-me sobre a linha invisível da mesa e falei com Jessica.

— Ei, Jess?

— Que foi, Bella?

— Pode me fazer um favor? — perguntei, pegando minha mochila. — Minha mãe quer que eu tire algumas fotos de meus amigos para um álbum. Então, tire umas fotos de todo mundo, está bem?

Entreguei a câmera a ela.

— Claro — disse ela, sorrindo, e se virou para fazer uma foto indiscreta de Mike com a boca cheia.

Seguiu-se uma previsível batalha de fotos. Eu os vi passar a câmera pela mesa, rindo, paquerando e reclamando por aparecer no filme. Parecia estranhamente infantil. Talvez hoje eu não estivesse com humor para o comportamento humano normal.

— Epa — disse Jessica, desculpando-se ao devolver a câmera. — Parece que usamos todo o seu filme.

— Está tudo bem. Acho que já tirei fotos de tudo mais que precisava.

Depois da escola, Edward andou em silêncio comigo até o estacionamento. Eu tinha de trabalhar de novo, e desta vez fiquei feliz. Era óbvio que ficar comigo não estava ajudando. Talvez um tempo sozinho fosse melhor.

A caminho da loja dos Newton, deixei meu filme para revelar, depois peguei as fotos prontas ao sair do trabalho. Em casa, cumprimentei Charlie com afobação, peguei uma barra de granola na cozinha e corri para meu quarto com o envelope de fotos enfiado debaixo do braço.

Sentei-me no meio da cama e abri o envelope com uma curiosidade cautelosa. Era ridículo, mas eu ainda esperava um pouco que a primeira foto estivesse em branco.

Quando a retirei, suspirei alto. Edward estava lindo como na vida real, fitando-me da foto com aqueles olhos calorosos dos quais senti falta nos últimos dias. Era quase um mistério que alguém pudesse ser tão... tão... indescritível. Nem mil palavras podiam equivaler àquela foto.

Folheei com pressa as outras da pilha, depois coloquei três delas na cama, lado a lado.

A primeira era a de Edward na cozinha, os olhos calorosos com um toque de diversão tolerante. A segunda era de Edward e Charlie, assistindo à ESPN. A diferença na expressão de Edward era patente. Aqui os olhos eram cuidadosos e reservados. Ainda era incrivelmente bonito, mas o rosto estava mais frio, mais como uma escultura, menos vivo.

A última era a foto de Edward e eu, lado a lado, desajeitados. A expressão de Edward era a mesma da última, fria e de estátua. Mas não era essa a parte mais perturbadora da foto. O contraste entre nós dois era doloroso. Ele parecia um deus. Eu era medíocre, até para uma humana, quase vergonhosamente simples. Virei a foto com sensação de repulsa.

Em vez de fazer o dever de casa, fiquei acordada colocando as fotos no álbum. Com uma caneta esferográfica, escrevi legendas embaixo de todas as fotos, os nomes e as datas. Cheguei à foto de Edward comigo e, sem olhar muito tempo para ela, dobrei-a ao meio e a enfiei sob as cantoneiras de metal, com Edward virado para cima.

Quando terminei, coloquei o segundo grupo de fotos em um envelope novo e escrevi uma longa carta de agradecimento para Renée.

Edward ainda não tinha aparecido. Eu não queria admitir que ele era o motivo de eu ficar acordada até tão tarde, mas é claro que era. Tentei me lembrar da última vez que ele ficara longe desse jeito, sem uma desculpa, um telefonema... Ele nunca tinha feito isso.

Mais uma vez, não dormi bem.

Na escola seguiu-se o padrão de silêncio, frustração e pavor dos dois dias anteriores. Foi um alívio ver Edward esperando por mim no estacionamento, mas a sensação logo desapareceu. Ele não estava diferente, a não ser, talvez, mais distante.

Era difícil até me lembrar do motivo para toda essa confusão. Meu aniversário já parecia pertencer a um passado distante. Se ao menos Alice voltasse. Logo. Antes que tudo saísse ainda mais de controle.

Mas eu não podia contar com isso. Decidi que se não conseguisse conversar com ele, conversar mesmo, ia procurar Carlisle no dia seguinte. Eu precisava agir.

Depois da aula, Edward e eu resolveríamos isso, prometi a mim mesma. Eu não ia aceitar nenhuma desculpa.

Ele me acompanhou até a picape e eu criei coragem para fazer minhas exigências.

— Importa-se se eu aparecer hoje? — perguntou ele antes de chegarmos ao carro, antecipando-se.

— É claro que não.

— Agora? — perguntou novamente, abrindo a porta para mim.

— Claro. — Mantive o tom firme, embora não gostasse da urgência na voz dele. — No caminho, vou colocar uma carta no correio para Renée. Encontro você lá.

Ele olhou o envelope volumoso no banco do carona. De repente, estendeu o braço por mim e o pegou.

— Eu faço isso — disse baixinho. — E ainda vou chegar em sua casa antes de você. — Ele abriu meu sorriso torto preferido, mas era o sorriso errado. Não chegava aos olhos dele.

— Tudo bem — concordei, incapaz de sorrir também.

Ele fechou a porta e foi para o próprio carro.

Edward chegou antes de mim. Tinha estacionado na vaga de Charlie quando parei na frente da casa. Isso era mau sinal. Então, ele não pretendia ficar. Sacudi a cabeça e respirei fundo, tentando reunir alguma coragem.

Quando desci da picape, ele saiu do carro e veio ao meu encontro. Estendeu a mão para pegar minha mochila com os livros. Isso era normal. Mas ele a colocou no banco traseiro do carro. Isso não era normal.

— Vamos dar uma caminhada — sugeriu numa voz sem emoção, pegando minha mão.

Não respondi. Não conseguia pensar numa forma de protestar, mas imediatamente sabia que queria fazer isso. Eu não estava gostando. *Isso é ruim, é muito ruim*, a voz na minha cabeça repetia sem parar.

Mas ele não esperou por uma resposta. Puxou-me para o lado leste do jardim, onde o bosque o invadia. Eu o segui de má vontade, tentando pensar em meio ao pânico. Era o que eu queria, lembrei a mim mesma. A oportunidade de discutir tudo isso. Então, por que o pânico me sufocava?

Demos somente alguns passos entre as árvores quando ele parou. Mal estávamos na trilha — eu ainda podia ver a casa.

Uma caminhada.

Edward encostou numa árvore e me fitou, a expressão indecifrável.

— Tudo bem, vamos conversar — eu disse. Pareci mais corajosa do que me sentia.

Ele respirou fundo.

— Bella, nós vamos embora.

Respirei fundo também. Era uma opção aceitável. Pensei que estivesse preparada. Mas ainda precisei perguntar.

— Por que agora? Mais um ano...

— Bella, está na hora. Afinal, quanto tempo mais poderemos ficar em Forks? Carlisle não pode passar dos 30, e ele agora diz ter 33. Logo teremos de recomeçar, de qualquer forma.

A resposta dele me confundiu. Pensei que o sentido de ir embora era deixar que sua família vivesse em paz. Por que tínhamos de ir embora se eles estavam partindo? Olhei para Edward, tentando entender o que ele queria dizer.

Ele me encarou com frieza.

Com uma onda de náusea, percebi que tinha entendido mal.

— Quando você diz *nós*... — sussurrei.

— Quero dizer minha família e eu. — Cada palavra separada e distinta.

Balancei a cabeça para trás e para a frente mecanicamente, tentando organizá-la. Ele esperou sem nenhum sinal de impaciência. Precisei de alguns minutos para conseguir falar.

— Tudo bem — eu disse. — Vou com você.

— Não pode, Bella. Aonde vamos... não é o lugar certo para você.

— Onde você está é o lugar certo para mim.

— Não sou bom para você, Bella.

— Não seja ridículo. — Queria aparentar raiva, mas pareceu apenas que eu estava implorando. — Você é a melhor parte da minha vida.

— Meu mundo não é para você — disse ele de maneira sombria.

— O que aconteceu com Jasper... Não foi nada, Edward! Nada!

— Tem razão — concordou ele. — Foi exatamente o esperado.

— Você prometeu! Em Phoenix, você prometeu que ficaria...

— Desde que fosse o melhor para você — ele interrompeu para me corrigir.

— *Não!* Tem a ver com a minha alma, não é?'— eu gritava, furiosa, as palavras saindo de mim numa explosão. De algum modo, ainda parecia uma súplica. — Carlisle me falou disso, e eu não me importo, Edward. Não me importo! Você pode ter minha alma. Não a quero sem você... Ela já é sua!

Ele respirou fundo e por um longo momento encarou o chão, sem ver. Sua boca se retorceu um pouco. Quando enfim ele se voltou para mim, seus olhos estavam diferentes, mais duros — como se o ouro líquido tivesse solidificado.

— Bella, não quero que você venha comigo. — Ele pronunciou as palavras de modo lento e preciso, os olhos frios em meu rosto, observando-me absorver o que ele realmente estava dizendo.

Houve uma pausa enquanto eu repetia as palavras em minha cabeça algumas vezes, procurando seu verdadeiro significado.

— Você... não... me quer? — experimentei dizer, confusa pelo modo como as palavras soavam, colocadas nessa ordem.

— Não.

Eu olhei, sem compreender, nos olhos dele. Ele me fitava de volta sem desculpas. Seus olhos eram como topázio — duros, claros e muito profundos. Eu parecia poder enxergar dentro deles por quilômetros, e, no entanto, em nenhum lugar nas profundezas sem fim conseguia ver uma contradição para o que ele acabara de dizer.

— Bom, isso muda tudo. — Fiquei surpresa ao ver como minha voz parecia calma e razoável. Devia ser porque eu estava cem por cento entorpecida. Não conseguia entender o que ele me dizia. Ainda não fazia sentido algum.

Ele desviou os olhos para as árvores ao voltar a falar.

— É claro que sempre a amarei... de certa forma. Mas o que aconteceu na outra noite me fez perceber que está na hora de mudar. Porque... estou *cansado* de fingir ser uma coisa que não sou, Bella. Não sou humano. — Ele voltou a me olhar, e a superfície gelada de seu rosto perfeito *não* era humana. — Permiti que isso durasse tempo demais, e lamento.

— Não lamente. — Agora minha voz era só um sussurro; a consciência começava a me invadir, gotejando como ácido em minhas veias. — Não faça isso.

Ele simplesmente olhou para mim, e em seus olhos eu pude ver que minhas palavras chegaram tarde demais. Ele tinha feito.

— Você não é boa para mim, Bella. — Ele mudara de idéia, e eu não tinha argumentos. Eu sabia muito bem que não era boa o suficiente para ele.

Abri a boca para falar, depois voltei a fechá-la. Ele esperou, paciente, o rosto sem emoção alguma. Tentei novamente.

— Se... é isso que você quer.

Ele assentiu uma vez.

Todo o meu corpo ficou dormente. Eu não conseguia sentir nada abaixo do pescoço.

— Mas gostaria de lhe pedir um favor, se não for demais — disse ele.

Perguntei-me o que ele viu em meu rosto, porque algo passou pela expressão dele, uma reação. Mas, antes que eu pudesse identificar, ele recompôs as feições na mesma máscara serena.

— O que quiser — prometi, a voz um pouco mais forte.

Enquanto eu olhava, seus olhos congelados derreteram. O ouro tornou-se líquido de novo, fundido, ardendo nos meus com uma intensidade que me oprimia.

— Não cometa nenhuma imprudência, nenhuma idiotice — ordenou ele, agora sem aquele desligamento. — Entende o que estou dizendo?

Eu assenti, desamparada.

Seus olhos esfriaram e a distância voltou.

— Estou pensando em Charlie, é claro. Ele precisa de você. Cuide-se... por ele.

Assenti de novo.

— Vou me cuidar — sussurrei.

Ele pareceu relaxar um pouco.

— E, em troca, vou lhe fazer uma promessa — disse ele. — Prometo que esta será a última vez que vai me ver. Não voltarei. Não a farei passar por nada como isso novamente. Você poderá seguir com sua vida sem qualquer interferência minha. Será como se eu nunca tivesse existido.

Meus joelhos devem ter começado a tremer, porque de repente as árvores oscilaram. Eu podia ouvir o sangue martelando mais rápido do que o normal em meus ouvidos. A voz dele parecia distante.

Ele sorriu gentilmente.

— Não se preocupe. Você é humana... Sua memória não passa de uma peneira. O tempo cura todas as feridas para a sua espécie.

— E as suas lembranças? — perguntei. Parecia que havia algo preso em minha garganta, como se eu estivesse sufocando.

— Bem... — ele hesitou por um breve segundo — ... não vou esquecer. Mas *minha* espécie... Nós nos distraímos com muita facilidade. — Ele sorriu; o sorriso era tranqüilo e aparecia em seus olhos.

Ele se afastou um passo de mim.

— Acho que isso é tudo. Não vamos incomodá-la de novo.

O plural atraiu minha atenção. Isso me surpreendeu; achava que perceber qualquer coisa estava além de minha capacidade.

— Alice não vai voltar — percebi. Não sei como ele me ouviu; as palavras não tinham som algum, mas ele pareceu entender.

Ele sacudiu a cabeça devagar, sempre olhando meu rosto.

— Não. Todos já foram. Fiquei para trás para lhe dizer adeus.

— Alice foi embora? — Minha voz descrente era inexpressiva.

— Ela queria se despedir, mas a convenci de que uma ruptura sem trauma seria o melhor para você.

Eu estava tonta; era difícil me concentrar. As palavras dele giravam em minha cabeça e ouvi o médico do hospital de Phoenix, na primavera anterior, enquanto me conduzia para a radiografia. *Pode-se ver que é uma ruptura sem trauma*, com os dedos acompanhando a imagem de meu osso quebrado. *Isso é bom. Vai se curar com mais facilidade, com mais rapidez.*

Tentei respirar num ritmo normal. Eu precisava me concentrar, encontrar uma forma de sair daquele pesadelo.

— Adeus, Bella — disse ele na mesma voz baixa e tranqüila.

— Espere! — Eu me engasguei com a palavra, estendendo o braço para ele, obrigando minhas pernas dormentes a me levarem para a frente.

Pensei que ele também estivesse estendendo os braços para mim. Mas suas mãos frias se fecharam em meus pulsos e prenderam-nos ao lado de meu corpo. Ele se inclinou e tocou os lábios muito de leve na minha testa pelo mais breve dos instantes. Meus olhos se fecharam.

— Cuide-se — sussurrou ele, frio contra minha pele.

Veio uma brisa leve, nada natural. Meus olhos se abriram. As folhas de um pequeno bordo estremeceram com o vento suave de sua passagem.

Ele se fora.

Com as pernas trêmulas, ignorando o fato de que minha atitude era inútil, eu o segui para a floresta. O sinal de sua passagem desapareceu de imediato. Não havia pegadas, as folhas estavam imóveis de novo, mas avancei sem pensar. Não podia agir de outro modo. Precisava continuar em movimento. Se parasse de procurar por ele, estaria tudo acabado.

O amor, a vida, o significado... acabados.

Andei e andei. O tempo não fazia sentido enquanto eu avançava bem devagar pelo denso bosque. Passavam-se horas, mas também apenas segundos. Talvez eu tivesse a impressão de que o tempo congelara porque a floresta parecia a mesma, independentemente da distância que eu percorresse. Comecei a me preocupar que estivesse andando em círculos, um pequeno círculo, mas continuei andando. Tropecei várias vezes e, à medida que o dia escurecia, caí muitas vezes também.

Por fim, dei uma topada em alguma coisa — agora estava escuro, eu não fazia idéia do que prendera meu pé — e caí. Rolei de lado, para conseguir respirar, e me enrosquei nas samambaias úmidas.

Enquanto estava deitada ali, tive a sensação de que se passara mais tempo do que eu percebera. Não conseguia me lembrar de quanto tempo se passara desde o anoitecer. Será que ali era sempre tão escuro à noite? Com certeza, como sempre, alguns feixes da luz do luar se infiltrariam pelas nuvens, através das frestas no dossel das árvores, e encontrariam o chão.

Não naquela noite. Naquela noite o céu estava completamente negro. Talvez não houvesse lua — um eclipse lunar, uma lua nova.

Uma lua nova. Eu tremi, embora não estivesse com frio.

Ficou escuro por um longo tempo antes que eu os ouvisse chamando.

Alguém gritava meu nome. Era abafado, amortecido pelas plantas úmidas que me cercavam, mas sem dúvida era meu nome. Não reconheci a voz. Pensei em responder, mas estava confusa e precisei de um bom tempo para chegar à conclusão de que *devia* responder. Até lá, o chamado tinha cessado.

Algum tempo depois, a chuva me acordou. Não acho que eu realmente tenha dormido; só me perdi num estupor sem pensamentos, prendendo-me com todas as forças ao torpor que me impedia de perceber o que eu não queria.

A chuva me incomodava um pouco. Era fria. Soltei os braços que envolviam as pernas para cobrir o rosto.

Foi então que ouvi o chamado mais uma vez. Agora estava mais distante, e parecia que várias vozes me chamavam ao mesmo tempo. Tentei respirar fundo. Eu me lembrava de que devia responder, mas não achei que conseguiriam me ouvir. Eu seria capaz de gritar alto o suficiente?

De repente, houve outro som, assustadoramente perto. Uma espécie de fungadela, um ruído animal. Parecia grande. Perguntei-me se devia sentir medo. Não senti — só torpor. Não importava. O farejar se afastou.

A chuva continuou e eu podia sentir a água empoçando em meu peito. Estava tentando reunir forças para virar a cabeça quando vi a luz.

No início era só um brilho fraco refletido nos arbustos ao longe. E foi se tornando cada vez mais forte, iluminando um grande espaço, ao contrário do feixe concentrado de uma lanterna. A luz atravessou o arbusto mais próximo e pude ver que era uma lanterna de propano, mas foi só o que consegui ver — a claridade me cegou por um momento.

— Bella

A voz era grave e desconhecida, mas cheia de reconhecimento. Ele não chamava meu nome para me procurar, mas porque havia me encontrado.

Olhei para cima — parecia incrivelmente alto —, para a face escura que agora podia ver acima de mim. Eu tinha vaga noção de que o estranho só parecia tão alto porque minha cabeça ainda estava no chão.

— Machucaram você?

Sabia que as palavras significavam alguma coisa, mas só conseguia olhar para a frente, desnorteada. Como o significado poderia importar a essa altura?

— Bella, meu nome é Sam Uley.

Não havia nada de familiar no nome dele.

— Charlie me mandou procurar por você.

Charlie? Isso me lembrou de alguma coisa e tentei prestar mais atenção ao que ele estava dizendo. Charlie importava, se nada mais importasse.

O homem alto estendeu a mão. Olhei para ela, sem saber o que devia fazer.

Seus olhos escuros me avaliaram por um segundo, depois ele deu de ombros. Num movimento rápido e flexível, me tirou do chão e me colocou nos braços.

Fiquei pendurada ali, molenga, enquanto o homem andava rapidamente pelo bosque úmido. Alguma parte de mim sabia que isso devia me aborrecer — ser carregada por um estranho. Mas não havia mais nada em mim para ser contrariado.

Não pareceu ter passado muito tempo até que houvesse luzes e o balbuciar grave de muitas vozes masculinas. Sam Uley reduziu o passo ao se aproximar do tumulto.

— Eu a encontrei! — gritou ele numa voz de trovão.

O balbuciar cessou, depois recomeçou com mais intensidade. Um redemoinho confuso de rostos se moveu acima de mim. A voz de Sam era a única que fazia sentido no caos, talvez porque meu ouvido estivesse encostado em seu peito.

— Não, não acho que esteja ferida — disse ele a alguém. — Ela só ficou dizendo "Ele foi embora".

Eu disse isso em voz alta? Mordi o lábio.

— Bella, querida, você está bem?

Esta era uma voz que eu reconheceria em qualquer lugar — mesmo distorcida, como agora, de preocupação.

— Charlie? — Minha voz parecia estranha e fraca.

— Estou bem aqui, garota.

Houve um remexer embaixo de mim, seguido pelo cheiro de couro da jaqueta de xerife de meu pai. Charlie cambaleou com meu peso.

— Talvez eu deva levá-la — sugeriu Sam Uley.

— Eu a levo — disse Charlie, meio sem fôlego.

Ele andou devagar, com esforço. Queria poder lhe dizer para me colocar no chão e me deixar andar, mas não consegui encontrar minha voz.

Havia luzes em toda parte, carregadas por uma multidão que andava com ele. Senti-me num desfile. Ou num cortejo fúnebre. Fechei os olhos.

— Estamos quase em casa, querida — murmurava Charlie de vez em quando.

Abri os olhos novamente quando ouvi a porta ser destrancada. Estávamos na varanda de nossa casa, e o homem alto e escuro chamado Sam segurava a porta para Charlie, um braço estendido para nós, como se estivesse se preparando para me pegar quando os braços de Charlie falhassem.

Mas Charlie conseguiu me levar pela porta até o sofá na sala de estar.

— Pai, estou toda molhada — reclamei, baixo.

— Isso não tem importância. — A voz dele estava rouca. E depois ele estava falando com outra pessoa. — Os cobertores estão no segundo andar.

— Bella? — perguntou uma nova voz. Olhei o homem grisalho inclinado sobre mim e o reconheci depois de alguns demorados segundos.

— Dr. Gerandy? — murmurei.

— Isso mesmo, querida — disse ele. — Está machucada, Bella?

Precisei de um minuto para pensar nisso. Eu estava confusa com a lembrança da pergunta semelhante de Sam Uley no bosque. Só que Sam tinha perguntado de outra maneira: *Machucaram você?*, dissera ele. A diferença parecia de algum modo significativa.

O Dr. Gerandy esperava, uma sobrancelha grisalha erguida e as rugas da testa mais fundas.

— Não estou machucada — menti. As palavras eram bastante verdadeiras para o que ele perguntara.

Sua mão quente tocou minha testa e os dedos pressionaram a face interna de meu pulso. Observei seus lábios enquanto ele contava consigo mesmo, os olhos no relógio.

— O que aconteceu com você? — perguntou com calma.

Fiquei paralisada sob sua mão, sentindo o gosto do pânico no fundo da garganta.

— Você se perdeu no bosque? — incitou ele.

Eu sabia que havia várias outras pessoas ouvindo. Três homens altos com rosto moreno — de La Push, a reserva indígena quileute descendo pelo litoral, imaginei —, entre eles Sam Uley, estavam parados muito perto e me olhavam. O Sr. Newton estava ali com Mike e o Sr. Weber, pai de Angela; todos me olhavam mais de esguelha do que os estranhos. Outras vozes graves trovejavam da cozinha e do lado de fora da porta da frente. Metade da cidade devia estar procurando por mim.

Charlie estava mais perto. Ele se inclinou para ouvir minha resposta.

— Sim — sussurrei. — Eu me perdi.

O médico assentiu, pensativo, os dedos sondando delicadamente as glândulas sob meu queixo. O rosto de Charlie enrijeceu.

— Está cansada? — perguntou o Dr. Gerandy.

Eu assenti e fechei os olhos, obediente.

— Não acho que haja nada de errado com ela — ouvi o médico murmurar para Charlie logo depois. — É só exaustão. Deixe que ela durma e voltarei amanhã para vê-la. — Ele parou. Deve ter olhado o relógio, porque acrescentou: — Bem, na verdade hoje ainda, mais tarde.

Houve um rangido quando os dois se levantaram do sofá.

— É verdade? — sussurrou Charlie. As vozes agora eram mais distantes. Eu me esforcei para ouvir. — Eles foram embora?

— O Dr. Cullen nos pediu para não contar nada — respondeu o Dr. Gerandy. — A oferta foi muito repentina; tiveram de decidir de imediato. Carlisle não queria fazer alarde de sua partida.

— Um pequeno aviso teria sido bom — grunhiu Charlie.

O Dr. Gerandy pareceu pouco à vontade quando respondeu.

— Sim, bem, nesta situação, eles poderiam ter avisado.

Eu não queria ouvir mais. Tateei em volta, procurando pela manta que alguém colocara em cima de mim, e a puxei sobre meus ouvidos.

Fiquei vagando entre o sono e a vigília. Ouvi Charlie sussurrar agradecimentos aos voluntários enquanto, um por um, eles saíam. Senti os dedos dele em minha testa e depois o peso de outro cobertor. O telefone tocou algumas vezes e ele correu para atender antes que pudesse me acordar. Ele murmurava palavras tranqüilizadoras em voz baixa a quem ligava.

"Sim, nós a encontramos." "Ela está bem." "Ela se perdeu. Agora está bem", disse ele repetidas vezes.

Ouvi as molas da poltrona rangerem quando ele se acomodou ali para passar a noite.

Alguns minutos depois, o telefone tocou novamente.

Charlie gemeu enquanto se levantava, depois correu, tropeçando, até a cozinha. Afundei mais a cabeça no cobertor, sem querer ouvir a mesma conversa de novo.

— Sim — disse Charlie, e bocejou.

Sua voz mudou, era muito mais alerta quando voltou a falar.

— Onde? — Houve uma pausa. — Tem certeza de que é fora da reserva? — Outra pausa curta. — Mas o que poderia estar queimando *lá*? — Ele pareceu ao mesmo tempo preocupado e aturdido. — Espere, vou ligar para lá e verificar.

Ouvi com mais interesse enquanto ele discava um número.

— Oi, Billy, é o Charlie... Desculpe ligar a essa hora... Não, ela está bem. Está dormindo... Obrigado, mas não foi por isso que telefonei. Acabo de receber uma ligação da Sra. Stanley e ela disse que da janela do segundo andar ela vê fogo nos penhascos da praia, mas eu não... Oh! — De repente havia tensão em sua voz, irritação... ou raiva. — E por que estão fazendo isso? Arrã. É mesmo? — disse isso com sarcasmo. — Bom, não se desculpe *a mim*. Sim, sim. Só cuide para que o fogo não se espalhe... Sei, sei, estou surpreso que tenham acendido com esse clima.

Charlie hesitou e acrescentou, com relutância:

— Obrigado por mandar Sam e os outros rapazes. Você tinha razão... Eles conhecem o bosque melhor do que nós. Foi Sam quem a achou, então eu lhe devo uma... É, converso com você mais tarde — concordou ele, ainda amargo, antes de desligar.

Charlie murmurou algumas palavras incoerentes ao voltar se arrastando para a sala de estar.

— Qual é o problema? — perguntei.

Ele correu para meu lado.

— Desculpe se a acordei, querida.

— Tem algum incêndio?

— Não é nada — garantiu-me ele. — Só umas fogueiras no penhasco.

— Fogueiras? — perguntei. Minha voz não parecia curiosa. Parecia morta.

Charlie franziu o cenho.

— Uns garotos da reserva aprontando — explicou.

— Por quê? — perguntei, desanimada.

Eu sabia que ele não queria responder. Ele olhou para o chão.

— Estão comemorando a novidade. — Seu tom era amargurado.

Só havia uma novidade em que eu podia pensar, apesar de nem sequer poder tentar. E depois as peças se encaixaram.

— Porque os Cullen se foram — sussurrei. — Eles não gostam dos Cullen em La Push... Tinha me esquecido disso.

Os quileutes tinham suas superstições a respeito dos "frios", os bebedores de sangue que eram inimigos da tribo, assim como tinham suas lendas da grande inundação e de ancestrais lobisomens. Só histórias, folclore, a maior parte delas. Mas havia os poucos que acreditavam. Billy Black, grande amigo de Charlie, acreditava, embora Jacob, seu filho, pensasse que ele era cheio de superstições idiotas. Billy me alertara para ficar longe dos Cullen...

O nome agitou alguma coisa dentro de mim, algo que começou a mostrar as garras na superfície, algo que eu sabia que não queria enfrentar.

— É ridículo — cuspiu Charlie.

Ficamos sentados em silêncio por um momento. O céu não estava mais preto do lado de fora da janela. Em algum lugar por trás da chuva, o sol começava a nascer.

— Bella? — perguntou Charlie.

Olhei para ele com inquietude.

— Ele a deixou sozinha no bosque? — sondou Charlie.

Eu me desviei da pergunta.

— Como você sabia onde me encontrar? — Minha mente recuou da consciência inevitável que agora chegava rápido.

— Seu bilhete — respondeu Charlie, surpreso. Ele tirou do bolso do jeans um pedaço de papel muito surrado. Estava sujo e molhado, com vários vincos por ter sido aberto e redobrado várias vezes. Ele o abriu de novo e ergueu como prova. A caligrafia confusa era extraordinariamente parecida com a minha.

Fui dar uma caminhada com Edward na trilha, dizia. *Volto logo, B.*

— Como você não voltou, liguei para os Cullen, e ninguém atendeu — disse Charlie em voz baixa. — Depois liguei para o hospital e o Dr. Gerandy me contou que Carlisle tinha ido embora.

— Para onde eles foram? — murmurei.

Ele me encarou.

— Edward não contou a você?

Sacudi a cabeça, recuando. O som daquele nome desatrelou aquilo que arranhava com suas garras dentro de mim — uma dor que me tirou o fôlego, atordoou-me com sua força.

Charlie me olhou em dúvida ao responder.

— Carlisle aceitou um emprego num grande hospital de Los Angeles. Acho que ofereceram muito dinheiro a ele.

A ensolarada Los Angeles. O último lugar aonde eles realmente iriam. Lembrei-me de meu pesadelo com o espelho... O sol forte cintilando na pele dele...

Fui tomada de agonia ao me lembrar de seu rosto.

— Quero saber se Edward deixou você sozinha no meio do bosque — insistiu Charlie.

O nome provocou outra onda de tortura em mim. Sacudi a cabeça, frenética, desesperada para escapar da dor.

— Foi minha culpa. Ele me deixou aqui na trilha, à vista da casa... Mas eu tentei segui-lo.

Charlie começou a dizer alguma coisa; como uma criança, eu tapei os ouvidos.

— Não posso mais falar disso, pai. Quero ir para o meu quarto.

Antes que ele pudesse responder, tropecei para fora do sofá e me lancei escada acima.

Alguém esteve na casa e deixou um bilhete para Charlie, um bilhete que o levaria a me encontrar. No minuto em que percebi isso, uma suspeita horrível começou a crescer em minha mente. Disparei para meu quarto, batendo e trancando a porta antes de correr até o CD player ao lado de minha cama.

Tudo parecia exatamente como deixei. Apertei a tampa do CD player. A trava se soltou e a tampa se abriu devagar.

Estava vazio.

O álbum que Renée me dera estava no chão ao lado da cama, exatamente onde eu o colocara. Virei a capa com a mão trêmula.

Não precisei passar da primeira página. As pequenas cantoneiras de metal não prendiam mais a foto. A página estava vazia, a não ser por minha própria letra rabiscada embaixo: *Edward Cullen, cozinha de Charlie. 13 de setembro.*

Parei por ali. Tinha certeza de que ele faria o serviço completo.

Será como se eu nunca tivesse existido, ele me prometera.

Senti o chão de madeira liso sob meus joelhos, depois sob a palma das mãos e, em seguida, comprimido sob a pele de meu rosto. Eu esperava estar desmaiando, mas, para minha decepção, não perdi a consciência. As ondas de dor que me haviam assaltado pouco tempo antes se erguiam agora com força e inundaram minha cabeça, puxando-me para baixo.

Não voltei à superfície.

OUTUBRO

NOVEMBRO

DEZEMBRO

JANEIRO

4. O DESPERTAR

O TEMPO PASSA. MESMO QUANDO ISSO PARECE IMPOSSÍVEL. MESMO quando cada batida do ponteiro dos segundos dói como o sangue pulsando sob um hematoma. Passa de modo inconstante, com guinadas estranhas e calmarias arrastadas, mas passa. Até para mim.

O PUNHO DE CHARLIE BATEU NA MESA.

— É isso, Bella! Vou mandar você para casa.

Desviei os olhos dos cereais, que eu analisava em vez de comer, e encarei Charlie, chocada. Eu não estava acompanhando a conversa — na verdade, nem estava ciente de que havia uma conversa — e não sabia bem o que ele queria dizer.

— Eu *estou* em casa — murmurei, confusa.

— Vou mandar você para Renée, para Jacksonville — esclareceu ele.

Charlie olhava exasperado enquanto eu lentamente compreendia o significado das palavras dele.

— O que eu fiz? — Senti meu rosto franzir. Era tão injusto! Meu comportamento tinha sido irrepreensível nos últimos quatro meses. Depois daquela primeira semana, da qual nenhum de nós jamais falava. Não perdi nenhum dia de aula ou de trabalho. Minhas notas eram perfeitas. Nunca desrespeitava o toque de recolher — também, não fui a lugar algum para que pudesse desrespeitar o toque de recolher. Só muito raramente servia comida de véspera.

Charlie estava com cara de poucos amigos.

— Você não *fez* nada. É esse o problema. Você nunca faz nada.

— Quer que eu me meta em problemas? — perguntei, minhas sobrancelhas se unindo de perplexidade. Fiz esforço para prestar atenção. Não foi fácil. Estava tão acostumada a me desligar de tudo que meus ouvidos pareciam tampados.

— Ter problemas ainda seria melhor do que isso... Essas lamentações o tempo todo!

Isso me magoou um pouco. Tive cuidado de evitar todas as formas de mau humor, inclusive resmungar.

— Não estou me lamentando de nada.

— Palavra errada — concordou ele de má vontade. — Lamentar ainda seria melhor... Seria *agir*. Você está simplesmente... sem vida, Bella. Acho que as palavras que quero usar são essas.

A acusação acertou na mosca. Suspirei e tentei colocar algum ânimo em minha resposta.

— Desculpe, pai. — Minhas desculpas pareciam meio tediosas, até para mim. Pensei que o estivesse enganando. O sentido de todo esse esforço era evitar que Charlie sofresse. Como era deprimente pensar que o esforço tinha sido em vão.

— Não quero que você se desculpe.

Suspirei.

— Então me diga o que quer que eu faça.

— Bella. — Ele hesitou, avaliando minha reação às palavras que ia dizer. — Querida, você não é a primeira pessoa a passar por esse tipo de situação, sabe disso.

— Eu sei. — A careta que fiz foi hesitante e não impressionou nada.

— Olhe, querida. Acho que... que talvez você precise de ajuda.

— Ajuda?

Ele parou, procurando de novo pelas palavras.

— Quando sua mãe foi embora — recomeçou, com a testa franzida —, e levou você com ela. — Ele respirou fundo. — Bom, foi uma época muito difícil para mim.

— Eu sei, pai — murmurei.

— Mas consegui superar isso — assinalou ele. — Querida, você não está superando nada. Esperei, tive esperanças de que ficaria melhor. — Ele me encarou e eu baixei a cabeça depressa. — Acho que nós dois sabemos que não vai ficar melhor.

— Eu estou bem.

Ele me ignorou.

— Talvez, bom, talvez, se você conversasse com alguém sobre isso. Com um profissional.

— Quer que eu procure um psicólogo? — Minha voz ficou um pouco mais aguda quando percebi aonde ele queria chegar.

— Talvez ajude.

— E talvez não ajude em nada.

Não entendo muito de psicanálise, mas tinha certeza absoluta de que só funcionava se o analisado fosse relativamente sincero. É claro que eu podia contar a verdade — se quisesse passar o restante da minha vida em uma cela acolchoada.

Ele examinou minha expressão obstinada e passou para outra linha de ataque.

— Está além de minha capacidade, Bella. Talvez sua mãe...

— Escute — eu disse numa voz inexpressiva —, vou sair hoje à noite, se você quiser. Vou ligar para Jess ou para Angela.

— Não é isso que quero — argumentou ele, frustrado. — Não acho que eu possa viver vendo você se esforçar *ainda mais*. Nunca vi ninguém se esforçar tanto. É doloroso ver isso.

Fingi intensidade, baixando os olhos para a mesa.

— Não entendo, pai. Primeiro você fica chateado porque não estou fazendo nada, depois diz que não quer que eu saia.

— Quero que você seja feliz... Não, nem tanto assim. Só quero que você não seja infeliz. Acho que terá mais chances se sair de Forks.

Meus olhos arderam com a primeira centelha de sentimento que tive em tanto tempo de contemplação.

— Não vou embora — eu disse.

— E por que não? — perguntou ele.

— Estou no último semestre da escola... Ia estragar tudo.

— Você é boa aluna... Vai superar isso.

— Não quero ser demais entre mamãe e Phil.

— Sua mãe morre de vontade de ter você de volta.

— A Flórida é muito quente.

Seu punho desceu na mesa de novo.

— Nós dois sabemos o que está de fato acontecendo aqui, Bella, e não é bom para você. — Ele respirou fundo. — Já se passaram meses. Nenhum telefonema, nenhuma carta, nenhum contato. Não pode continuar esperando por ele.

Fechei a cara para Charlie. O calor quase chegou ao meu rosto. Já se passara muito tempo desde que eu havia corado por alguma emoção.

Aquele assunto era terminantemente proibido, e ele sabia muito bem disso.

— Não estou esperando nada. Não espero nada — argumentei num tom monótono e baixo.

— Bella... — começou Charlie, a voz grossa.

— Tenho que ir para a escola — interrompi, levantando-me e tirando da mesa o café-da-manhã intocado. Coloquei minha tigela na pia sem parar para lavá-la. Não podia suportar mais nem um minuto de conversa.

— Vou combinar alguma coisa com Jessica — gritei por sobre o ombro enquanto pegava a mochila da escola, sem olhar para ele. — Talvez não venha jantar em casa. Vamos a Port Angeles ver um filme.

Saí pela porta da frente antes que ele pudesse reagir.

Na pressa para me afastar de Charlie, acabei sendo uma das primeiras a chegar à escola. O lado bom disso é que consegui uma vaga muito boa no estacionamento. A desvantagem é que fiquei com tempo livre, e eu tentava a todo custo evitar o tempo livre.

Rapidamente, antes que eu pudesse começar a pensar nas acusações de Charlie, saquei meu livro de cálculo. Abri-o na parte que devíamos começar no dia e tentei ver sentido naquilo. Ler matemática era ainda pior do que ouvi-la, mas eu estava melhorando. Nos últimos meses, consumira dez vezes mais tempo em cálculo do que já gastara em matemática na vida. Como conseqüência, eu estava conseguindo me manter na faixa de A-. Eu sabia que o Sr. Varner acreditava que minha melhora se devia cem por cento a seus métodos de ensino superiores. E se isso o deixava feliz, tudo bem para mim.

Obriguei-me a continuar até que o estacionamento estivesse cheio, e acabei correndo para a aula de inglês. Estávamos trabalhando em *A revolução dos bichos*, um tema fácil. Eu não ligava para o comunismo; era uma mudança bem-vinda dados os romances exaustivos que compunham a maior parte do currículo. Acomodei-me em minha carteira, satisfeita por me distrair com a aula do Sr. Berty.

O tempo passava facilmente quando eu estava na escola. O sinal tocou cedo demais. Comecei a guardar meus pertences.

— Bella?

Reconheci a voz de Mike, e já sabia quais seriam suas palavras antes que ele as pronunciasse.

— Vai trabalhar amanhã?

Olhei para cima. Ele estava encostado no corredor com uma expressão ansiosa. Toda sexta-feira ele me fazia a mesma pergunta. Não fazia diferença que eu tivesse faltado por motivo de saúde raríssimas vezes. Bom, com uma exceção, meses atrás. Mas ele não tinha motivos para me olhar com tanta preocupação. Eu era uma funcionária modelo.

— Amanhã é sábado, não é? — eu disse. Depois de Charlie ter me chamado a atenção para isso, percebi que minha voz parecia mesmo sem vida.

— Sim — concordou ele. — Vejo você na aula de espanhol. — Ele acenou uma vez antes de dar as costas. Mike não se incomodava mais em me acompanhar às aulas.

Fui para a aula de cálculo com um sorriso forçado. Essa era a aula em que me sentava ao lado de Jessica.

Já fazia semanas, talvez meses, que Jess deixara até de me cumprimentar quando eu passava por ela no corredor. Eu sabia que a havia ofendido com meu comportamento anti-social, e ela estava chateada. Não ia ser fácil falar com ela agora — em especial lhe pedir para me fazer um favor. Pesei minhas opções com todo o cuidado enquanto me demorava do lado de fora da sala, ganhando tempo.

Eu não ia enfrentar Charlie de novo sem ter alguma interação social para contar. Eu sabia que não podia mentir, embora a idéia de ir e voltar de carro a Port Angeles sozinha — certificando-me de que meu hodômetro mostrasse a quilometragem correta, para o caso de ele verificar — fosse muito tentadora. A mãe de Jessica era a maior fofoqueira da cidade e Charlie sem dúvida ia correr até a Sra. Stanley assim que pudesse. Quando fizesse isso, certamente falaria na viagem. Mentir estava fora de questão.

Com um suspiro, abri a porta.

O Sr. Varner me olhou torto — ele já havia começado a aula. Corri para minha carteira. Jessica não levantou o olhar quando me sentei ao lado dela. Fiquei feliz porque isso me daria cinqüenta minutos para me preparar psicologicamente.

A aula voou mais rápido do que a de inglês. Uma pequena parte da velocidade se devia à minha preparação piegas aquela manhã na picape — mas em especial tinha origem no fato de que o tempo sempre se acelerava quando eu estava ansiosa para fazer algo desagradável.

Fiz uma careta quando o Sr. Varner dispensou a turma cinco minutos mais cedo. Ele sorria como se estivesse sendo um cara legal.

— Jess? — Meu nariz franziu enquanto eu me encolhia, esperando que ela se virasse para mim.

Ela girou na cadeira para me encarar, olhando-me incrédula.

— Está falando *comigo*, Bella?

— Claro que sim. — Arregalei os olhos para dar a impressão de inocência.

— Que foi? Precisa de ajuda com cálculo? — O tom de sua voz era um pouco ríspido.

— Não. — Sacudi a cabeça. — Na verdade, eu queria saber se você... quer ir ao cinema comigo hoje à noite. Estou precisando muito de uma noitada de garotas. — As palavras pareciam desajeitadas, como frases malformuladas, e ela ficou desconfiada.

— Por que está *me* convidando? — perguntou, ainda pouco amistosa.

— Você é a primeira pessoa em quem eu penso quando quero ficar entre amigas. — Sorri e esperei que o sorriso parecesse autêntico. Devia ser verdade. Ela pelo menos era a primeira pessoa em quem eu pensava quando queria evitar Charlie. Dava no mesmo.

Jess pareceu amolecer um pouco.

— Bom, não sei.

— Tem algum compromisso?

— Não... Acho que posso ir com você. O que você quer ver?

— Não sei bem o que está passando — disse, de forma vaga. Essa era a parte perigosa. Revirei meu cérebro procurando uma dica. Não ouvi ninguém falar de um filme recentemente? Não vi nenhum cartaz? — Que tal aquele com a presidente?

Ela me olhou com estranheza.

— Bella, esse saiu de cartaz *há séculos*.

— Ah! — Franzi o cenho. — Há algum filme que você queira ver?

A tagarelice natural de Jessica começava a vazar contra sua vontade enquanto ela pensava em voz alta.

— Bom, tem aquela comédia romântica nova que recebeu críticas muito boas. Quero ver essa. E meu pai viu *Terror Sem Fim* e gostou.

Agarrei-me ao título promissor.

— Esse é sobre o quê?

— Zumbis ou coisa assim. Ele disse que há anos não via nada tão apavorante.

— Parece perfeito. — Eu preferia lidar com zumbis de verdade a assistir a um romance.

— Tudo bem. — Ela ficou surpresa com minha resposta. Tentei me lembrar se gostava de filmes de terror, mas não tive certeza. — Quer que pegue você depois da aula? — propôs ela.

— Claro.

Antes de sair Jessica sorriu para mim tentando ser simpática. Meu sorriso de resposta veio um pouco tarde demais, mas acho que ela viu.

O restante do dia passou rápido, meus pensamentos centrados nos planos para a noite. Eu sabia, por experiência própria, que depois que conseguisse que Jessica falasse poderia me safar com alguns murmúrios nos momentos certos. Só precisava de uma interação mínima.

A essa altura a densa névoa que embaçava meus dias era, às vezes, perturbadora. Fiquei surpresa quando me vi em meu quarto, sem me lembrar com clareza de ter ido para casa de carro, nem mesmo de ter aberto a porta da frente. Mas isso não importava. Não ver o tempo passar era o que eu mais queria na vida.

Não combati a névoa ao seguir para meu armário. O torpor era mais essencial em alguns lugares do que em outros. Mal registrei o que olhava ao abrir a porta e revelar a pilha de lixo do lado esquerdo, debaixo das roupas que nunca usei.

Meus olhos não vagaram para o saco de lixo preto que guardava meu presente daquele último aniversário, não viram o formato do aparelho de som que se projetava no plástico preto; eu não pensei em como minhas unhas ficaram terríveis quando terminei de arrancá-lo do painel.

Peguei a bolsa velha, que raras vezes usava, no gancho em que estava pendurada e bati a porta.

Nesse exato momento ouvi uma buzina. Tirei rapidamente a carteira da mochila da escola e a coloquei na bolsa. Eu estava com pressa, como se correr pudesse fazer com que a noite passasse mais rápido.

Olhei-me no espelho do corredor antes de abrir a porta, arrumando com cuidado minhas feições em um sorriso e tentando mantê-lo ali.

— Obrigada por sair comigo hoje — disse a Jess enquanto me acomodava no banco do carona, tentando colocar gratidão em minha voz. Já se passara algum tempo desde quando eu realmente pensava no que dizia a alguém além de Charlie. Jess era mais difícil. Eu não tinha certeza das emoções que devia fingir.

— Claro. E aí, o que provocou isso? — perguntou Jess ao arrancar com o carro na minha rua.

— Provocou o quê?

— Por que de repente você decidiu... sair? — Parecia que ela mudara a pergunta no meio da frase.

Dei de ombros.

— Só precisava variar um pouco.

Reconheci a música no rádio e logo estendi a mão para o painel.

— Importa-se? — perguntei.

— Não, pode mudar.

Procurei pelas emissoras até encontrar uma que fosse inofensiva. Espiei a expressão de Jess enquanto a nova música enchia o ar.

Seus olhos se estreitaram.

— Desde quando você ouve rap?

— Não sei. Há algum tempo.

— Você gosta disso? — perguntou ela, em dúvida.

— Claro.

Seria muito mais difícil interagir normalmente com Jessica se eu tivesse de desligar a música também. Balancei a cabeça, na esperança de estar no ritmo da batida.

— Tudo bem... — Ela olhou pelo pára-brisa com os olhos arregalados.

— E como é que você e o Mike têm estado? — perguntei rápido a ela.

— Você o vê mais do que eu.

A pergunta não a fez começar a falar, como eu esperava que fizesse.

— É difícil conversar no trabalho — murmurei e tentei de novo. — Tem saído com alguém nos últimos dias?

— Na verdade, não. Só com o Conner, algumas vezes. Saí com o Eric há duas semanas. — Ela revirou os olhos e eu senti que havia uma longa história. Agarrei-me à oportunidade.

— Eric *Yorkie*? Quem convidou quem?

Ela gemeu, animando-se.

— Ele convidou, é claro! Não consegui pensar numa maneira gentil de dizer "não".

— Aonde ele levou você? — perguntei, sabendo que ela interpretaria minha ansiedade como interesse. — Conte tudo.

Ela se lançou à história e eu me acomodei no banco, agora mais à vontade. Prestei total atenção, murmurando em solidariedade e arfando de pavor quando era necessário. Quando ela terminou a história sobre Eric, continuou com uma comparação com Conner, sem precisar de incentivo.

O filme começava cedo, então Jess achou que devíamos pegar a seção do anoitecer e comer depois. Fiquei feliz por acompanhá-la no que ela quisesse; afinal, eu estava conseguindo o que desejava — tirar Charlie do meu pé.

Mantive Jess falando durante os trailers, assim eu podia ignorá-los com mais facilidade. Mas fiquei nervosa quando o filme começou. Um casal de jovens andava por uma praia, balançando as mãos e discutindo seu afeto mútuo com uma hipocrisia grudenta. Resisti ao impulso de tapar os ouvidos e começar a cantarolar. Eu não podia agüentar um romance.

— Pensei que tivéssemos escolhido o filme de zumbis — sibilei para Jessica.

— Este *é* o filme de zumbis.

— Então por que não tem ninguém sendo devorado? — perguntei desesperada.

Ela olhou para mim com os olhos arregalados e quase alarmados.

— Tenho certeza de que essa parte vai chegar — sussurrou.

— Vou comprar pipoca. Quer também?

— Não, obrigada.

Alguém pediu silêncio atrás de nós.

Eu me demorei bastante no balcão de guloseimas, olhando o relógio e debatendo que porcentagem de um filme de noventa minutos podia ser gasta com romantismo. Concluí que dez minutos eram mais do que suficientes, mas parei logo depois de passar pelas portas da sala de projeção para ter certeza. Eu podia ouvir gritos de pavor berrando dos alto-falantes, então vi que tinha esperado tempo suficiente.

— Você perdeu tudo — murmurou Jess quando deslizei para o meu lugar. — Agora quase todo mundo é zumbi.

— Fila comprida. — Ofereci a pipoca a ela. Ela pegou um punhado.

O restante do filme tinha apenas ataques de zumbis horripilantes e gritos intermináveis de algumas pessoas que sobreviveram, cujo número diminuía bem depressa. Eu tinha pensado que não havia nada para me perturbar ali. Mas me sentia inquieta e de início não sabia bem o motivo.

Foi só perto do final, quando um zumbi desfigurado arrastava-se atrás da última sobrevivente escandalosa, que percebi qual era o problema. A cena cortava da expressão apavorada da heroína para o rosto morto e sem emoção de seu perseguidor, indo e voltando enquanto a distância se encurtava.

E então percebi o que ela me lembrava.

Eu me levantei.

— Aonde você vai? Ainda faltam uns dois minutos — sibilou Jess.

— Preciso de uma bebida — murmurei enquanto corria para a saída.

Sentei-me no banco do lado de fora do cinema e tentei ao máximo não pensar na ironia. Mas era irônico, considerando tudo, que no final das contas eu tivesse acabado como uma *zumbi*. Eu não havia percebido isso acontecendo.

Não que um dia eu não tivesse sonhado em me transformar num monstro mítico — mas jamais num cadáver grotesco e animado. Sacudi a cabeça para me desvencilhar daquela linha de raciocínio, em pânico. Não conseguia pensar naquilo com que um dia havia sonhado.

Era deprimente perceber que eu não era mais a heroína, que minha história tinha acabado.

Jessica saiu da sala e hesitou, talvez se perguntando qual seria o melhor lugar onde procurar por mim. Pareceu aliviada quando me viu, mas só por um momento. Depois ficou irritada.

— O filme era apavorante demais para você? — perguntou.

— É — concordei. — Acho que sou uma covarde.

— Que engraçado. — Ela franziu o cenho. — Não achei que você *estivesse* com medo... Eu gritei o tempo todo, mas não ouvi você gritar nem uma vez. Então não entendi por que você saiu.

Dei de ombros.

— Foi só medo.

Ela relaxou um pouco.

— Acho que esse foi o filme mais apavorante que vi na vida. Aposto que vamos ter pesadelos esta noite.

— Não duvido — disse eu, tentando manter minha voz normal. Era inevitável que eu tivesse pesadelos, mas eles não seriam sobre zumbis. Os olhos dela lampejaram para meu rosto e se desviaram. Talvez eu não tivesse conseguido fazer uma voz normal.

— Onde você quer comer? — perguntou Jess.

— Qualquer lugar.

— Tudo bem.

Jess começou a falar do protagonista do filme enquanto andávamos. Eu assentia enquanto ela se entusiasmava com a beleza dele, incapaz de me lembrar de ter visto um homem não-zumbi na história.

Não vi para onde Jessica me levava. Só percebi vagamente que agora estava escuro e mais tranqüilo. Precisei de mais tempo do que devia para notar por que era silencioso. Jessica tinha parado de tagarelar. Olhei para ela com ar de desculpas, na esperança de não ter ferido seus sentimentos.

Jessica não estava me olhando. Seu rosto estava tenso; ela olhava para a frente e andava rápido. Observei seus olhos disparando para a direita, do outro lado da rua, e voltando à frente.

Olhei em volta pela primeira vez.

Estávamos num curto trecho de calçada sem iluminação. As lojinhas que ladeavam a rua estavam fechadas, com as vitrines escuras. As luzes voltavam meia quadra adiante, e pude ver, mais ao longe, os arcos dourados do McDonald's, para onde ela ia.

Do outro lado da rua havia uma loja aberta. As vitrines estavam tapadas por dentro e havia placas de néon, anúncios de diferentes marcas de cerveja, brilhando na frente. A placa maior, em verde berrante, era o nome do bar — One-Eyed Pete's. Imaginei se havia algum tema pirata que não era visível de fora. A porta de metal estava aberta; o interior era mal iluminado, e flutuavam pela rua o murmúrio baixo de muitas vozes e o som de gelo tilintando nos copos. Encostados na parede ao lado da porta, havia quatro homens.

Olhei para Jessica. Seus olhos estavam fixos no caminho à frente e ela andava com rapidez. Não parecia assustada — só preocupada, tentando não chamar atenção para si mesma.

Parei sem pensar, olhando os quatro homens com uma forte sensação de *déjà vu*. Fora numa rua diferente, numa noite diferente, mas a cena era praticamente a mesma. Um deles era mais baixo e moreno. Enquanto eu parava e me virava para eles, o moreno olhou para mim, interessado.

Eu o encarei, paralisada na calçada.

— Bella? — sussurrou Jess. — O que está fazendo?

Sacudi a cabeça, indecisa.

— Acho que os conheço... — murmurei.

O que eu estava fazendo? Eu devia correr daquela lembrança o mais rápido que pudesse, bloqueando em minha mente a imagem dos quatro homens, protegendo-me com o torpor sem o qual não conseguia viver. Por que eu atravessava, tonta, a rua?

Parecia coincidência demais que eu estivesse em Port Angeles com Jessica, inclusive em uma rua escura. Meus olhos focalizaram o baixinho, tentando combinar suas feições com a lembrança que eu tinha do homem que me ameaçara naquela noite, quase um ano antes. Imaginava se havia algum modo de reconhecer o homem, se fosse mesmo ele. Meu corpo se lembrava melhor do que minha mente; a tensão em minhas pernas enquanto eu tentava decidir se corria ou se ficava parada ali, o ressecamento na garganta enquanto eu lutava para compor um grito decente, a pele esticada nos nós dos dedos enquanto eu cerrava as mãos em punho, os arrepios na nuca quando o moreno me chamou de "docinho"...

Havia uma ameaça indefinida e implícita naqueles homens que nada tinha a ver com aquela outra noite. Vinha do fato de que eram estranhos, ali era escuro e eles estavam em maior número. Nada mais específico do que isso. Mas foi o bastante para a voz de Jessica desafinar de pânico ao gritar por mim.

— Bella, *vamos*!

Eu a ignorei, andando bem devagar sem sequer tomar a decisão consciente de mexer meus pés. Eu não entendia por quê, mas a ameaça nebulosa representada pelos homens me atraía para eles. Foi um impulso insensato, mas eu não tinha *nenhum* tipo de impulso havia tanto tempo... Eu o segui.

Algo desconhecido correu por minhas veias. Adrenalina, percebi, há muito ausente de meu sistema, acelerando minha pulsação e combatendo a ausência de sensações. Era estranho — por que a adrenalina quando não havia medo? Era quase como se houvesse um eco da última vez que passei por aquilo, numa rua escura de Port Angeles, com estranhos.

Não vi motivo para ter medo. Nem conseguia imaginar nada no mundo que ainda pudesse me fazer temer, pelo menos nada fisicamente. Essa era uma das poucas vantagens de se perder tudo.

Eu estava no meio da rua quando Jess me alcançou e pegou meu braço.

— Bella! Não pode entrar em um bar! — sibilou ela.

— Não vou entrar — eu disse distraída, livrando-me de sua mão. — Só queria checar uma coisa...

— Ficou maluca? — sussurrou ela. — Você é suicida?

A pergunta chamou minha atenção e meus olhos focalizaram Jess.

— Não, não sou. — Minha voz parecia defensiva, mas era verdade. Eu não era suicida. Nem no começo, quando a morte inquestionavelmente teria sido um alívio, eu pensava nisso. Eu devia muito a Charlie. Sentia-me responsável demais por Renée. Tinha de pensar neles.

E fiz a promessa de não fazer qualquer idiotice, nem nenhuma imprudência. Por todos esses motivos, eu ainda respirava.

Lembrando-me da promessa, senti uma pontada de culpa, mas o que eu fazia agora não contava. Eu não ia passar uma lâmina nos pulsos.

Os olhos de Jess giravam pela rua, a boca escancarada. A pergunta sobre o suicídio fora retórica, como percebi tarde demais.

— Vá comer — eu a incitei, acenando para a lanchonete. Não gostei do modo como Jess me olhava. — Irei para lá daqui a pouco.

Afastei-me dela, de volta para os homens que nos observavam com olhos curiosos e divertidos.

"Bella, pare com isso agora!"

Meus músculos travaram, paralisando-me onde eu estava. Porque agora não era a voz de Jessica que me repreendia. Era uma voz furiosa, uma voz conhecida, uma voz linda — suave como veludo, mas mesmo assim colérica.

Era a voz *dele* — eu tinha o cuidado excepcional de não pensar em seu nome —, e fiquei surpresa que o som não me prostrasse de joelhos, não me fizesse me enroscar na calçada, torturada pela perda. Mas não havia dor, nenhuma dor.

No instante em que ouvi a voz dele, tudo ficou muito claro. Como se minha cabeça de repente tivesse ido à superfície de um poço escuro. Eu estava mais consciente de tudo — do que via e ouvia, da sensação do ar frio que não percebera soprando cortante em meu rosto, dos cheiros que vinham da porta aberta do bar.

Olhei em volta, chocada.

"Volte para Jessica", ordenou a voz adorável, ainda com raiva. "Você prometeu... Nada de idiotices."

Eu estava sozinha. Jessica estava a alguns passos de mim, observando-me com os olhos assustados. Encostados na parede, os estranhos olharam, confusos, imaginando o que eu estava fazendo, parada ali, imóvel, no meio da rua.

Sacudi a cabeça, tentando entender. Eu sabia que ele não estava ali, e, no entanto, sentia-o improvavelmente perto, perto pela primeira vez desde... desde o fim. A raiva em sua voz era de preocupação, a mesma raiva que no passado era tão familiar — algo que eu não ouvia fazia tanto tempo que parecia toda uma vida.

"Cumpra sua promessa." A voz se afastava, como o volume de um rádio sendo diminuído.

Comecei a desconfiar de que estava tendo algum tipo de alucinação. Provocada, sem dúvida, pela lembrança — o *déjà vu*, a estranha familiaridade da situação.

Repassei depressa as possibilidades em minha mente.

Primeira opção: eu estava louca. Esse era o termo leigo para as pessoas que ouviam vozes.

Era possível.

Segunda opção: meu subconsciente me dava o que eu pensava que queria. Isso era a satisfação de um desejo — um alívio momentâneo para a dor ao adotar a idéia incorreta de que *ele* se importava se eu estava viva ou morta. Projetando o que ele teria dito se A) ele estivesse ali e B) ele, de algum modo, se incomodasse caso algo de ruim acontecesse comigo.

Era provável.

Eu não via uma terceira opção, então esperei que fosse a segunda e que meu subconsciente estivesse operando furiosamente, em vez de ser alguma alternativa que exigisse minha hospitalização.

Mas minha reação não foi nada insana — e fiquei *grata*. O som da voz dele era algo que eu temia ter perdido e, assim, mais do que qualquer outra sensação, senti-me tomada de gratidão por meu inconsciente ter guardado aquele som melhor do que minha mente consciente.

Eu não podia pensar nele. Isso era algo a que eu tentava me prender. É claro que eu cometia deslizes; eu era apenas humana. Mas estava ficando melhor, e assim a dor era algo que agora eu conseguia evitar durante dias. Para compensar, tinha o torpor interminável. Entre a dor e o nada, eu escolhera o nada.

Agora eu esperava pela dor. Não estava entorpecida — meus sentidos pareciam incomumente intensos depois de tantos meses de névoa —, mas a dor normal não vinha. A única dor foi a decepção pelo desaparecimento da voz dele.

Houve um segundo de decisão.

A atitude sensata seria correr da evolução potencialmente destrutiva — e com certeza mentalmente instável — daquela situação. Seria idiotice estimular alucinações.

Mas a voz dele estava sumindo.

Dei outro passo à frente, testando.

"Bella, volte", grunhiu ele.

Suspirei de alívio. O que eu queria ouvir era a raiva — uma prova falsa e fabricada de que ele se importava, um presente dúbio de meu subconsciente.

Passaram-se pouquíssimos segundos enquanto eu raciocinava sobre tudo isso. Minha pequena platéia observava, curiosa. Devia parecer que eu só estava agitada, indecisa se ia ou não me aproximar deles. Como podiam adivinhar que eu estava parada ali desfrutando um momento inesperado de insanidade?

— Oi — gritou um dos homens, o tom de voz ao mesmo tempo confiante e meio sarcástico. Ele tinha a pele clara, era louro e estava parado com a segurança de alguém que se julgava bonito. Eu não sabia se ele era bonito ou não. Tinha minhas preferências.

A voz em minha cabeça respondeu com um rosnado intenso. Eu sorri e o homem confiante pareceu entender isso como um estímulo.

— Posso ajudá-la? Você parece perdida. — Ele sorriu e piscou.

Passei com cuidado pela sarjeta, onde corria uma água que era preta na escuridão.

— Não. Não estou perdida.

Agora que eu estava mais perto — e meus olhos entraram estranhamente em foco — analisei a cara do baixinho. Não era nada familiar. Senti uma curiosa decepção por aquele não ser o homem terrível que tentara me ferir um ano antes.

A voz em minha cabeça agora silenciara.

O baixinho percebeu meu olhar.

— Posso lhe pagar uma bebida? — ofereceu, nervoso, parecendo lisonjeado por eu tê-lo escolhido como objeto de meu interesse.

— Sou nova demais — respondi de modo automático.

Ele ficou confuso, perguntando-se por que eu tinha me aproximado deles. Senti-me obrigada a explicar.

— Do outro lado da rua, você parecia alguém que eu conheço. Desculpe, eu me enganei.

A ameaça que me fizera atravessar a rua tinha evaporado. Aqueles não eram os homens perigosos de que eu me lembrava. Deviam ser boa gente. Era seguro. Eu perdi o interesse.

— Está tudo bem — disse o louro confiante. — Fique aqui conosco.

— Obrigada, mas não posso.

Jessica hesitava no meio da rua, os olhos arregalados de ultraje e traição.

— Ah, só alguns minutos.

Sacudi a cabeça e me virei para me juntar a Jessica.

— Vamos comer — sugeri, mal olhando para ela. Embora por um momento eu parecesse livre da abstração do zumbi, também estava distante. Minha mente estava preocupada. O torpor seguro da inércia não voltara e eu ficava mais ansiosa a cada minuto que passava sem seu retorno.

— O que você estava pensando? — disse Jessica. — Você não os conhece... Eles podiam ser psicopatas!

Dei de ombros, querendo que ela deixasse o assunto de lado.

— Só achei que conhecia aquele cara.

— Você está tão estranha, Bella Swan. Parece que não a conheço.

— Desculpe. — Eu não sabia mais o que dizer.

Seguimos para o McDonald's em silêncio. Eu seria capaz de apostar que ela queria pegar o carro em vez de ir a pé pelo curto trajeto do cinema até ali, para poder usar o *drive-thru*. Ela agora estava tão ansiosa para que a noite terminasse quanto eu no início.

Tentei começar uma conversa algumas vezes enquanto comíamos, mas Jessica não cooperou. Eu devia tê-la ofendido mesmo.

Quando voltamos ao carro, ela ligou o som de novo em sua emissora preferida e colocou o volume alto para dificultar a conversa.

Não tive de lutar tanto como sempre fazia para ignorar a música. Embora
minha mente, pela primeira vez, não estivesse cuidadosamente entorpecida e
vazia, eu tinha muito no que pensar para ouvir a letra da música.

Esperei que o torpor voltasse, ou a dor. Porque a dor devia estar vindo. Eu
quebrara minhas próprias regras. Em vez de fugir assustada das lembranças,
eu me dirigi a elas e as acolhi. Ouvi a voz dele com muita clareza em minha
mente. Isso seria penoso para mim, eu tinha certeza. Em especial se eu não
pudesse resgatar a névoa para me proteger. Sentia-me alerta demais, o que
me assustava.

Mas o alívio ainda era a emoção mais forte em meu corpo — um alívio
que vinha bem lá do fundo.

Por mais que lutasse para não pensar nele, eu não lutava para *esquecê-lo*.
Eu me preocupava — tarde da noite, quando a exaustão da privação de sono
penetrava em minhas defesas — que tudo *desaparecesse*. Que minha mente
fosse uma peneira e eu um dia não conseguisse me lembrar da cor exata de
seus olhos, da sensação de sua pele fria ou da textura de sua voz. Eu podia não
pensar naquilo, mas queria me *lembrar* de tudo.

Porque só havia uma coisa em que eu precisava acreditar para poder viver — eu precisava saber que ele existira. Era só. Todo o restante eu podia
suportar. Desde que ele tivesse existido.

Era por isso que eu estava mais presa a Forks do que antes, por isso bri-
guei com Charlie quando ele sugeriu uma mudança. Sinceramente, não devia importar; ninguém voltaria para cá.

Mas se eu fosse para Jacksonville, ou qualquer outro lugar iluminado e
desconhecido, como poderia ter certeza de que ele foi real? Em um lugar
onde eu nunca pudesse imaginá-lo, a convicção desapareceria... E eu não
podia conviver com isso.

Proibida de lembrar, com medo de esquecer; era uma situação limite.

Fiquei surpresa quando Jessica parou o carro na frente da minha casa. A
viagem não demorara muito, mas, embora tenha parecido curta, eu não imaginava que Jessica pudesse passar tanto tempo sem falar.

— Obrigada por ir comigo, Jess — eu disse ao abrir a porta. — Foi...
divertido. — Esperava que *divertido* fosse a palavra adequada.

— Claro — murmurou ela.

— Desculpe por... depois do filme.

— Tudo bem, Bella. — Ela olhou para fora em vez de olhar para mim. Parecia estar cada vez mais irritada, em vez de ter superado o problema.

— A gente se vê na segunda?

— É. Tchau.

Desisti e fechei a porta. Ela foi embora, ainda sem olhar para mim.

Quando entrei em casa já tinha me esquecido dela.

Charlie esperava por mim no meio do corredor, os braços cruzados, firmes, com as mãos fechadas em punho.

— Oi, pai — disse, distraída, enquanto tentava passar por Charlie, indo para a escada. Andei pensando *nele* por tempo demais e queria subir antes que isso me dominasse.

— Aonde você foi? — perguntou Charlie.

Olhei para meu pai, surpresa.

— Fui ver um filme em Port Angeles com Jessica. Como lhe disse hoje de manhã.

— Umpf — grunhiu ele.

— Está tudo bem?

Ele examinou meu rosto, os olhos se arregalando como se visse algo inesperado.

— É, está tudo bem. Você se divertiu?

— Claro — respondi. — Vimos zumbis comendo gente. Foi ótimo.

Seus olhos se estreitaram.

— Boa noite, pai.

Ele me deixou passar. Corri para meu quarto.

Deitei na cama alguns minutos depois, resignada enquanto a dor finalmente resolvia aparecer.

Era paralisante, aquela sensação de que um buraco imenso tinha sido cavado em meu peito e que meus órgãos mais vitais tinham sido arrancados por ele, restando apenas sobras, cortes abertos que continuavam a latejar e a sangrar apesar do passar do tempo. Racionalmente, eu sabia que meus pulmões ainda estavam intactos, e no entanto eu arfava e minha cabeça girava como se meus esforços não dessem em nada. Meu coração também devia estar batendo, mas eu não conseguia ouvir o som de minha pulsação nos ouvidos; minhas mãos pareciam azuis de frio. Eu me encolhi, abraçando as costelas para não partir ao meio. Lutei para ter meu torpor, minha negação, mas isso me fugia.

E, no entanto, achei que podia sobreviver. Eu estava alerta, sentia a dor — a perda dolorosa que se irradiava de meu peito, provocando ondas arrasadoras de dor pelos membros e pela cabeça —, mas era administrável. Eu podia sobreviver a isso. Não parecia que a dor tivesse diminuído com o tempo; na verdade, eu é que ficara forte o bastante para suportá-la.

O que quer que tivesse acontecido naquela noite — e quer tenha sido responsabilidade dos zumbis, da adrenalina, ou das alucinações —, tinha me despertado.

Pela primeira vez em muito tempo eu não sabia o que esperar da manhã.

5. TRAPAÇA

— BELLA, POR QUE VOCÊ NÃO ENCERRA SEU EXPEDIENTE? — sugeriu Mike, os olhos voltados para o lado, sem realmente olhar para mim.
Perguntei-me por quanto tempo aquilo estava acontecendo sem que eu percebesse.

Era uma tarde monótona na Newton's. No momento só havia dois clien-
tes na loja, mochileiros devotados, a julgar pela conversa deles. Mike passara
a última hora lhes falando dos prós e contras de duas marcas de mochilas
leves. Mas eles pararam por um momento de avaliar os preços para se entre-
gar a uma competição das mais recentes histórias de trilhas de cada um. A
distração deles deu a Mike a oportunidade de escapar.

— Não me importo de ficar — eu disse. Eu ainda não conseguira afundar
em minha concha protetora de torpor, e naquele dia tudo parecia próximo e
nítido, o que era estranho, como se eu tivesse tirado algodões dos ouvidos.
Tentei sem sucesso me desligar dos mochileiros que riam.

— Estou dizendo — falou o homem atarracado, com uma barba alaranja-
da que não combinava com o cabelo castanho-escuro. — Vi uns ursos-pardos
muito de perto em Yellowstone, mas eles não eram tão grandes. — O cabelo
dele estava fosco e as roupas pareciam ter ficado em sua mochila por vários
dias. Direto das montanhas.

— Não pode ser. Os ursos-negros não ficam tão grandes assim. Os ursos
que você viu deviam ser filhotes. — O segundo homem era alto e magro, o
rosto bronzeado e maltratado pelo vento como uma impressionante crosta
de couro.

— É sério, Bella, assim que esses dois desistirem, vou fechar a loja —
murmurou Mike.

— Se quer que eu vá embora... — Dei de ombros.

— Sobre as quatro patas, era mais alto do que você — insistiu o barbudo enquanto eu pegava minhas coisas. — Grande como uma casa e preto feito breu. Vou avisar à guarda florestal daqui. As pessoas devem ser alertadas... Este não estava lá no alto da montanha, imagine... Estava a poucos quilômetros da trilha.

O cara de couro riu e revirou os olhos.

— Deixe-me adivinhar... Você estava chegando lá? Não comia comida de verdade ou dormia sem ser no chão havia uma semana, não é?

— Ei, hã, Mike, não é? — chamou o barbudo, olhando para nós.

— Vejo você na segunda — murmurei.

— Sim, senhor — respondeu Mike, virando-se.

— Diga uma coisa, vocês tiveram alerta de ursos-negros por aqui recentemente?

— Não, senhor. Mas é sempre bom guardar distância e armazenar sua comida de modo correto. Já viu as novas latas à prova de ursos? Pesam menos de um quilo...

As portas se abriram e eu saí para a chuva. Encolhi-me dentro do casaco e disparei para minha picape. O martelar da chuva no teto do carro também parecia estranhamente alto, mas logo o rugido do motor abafou todo o restante.

Eu não queria voltar para a casa vazia de Charlie. A noite anterior fora brutal de modo particular, e eu não desejava revisitar a cena do sofrimento. Mesmo depois que a dor cedeu o suficiente para que eu dormisse, não tinha acabado. Como disse a Jessica depois do filme, não havia dúvida de que eu teria pesadelos.

Agora eu sempre tinha pesadelos, todas as noites. Não pesadelos, na verdade, não no plural, porque sempre era o *mesmo* pesadelo. Seria de imaginar que eu ficaria entediada depois de tantos meses, que acabaria imune a ele. Mas o sonho nunca deixava de me apavorar e só terminava quando eu acordava aos gritos. Charlie não vinha mais ver o que havia de errado, para se assegurar de que nenhum invasor estivesse me estrangulando ou coisa assim — ele agora estava acostumado.

Meu pesadelo, provavelmente, não assustaria outra pessoa. Nada pulava e gritava "Buuu!". Não havia zumbis, nem fantasmas, nem psicopatas. Não havia nada, na verdade. Só o nada. Só o labirinto interminável de árvores cobertas de musgo, tão quietas que o silêncio era uma pressão desagradável em meus tímpanos. Era escuro, como o anoitecer de um dia nublado, com luz suficiente para apenas mostrar que não havia nada a se ver. Eu corria pela escuridão sem uma trilha, sempre procurando, procurando, procurando, ficando mais frenética à medida que o tempo passava, tentando andar mais rápido, embora a velocidade me deixasse desajeitada... Depois chegava o ponto em meu sonho — e agora podia pressenti-lo, mas parecia nunca conseguir acordar antes de ele chegar — em que eu não conseguia me lembrar do que estava procurando. Era quando eu percebia que não havia *nada* a procurar nem nada a encontrar. Que nunca existira nada além de apenas aquele bosque vazio e apavorante, e nunca haveria nada para mim... Nada de nada...

Em geral, era aí que os gritos começavam.

Eu não prestava atenção para onde dirigia — fiquei apenas vagando pelas ruas secundárias vazias e molhadas enquanto evitava os caminhos que me levariam para casa — porque eu não tinha para onde ir.

Queria poder sentir o torpor de novo, mas não conseguia me lembrar de como o conseguira. O pesadelo importunava minha mente e me fazia pensar em assuntos que me provocavam dor. Eu não queria me lembrar da floresta. Mesmo enquanto afugentava as imagens, senti meus olhos cheios de lágrimas, e a dor começou a cercar o buraco em meu peito. Tirei uma das mãos do volante e coloquei-a no peito, para não perder o controle.

Será como se eu nunca tivesse existido. As palavras passavam por minha cabeça sem a clareza perfeita da alucinação da noite anterior. Eram só palavras, sem som, como se estivessem impressas numa página. Só palavras, mas abriam ainda mais o buraco, e eu pisei no freio, sabendo que não devia dirigir enquanto estivesse tão incapacitada.

Eu me curvei, comprimindo o rosto contra o volante e tentando respirar sem pulmões.

Perguntei-me quanto tempo aquilo ia durar. Talvez um dia, anos mais tarde — se a dor diminuísse a um ponto que eu pudesse suportar —, eu fosse capaz de olhar o passado, aqueles poucos meses que sempre seriam os melhores de minha vida. E, se fosse possível que a dor se atenuasse o suficiente para me permitir isso, eu tinha certeza de que me sentiria grata pelo tanto que ele me dera. Fora mais do que eu pedira, mais do que eu merecia. Talvez um dia eu conseguisse ver os fatos desse modo.

Mas e se esse buraco jamais melhorasse? Se as bordas feridas nunca se curassem? Se os danos fossem permanentes e irreversíveis?

Eu me controlava. *Como se ele nunca tivesse existido*, pensei desesperada. Que promessa mais idiota e impossível! Ele podia roubar minhas fotos e tomar de volta os presentes, mas isso não colocaria as coisas no lugar em que estavam antes de eu conhecê-lo. A prova material era a parte mais insignificante da equação. *Eu* tinha mudado, meu íntimo fora alterado de modo que ficasse quase irreconhecível. Até por fora eu parecia diferente — meu rosto pálido, branco, exceto pelos círculos roxos dos pesadelos que ficavam sob meus olhos. Meus olhos eram tão escuros em minha pele branca, que — se eu fosse bonita, vista de longe — agora podia passar por uma vampira. Mas eu não era bonita e devia estar mais parecida com um zumbi.

Como se ele nunca tivesse existido? Era loucura. Uma promessa que ele jamais poderia cumprir; uma promessa que foi quebrada assim que ele a fez.

Bati a cabeça no volante, tentando me distrair da dor mais intensa.

Sentia-me boba por em algum momento ter me preocupado em manter a *minha* promessa. Onde estava a lógica de se prender a um acordo que já fora violado pela outra parte? Quem se importava se eu era imprudente e idiota? Não havia motivo para evitar a imprudência, nenhuma razão para não ser idiota.

Eu ri sozinha, sem nenhum humor, ainda tentando respirar. Imprudente em Forks — ora, essa era uma proposição impossível.

O humor negro me distraiu e a distração atenuou a dor. Minha respiração ficou mais fácil e consegui me recostar no banco do carro. Embora fizesse frio, minha testa estava molhada de suor.

Concentrei-me em minha proposição impossível para não resvalar nas lembranças aflitivas. Ser imprudente em Forks exigiria muita criatividade — talvez mais do que eu tinha. Mas eu queria encontrar um modo... Poderia me sentir melhor se não me mantivesse fiel, completamente só, a um pacto rompido. Se eu também quebrasse juramentos. Mas como eu poderia trapacear em minha parte do acordo ali, naquela cidadezinha inócua? É claro que Forks nem *sempre* era tão inócua, mas agora era exatamente o que sempre pareceu ser. Era apática, era segura.

Olhei pelo pára-brisa por um longo tempo, meus pensamentos se arrastando — eu não conseguia fazer com que as idéias chegassem a algum lugar. Desliguei o motor, que gemia de um jeito lamentável depois de ficar em ponto morto por tanto tempo, e saí para o chuvisco que caía.

A chuva escorreu por meu cabelo e se arrastou pelas bochechas como lágrimas de água fresca. Ajudou a clarear minha mente. Pisquei para afastar a água dos olhos, olhando a rua sem enxergar.

Depois de um minuto olhando para a frente, reconheci onde estava. Eu estacionara no meio da pista norte da Russell Avenue. Estava de pé na frente da casa dos Cheney — minha picape bloqueava a entrada de carros deles — e do outro lado da rua moravam os Marks. Eu sabia que precisava tirar meu carro dali e que devia ir para casa. Era errado ficar vagando como eu fizera, distraída e debilitada, uma ameaça nas ruas de Forks. Além disso, alguém logo me notaria e contaria a Charlie.

Enquanto eu respirava fundo, preparando-me para me mexer, uma placa no jardim dos Marks chamou minha atenção — era um pedaço grande de papelão encostado na caixa de correio, com letras pretas rabiscadas em maiúsculas.

Às vezes, a sorte lhe sorri.

Coincidência? Ou era o que devia ser? Eu não sabia, mas parecia meio tolo pensar que de algum modo era o destino, que as motos dilapidadas enferrujando no jardim dos Marks ao lado da placa pintada à mão de VENDEM-SE COMO ESTÃO servissem a um propósito mais elevado por estarem ali, bem onde eu precisava que estivessem.

Então talvez não fosse sorte. Talvez houvesse todo tipo de maneiras de ser imprudente, e meus olhos só agora se abriam para elas.

Imprudente e idiota. Aquelas eram as duas palavras preferidas de Charlie com relação a motocicletas.

O trabalho de Charlie não tinha muita ação se comparado com o dos policiais das cidades grandes, mas ele era chamado no caso de acidentes de trânsito. Com as ruas longas e molhadas estendendo-se da estrada que serpenteava pelo bosque, com um canto cego depois de outro, não faltava *esse* tipo de ação. Mas mesmo com todas as enormes carretas de madeira atrapalhando nas curvas, a maioria das pessoas guardava distância. As exceções a essa regra em geral eram as motos, e Charlie vira vítimas demais, quase sempre jovens, vencidas na estrada. Antes de eu completar 10 anos, ele me fez prometer que jamais aceitaria carona de moto. Mesmo nessa idade, não precisei pensar duas vezes antes de prometer. Quem ia querer andar de moto *aqui*? Seria como tomar um banho a 90km/h.

Tantas promessas que cumpri...

Então me deu um estalo. Eu queria ser idiota e imprudente, e queria quebrar promessas. Por que parar em uma só?

Isso foi tudo que pensei sobre o assunto. Caminhei na chuva para a porta da frente dos Marks e toquei a campainha.

Um dos filhos dos Marks abriu a porta, o mais novo, o calouro na escola. Eu não conseguia me lembrar do nome dele. O garoto de cabelo cor de areia só alcançava meu ombro.

Ele não teve dificuldades para lembrar meu nome.

— Bella Swan? — perguntou, surpreso.

— Quanto quer pela moto? — Eu ofegava, apontando o polegar por sobre o ombro para a placa de vende-se.

— Está falando sério? — perguntou ele.

— É claro que estou.

— Elas não funcionam.

Suspirei com impaciência — isso eu já havia deduzido pela placa.

— Quanto?

— Se quer mesmo uma, pode levar. Minha mãe obrigou meu pai a colocar todas na rua, para serem recolhidas com o lixo.

Olhei as motos de novo e vi que estavam encostadas numa pilha de grama aparada e galhos mortos.

— Tem certeza?

— Claro, quer perguntar a ela?

Provavelmente era melhor não envolver adultos que podiam falar do assunto com Charlie.

— Não, acredito em você.

— Quer uma ajuda? — ofereceu ele. — Elas não são leves.

— Tudo bem, obrigada. Mas só vou precisar de uma.

— Podia muito bem levar as duas — disse o menino. — Talvez possa aproveitar algumas peças.

Ele me seguiu pela chuva e me ajudou a colocar as duas motos pesadas na traseira de minha picape. Parecia ansioso para se livrar delas, então não discuti.

— O que vai fazer com elas, aliás? — perguntou. — Não funcionam há anos.

— Imaginei isso — disse eu, dando de ombros. Meu capricho de momento não viera com um plano perfeito. — Talvez as leve ao Dowling.

Ele bufou.

— O Dowling cobraria mais para consertá-las do que valeriam funcionando.

Não podia questionar isso. John Dowling ganhara fama pelo preço que cobrava; ninguém o procurava, a não ser numa emergência. A maioria das pessoas preferia ir até Port Angeles, se o carro pudesse fazer a viagem. Eu tinha muita sorte nesse ponto — quando Charlie me deu minha picape antiga, fiquei preocupada de não conseguir mantê-la funcionando. Mas nunca tive qualquer problema com ela, a não ser o motor barulhento e o limite de velocidade de 90km/h. Jacob Black a mantivera em ótimo estado enquanto pertenceu ao pai dele, Billy...

A inspiração me veio como um raio — o que não era irracional, considerando a tempestade.

— Sabe de uma coisa? Está tudo bem. Conheço alguém que monta carros.

— Ah! Isso é bom. — Ele sorriu, aliviado.

Ele acenou quando eu arranquei, ainda sorrindo. Um garoto simpático.

Agora eu dirigia em alta velocidade e tinha um objetivo, com pressa para chegar em casa antes que houvesse a menor possibilidade de Charlie aparecer, mesmo na eventualidade muito improvável de que ele chegasse do trabalho mais cedo. Disparei pela casa até o telefone, as chaves ainda na mão.

— O chefe Swan, por favor — disse quando o subdelegado atendeu. — É a Bella.

— Ah, oi, Bella — respondeu afavelmente o subdelegado Steve. — Vou passar para ele.

Eu esperei.

— Qual é o problema, Bella? — perguntou Charlie assim que pegou o fone.

— Não posso ligar para seu trabalho sem que seja uma emergência?

Ele ficou em silêncio por um minuto.

— Você nunca fez isso. *É* uma emergência?

— Não. Só queria que me explicasse como chegar à casa dos Black... Não sei bem se me lembro do caminho. Queria visitar Jacob. Não o vejo há meses.

Quando voltou a falar, a voz de Charlie estava muito mais feliz.

— É uma ótima idéia, Bella. Tem uma caneta?

As orientações que ele me deu eram simples. Garanti-lhe que voltaria para o jantar, embora ele tentasse me dizer para não ter pressa. Ele queria me encontrar em La Push, e eu não estava disposta a isso.

Então foi como se eu tivesse hora marcada que dirigi rápido demais pelas ruas escurecidas pela tempestade, saindo da cidade. Eu queria encontrar Jacob sozinho. Billy me entregaria se soubesse o que eu estava aprontando.

Enquanto dirigia, fiquei um pouco preocupada com a reação de Billy ao me ver. Ele ia ficar *muito* satisfeito. Na cabeça de Billy, sem dúvida, tudo se saíra melhor do que ele ousaria pensar. Seu prazer e alívio só me lembrariam daquele de quem eu não suportava me lembrar. *Hoje de novo não*, supliquei em silêncio. Eu estava esgotada.

A casa dos Black era vagamente familiar, uma casinha de madeira com janelas estreitas, a tinta vermelha desbotada deixando-a parecida com um celeiro minúsculo. A cabeça de Jacob apontou para fora da janela antes mesmo que eu saísse do carro. Sem dúvida, o rugido familiar do motor o alertara de minha aproximação. Jacob ficou muito grato quando Charlie comprou a picape de Billy para mim, poupando-o de ter de dirigi-la quando tivesse idade para isso. Eu gostava muito do meu carro, mas Jacob parecia considerar as restrições de velocidade um defeito.

Ele me recebeu a meio caminho da casa.

— Bella! — Seu sorriso animado se espalhava pelo rosto, os dentes brilhantes destacando-se num contraste vívido com a cor avermelhada de sua pele. Eu nunca vira seu cabelo sem o rabo-de-cavalo habitual. Caía como uma cortina de cetim preto dos dois lados do rosto largo.

Jacob desenvolvera parte de seu potencial nos últimos oito meses. Ele passara da fase em que os músculos macios da infância se endureciam na estrutura sólida e desajeitada de um adolescente; os tendões e veias tornaram-se proeminentes sob a pele castanho-avermelhada dos braços e das mãos. Seu rosto ainda era doce, como eu lembrava, embora também tivesse se tornado mais duro — as maçãs do rosto mais acentuadas, o queixo mais quadrado, todos os traços infantis desaparecidos.

— Oi, Jacob! — Senti um surto desconhecido de entusiasmo ao ver o sorriso dele. Percebi que estava contente em vê-lo. Descobrir isso me surpreendeu.

Eu também sorri e algo se encaixou em silêncio, como duas peças correspondentes de um quebra-cabeça. Tinha me esquecido do quanto gostava de Jacob Black.

Ele parou a pouca distância de mim e eu o olhei surpresa, inclinando a cabeça para trás, apesar da chuva que golpeava meu rosto.

— Você cresceu de novo! — apontei, maravilhada.

Ele riu, o sorriso se alargando de uma forma impossível.

— Um e noventa e quatro — anunciou, convencido. Sua voz era mais grave, mas tinha o tom rouco que eu conhecia.

— Não vai parar nunca? — Sacudi a cabeça com descrença. — Você está enorme.

— Mas ainda sou um varapau. — Ele sorriu. — Vamos entrar! Você vai ficar encharcada.

Ele foi na frente, torcendo o cabelo com as mãos grandes enquanto andava. Pegou um elástico no bolso da calça e prendeu os cabelos.

— Ei, pai — gritou ao se curvar para passar pela porta da frente. — Olhe quem parou por aqui.

Billy estava na sala de estar quadrada e mínima com um livro nas mãos. Ele baixou o livro no colo e girou para a frente ao me ver.

— Ora, quem diria! É bom ver você, Bella.

Trocamos um aperto de mãos. A minha ficou perdida em seu aperto largo.

— O que a traz aqui? Está tudo bem com Charlie?

— Sim, claro que sim. Só queria ver o Jacob... Havia séculos eu não o via.

Os olhos de Jacob brilharam com minhas palavras. Tinha um sorriso tão largo que parecia que ia machucar as bochechas.

— Pode ficar para o jantar? — Billy também estava ansioso.

— Não, preciso alimentar o Charlie, você sabe.

— Vou ligar para ele agora — sugeriu Billy. — Ele é sempre um convidado.

Ri para esconder meu desconforto.

— Mas até parece que vocês nunca mais vão me ver. Prometo que vou voltar logo... Tanto que vão ficar enjoados de mim. — Afinal, se Jacob conseguisse consertar a moto, alguém precisaria me ensinar a pilotar.

Billy riu.

— Tudo bem, talvez da próxima vez.

— E então, Bella, o que quer fazer? — perguntou Jacob.

— Qualquer coisa. O que estava fazendo antes de eu interromper? — Ali era estranhamente reconfortante. Era familiar, mas de um modo distante. Não havia lembretes dolorosos do passado recente.

Jacob hesitou.

— Estava indo trabalhar no carro, mas podemos fazer outra coisa...

— Não, isso é perfeito! — interrompi. — Eu adoraria ver seu carro.

— Tudo bem — disse ele, sem se convencer. — Está lá nos fundos, na garagem.

Melhor ainda, pensei comigo mesma. Acenei para Billy.

— A gente se vê.

Uma fila espessa de árvores e arbustos mantinha a garagem escondida da casa. O espaço não passava de dois grandes telheiros pré-moldados que tinham sido unidos, com as paredes internas derrubadas. Sob esse abrigo, sustentado por blocos de concreto, estava o que me pareceu um automóvel inteiro. Reconheci, pelo menos, o símbolo na grade do radiador.

— Que modelo de Volkswagen é esse? — perguntei.

— É um Rabbit antigo... De 1986, um clássico.

— Como está indo?

— Quase terminado — disse ele com alegria. E depois sua voz caiu para um tom mais baixo. — Meu pai cumpriu a promessa dele na primavera passada.

— Ah! — eu disse.

Ele pareceu entender minha relutância em tocar no assunto. Tentei não me lembrar de maio passado, no baile da escola. Jacob fora subornado pelo pai com dinheiro e peças do carro para levar um recado lá. Billy queria que eu ficasse a uma distância segura da pessoa mais importante de minha vida. Acabou que a preocupação dele, no final, foi desnecessária. Eu agora estava completamente segura.

Mas eu ia ver o que podia fazer para mudar isso.

— Jacob, o que você entende de motocicletas? — perguntei.

Ele deu de ombros.

— Alguma coisa. Meu amigo Embry tem uma moto velha. Às vezes trabalhamos nela juntos. Por quê?

— Bom... — Fiz um biquinho enquanto pensava. Não tinha certeza de se ele conseguiria manter a boca fechada, mas não tinha muitas alternativas. — Comprei há pouco tempo duas motos e elas não estão nas melhores condições. Pensei se você poderia colocá-las para funcionar.

— Legal! — Ele pareceu satisfeito de verdade com o desafio. Seu rosto se iluminou. — Vou tentar.

Eu estendi um dedo, alertando.

— O caso é que — expliquei — Charlie não aprova motos. Francamente, uma veia explodiria na testa dele se descobrisse. Então não pode contar a Billy.

— Claro, claro. — Jacob sorriu. — Eu entendo.

— Vou pagar a você — continuei.

Isso o ofendeu.

— Não. Quero ajudar. Não pode me pagar.

— Bom... E uma troca, hein? — Eu inventava enquanto falava, mas parecia bem razoável. — Eu só preciso de uma moto... E vou necessitar de umas aulas também. Então, que tal isso: eu lhe dou a outra moto, depois você pode me ensinar?

— De-mais. — Ele dividiu a palavra em duas sílabas.

— Espere um minutinho... Você já pode dirigir? Quando é seu aniversário?

— Você esqueceu — brincou ele, semicerrando os olhos num ressentimento fingido. — Tenho 16 anos.

— Como se sua idade o impedisse antes — murmurei. — Desculpe por seu aniversário.

— Não se preocupe. Eu perdi o seu. Quantos anos você tem, 40?

Eu funguei.

— Perto.

— Vamos fazer uma festa conjunta para compensar.

— Parece mais um encontro.

Os olhos dele brilharam ao ouvir a palavra.

Eu precisava conter o entusiasmo antes que lhe passasse a idéia errada — simplesmente tinha se passado muito tempo desde que eu me sentira tão leve e animada. A raridade da sensação a tornava mais difícil de administrar.

— Talvez quando as motos estiverem prontas... Nosso presente mútuo — acrescentei.

— Fechado. Quando vai trazê-las aqui?

Mordi o lábio, constrangida.

— Já estão na minha picape — admiti.

— Ótimo. — Ele parecia sincero.

— Será que o Billy vai ver se trouxermos para cá?

Ele piscou para mim.

— Vamos agir de fininho.

Contornamos devagar a garagem, grudados nas árvores quando estávamos à vista das janelas, fingindo um passeio despreocupado, só por segurança. Jacob descarregou as motos depressa da traseira do carro, empurrando uma após a outra para os arbustos onde eu me escondia. Pareceu fácil demais para ele — pelo que me lembrava, as motos eram muito, muito mais pesadas do que pareciam agora.

— Não estão tão ruins — avaliou Jacob enquanto as empurrávamos pela cobertura das árvores. — Esta aqui, na verdade, vai valer alguma coisa quanto eu terminar... É uma Harley Sprint antiga.

— Então esta é sua.

— Tem certeza?

— Absoluta.

— Mas vai custar algum dinheiro — disse ele, franzindo a testa para o metal escurecido. — Antes vamos ter que economizar para comprar as peças.

— *Nós* coisa nenhuma — discordei. — Se vai fazer isso de graça, vou pagar pelas peças.

— Não sei não... — murmurou ele.

— Tenho algum dinheiro guardado. Do fundo da universidade, sabe como é.

Quem precisa de faculdade?, pensei comigo mesma. Eu não estava poupando o suficiente para nenhum lugar especial; e, além de tudo, eu não queria mesmo sair de Forks. Que diferença ia fazer se eu tirasse um pouquinho?

Jacob só assentiu. Isso fazia perfeito sentido para ele.

Enquanto fugíamos para a oficina improvisada, pensei em minha sorte. Só um adolescente concordaria com isso: enganar nossos pais enquanto consertava veículos perigosos usando dinheiro que devia ser para minha educação universitária. Ele não via nada de errado nisso. Jacob era um presente dos deuses.

6. AMIGOS

Não precisamos esconder as motos, bastou colocá-las no gal-pão de Jacob. A cadeira de rodas de Billy não passava pelo terreno irregular que separava a garagem da casa.

Jacob começou na mesma hora a desmontar a primeira moto — a verme-lha, que seria minha. Ele abriu a porta do carona do Rabbit para eu me sentar no banco, e não no chão. Enquanto trabalhava, Jacob conversava animado e só precisava de meu mais sutil aceno de cabeça para continuar a conversa. Ele me atualizou sobre o progresso de seu segundo ano na escola, falando sem parar das aulas e dos dois melhores amigos.

— Quil e Embry? — interrompi. — São nomes incomuns.

Jacob riu.

— Quil é nome herdado de família e acho que Embry foi uma homena-gem a um ator de novela. Mas não posso ficar comentando. Eles ficam furio-sos se você fala sobre o nome deles... Vão partir pra cima de você.

— Amigos legais. — Ergui uma sobrancelha.

— Não, eles são mesmo. É só não mexer com o nome deles.

Nesse momento um chamado ecoou ao longe.

— Jacob? — gritou alguém.

— É o Billy? — perguntei.

— Não. — Jacob baixou a cabeça e parecia estar corando sob a pele casta-nha. — E por falar no diabo — murmurou —, aparece o capeta.

— Jake? Você está aí fora? — Agora a voz que gritava estava mais perto.

— Estou! — gritou Jacob e suspirou.

Esperamos por um curto silêncio até que dois rapazes altos e morenos entraram na garagem.

Um era mais magro e quase da altura de Jacob. O cabelo preto caía na altura do queixo, repartido ao meio, um lado enfiado atrás da orelha esquerda enquanto o lado direito balançava livre. O mais baixo era mais forte. A camiseta branca estava suja no peito bem desenvolvido e ele parecia alegremente consciente disso. O cabelo muito curto era quase uma penugem.

Os dois garotos deram uma parada. O magro olhou rápido de Jacob para mim, enquanto o musculoso mantinha os olhos em mim, um sorriso lento se espalhando pelo rosto.

— Oi, rapazes — Jacob os cumprimentou, desanimado.

— Oi, Jake — disse o mais baixo sem tirar os olhos de mim. Tive de sorrir também, o sorriso dele era bem malicioso. Quando sorri, ele piscou para mim. — Oi, e aí?

— Quil, Embry... Esta é minha amiga Bella.

Quil e Embry, eu ainda não sabia quem era quem, trocaram um olhar intenso.

— A filha de Charlie, não é? — perguntou-me o musculoso, estendendo a mão.

— É isso mesmo — confirmei, trocando um aperto de mãos com ele. Seu aperto era firme; parecia que ele estava contraindo o bíceps.

— Sou Quil Ateara — anunciou ele de forma majestosa antes de soltar minha mão.

— É um prazer conhecê-lo, Quil.

— Oi, Bella. Eu sou o Embry, Embry Call... Mas você já deve ter deduzido isso. — Embry deu um sorriso tímido e acenou, depois meteu a mão no bolso do jeans.

Eu assenti.

— É um prazer conhecê-lo também.

— Então, o que vocês estão fazendo? — perguntou Quil, ainda olhando para mim.

— Bella e eu vamos consertar estas motos — explicou Jacob sem muita exatidão.

Mas *motos* pareceu ser a palavra mágica. Os dois garotos examinaram o projeto de Jacob, enchendo-o de perguntas como se fossem profissionais. Muitas palavras que usaram eram desconhecidas para mim e imaginei que teria de ter um cromossomo Y para entender a empolgação deles.

Eles ainda estavam imersos numa conversa sobre peças quando decidi que precisava ir para casa antes que Charlie aparecesse por ali. Com um suspiro, deslizei para fora do Rabbit.

Jacob olhou como quem se desculpa.

— Estamos chateando você, não é?

— Não. — E não era mentira. Eu estava *gostando*... Que estranho. — É que preciso fazer o jantar para Charlie.

— Ah... Bom, vou terminar de desmontar as duas hoje à noite e ver de que vamos precisar para começar a restaurá-las. Quando vai querer trabalhar nelas de novo?

— Posso voltar amanhã? — Os domingos eram a ruína de minha existência. Nunca havia dever de casa suficiente para me manter ocupada.

Quil cutucou o braço de Embry e eles trocaram um sorriso.

Jacob sorriu deliciado.

— Seria ótimo!

— Se fizer uma lista, podemos comprar as peças — sugeri.

A cara de Jacob desabou um pouco.

— Ainda não sei se devo deixar você pagar tudo.

Sacudi a cabeça.

— De jeito nenhum, eu estou bancando a festa. Você só tem que entrar com a mão-de-obra e o conhecimento.

Embry revirou os olhos para Quil.

— Isso não está certo — Jacob sacudiu a cabeça.

— Jake, se eu as levasse a um mecânico, quanto ele me cobraria? — ressaltei.

Ele sorriu.

— Tudo bem, temos um acordo.

— Para não falar nas aulas de direção — acrescentei.

Quil deu um sorriso largo para Embry e cochichou alguma coisa que não entendi. A mão de Jacob disparou para dar um tapa na cabeça de Quil.

— Já chega, saiam — murmurou ele.

— Não, eu tenho que ir mesmo — protestei, indo para a porta. — A gente se vê amanhã, Jacob.

Assim que fiquei fora de vista, ouvi o coro de Quil e Embry: "Caraaaaaa!"

Seguiu-se o som de uma curta briga, intercalado com um "ai" e um "ei!".

— Se um de vocês puser um dedo que seja no meu terreno amanhã... — ouvi Jacob ameaçar. A voz dele se perdeu enquanto eu passava pelas árvores.

Eu ri baixinho. O som fez com que meus olhos se arregalassem de surpresa. Eu estava rindo, rindo de verdade, e não havia ninguém olhando. Senti-me tão leve que ri de novo, só para que a sensação durasse mais.

Cheguei em casa antes de Charlie. Quando ele entrou, eu tinha acabado de colocar o frango frito sobre uma pilha de toalhas de papel.

— Oi, pai. — Abri um sorriso para ele.

O choque passou rapidamente pelo rosto de Charlie antes de ele recompor a expressão.

— Oi, querida — disse, a voz indecisa. — Você se divertiu com Jacob?

Comecei a passar a comida para a mesa.

— É, eu me diverti.

— Isso é bom. — Ele ainda estava cauteloso. — O que vocês dois fizeram?

Agora era minha vez de ter cautela.

— Fiquei na garagem dele, vendo-o trabalhar. Sabia que ele está restaurando um Volkswagen?

— É, acho que o Billy falou sobre isso.

O interrogatório teve de parar quando Charlie começou a mastigar, mas ele continuou a examinar meu rosto enquanto comia.

Depois do jantar fiquei agitada, limpei a cozinha duas vezes e depois fiz meu dever de casa devagar, na sala, enquanto Charlie assistia a um jogo de hóquei. Esperei o máximo que pude, mas enfim Charlie disse que era tarde. Como não respondi, ele se levantou, espreguiçou-se e depois saiu, apagando a luz ao passar. Com relutância, eu o segui.

Enquanto eu subia a escada, tive a última sensação ànormal do bem-estar da tarde sendo drenada de meu sistema, substituída por um medo depressivo da idéia do que teria de suportar.

Eu não estava mais entorpecida. Aquela noite, sem dúvida, seria tão apavorante quanto a anterior. Deitei-me na cama e me encolhi como uma bola, preparando-me para a investida. Fechei bem os olhos e... a próxima coisa que percebi é que já era manhã.

Olhei pasma a luz prateada e pálida que entrava pela janela.

Pela primeira vez em mais de quatro meses eu tinha dormido sem sonhar. Sem sonhar *nem* gritar. Eu não sabia qual emoção era a mais forte — o alívio ou o choque.

Fiquei imóvel na cama por alguns minutos, esperando que voltasse. Porque alguma sensação devia vir. Se não a dor, então o torpor. Esperei, mas nada aconteceu. Eu estava descansada como não me sentia havia muito tempo.

Não acreditei que fosse durar. Estava me equilibrando na beira escorregadia e instável de um penhasco e não seria necessário muito para me derrubar de volta. Só olhar meu quarto com os olhos subitamente claros — percebendo como parecia estranho, arrumado demais, como se eu não morasse ali — já era perigoso.

Afastei aquele pensamento de minha mente e me concentrei, enquanto me vestia, no fato de que ia ver Jacob de novo. A idéia fez com que eu me sentisse quase... esperançosa. Talvez fosse como na véspera. Talvez eu não precisasse ficar me lembrando de parecer interessada e assentir ou sorrir em intervalos adequados, como tinha de fazer com todo mundo. Talvez... Mas eu não confiava que isso também fosse durar. Não confiava que seria a mesma situação — tão fácil — do dia anterior. Eu não ia me animar para depois ter uma decepção.

No café-da-manhã, Charlie também foi cuidadoso. Tentou esconder seu olhar minucioso, concentrando-se nos ovos até acreditar que eu não estava percebendo.

— O que você vai fazer hoje? — perguntou ele, olhando um fio solto na beira do punho como se não estivesse prestando muita atenção em minha resposta.

— Vou ficar com Jacob de novo.

Ele assentiu, sem olhar para mim.

— Ah! — disse.

— Você se importa? — Fingi me preocupar. — Eu posso ficar...

Ele olhou para cima rapidamente, uma pontada de pânico nos olhos.

— Não, não! Pode ir. Harry vai aparecer mesmo para ver o jogo comigo.

— Talvez Harry possa dar uma carona ao Billy — sugeri. Quanto menos testemunhas, melhor.

— É uma ótima idéia.

Eu não tinha certeza de se o jogo era só uma desculpa para ele me colocar para fora de casa, mas agora Charlie parecia bem animado. Ele foi até o telefone enquanto eu vestia o casaco de chuva. Fiquei pouco à vontade com o talão de cheques no bolso do casaco. Era algo que eu nunca usava.

Lá fora a chuva caía como água derramada de um balde. Tive de dirigir mais devagar do que queria; mal conseguia enxergar a um carro de distância da picape. Mas por fim consegui passar pelas ruas enlameadas e chegar à casa de Jacob. Antes que eu desligasse o motor, a porta da frente se abriu e Jacob veio correndo com um enorme guarda-chuva preto.

Ele o segurou acima de minha porta enquanto eu a abria.

— Charlie ligou... Disse que você estava a caminho — explicou Jacob com um sorriso.

Sem esforço, sem um comando consciente para os músculos de meus lábios, meu sorriso de resposta se espalhou pelo rosto. Uma estranha sensação de calor borbulhou em minha garganta, apesar da chuva gelada que espirrava nas bochechas.

— Oi, Jacob.

— Boa idéia convidar o Billy. — Ele ergueu a mão para me cumprimentar.

Tive de esticar tanto o braço para bater na mão de Jacob que ele riu.

Harry apareceu para pegar Billy poucos minutos depois. Jacob me levou em um breve tour por seu quarto minúsculo enquanto esperávamos ficar sem supervisão.

— Então, para onde, Sr. Supermecânico?

Jacob pegou um papel dobrado do bolso e o desamassou.

— Vamos começar pelo ferro-velho, para ver se temos sorte. Isso pode ficar meio caro — alertou ele. — Essas motos vão precisar de muita ajuda antes de funcionarem de novo. — Meu rosto não parecia muito preocupado, então ele continuou. — Estou falando de talvez mais de cem dólares.

Peguei meu talão de cheques, abanei-me com ele e revirei os olhos para as preocupações de Jacob.

— Estamos cobertos.

Foi um dia muito estranho. Eu me diverti. Mesmo no ferro-velho, com a chuva que caía e a lama até os joelhos. No início me perguntei se era só o choque depois de perder o torpor, mas não achei a explicação suficiente.

Eu estava começando a pensar que era em especial por Jacob. Não só por ele sempre ficar feliz em me ver, ou por não ficar me olhando pelo canto do olho, esperando que eu tomasse alguma atitude que me rotulasse de louca ou deprimida. Não era nada relacionado comigo.

Era o próprio Jacob. Jacob era apenas uma pessoa eternamente feliz, e carregava essa felicidade como uma aura, dividindo-a com quem quer que estivesse por perto. Como um sol na Terra, Jacob sempre aquecia quem estava em seu campo gravitacional. Era natural, fazia parte de sua personalidade. Não surpreendia que eu ficasse tão ansiosa para vê-lo.

Mesmo quando ele comentou sobre o buraco no painel de meu carro, não me provocou o pânico que eu deveria sentir.

— O som quebrou? — perguntou ele.

— É — menti.

Ele cutucou o buraco.

— Quem tirou? Estragou muita coisa...

— Fui eu — admiti.

Ele riu.

— Talvez seja melhor você não tocar muito nas motos.

— Tudo bem.

De acordo com Jacob, tivemos sorte no ferro-velho. Ele ficou muito animado com várias peças de metal retorcido, sujas de graxa, que encontrou; eu só fiquei impressionada que ele conseguisse saber o que aquelas coisas deviam ser.

Dali, fomos ao Checker Autopeças, em Hoquiam. Em minha picape, eram mais de duas horas de viagem para o sul pela estrada sinuosa, mas o tempo passava rápido com Jacob. Ele tagarelou sobre os amigos e a escola, e me vi fazendo perguntas, sem sequer fingir, com sincera curiosidade para ouvir o que ele tinha a dizer.

— Estou falando o tempo todo — reclamou ele depois de uma longa história sobre Quil e o problema que ele criou ao convidar para sair a namorada de um garoto do último ano. — Por que não fala um pouco agora? O que está acontecendo em Forks? Deve ser mais animado do que La Push.

— Errado — suspirei. — Não há absolutamente nada. Seus amigos são muito mais interessantes do que os meus. Gosto dos seus amigos. Quil é divertido.

Ele franziu a testa.

— Acho que o Quil gosta de você também.

Eu ri.

— Ele é meio novo para mim.

O vinco na testa de Jacob se aprofundou.

— Ele não é muito mais novo do que você. Só um ano e alguns meses.

Tive a sensação de que não estávamos falando mais de Quil. Mantive a voz despreocupada e brincalhona.

— Claro, mas, considerando a diferença de maturidade entre meninos e meninas, você não tem que contar como idade de cachorro? Isso me deixa o quê, uns doze anos mais velha?

Ele riu, revirando os olhos.

— Tudo bem, mas se você vai ser tão criteriosa, terá que considerar a média da altura também. Você é tão baixinha que vou ter que tirar dez anos do seu total.

— Um e sessenta e dois estão perfeitamente na média. — Eu funguei. — Não é minha culpa que você seja uma anomalia.

Ficamos brincando com isso até Hoquiam, ainda discutindo sobre a fórmula correta para determinar a idade — eu perdi mais dois anos porque não sabia trocar um pneu, mas ganhei um por ser encarregada de cuidar das contas de casa —, até que estávamos no Checker e Jacob teve de se concentrar de novo. Achamos tudo o que restava da lista e ele estava confiante de que faria muito progresso com nossas aquisições.

Quando estávamos de volta a La Push, eu tinha 23 anos e ele, 30 — sem dúvida ele estava pesando os critérios a seu favor.

Eu não tinha me esquecido do motivo do que eu estava fazendo. E, embora estivesse me divertindo mais do que pensei ser possível, não houve nenhuma diminuição de meu desejo original. Eu ainda queria trapacear. Não tinha sentido, e eu na verdade não me importava. Ia ser imprudente ao máximo em Forks. Conseguir passar o dia com Jacob era só um bônus maior do que eu esperava.

Billy ainda não tinha voltado, então não precisamos descarregar furtivamente o ganho do dia. Assim que colocamos tudo no piso de plástico ao lado da caixa de ferramentas de Jacob, logo começamos a trabalhar, ainda conversando e rindo enquanto os dedos dele mexiam com habilidade nas peças de metal que tinha à sua frente.

A destreza de Jacob com as mãos era fascinante. Elas pareciam grandes demais para as tarefas delicadas que realizavam com facilidade e precisão. Trabalhando, ele era quase gracioso. Ao contrário de quando estava de pé; desse modo, a altura e os pés grandes o tornavam quase tão perigoso quanto eu.

Quil e Embry não apareceram, então talvez a ameaça que Jacob fizera na véspera tivesse sido levada a sério.

O dia passou rápido demais. Ficou escuro antes do que eu esperava, e depois ouvimos Billy chamando por nós.

Fiquei de pé num salto para ajudar Jacob a guardar as coisas, hesitando porque não sabia em que podia mexer.

— Deixe como está — disse ele. — Vou trabalhar nisso mais tarde.

— Não se esqueça de seu dever de casa — eu disse, sentindo-me meio culpada. Eu não queria que ele se metesse em encrencas. Esse plano era só para mim.

— Bella?

Nossas cabeças se ergueram de repente ao ouvir a conhecida voz de Charlie flutuando por entre as árvores, parecendo mais próxima do que a distância da casa.

— Droga — murmurei. — Estou indo! — gritei na direção da casa.

— Vamos. — Jacob sorriu, gostando do perigo. Ele apagou a luz e por um momento fiquei cega. Jacob segurou minha mão e me conduziu para fora da garagem e por entre árvores, os pés encontrando facilmente o caminho com que estavam familiarizados. A mão dele era grossa e muito quente.

Apesar da trilha, tropeçamos na escuridão. Então também estávamos rindo quando avistamos a casa. O riso não era intenso; era tranqüilo e superficial, mas ainda assim foi bom. Eu tinha certeza de que ele não perceberia a leve pontada de histeria. Não estava acostumada a rir, e parecia ao mesmo tempo certo e muito errado.

Charlie estava de pé na pequena varanda dos fundos e Billy estava sentado atrás, na soleira da porta.

— Oi, pai — dissemos os dois ao mesmo tempo, e isso nos fez rir de novo.

Charlie me fitou com olhos arregalados, que se desviaram para baixo e notaram a mão de Jacob na minha.

— Billy nos convidou para jantar — disse-nos num tom distraído.

— Minha super-receita secreta de espaguete. Transmitida ao longo de gerações — disse Billy, sério.

Jacob bufou.

— Não acho que os molhos prontos existam há tanto tempo.

A casa ficou abarrotada. Harry Clearwater estava lá também, com sua família — a esposa, Sue, que eu conhecia vagamente de meus verões em Forks, na infância, e os dois filhos. Leah cursava o último ano, como eu, mas era um ano mais velha. Tinha uma beleza exótica — a pele acobreada perfeita, o cabelo preto cintilante, cílios como espanadores de penas — e era pensativa. Ela estava ao telefone de Billy quando entramos e não o largou. Seth tinha 14 anos; ele absorvia cada palavra de Jacob com olhos de idolatria.

Éramos muitos para a mesa da cozinha, então Charlie e Harry levaram cadeiras para o jardim e comemos espaguete com o prato no colo, à luz fraca da porta aberta de Billy. Os homens conversaram sobre o jogo, e Harry e Charlie fizeram planos para pescar. Sue implicava com o marido por causa do colesterol e tentou, sem sucesso, obrigá-lo a comer algum alimento verde e folhoso. Jacob conversou mais comigo e com Seth, que interrompia ansioso sempre que Jacob parecia se esquecer dele. Charlie me observava, tentando disfarçar, com olhos felizes, porém cautelosos.

Ficava barulhento e às vezes confuso quando todos falavam juntos, e o riso de uma piada interrompia a outra a ser contada. Não tive de falar com freqüência, mas sorri muito, e só porque tive vontade.

Eu não queria ir embora.

Mas ali era Washington e a chuva inevitável por fim interrompeu a festa; a sala de estar de Billy era pequena demais para servir de opção para continuarmos com o encontro. Harry tinha dado uma carona a Charlie, então fomos juntos em minha picape para casa. Ele me perguntou sobre meu dia e eu contei praticamente a verdade — que fora com Jacob procurar peças e depois o vira trabalhar na garagem.

— Acha que vai visitá-lo de novo em breve? — perguntou ele, tentando parecer despreocupado.

— Amanhã, depois da aula — admiti. — Vou levar o dever de casa, não se preocupe.

— Faça isso mesmo — ordenou ele, tentando disfarçar a satisfação.

Eu estava nervosa quando chegamos em casa. Não queria ir para o segundo andar. O calor da presença de Jacob estava desaparecendo, e, em sua ausência, a ansiedade ficava mais forte. Eu tinha certeza de que não conseguiria duas noites seguidas de sono tranqüilo.

Para protelar a hora de dormir, chequei meu e-mail; havia uma nova mensagem de Renée.

Ela escreveu sobre o dia que tivera, um novo clube do livro que preencheu o tempo vago das aulas de meditação que abandonara, a semana substituindo uma professora da segunda série, sentindo falta dos alunos do jardim-de-infância. Escreveu que Phil estava gostando do novo emprego de técnico e que eles pretendiam fazer uma viagem de segunda lua-de-mel a Disney World.

E eu percebi que a coisa toda parecia uma entrada de diário, em vez de uma carta a outra pessoa. O remorso me inundou, deixando uma pontada desagradável. Que bela filha eu era.

Escrevi a ela depressa, comentando cada parte de sua carta, dando voluntariamente informações minhas — descrevi a festa de espaguete na casa de Billy e como me sentia vendo Jacob construir coisas úteis a partir de peças pequenas de metal, impressionada e com certa inveja. Não fiz referência à mudança que aquela mensagem representava, comparada aos e-mails que ela recebera nos últimos meses. Mal conseguia me lembrar do que escrevera para ela, mesmo na semana anterior, mas tinha certeza de que não estive muito animada. Quanto mais pensava nisso, mais culpada me sentia; devia tê-la preocupado de verdade.

Fiquei acordada até bem tarde, fazendo mais dever de casa do que o estritamente necessário. Mas nem a privação de sono nem o tempo passado com Jacob — sendo quase feliz, de uma forma superficial — poderiam afugentar o sonho por duas noites seguidas.

Acordei tremendo, meu grito abafado pelo travesseiro.

Enquanto a luz fraca da manhã se infiltrava pela névoa do lado de fora da janela, fiquei deitada imóvel e tentei afugentar o sonho. Houve uma pequena diferença naquela noite, e eu me concentrei nisso.

Naquela noite eu não estava sozinha no bosque. Sam Uley — o homem que me tirara do chão quando eu mal conseguia pensar conscientemente — estava lá. Foi uma mudança estranha e inesperada. Os olhos escuros do homem eram de surpreendente hostilidade, cheios de um segredo que ele não parecia inclinado a compartilhar. Olhava para ele sempre que minha busca frenética permitia; deixou-me pouco à vontade, sob todo o pânico de sempre, tê-lo ali. Talvez porque, quando eu não o olhava diretamente, sua forma parecia tremer e se transformar em minha visão periférica. E, no entanto, ele não fez nada além de olhar, imóvel. Ao contrário de quando nos conhecemos na vida real, ele não me ofereceu ajuda.

Charlie me encarava durante o café-da-manhã e eu tentei ignorá-lo. Achei que eu merecia aquilo. Não podia esperar que ele não se preocupasse. Deveria levar semanas até que ele parasse de vigiar a volta do zumbi, e eu precisava apenas tentar não deixar que isso me incomodasse. Afinal, eu também estava vigiando a volta do zumbi. Dois dias dificilmente eram tempo suficiente para me considerar curada.

A escola foi o contrário. Agora que eu estava prestando atenção, ficou claro que ninguém ali estava olhando.

Eu me lembrei do primeiro dia na Forks High School — como desejei desesperadamente ficar cinza, desaparecer no concreto molhado da calçada como um camaleão gigante. Parecia que eu estava realizando esse desejo um ano depois.

Era como se eu não estivesse lá. Até os olhos de meus professores passavam por minha carteira como se estivesse vazia.

Fiquei escutando a manhã toda, ouvindo mais uma vez a voz das pessoas em volta de mim. Tentei acompanhar o que estava acontecendo, mas as conversas eram tão desconjuntadas que desisti.

Jessica não olhou para mim quando me sentei ao lado dela na aula de cálculo.

— Oi, Jess — disse com uma indiferença forçada. — Como foi o restante de seu fim de semana?

Ela olhou para mim com desconfiança. Será que ainda estava com raiva? Ou só estava impaciente demais para lidar com uma louca?

— Ótimo — disse, voltando para o livro.

— Que bom — murmurei.

A figura de linguagem *levar um gelo* parecia ter uma verdade literal. Eu podia sentir o ar quente soprando dos respiradouros do andar, mas a sala ainda estava gelada demais. Tirei o casaco do encosto da cadeira e o vesti novamente.

A aula do quarto tempo terminou tarde e a mesa de almoço em que sempre me sentava estava cheia quando cheguei. Estavam lá Mike, Jessica, Angela, Conner, Tyler, Eric e Lauren. Katie Marshall, a ruiva do primeiro ano que morava na esquina da minha rua, estava sentada com Eric, e Austin Marks — o irmão mais velho do menino das motocicletas — estava ao lado dela. Imaginei há quanto tempo se sentavam ali, incapaz de me lembrar se aquele era o primeiro dia ou se era um hábito.

Eu começava a ficar irritada comigo mesma. Podia muito bem ter ficado empacotada numa caixa de isopor no último semestre.

Ninguém olhou quando me sentei ao lado de Mike, embora a cadeira tenha feito um barulho estridente no linóleo quando a arrastei para trás.

Tentei acompanhar a conversa.

Mike e Conner falavam de esportes, então desisti dessa de imediato.

— Cadê o Ben? — perguntou Lauren a Angela. Espiei, interessada, perguntando-me se isso significava que Angela e Ben ainda estavam juntos.

Mal reconheci Lauren. Ela cortara o cabelo louro de palha de milho — agora tinha um corte tão curto que a nuca estava raspada como a de um menino. Que coisa estranha para ela fazer. Desejei saber o motivo. Será que tinha grudado chiclete no cabelo? Ela o vendera? Será que todos com quem ela costumava ser desagradável a pegaram atrás do ginásio e a escalpelaram? Concluí que não era justo julgá-la a partir da opinião que eu tinha muito tempo atrás; pelo visto, ela se tornara uma pessoa legal.

— Ben pegou uma virose gástrica — disse Angela com sua voz calma e baixa. — Por sorte só vai durar umas vinte e quatro horas. Ele ficou muito enjoado ontem à noite.

Angela também tinha mudado o cabelo. Deixou crescer em camadas.

— O que vocês fizeram no fim de semana? — perguntou Jessica, sem parecer se importar com a resposta. Pude apostar que era só uma deixa para ela contar as próprias histórias. Imaginei se ela falaria de Port Angeles comigo ali, sentada a duas cadeiras de distância. Será que eu estava tão invisível que ninguém se sentiria desconfortável discutindo sobre mim na minha presença?

— Íamos fazer um piquenique no sábado, mas... mudamos de idéia — disse Angela. Havia uma tensão na voz dela que atraiu meu interesse.

O de Jess, nem tanto.

— Que chato — disse ela, prestes a se lançar em sua história.

Mas eu não era a única que estava prestando atenção.

— O que aconteceu? — perguntou Lauren com curiosidade.

— Bom — disse Angela, parecendo mais hesitante do que o normal, embora sempre fosse reservada —, nós fomos de carro para o norte, quase até a estação de águas... Tem um lugar bom por ali, a um quilômetro da trilha. Mas quando estávamos na metade do caminho... vimos uma coisa.

— Viram uma coisa? O quê? — As sobrancelhas claras de Lauren se uniram. Agora até Jess parecia estar ouvindo.

— Não sei — disse Angela. — *Achamos* que fosse um urso. Era preto, de qualquer forma, mas era... grande demais.

Lauren bufou.

— Ah, não, você também, não! — Havia escárnio nos olhos dela, e concluí que não precisava lhe dar o benefício da dúvida. Obviamente, sua personalidade não mudara tanto quanto o cabelo. — Tyler tentou me convencer da mesma coisa na semana passada.

— Você não vai ver nenhum urso tão perto do *resort* — disse Jessica, apoiando Lauren.

— É verdade — protestou Angela em voz baixa, olhando para a mesa. — Nós vimos mesmo.

Lauren deu uma risadinha. Mike ainda falava com Conner, sem prestar atenção nas meninas.

— Não, ela tem razão — eu me intrometi, impaciente. — Tivemos um montanhista no sábado que também viu o urso, Angela. Ele disse que era imenso e preto, e estava nos arredores da cidade, não foi, Mike?

Houve um momento de silêncio. Cada par de olhos na mesa se virou para mim, em choque. A garota nova, Katie, escancarou a boca como se tivesse acabado de testemunhar uma explosão. Ninguém se mexeu.

— Mike? — murmurei, mortificada. — Você se lembra do cara com a história do urso?

— C-claro — gaguejou ele depois de um segundo. Não sei por que me olhava de um jeito tão estranho. Eu falava com ele no trabalho, não falava? Não falava? Assim eu pensava...

Mike se recuperou.

— É, teve um cara que disse ter visto um urso-preto enorme na trilha... Maior do que um urso-pardo — confirmou ele.

— Umpf! — Lauren se virou para Jessica, os ombros rígidos, e mudou de assunto.

— Soube alguma coisa da universidade? — perguntou ela.

Todos desviaram os olhos também, exceto Mike e Angela. Angela sorriu para mim, indecisa, e eu me apressei a retribuir o sorriso.

— Então, o que você fez no fim de semana, Bella? — perguntou Mike, curioso, mas estranhamente cauteloso.

Todos olharam, exceto Lauren, esperando por minha resposta.

— Na sexta à noite, Jessica e eu fomos a um cinema em Port Angeles. E depois passei a tarde de sábado e a maior parte do domingo em La Push.

Os olhos disparavam de Jessica para mim. Jess parecia irritada. Perguntei-me se ela não queria que ninguém soubesse que tinha saído comigo ou se queria contar ela mesma a história.

— Que filme vocês viram? — perguntou Mike, começando a abrir um sorriso.

— *Terror Sem Fim*... Aquele dos zumbis. — Eu sorri, estimulando-o. Talvez eu pudesse recuperar parte dos danos que provocara naqueles meses como zumbi.

— Soube que é de dar medo. Você achou? — Mike estava aflito para continuar a conversa.

— Bella teve que sair no final, de tão apavorada que ficou — intrometeu-se Jessica com um sorriso malicioso.

Assenti, tentando parecer constrangida.

— Foi apavorante mesmo.

Mike não parou de me fazer perguntas até que o almoço tivesse acabado. Aos poucos, os outros conseguiram recomeçar as próprias conversas, embora ainda olhassem muito para mim. Angela conversou principalmente com Mike e comigo, e quando me levantei para descartar a bandeja, ela me seguiu.

— Obrigada — disse ela numa voz baixa quando estávamos longe da mesa.

— Pelo quê?

— Por falar, me dando apoio.

— Sem problemas.

Ela olhou para mim preocupada, mas não daquele jeito ofensivo de talvez-ela-esteja-maluca.

— Você está bem?

Foi por isso que escolhi Jessica e não Angela — embora eu sempre tenha gostado mais de Angela — para a noite de cinema. Angela era perceptiva demais.

— Não completamente — admiti. — Mas estou um pouco melhor.

— Fico feliz com isso — disse ela. — Senti sua falta.

E então Lauren e Jessica vieram em nossa direção e ouvi Lauren cochichar alto:

— Ah, *que alegria*. A Bella voltou.

Angela revirou os olhos para as duas e sorriu para mim, encorajando-me. Suspirei. Era como se estivesse começando tudo de novo.

— Que dia é hoje? — perguntei de repente.

— Dezenove de janeiro.

— Hmmmm.

— Que foi? — perguntou Angela.

— Ontem completou um ano que cheguei aqui — refleti.

— Nada mudou muito — murmurou Angela, olhando para Lauren e para Jessica.

— Eu sei — concordei. — Era nisso mesmo que eu estava pensando.

7. REPETIÇÃO

Eu não sabia que diabos estava fazendo ali.

Estava *tentando* me empurrar de volta ao estupor de zumbi? Tinha me tornado masoquista — criado gosto pela tortura? Eu devia ter ido direto para La Push. Sentia-me muito, muito mais saudável perto de Jacob. *Aquela* não era uma coisa saudável de se fazer.

Mas continuei a dirigir devagar pela rua tomada pelo mato, contornando as árvores que arqueavam sobre mim como um túnel verde e vivo. Minhas mãos tremiam, então apertei com mais força o volante.

Eu sabia que parte do motivo para fazer aquilo fora o pesadelo; agora que eu estava bem desperta, o nada do sonho roía meus nervos, um cão mordendo um osso. Havia *algo* a procurar. Inacessível e impossível, desinteressado e aturdido... Mas *ele* estava lá, em algum lugar. Eu precisava acreditar nisso.

A outra parte foi a estranha sensação de repetição que sentira na escola, a coincidência da data. A sensação de que eu estava recomeçando — talvez da maneira como meu primeiro dia teria sido se eu de fato fosse a pessoa mais incomum no refeitório naquela tarde.

As palavras passavam por minha cabeça, sem som, como se eu as lesse em vez de ouvi-las:

Será como se eu nunca tivesse existido.

Eu estava mentindo para mim mesma ao dividir em apenas duas partes meu motivo para vir aqui. Não queria admitir a motivação mais forte. Porque era mentalmente doentia.

A verdade era que eu queria ouvir a voz dele de novo, como ouvira na estranha ilusão da noite de sexta-feira. Porque, naquele breve momento, quando a voz dele veio de uma parte de mim que não era minha lembrança consciente, quando a voz dele era perfeita e suave como mel e não o eco pálido que minhas lembranças costumavam produzir, eu pude lembrar sem dor. Não durou muito; a dor se apoderou de mim, como eu tinha certeza de que aconteceria nessa jornada inútil. Mas aqueles momentos preciosos, quando pude ouvi-lo de novo, eram uma tentação irresistível. Eu precisava encontrar uma forma de repetir a experiência... Ou talvez a melhor palavra fosse *episódio*.

Pensei que a chave fosse o *déjà vu*. Então fui à casa dele, um lugar aonde não ia desde minha malfadada festa de aniversário, tantos meses antes.

A vegetação espessa e quase selvagem passava lentamente por minha janela. A viagem não terminava. Comecei a acelerar, ficando tensa. Há quanto tempo estava dirigindo? Já não deveria ter chegado na casa? O caminho estava tão tomado pelo mato que parecia desconhecido.

E se eu não conseguisse encontrar? Estremeci. E se não houvesse nenhuma prova tangível?

Depois veio a brecha que eu procurava entre as árvores, só que não era tão acentuada como antes. A vegetação aqui não esperou muito tempo para reclamar o terreno que ficara desprotegido. As samambaias altas se infiltraram na grama em volta da casa, rastejando pelos troncos dos cedros, até a varanda ampla. Era como se o gramado tivesse sido inundado — na altura da cintura — por ondas verdes e emplumadas.

E a casa *estava* lá, mas não era a mesma. Embora nada tivesse mudado em seu exterior, o vazio gritava pelas janelas desabitadas. Era horripilante. Pela primeira vez desde que a vira, a linda casa parecia um abrigo adequado para vampiros.

Pisei no freio, virando o rosto. Tinha medo de ir mais à frente.

Mas nada aconteceu. Nenhuma voz em minha cabeça.

Então deixei o motor ligado e pulei para o mar de samambaias. Talvez, como na noite de sexta, se eu avançasse...

Aproximei-me devagar da fachada estéril e vazia, minha picape rugindo reconfortante atrás de mim. Parei ao chegar à escada da varanda, porque nada havia ali. Nenhuma sensação da presença deles que permanecesse ali... Da presença dele. A casa estava lá, sólida, mas pouco significava. Sua realidade concreta não contrabalançava o nada dos pesadelos.

Não me aproximei mais. Não queria olhar pelas janelas. Não tinha certeza do que seria mais difícil ver. Se os cômodos estivessem nus, ecoando o vazio do chão ao teto, isso com certeza me magoaria. Como no enterro de minha avó, quando minha mãe insistiu para que eu ficasse do lado de fora durante o velório. Ela disse que eu não precisava vê-la, lembrar-me dela daquele jeito, ao invés de viva.

Mas não seria pior se não houvesse mudança nenhuma? Se os sofás estivessem exatamente como eu os vira, os quadros nas paredes — pior ainda, o piano em sua plataforma baixa? Isso só não seria pior do que o completo desaparecimento da casa, do que ver que não havia coisas materiais que de algum modo os prendessem. Que tudo ficara para trás, intocado e esquecido.

Assim como eu.

Dei as costas para o vazio escancarado e me apressei em direção ao carro. Praticamente corri. Estava ansiosa para ir embora, voltar ao mundo humano. Sentia-me vazia de um modo horrível e queria ver Jacob. Talvez eu estivesse desenvolvendo um novo tipo de doença, outro vício, como o torpor de antes. Não me importava. Forcei ao máximo o motor de minha picape, como se estivesse atolada em meu dilema.

Jacob esperava por mim. Meu peito pareceu relaxar assim que o vi, tornando mais fácil respirar.

— Oi, Bella — chamou ele.

Eu sorri, aliviada.

— Oi, Jacob. — Acenei para Billy, que olhava pela janela.

— Vamos trabalhar — disse Jacob numa voz baixa, mas ansiosa.

De algum modo eu consegui rir.

— Ainda não enjoou mesmo de mim? — perguntei. Ele devia estar começando a se perguntar o quanto eu estava desesperada por companhia.

Jacob seguiu na frente, contornando a casa até a garagem.

— Não, ainda não.

— Por favor, me avise quando eu começar a lhe dar nos nervos. Não quero ser um incômodo.

— Tudo bem. — Ele riu, um som gutural. — Mas, no seu lugar, eu não contaria muito com isso.

Quando entramos na oficina, fiquei chocada ao ver a moto vermelha de pé, parecendo uma motocicleta em vez de uma pilha de metal retorcido.

— Jake, você é incrível — eu disse baixinho.

Ele riu de novo.

— Eu me torno obsessivo quando tenho um projeto. — Ele deu de ombros. — Se fosse mais esperto, embromaria um pouquinho.

— Por quê?

Ele baixou a cabeça, parando por tanto tempo que me perguntei se tinha ouvido minha pergunta. Por fim, ele me questionou:

— Bella, se eu tivesse dito que não podia consertar essas motos, o que você diria?

Não respondi de imediato e ele examinou minha expressão.

— Eu diria... que era péssimo, mas que poderia pensar em outra coisa para fazer. Se estivéssemos mesmo desesperados, podíamos até fazer o dever de casa.

Jacob sorriu e seus ombros relaxaram. Ele se sentou ao lado da moto e pegou uma chave inglesa.

— Então acha que ainda vai voltar aqui quando eu acabar?

— Era isso que queria dizer? — Sacudi a cabeça. — Acho que *estou mesmo* me aproveitando de suas habilidades mecânicas de baixo custo. Mas se você me deixar vir aqui, eu virei.

— Na esperança de ver Quil de novo? — brincou ele.

— Agora você adivinhou.

Ele riu.

— Você gosta mesmo de ficar comigo? — perguntou ele, maravilhado.

— Muito, gosto muito. E vou provar isso. Tenho que trabalhar amanhã, mas na quarta-feira vamos fazer alguma coisa que não tenha a ver com mecânica.

— O quê, por exemplo?

— Não faço idéia. Podemos ir à minha casa, assim você não fica tentado a ser tão obsessivo. Podia levar seu dever... Deve estar atrasado, porque sei que o meu está.

— Dever de casa pode ser uma boa idéia. — Ele fez uma careta, e eu me perguntei o quanto ele o estava deixando de lado para ficar comigo.

— Sim — concordei. — É melhor começar a ser responsável de vez em quando, ou Billy e Charlie não serão tão compreensivos com isso. — Fiz um gesto indicando nós dois como uma entidade só. Ele gostou — ficou radiante.

— Dever de casa uma vez por semana? — propôs ele.

— Talvez seja melhor fazermos duas vezes — sugeri, pensando na pilha que eu deveria fazer naquele dia.

Ele soltou um suspiro pesado. Depois procurou um saco de papel pardo na caixa de ferramentas. Pegou duas latas de refrigerante, abriu e me passou uma. Abriu a segunda e a ergueu com cerimônia.

— À responsabilidade — brindou ele. — Duas vezes por semana.

— E a cada dia irresponsável entre elas — enfatizei.

Ele sorriu e bateu com a lata dele na minha.

Fui para casa mais tarde do que pretendia e descobri que Charlie tinha pedido uma pizza, em vez de esperar por mim. Ele não deixou que eu me desculpasse.

— Eu não me importo — garantiu-me. — Você merece mesmo uma folga da cozinha.

Sabia que estava aliviado por eu ainda estar agindo como uma pessoa normal e que ele não ia estragar tudo.

Verifiquei meus e-mails antes de começar o dever de casa, e havia outra longa mensagem de Renée. Estava entusiasmada com cada detalhe que lhe contara, então mandei outra descrição minuciosa de meu dia. Tudo, menos as motos. Até a relaxada Renée ficaria alarmada com isso.

A escola na terça-feira teve seus altos e baixos. Angela e Mike pareciam prontos a me receber de volta de braços abertos — e gentilmente fazer vista grossa para meus meses de comportamento bizarro. Jess foi mais resistente. Imaginei se ela precisava de um pedido formal de desculpas, por escrito, pelo incidente de Port Angeles.

Mike estava animado e tagarela no trabalho. Era como se tivesse acumulado o falatório de todo o semestre e agora colocasse tudo para fora. Descobri que eu era capaz de sorrir e rir com ele, embora não fosse tão espontâneo como era com Jacob. Mas parecia bem inofensivo, até a hora de ir embora.

Mike colocou a placa de fechado na vitrine enquanto eu dobrava meu avental e o enfiava embaixo do balcão.

— Hoje foi divertido — disse Mike, todo feliz.

— É — concordei, embora preferisse ter passado a tarde na garagem.

— Que chato você ter saído cedo do cinema na semana passada.

Fiquei meio confusa com aquela linha de raciocínio. Dei de ombros.

— Acho que sou só uma covarde.

— Quer dizer, você devia ter visto um filme melhor, alguma história de que gostasse — explicou ele.

— Ah! — murmurei, ainda confusa.

— Como talvez nesta sexta. Comigo. Podemos ir ver algo que não seja apavorante.

Mordi o lábio.

Não queria estragar minha relação com Mike, não quando ele era uma das únicas pessoas dispostas a me perdoar por ficar maluca. Mas isso, de novo, parecia familiar demais. Como se o ano passado nunca tivesse acontecido. Queria ter Jess como desculpa de novo.

— Como um encontro? — perguntei. Àquela altura, a sinceridade devia ser a melhor política. Deixar tudo muito claro.

Ele processou meu tom de voz.

— Se você quiser. Mas não precisa ser assim.

— Eu não tenho encontros — eu disse devagar, percebendo a verdade daquilo. O mundo todo parecia incrivelmente distante.

— Só como amigos? — sugeriu ele. Os olhos azul-claros agora não estavam tão ansiosos. Esperei que estivesse sendo sincero sobre sermos amigos.

— Seria divertido. Mas já tenho planos para esta sexta-feira, então quem sabe na semana que vem?

— O que você vai fazer? — perguntou ele, menos despreocupado do que acho que queria aparentar.

— Dever de casa. Marquei... de estudar com um amigo.

— Ah! Tudo bem. Talvez na semana que vem.

Ele me acompanhou até o carro, menos expansivo do que antes. Isso me trouxe uma lembrança clara de meus primeiros meses em Forks. Eu fechara um círculo, e agora tudo parecia um eco — um eco vazio, desprovido do interesse que eu tinha antigamente.

Na noite seguinte, Charlie não pareceu nem um pouco surpreso ao encontrar Jacob e eu esparramados no chão da sala, cercados por nossos livros espalhados, então achei que ele e Billy andaram conversando pelas nossas costas.

— Oi, crianças — disse ele, os olhos se desviando para a cozinha. O cheiro da lasanha que eu passara a tarde preparando, enquanto Jacob olhava e de vez em quando provava, se espalhava pelo corredor. Estava sendo boazinha, tentando compensar por todas as pizzas.

Jacob ficou para o jantar e levou um prato para Billy. De má vontade, acrescentou mais um ano à minha idade negociável por eu ser boa cozinheira.

Sexta-feira foi dia de garagem, e no sábado, depois de meu turno na Newton's, dever de casa de novo. Charlie sentiu-se seguro o suficiente de minha sanidade mental para passar o dia pescando com Harry. Quando voltou, tínhamos terminado tudo — sentindo-nos muito sensatos e maduros com isso também — e estávamos assistindo a *Monster Garage* no Discovery Channel.

— Acho que tenho que ir — suspirou Jacob. — É mais tarde do que eu pensava.

— Tá, tudo bem — murmurei. — Vou levar você para casa.

Ele riu de minha evidente má vontade — isso pareceu agradá-lo.

— Amanhã voltamos ao trabalho — eu disse assim que estávamos seguros na picape. — A que horas quer que eu chegue?

Havia uma empolgação inexplicada no sorriso que ele me deu.

— Eu ligo antes, está bem?

— Claro. — Fechei a cara, imaginando o que estava acontecendo. O sorriso dele se alargou.

Na manhã seguinte, limpei a casa — esperando que Jacob telefonasse e tentando me livrar do último pesadelo. O cenário tinha mudado. Na noite anterior, eu vagava num amplo mar de samambaias intercaladas com cicutas enormes. Não havia mais nada lá e eu estava perdida, vagando sem rumo e sozinha, procurando por nada. Eu queria bater em mim mesma pela viagem idiota da semana anterior. Expulsei o sonho de meu pensamento na esperança de que ele ficasse preso em algum lugar e não escapasse de novo.

Charlie estava lá fora lavando a viatura da polícia, então, quando o telefone tocou, larguei a escovinha de banheiro e desci correndo para atender.

— Alô? — perguntei, sem fôlego.

— Bella — disse Jacob com um estranho tom formal.

— Oi, Jake.

— Acho que... temos um *encontro* — disse ele, a voz cheia de implicações.

Precisei de um segundo para entender.

— Estão prontas? Não acredito! — Que senso de oportunidade perfeito. Eu precisava de algo para me distrair dos pesadelos e do nada.

— É, andam e tudo.

— Jacob, você é absolutamente, sem dúvida alguma, a pessoa mais talentosa e maravilhosa que eu conheço. Ganhou dez anos com essa.

— Que legal! Agora sou um homem de meia-idade.

Eu ri.

— Estou indo para aí!

Atirei o material de limpeza debaixo da bancada do banheiro e peguei meu casaco.

— Vai ver Jake? — disse Charlie quando passei correndo por ele. Não era de fato uma pergunta.

— É — respondi ao pular para dentro da picape.

— Estarei na delegacia mais tarde — disse Charlie às minhas costas.

— Tudo bem — gritei para ele, ligando a ignição.

Charlie disse mais alguma coisa, mas não pude ouvi-lo com clareza por causa do ronco do motor. Pareceu algo como: "Onde é o incêndio?"

Estacionei o carro ao lado da casa dos Black, perto das árvores, para que ficasse mais fácil retirar escondido as motos. Quando saí do carro, uma mancha de cor chamou minha atenção — duas motos reluzentes, uma vermelha, outra preta, estavam escondidas sob um abeto, invisíveis da casa. Jacob estava preparado.

Havia uma fita azul formando um lacinho em volta de cada punho. Eu estava rindo disso quando Jacob saiu da casa.

— Pronta? — perguntou ele em voz baixa, os olhos brilhando.

Olhei por sobre o ombro dele e não havia sinal de Billy.

— Pronta — eu disse, mas não me sentia tão animada quanto antes; estava tentando me imaginar realmente *em cima* da moto.

Com facilidade, Jacob levou as motos para a caçamba da picape, deitando-as de lado com cuidado para que não aparecessem.

— Vamos — disse ele, a voz mais alta do que o normal, de tão empolgado. — Conheço um lugar perfeito... Ninguém vai nos ver lá.

Fomos para o sul, saindo da cidade. A estrada de terra entrava e saía sinuosa do bosque — às vezes não havia nada além de árvores e depois, de repente, tínhamos um vislumbre emocionante do oceano Pacífico, estendendo-se no horizonte, cinza-escuro sob as nuvens. Estávamos acima da costa, no alto do penhasco que cercava a praia, e a vista parecia se estender para sempre.

Eu dirigia devagar, assim podia de vez em quando olhar o mar com segurança, quando a estrada se aproximava mais dos penhascos. Jacob falava de como havia aprontado as motos, mas suas descrições estavam ficando técnicas e eu não prestava muita atenção.

Foi quando percebi quatro figuras paradas numa saliência rochosa, perto demais do precipício. De longe não sabia que idade tinham, mas imaginei que fossem homens. Apesar do frio no ar, eles pareciam estar somente de short.

Enquanto eu olhava, o mais alto se aproximou da beira. Eu automaticamente reduzi, meu pé hesitando no pedal do freio.

Depois ele se atirou.

— Não! — gritei, pisando firme no freio.

— Que foi? — gritou Jacob, alarmado.

— Aquele cara... Ele acaba de *pular* do *penhasco*! Por que não o impediram? Temos que chamar uma ambulância!

Abri minha porta num rompante e comecei a sair, o que não fazia sentido algum. O caminho mais rápido até um telefone era voltar para a casa de Billy. Mas eu não acreditava no que acabara de ver. Talvez, em meu inconsciente, eu esperasse ver alguma coisa diferente sem o vidro do pára-brisa no meio.

Jacob riu e eu me virei para encará-lo, desvairada. Como ele podia ser tão insensível, ter sangue-frio?

— Eles só estão mergulhando do penhasco, Bella. Por diversão. La Push não tem shopping, sabia? — Ele zombava de mim, mas havia uma estranha irritação em sua voz.

— Mergulhando? — repeti, tonta. Olhei incrédula enquanto uma segunda figura se aproximava da beira, parava e depois, muito graciosamente, saltava no espaço. Ele caiu pelo que pareceu uma eternidade para mim, entrando com suavidade nas ondas cinza-escuras lá embaixo.

— Caramba. É tão alto. — Voltei para o meu banco, ainda fitando de olhos arregalados os outros dois mergulhadores. — Deve ter uns trinta metros.

— Bom, é, a maioria de nós pula de lugares mais baixos, daquela pedra que se destaca na metade do penhasco. — Ele apontou pela janela. O lugar que indicou parecia muito mais razoável. — *Esses* caras são malucos. Devem estar se exibindo, mostrando que são durões. Quer dizer, hoje está congelando. A água não deve estar boa. — Ele fez uma cara de desgosto, como se a proeza o ofendesse pessoalmente. Isso me surpreendeu um pouco. Eu achava que era quase impossível irritar Jacob.

— *Você* pula do penhasco? — Não tinha deixado passar aquele "nós".

— Claro, claro. — Ele deu de ombros e sorriu. — É divertido. Meio assustador, um tipo de adrenalina.

Olhei para os penhascos, onde a terceira figura avançava para a beira. Nunca tinha testemunhado nada tão imprudente em toda a minha vida. Meus olhos se arregalaram e eu sorri.

— Jake, você precisa me levar para mergulhar do penhasco.

Ele franziu a cara para mim, exprimindo reprovação.

— Bella, você agora mesmo queria chamar uma ambulância para Sam — lembrou-me. Não fiquei surpresa que ele soubesse quem era daquela distância.

— Quero tentar — insisti, começando a sair do carro de novo.

Jacob pegou meu punho.

— Hoje não, está bem? Será que podemos pelo menos esperar por um dia mais quente?

— Tudo bem, tá legal — concordei. Com a porta aberta, a brisa glacial dava arrepios em meu braço. — Mas quero ir logo.

— Logo. — Ele revirou os olhos. — Às vezes você é meio estranha, Bella. Sabia disso?

Eu suspirei.

— Sabia.

— E não vamos pular do topo.

Eu olhei, fascinada, enquanto o terceiro cara corria e se atirava no ar vazio mais longe do que os outros dois. Ele girou e deu um mortal enquanto caía, como se estivesse praticando *skydiving*. Parecia absolutamente livre — sem pensar e um total irresponsável.

— Ótimo — concordei. — Não na primeira vez, pelo menos.

Jacob suspirou.

— Vamos testar as motos ou não? — perguntou ele.

— Tudo bem, tudo bem — eu disse, tirando os olhos da última pessoa que aguardava no penhasco. Recoloquei o cinto de segurança e fechei a porta. O motor ainda estava ligado, rugindo em ponto morto. Recomeçamos a descer a estrada.

— Então, quem eram aqueles caras... Os malucos? — perguntei.

Saiu um rosnado de revolta do fundo da garganta.

— A gangue de La Push.

— Vocês têm uma gangue? — perguntei. Percebi que parecia impressionada.

Ele riu da minha reação.

— Não assim. Juro, eles são como inspetores de colégio enlouquecidos. Não começam as brigas, mantêm a paz. — Ele bufou. — Havia um sujeito lá de cima, perto da reserva Makah, um grandalhão também, de aparência apavorante. Bom, dizem por aí que ele estava vendendo metanfetamina a crianças, e Sam Uley e seus *discípulos* expulsaram-no de nossas terras. Todos eles só querem saber de *nossas terras*, e de *orgulho tribal*... Está ficando ridículo. O pior é que o conselho os leva a sério. Embry disse que o conselho se reúne com Sam. — Ele sacudiu a cabeça, a face cheia de ressentimento. — Embry também soube por Leah Clearwater que eles se chamam os "protetores" ou algo assim.

As mãos de Jacob se fecharam, como se ele estivesse com vontade de bater em alguma coisa. Eu nunca vira aquele lado dele.

Fiquei surpresa ao ouvir o nome de Sam Uley. Eu não queria ter de volta as imagens de meu pesadelo, então fiz uma observação rápida para me distrair.

— Você não gosta muito deles.

— Parece mesmo? — perguntou ele com sarcasmo.

— Bom... Não parece que estejam fazendo algo ruim. — Tentei acalmá-lo, deixá-lo animado de novo. — Só uma espécie de gangue de santinhos irritantes.

— É. Irritante é uma boa palavra. Eles estão sempre se exibindo... Como a história do penhasco. Eles agem como se... como se, sei lá. Como uns brutamontes. Uma vez, no semestre passado, eu estava com Embry e Quil na loja e Sam apareceu com os *seguidores* dele, Jared e Paul. Quil disse alguma coisa, você sabe que ele tem a língua muito grande, e aquilo irritou Paul. Os olhos dele escureceram e ele pareceu sorrir... Não, ele arreganhou os dentes, mas não sorriu... E foi como se estivesse tão irritado que chegava a tremer ou coisa assim. Mas Sam pôs a mão no peito de Paul e sacudiu a cabeça. Paul olhou para ele por um minuto e se acalmou. Sinceramente, foi como se Sam o estivesse contendo... Como se Paul fosse nos dilacerar caso Sam não o impedisse. — Ele gemeu. — Parece um faroeste vagabundo. Sabe, o Sam é um sujeito grandalhão, tem uns 20 anos. Mas Paul só tem 16 também, é mais baixo do que eu e não é tão forte quanto o Quil. Acho que qualquer um de nós podia dar conta dele.

— Brutamontes — concordei. Eu podia visualizá-los enquanto ele os descrevia, e isso me trouxe uma lembrança... Um trio de morenos altos, juntos e imóveis, na sala de estar do meu pai. A imagem era torta, porque minha cabeça estava encostada no sofá enquanto o Dr. Gerandy e Charlie se curvavam sobre mim... Seria a gangue de Sam?

Logo falei de novo, para me distrair das memórias sombrias.

— Sam não é meio velho demais para esse tipo de coisa?

— É. Ele devia ir para universidade, mas ficou. E ninguém deu a mínima para isso. Todo o conselho quase teve uma síncope quando minha irmã recusou uma bolsa parcial e se casou. Mas, ah, não, Sam Uley não faz nada de errado.

Seu rosto tinha linhas desconhecidas de ultraje — ultraje e outra coisa que de início não reconheci.

— Tudo isso é bem irritante e... estranho. Mas não entendo por que leva essa história para o lado pessoal. — Espiei seu rosto, na esperança de que não o tivesse ofendido. Ele de repente ficou calmo, olhando pela janela.

— Você perdeu a entrada — disse numa voz monótona.

Manobrei o carro num U largo, quase batendo numa árvore quando minha volta tirou metade da picape da estrada.

— Obrigada por ter me avisado — murmurei e entrei na via secundária.

— Desculpe, eu não estava prestando atenção.

Ficamos em silêncio por um breve minuto.

— Pode parar em qualquer lugar por aqui — disse ele de modo delicado.

Encostei e desliguei o motor. Meus ouvidos tiniram no silêncio que se seguiu. Nós dois saímos e Jacob foi para a traseira pegar as motos. Tentei ler sua expressão. Algo mais o incomodava. Eu tinha tocado em uma ferida.

Ele sorria pouco animado ao empurrar a moto vermelha para o meu lado.

— Feliz aniversário atrasado. Está pronta para isso?

— Acho que sim. — A moto de repente pareceu me intimidar e assustar, quando percebi que logo estaria montada nela.

— Vamos começar devagar — prometeu ele. Encostei com cautela a moto no pára-lama da picape enquanto Jacob pegava a dele.

— Jake... — Hesitei quando ele contornava o carro.

— Sim?

— O que realmente está incomodando você? Sobre a história do Sam, quer dizer? Tem mais alguma coisa? — Observei seu rosto. Ele fez uma careta, mas não parecia estar com raiva. Olhou a terra e chutou o pneu da frente da moto repetidas vezes, como se marcasse um compasso.

Ele suspirou.

— É só... o modo como eles me tratam. Me dá arrepios. — Agora as palavras começavam a jorrar. — Sabe, o conselho deve ser composto de iguais, mas se houvesse um líder, seria meu pai. Nunca pude entender por que as pessoas o tratam desse jeito. Por que a opinião dele é a que mais conta. Tem alguma coisa a ver com o pai dele, e o pai do pai dele. Meu bisavô, Ephraim Black, foi algo como o último chefe que tivemos, e eles ainda ouvem o Billy talvez por causa disso. Mas eu sou como todo mundo. Ninguém *me* trata de um jeito especial... Até agora.

Isso me pegou de surpresa.

— Sam trata você de um jeito especial?

— É — concordou ele, fitando-me com os olhos perturbados. — Ele me olha como se esperasse alguma coisa... Como se um dia eu fosse me juntar à gangue idiota dele. Ele presta mais atenção em mim do que em qualquer dos outros caras. Detesto isso.

— Não tem que se juntar a nada. — Minha voz era colérica. Aquilo estava mesmo aborrecendo Jacob, o que me enfurecia. Quem aqueles "protetores" pensavam que eram?

— É. — O pé dele continuava batendo ritmadamente no pneu.

— Que foi? — Pude ver que havia mais.

Ele franziu o cenho, as sobrancelhas unindo-se de uma forma que demonstrava tristeza e preocupação, em vez de raiva.

— É o Embry. Ele anda me evitando nos últimos dias.

Os pensamentos não pareciam relacionados, mas eu me perguntei se era a culpada pelos problemas com o amigo dele.

— Você anda saindo muito comigo — lembrei a ele, sentindo-me egoísta. Eu o estava monopolizando.

— Não, não é isso. Não é só comigo... É com o Quil também, e com todo mundo. Embry faltou uma semana à escola, mas nunca estava em casa quando tentamos vê-lo. E quando voltou, parecia... parecia nervoso. Apavorado. Quil e eu tentamos fazer com que ele nos contasse o que havia de errado, mas ele não falou com nenhum de nós.

Olhei para Jacob, mordendo os lábios de ansiedade — ele estava mesmo assustado. Mas não me olhou. Ficou olhando o pé que batia no pneu como se pertencesse a outra pessoa. O ritmo se intensificou.

— E nesta semana, do nada, Embry está andando com Sam e os outros. Ele estava lá nos penhascos hoje. — Sua voz era baixa e tensa. Ele enfim me olhou. — Bella, eles incomodavam mais o Embry do que a mim. Embry não queria ter nada a ver com eles. E agora está seguindo Sam como se tivesse entrado para um culto. E foi assim que aconteceu com Paul. Exatamente do mesmo jeito. Ele não tinha nenhuma amizade com Sam. Depois parou de ir à escola por algumas semanas e, quando voltou, de repente Sam era dono dele. Não sei o que isso significa. Não consigo imaginar o que é, e sinto que tenho que descobrir, porque Embry é meu amigo e... Sam olha para mim de um jeito estranho... e... — Ele parou.

— Já conversou com Billy sobre isso? — perguntei. O pavor dele estava passando para mim. Eu sentia arrepios correndo pela nuca.

Agora havia raiva em seu rosto.

— Já — ele bufou. — Foi de muita ajuda.

— O que ele disse?

A expressão de Jacob era sarcástica e, quando ele falou, sua voz imitava o tom grave do pai.

— "Não há nada com que se preocupar agora, Jacob. Daqui a alguns anos, se você não... Bom, vou explicar mais tarde." — E depois retomou a própria voz. — O que eu devia concluir disso? Será que ele está tentando dizer que é uma coisa idiota da puberdade, que vem com a idade? Tem coisa aí. Alguma coisa errada.

Ele mordia o lábio inferior e cerrava as mãos. Parecia estar a ponto de chorar.

Joguei os braços em torno dele por instinto, envolvendo sua cintura e apertando o rosto contra seu peito. Ele era tão grande que eu me sentia uma criança abraçando um adulto.

— Ah, Jake, vai ficar tudo bem! — prometi. — Se piorar, você pode morar comigo e com Charlie. Não fique com medo, vamos pensar em alguma solução!

Ele ficou paralisado por um segundo, depois seus braços longos me envolveram, hesitantes.

— Obrigado, Bella. — A voz dele soava mais rouca que o normal.

Ficamos parados ali por um momento, e isso não me incomodou; na verdade, senti-me reconfortada pelo contato com ele. Não era nada parecido com a última vez que alguém me abraçara assim. Era amizade. E Jacob era muito quente.

Foi estranho para mim ficar tão perto — emocional, não fisicamente, embora o físico também me fosse desconhecido — de outro ser humano. Não era meu estilo habitual. Eu não me relacionava com as pessoas com tanta facilidade, num nível tão profundo.

Não com seres humanos.

— Se é assim que você vai reagir, vou ficar nervoso com mais freqüência. — A voz de Jacob estava tranqüila, normal de novo, e seu riso trovejou em meu ouvido. Delicadamente, seus dedos tocaram meu cabelo, indecisos.

Bom, para mim era amizade.

Afastei-me depressa, rindo com ele, mas decidida a colocar de novo as coisas em seus lugares.

— É difícil acreditar que sou dois anos mais velha do que você — eu disse, destacando as palavras *mais velha*. — Você faz com que eu me sinta uma anã. — Parada ali tão perto dele, eu tinha mesmo de esticar o pescoço para ver seu rosto.

— Está se esquecendo de que tenho 40 anos, é claro.

— Ah, é verdade.

Ele afagou minha cabeça.

— Você parece uma bonequinha — debochou ele. — Uma boneca de porcelana.

Eu revirei os olhos, recuando outro passo.

— Não vamos começar com piadinhas racistas.

— É sério, Bella, tem certeza de que não é? — Ele esticou o braço avermelhado para perto de mim. A diferença não era lisonjeira. — Nunca vi ninguém mais branco do que você... Bom, a não ser por... — Ele se interrompeu e eu desviei os olhos, tentando não entender o que ele estivera prestes a dizer. — Então, vamos andar de moto ou não?

— Vamos nessa — concordei, com mais entusiasmo do que teria um minuto antes. Sua frase inacabada me lembrou do motivo de estar ali.

8. ADRENALINA

— MUITO BEM, ONDE ESTÁ A EMBREAGEM?

Apontei para a alavanca em meu punho esquerdo. Soltar o punho foi um erro. A moto pesada balançou embaixo de mim, ameaçando me derrubar de lado. Agarrei o punho de novo, tentando mantê-la reta.

— Jacob, não vai ficar de pé — reclamei.

— Vai, quando você estiver em movimento — prometeu ele. — Agora, onde está seu freio?

— Atrás do meu pé direito.

— Errado.

Ele segurou minha mão direita e pôs meus dedos em volta da alavanca acima do acelerador.

— Mas você disse...

— Este é o freio que você quer. Não use o freio traseiro agora, isso é para depois, quando você souber o que está fazendo.

— Não parece certo — disse, desconfiada. — Os dois freios não são importantes?

— Esqueça o freio traseiro, está bem? Olhe... — Ele envolveu minha mão com a dele e me fez apertar a alavanca para baixo. — É *assim* que você freia. Não esqueça. — Ele apertou minha mão outra vez.

— Tudo bem — concordei.

— Acelerador?

Girei o punho direito.

— Câmbio?

Cutuquei-o com a panturrilha esquerda.

— Muito bom. Acho que você entendeu todas as partes. Agora só precisa colocar a moto em movimento.

— Arrã — murmurei, com medo de dizer mais. Meu estômago se contorcia estranhamente, e pensei que minha voz pudesse falhar. Eu estava apavorada. Tentei dizer a mim mesma que o medo não tinha sentido. Eu já vivera o pior possível. Comparada àquilo, por que qualquer coisa me assustaria agora? Eu devia poder olhar a morte de frente e rir.

Meu estômago não engoliu essa.

Olhei o longo trecho de estrada de terra, cercada dos dois lados pelo verde espesso e indistinto. A estrada era arenosa e molhada. Melhor do que lama.

— Quero que puxe a embreagem para baixo — instruiu Jacob.

Envolvi a embreagem com os dedos.

— Agora isto é crucial, Bella — enfatizou Jacob. — Não a solte, está bem? Quero que finja que eu lhe dei uma granada. O pino foi arrancado e você está segurando o detonador.

Apertei com mais força.

— Ótimo. Acha que pode dar a partida?

— Se eu mexer meu pé, vou cair — disse entre os dentes, os dedos firmes em volta da granada.

— Tudo bem, vou fazer isso. Não solte a embreagem.

Ele recuou um passo, depois de repente bateu o pé no pedal. Houve um som breve, cortante, e a força de seu golpe virou a moto. Comecei a cair de lado, mas Jake pegou a moto antes que ela me atirasse no chão.

— Firme aí — encorajou ele. — Ainda está com a embreagem?

— Sim — respondi, ofegante.

— Firme os pés... Vou tentar de novo. — Mas ele também pôs a mão na parte de trás do banco, só por segurança.

Foram necessárias mais quatro tentativas até a ignição pegar. Pude sentir a moto rugindo embaixo de mim como um animal furioso. Eu agarrava a embreagem até meus dedos doerem.

— Tente soltar o acelerador — sugeriu ele. — Muito de leve. E não solte a embreagem.

Hesitante, girei o punho direito. Embora o movimento fosse mínimo, a moto grunhiu embaixo de mim. Agora parecia ter raiva *e* fome. Jacob sorriu, muito satisfeito.

— Lembra como engrenar a primeira? — perguntou ele.

— Lembro.

— Bom, faça isso agora.

— Tudo bem.

Ele esperou alguns segundos.

— Pé esquerdo — soprou ele.

— Eu *sei* — falei, respirando fundo.

— Tem certeza de que quer fazer isso? — perguntou Jacob. — Você parece assustada.

— Estou bem — rebati. Baixei um grau do câmbio com o pé.

— Muito bom — ele me elogiou. — Agora, *muito* delicadamente, solte a embreagem.

Ele se afastou um passo da moto.

— Quer que eu largue a granada? — perguntei, incrédula. Não admira que ele tenha chegado para trás.

— É assim que você anda, Bella. Faça isso aos pouquinhos.

Enquanto eu começava a afrouxar a embreagem, fiquei chocada ao ser interrompida por uma voz que não pertencia ao garoto parado a meu lado.

"Isso é imprudente, infantil e idiota, Bella", fuzilou a voz aveludada.

— Ah! — arfei e minha mão soltou a embreagem.

A moto deu um pinote embaixo de mim, jogando-me para a frente, e depois desabou no chão; metade do meu corpo embaixo dela. O motor engasgou e parou.

— Bella? — Jacob tirou a moto pesada de cima de mim com facilidade. — Você se machucou?

Mas eu não estava ouvindo.

"Eu lhe disse", murmurou a voz perfeita, clara como cristal.

— Bella? — Jacob sacudiu meu ombro.

— Estou bem — murmurei, confusa.

Mais do que bem. A voz em minha cabeça tinha voltado. Ainda soava em meus ouvidos — ecos macios de veludo.

Minha mente disparou depressa pelas possibilidades. Não havia familiaridade ali — numa estrada que eu nunca vira, fazendo algo que nunca fizera na vida —, nenhum *déjà vu*. Então as alucinações deviam ser disparadas por outro motivo... Sentia a adrenalina correndo por minhas veias de novo e pensei ter a resposta. Uma combinação de adrenalina e perigo, ou talvez só estupidez.

Jacob me colocava de pé.

— Você bateu a cabeça? — perguntou ele.

— Acho que não. — Sacudi a cabeça de um lado para outro, verificando. — Não quebrei a moto, não é? — Essa idéia me preocupava. Eu estava ansiosa para tentar de novo; agir com imprudência mostrou ser melhor do que eu pensava. Podia deixar a trapaça de lado. Talvez eu tivesse encontrado uma forma de gerar as alucinações — isso era muito mais importante.

— Não. Você só afogou o motor — disse Jacob, interrompendo minhas breves especulações. — Você soltou a embreagem rápido demais.

Assenti.

— Vamos tentar de novo.

— Tem certeza? — perguntou Jacob.

— Afirmativo.

Dessa vez tentei dar a partida eu mesma. Era complicado; eu tinha de pular um pouco para descer o pedal com força suficiente, e sempre que fazia isso a moto tentava me derrubar. As mãos de Jacob pairavam sobre os punhos, prontas para me pegar se eu precisasse dele.

Foram várias tentativas boas, a maioria ruins, até que o motor pegasse e rugisse sob meu corpo. Lembrando-me de segurar a granada, eu experimentei girar o acelerador um pouco. Ele rosnou ao mais leve toque. Agora meu sorriso espelhava o de Jacob.

— Solte a embreagem — lembrou-me ele.

"Então você *quer mesmo* se matar? É disso que se trata?", falou a outra voz de novo, o tom severo.

Dei um sorriso duro — ainda estava funcionando — e ignorei as perguntas. Jacob não ia deixar que nada de grave acontecesse comigo.

"Vá para a casa de Charlie", ordenou a voz. Sua mera beleza me maravilhou. Eu não podia deixar que minha lembrança se perdesse, qualquer que fosse o preço.

— Solte devagar — encorajou-me Jacob.

— Vou soltar — eu disse. Fiquei um pouco incomodada ao perceber que respondia aos dois.

A voz em minha cabeça rosnou acima do rugido do motor da moto.

Dessa vez, tentando me concentrar para não deixar que a voz me assustasse de novo, relaxei a mão aos poucos. De repente, o câmbio engrenou e fui lançada para a frente.

E eu estava voando.

Havia um vento que não estava ali antes, soprando na pele de meu crânio e fazendo meu cabelo voar para trás com tanta força que parecia estar sendo puxado por alguém. Meu estômago tinha ficado lá atrás, onde dei a partida; a adrenalina percorria meu corpo, formigando em minhas veias. As árvores passavam por mim misturando-se em uma muralha verde.

Mas aquela era só a primeira marcha. Meu pé avançou mais um pouco no câmbio enquanto eu girava para ter mais aceleração.

"Não, Bella!", a voz colérica e doce como mel ordenou em meu ouvido. "Cuidado com o que está fazendo!"

Isso me distraiu da velocidade o suficiente para perceber que a estrada começava a fazer uma curva lenta para a esquerda e eu ainda estava em linha reta. Jacob não me ensinou a virar.

— Freios, freios — murmurei comigo mesma e instintivamente desci o pé direito, como se estivesse em minha picape.

A moto de repente ficou instável, tremendo primeiro para um lado e depois para o outro. Estava me arrastando para a muralha verde, e eu ia rápido demais. Tentei virar o guidom para outra direção, e o súbito deslocamento de peso derrubou a moto no chão, ainda rumo às árvores.

A motocicleta caiu em cima de mim de novo, rugindo alto, empurrando-me pela areia molhada até que bateu em algum objeto parado. Eu não conseguia enxergar. Meu rosto estava esmagado contra o limo. Tentei levantar a cabeça, mas havia algo no caminho.

Eu estava tonta e confusa. Parecia que havia três diferentes grunhidos — a moto em cima de mim, a voz em minha cabeça e outra coisa mais...

— Bella! — gritou Jacob, e eu ouvi o ronco da outra moto parar.

A moto não me prendia mais ao chão e eu rolei para respirar. Todo o rugido cessou.

— Caramba — murmurei. Eu estava agitada. Tinha de ser essa a receita para a alucinação: adrenalina mais perigo mais estupidez. Alguma combinação parecida com essa, de qualquer modo.

— Bella! — Jacob se abaixava sobre mim angustiado. — Bella, você está viva?

— Estou ótima! — disse, entusiasmada. Flexionei os braços e as pernas. Tudo parecia perfeito. — Vamos fazer de novo.

— Acho que não. — Jacob ainda estava preocupado. — Acho melhor levar você ao hospital primeiro.

— Eu estou bem.

— Hmmm, Bella? Você tem um corte enorme na testa e está sangrando — informou-me ele.

Passei a mão na testa. Estava mesmo molhada e pegajosa. Eu só sentia o cheiro do musgo molhado em meu rosto e isso conteve a náusea.

— Ah, me desculpe, Jacob. — Apertei o corte com força, como se pudesse obrigar o sangue a voltar para minha cabeça.

— Por que está se desculpando por sangrar? — perguntou ele, enquanto passava o braço comprido por minha cintura e me puxava para me colocar de pé. — Vamos. Eu dirijo. — Ele estendeu a outra mão para a chave.

— E as motos? — perguntei, entregando a chave a ele.

Ele pensou por um segundo.

— Espere aqui. E pegue isso. — Ele tirou a camiseta, já suja de meu sangue, e a atirou para mim. Eu a embolei e segurei com força em minha testa. Começava a sentir o cheiro do sangue; respirei fundo pela boca e tentei me concentrar em outra coisa.

Jacob pulou na moto preta, deu a partida na primeira tentativa e seguiu pela estrada, espalhando areia e seixos. Ele parecia atlético e profissional curvado no guidom, a cabeça baixa, o rosto para a frente, o cabelo brilhante chicoteando na pele avermelhada das costas. Meus olhos se estreitaram de inveja. Eu tinha certeza de que não ficava assim em minha moto.

Fiquei surpresa com a distância que eu percorrera. Mal podia ver Jacob ao longe quando ele enfim chegou à picape. Ele atirou a moto na caçamba e disparou para o banco do motorista.

O rugido ensurdecedor que ele fez com meu carro na pressa para voltar e me pegar me aborreceu. Minha cabeça doía um pouco e meu estômago estava inquieto, mas o corte não era grave. Feridas na cabeça sangram mais do que a maioria das outras. A urgência dele não era necessária.

Jacob deixou o motor da picape ligado ao correr até mim e passar de novo o braço em minha cintura.

— Muito bem, vamos colocar você no carro.

— Sinceramente, estou bem — garanti quando ele me ajudou a entrar. — Não fique tão agitado. É só um pouco de sangue.

— Só *muito* sangue — eu o ouvi resmungar enquanto voltava para pegar minha moto.

— Agora, vamos pensar nisso por um segundo — comecei quando ele entrou de volta. — Se você me levar para a emergência desse jeito, Charlie certamente vai saber. — Olhei a areia e a terra presas no meu jeans.

— Bella, acho que você precisa levar uns pontos. Não vou deixar você sangrar até a morte.

— Não vou — prometi. — Só vamos levar as motos de volta primeiro, depois paramos na minha casa para eu me livrar das provas antes de irmos ao hospital.

— E Charlie?

— Ele disse que tinha que trabalhar hoje.

— Tem certeza mesmo?

— Confie em mim. Eu sangro com facilidade. Não é nem de longe tão terrível quanto parece.

Jacob não ficou satisfeito — sua boca se virou inteira para baixo numa careta estranha —, mas ele não queria me meter em problemas. Olhei pela janela, segurando a camiseta dele, arruinada, em minha cabeça, enquanto ele me levava para Forks.

A moto era melhor do que eu sonhava. Serviu a seu propósito original. Eu trapaceei — quebrei minha promessa. Fui imprudente sem necessidade. Eu me sentia um pouco menos patética agora que as promessas tinham sido quebradas dos dois lados.

E depois a descoberta da chave para as alucinações! Pelo menos, eu esperava ter descoberto. Ia testar a teoria assim que fosse possível. Talvez me liberassem rapidamente no pronto-socorro e eu pudesse tentar de novo naquela noite.

Correr pela estrada daquele jeito foi maravilhoso. A sensação do vento no rosto, a velocidade e a liberdade... Lembrou-me de uma vida passada, voando pelo bosque denso sem uma estrada, carregada nas costas enquanto *ele* corria — parei de pensar bem nesse ponto, deixando que a lembrança fosse interrompida na agonia repentina. Eu me encolhi.

— Você ainda está bem? — verificou Jacob.

— Estou. — Tentei parecer tão convincente quanto antes.

— A propósito — acrescentou ele —, vou desconectar seu pedal de freio hoje à noite.

Em casa, fui logo me olhar no espelho; estava mesmo horrível. O sangue secava em manchas espessas na bochecha e no pescoço, colando-se no cabelo enlameado. Fiz um exame clínico em mim mesma, fingindo que o sangue era tinta para não perturbar meu estômago. Eu respirava pela boca e tudo estava bem.

Lavei o máximo que pude. Depois escondi as roupas com sangue e terra no fundo do cesto de roupa suja, vesti jeans limpo e uma blusa de botões (que eu não tinha de vestir pela cabeça) com o máximo cuidado. Consegui fazer isso com uma só mão e mantive as duas peças de roupa sem sangue.

— Depressa — chamou Jacob.

— Tudo bem, tudo bem — gritei para ele. Depois de me certificar de não ter deixado nada incriminador para trás, desci ao primeiro andar.

— Como estou? — perguntei a ele.

— Melhor — admitiu Jacob.

— Mas parece que tropecei em sua garagem e bati a cabeça em um martelo?

— Claro, acho que sim.

— Então, vamos.

Jacob correu comigo porta afora e insistiu para dirigir de novo. Estávamos a meio caminho do hospital quando percebi que ele ainda estava sem camisa.

Fechei a cara, sentindo-me culpada.

— Devíamos ter pego um casaco para você.

— Isso teria nos entregado — brincou ele. — Além disso, não está frio.

— Está brincando? — Eu tremia e estendi a mão para ligar o aquecedor.

Observei Jacob para ver se só estava bancando o durão para que eu não me preocupasse, mas ele parecia bastante confortável. Estava com um braço estendido sobre meu banco, enquanto eu me encolhia para me manter aquecida.

Jacob parecia mesmo ter mais de 16 anos — não exatamente 40, mas talvez mais velho do que eu. Quil não ficava lhe devendo muito no quesito músculos, apesar de Jacob afirmar ser um esqueleto. Os músculos eram do tipo magros e longos, mas sem dúvida estavam ali, sob a pele macia. A pele de Jacob era de uma cor tão bonita que me deu inveja.

Jacob percebeu que eu estava olhando.

— Que foi? — perguntou ele, constrangido de repente.

— Nada. Só não tinha percebido antes. Sabia que você é até bonito?

Depois que as palavras saíram, fiquei preocupada que ele pudesse entender minha observação impulsiva da maneira errada.

Mas Jacob só revirou os olhos.

— Você bateu a cabeça com muita força, não foi?

— Estou falando sério.

— Bom, então, eu até agradeço.

Eu sorri.

— Por nada.

Tive de levar sete pontos para fechar o corte na testa. Depois da picada do anestésico local, não senti dor no procedimento. Jacob segurava minha mão

enquanto o Dr. Snow costurava, e tentei não pensar por que aquilo era irônico.

Ficamos séculos no hospital. Quando terminou, deixei Jacob em casa e
corri de volta para fazer o jantar de Charlie. Charlie pareceu engolir minha
história sobre a queda na garagem de Jacob. Afinal, eu já fora parar no pronto-socorro antes sem precisar de nada além de meus pés.

Aquela noite não foi tão ruim quanto a primeira, depois de eu ter ouvido
a voz perfeita em Port Angeles. O buraco voltou, como sempre acontecia
quando eu me afastava de Jacob, mas não latejou tanto nas beiradas. Eu já
estava fazendo planos, ansiando para ter mais ilusões, e aquilo foi uma distração. Também, eu sabia que me sentiria melhor no dia seguinte, quando
estivesse com Jacob de novo. Graças a isso, foi mais fácil suportar o vazio e a
familiar dor; havia o alívio em vista. O pesadelo também tinha perdido parte de seu poder. Fiquei aterrorizada pelo vazio, como sempre, mas também
fiquei estranhamente impaciente enquanto esperava pelo momento que me
faria gritar ao voltar à consciência. Eu sabia que o pesadelo ia terminar.

Na quarta-feira seguinte, antes de eu chegar do pronto-socorro, o Dr. Gerandy ligou para alertar meu pai de que eu podia ter uma concussão e aconse-
lhou-o a me acordar a cada duas horas à noite para se certificar de que não era
grave. Os olhos de Charlie se estreitaram, desconfiados da explicação boba
que tinha dado para meu tropeço.

— Talvez você deva ficar fora daquela garagem, Bella — sugeriu ele naquela noite, durante o jantar.

Entrei em pânico, preocupada que Charlie estivesse prestes a baixar alguma espécie de decreto que vetaria La Push e, por conseqüência, minha moto.
E eu não ia desistir — tivera a mais incrível alucinação naquele dia. Minha
ilusão de voz aveludada gritara comigo por quase cinco minutos antes de eu
pisar bruscamente no freio e me atirar na árvore. Eu suportaria qualquer dor
que aquilo me provocasse naquela noite sem reclamar.

— Não aconteceu na garagem — protestei rápido. — Estávamos fazendo
uma caminhada numa trilha e tropecei numa pedra.

— Desde quando você faz trilha? — perguntou Charlie com ceticismo.

— Às vezes trabalhar na Newton's pode ser contagiante — assinalei. —
De tanto passar dia após dia vendendo todas as vantagens da vida ao ar livre,
acabamos ficando curiosos.

Charlie me olhou sem se deixar convencer.

— Vou ter mais cuidado — prometi, disfarçando ao cruzar os dedos debaixo da mesa.

— Não me importo que faça caminhadas em trilhas por La Push, mas fique perto da cidade, está bem?

— Por quê?

— Bom, ultimamente temos recebido um monte de queixas de animais selvagens. A guarda florestal vai verificar, mas por enquanto...

— Ah, o urso grande — eu disse com uma compreensão súbita. — É, apareceram uns montanhistas na Newton's que o viram. Acha que existe algum urso mutante e gigantesco por aí?

A testa dele se vincou.

— Existe alguma coisa. Fique perto da cidade, está bem?

— Claro, claro — assenti depressa. Ele não pareceu totalmente sossegado.

— Charlie está ficando enxerido — queixei-me com Jacob quando o peguei depois da escola na sexta-feira.

— Talvez devêssemos pegar leve com as motos. — Ele viu minha expressão de objeção e acrescentou: — Pelo menos por uma semana, mais ou menos. Você pode ficar longe do hospital por uma semana, não pode?

— O que vamos fazer? — Fiquei atormentada.

Ele sorriu, animado.

— O que você quiser.

Pensei naquilo por um minuto — sobre o que eu queria.

Eu odiava a idéia de perder até meus breves segundos de proximidade com as lembranças que não doíam — aquelas que vinham espontaneamente, sem que eu pensasse nelas. Se eu não podia ter as motos, teria de encontrar outro caminho para o perigo e para a adrenalina, e isso requeria raciocínio e criatividade. Não era interessante ficar à toa nesse meio-tempo. E se eu ficasse deprimida de novo, mesmo com Jake? Eu tinha de me manter ocupada.

Talvez houvesse outra maneira, outra receita... Em outro lugar.

A casa tinha sido um equívoco, sem dúvida. Mas a presença *dele* devia estar impressa em outro lugar, um lugar além de dentro de mim. Tinha de haver um lugar onde ele parecesse mais real do que em meio a todas as paisagens conhecidas que estavam cheias de outras lembranças humanas.

Só conseguia pensar em um lugar onde isso podia acontecer. Um lugar que sempre pertenceria a *ele* e a mais ninguém. Um lugar mágico, cheio de luz. A linda campina que eu só vira uma vez na vida, iluminada pelo sol e pelas centelhas da pele dele.

Essa idéia tinha um enorme potencial de se voltar contra mim — podia ser perigosamente dolorosa. Meu peito doeu por conta do vazio que eu sentia só de pensar no assunto. Era difícil me manter firme, não me trair. Mas, com certeza, entre todos os lugares, eu poderia ouvir a voz dele ali. E eu já tinha dito a Charlie que estava fazendo trilha...

— No que está pensando tanto? — perguntou Jacob.

— Bom... — comecei devagar. — Uma vez eu descobri um lugar no bosque... Acabei chegando a ele quando estava, hmmm, caminhando. Uma pequena campina, o lugar mais lindo que já vi. Não sei se conseguiria encontrá-lo de novo sozinha. Precisaria de algumas tentativas...

— Podemos usar uma bússola e um esquema de grade para indicar o caminho — disse Jacob, prestativo e confiante. — Sabe de onde partiu?

— Sei, pouco abaixo da trilha onde a 110 termina. Acho que fui mais para o sul.

— Legal. Vamos encontrar. — Como sempre, Jacob topava qualquer atividade que eu quisesse. Por mais estranha que fosse.

Assim, no sábado à tarde, experimentei minhas novas botas de caminhada — compradas naquela manhã, usando pela primeira vez meu desconto de vinte por cento para funcionários —, peguei meu mapa topográfico da península de Olympic e dirigi para La Push.

Não partimos imediatamente; primeiro, Jacob se esparramou pelo chão da sala de estar — tomando todo o espaço — e, por uns bons vinte minutos, desenhou uma teia complicada na seção principal do mapa enquanto eu me empoleirava numa cadeira da cozinha e conversava com o pai dele. Billy não parecia preocupado com nossa excursão. Fiquei surpresa que Jacob tivesse contado a ele aonde íamos, dado o estardalhaço que as pessoas estavam fazendo a respeito do urso. Queria pedir a Billy para não contar nada daquilo a Charlie, mas tive medo de que a solicitação provocasse o resultado contrário.

— Talvez a gente veja o superurso — brincou Jacob, com os olhos no desenho.

Olhei para Billy rapidamente, temendo uma reação ao estilo de Charlie. Mas Billy se limitou a rir do filho.

— Então talvez devam levar um pote de mel, só por precaução.

Jake riu.

— Espero que suas botas novas sejam rápidas, Bella. Um potinho não vai manter um urso faminto ocupado por muito tempo.

— Eu só tenho que ser mais rápida do que você.

— Boa sorte! — disse Jacob, revirando os olhos enquanto dobrava o mapa. — Vamos.

— Divirtam-se — trovejou Billy, girando a cadeira para a geladeira.

Charlie não era uma pessoa de convivência difícil, mas me parece que era mais fácil para Jacob do que para mim.

Dirigi para o finalzinho da estrada de terra, parando perto da placa que marcava o início da trilha. Já fazia muito tempo desde que estivera ali, e meu estômago reagiu nervoso. Aquilo podia ser muito ruim. Mas valeria a pena se eu ouvisse a voz *dele*.

Saí do carro e olhei a densa muralha verde.

— Eu fui por aqui — murmurei, apontando para a frente.

— Hmmmm — murmurou Jake.

— Que foi?

Ele olhou na direção que apontei, depois para a trilha claramente marcada e de volta para mim.

— Pensei que fosse o tipo de garota que só anda na trilha.

— Eu não. — Dei um sorriso amarelo. — Sou uma rebelde.

Ele riu, depois pegou o mapa.

— Me dê um segundo. — Ele segurou a bússola com habilidade, girando o mapa até que ficasse no ângulo que queria.

— Tudo bem... Primeira linha na grade. Vamos.

Eu sabia que estava atrasando Jacob, mas ele não reclamou. Tentei não me ater à minha última viagem por aquela parte do bosque, com uma companhia muito diferente. As lembranças normais ainda eram perigosas. Se eu me deixasse fracassar, terminaria com os braços grudados no peito para não desmoronar, arfante, e como explicaria isso a Jacob?

Manter-me concentrada no presente não foi tão difícil como eu pensara. O bosque era parecido com qualquer outra parte da península e Jacob criava um estado de espírito muito diferente.

Ele assoviava animado, uma música desconhecida, balançando os braços e andando com facilidade pelo terreno irregular. As sombras não pareciam tão escuras. Não com meu sol particular me fazendo companhia.

Jacob olhava a bússola a cada poucos minutos, mantendo-nos em linha reta com um dos raios de sua grade. Ele realmente parecia saber o que estava fazendo. Pensei em elogiá-lo, mas me contive. Sem dúvida, ele acrescentaria mais alguns anos a sua idade já superestimada.

Minha mènte vagava enquanto eu caminhava, e surgiu uma curiosidade. Eu não tinha me esquecido da conversa que tivéramos perto do penhasco — estava esperando que ele levantasse o assunto de novo, mas não parecia que isso fosse acontecer.

— Ei... Jake? — perguntei, hesitante.

— Sim?

— Como estão as coisas... com Embry? Ele voltou ao normal?

Jacob ficou em silêncio por um minuto, ainda avançando a passos largos. Quando estava uns três metros à frente, parou para me esperar.

— Não. Ele não voltou ao normal — disse Jacob quando o alcancei, os cantos da boca se curvando. — Ele não voltou a andar conosco. — Logo me arrependi de ter tocado no assunto.

— Ainda com Sam.

— É.

Ele passou o braço por meu ombro e parecia tão perturbado que não me esquivei descontraidamente, como faria em outra ocasião.

— Eles ainda olham estranho para você? — quase sussurrei.

Jacob olhou as árvores.

— Às vezes.

— E Billy?

— Útil como sempre — disse ele num tom amargurado, de raiva, que me perturbou.

— Nosso sofá está sempre às ordens — ofereci.

Ele riu, rompendo a melancolia que não lhe era natural.

— Mas pense na situação em que Charlie ficaria... Quando Billy chamasse a polícia para dar queixa de meu seqüestro.

Ri também, feliz por Jacob ter voltado ao normal.

Paramos quando ele disse que tínhamos andado uns dez quilômetros, cortamos para o oeste por pouco tempo e voltamos por outra linha de sua grade. Tudo parecia exatamente igual, e tive a sensação de que minha busca tola estava condenada. Precisei aceitar ainda mais a realidade quando começou a ficar mais escuro, o dia sem sol desaparecendo em uma noite sem estrelas, mas Jacob estava mais confiante.

— Se você tem certeza de que começamos do ponto certo... — Ele olhou para mim.

— Sim, tenho certeza.

— Então vamos encontrar — prometeu ele, pegando minha mão e me puxando por uma massa de samambaias. Do outro lado, estava a picape. Ele gesticulou para o carro com orgulho. — Confie em mim.

— Você é bom nisso — admiti. — Mas da próxima vez vamos trazer lanternas.

— De agora em diante, vamos deixar para fazer trilha aos domingos. Eu não sabia que você era tão lenta.

Puxei a mão e fui batendo os pés para o lado do motorista enquanto ele ria da minha reação.

— Preparada para outra tentativa amanhã? — perguntou, sentando-se no banco do carona.

— Claro. A não ser que queira sair sem mim, para eu não prender você com meu passo de lesma.

— Eu sobrevivo a isso — garantiu-me. — Mas, se vamos fazer trilha outra vez, você podia arrumar uns *band-aids*. Aposto que está sentindo essas botas novas agora mesmo.

— Um pouco — confessei. Parecia que eu tinha mais bolhas do que espaço para acomodá-las.

— Espero ver o urso amanhã. Fiquei meio decepcionado com isso.

— É, eu também — concordei com um tom de sarcasmo. — Talvez amanhã tenhamos sorte e alguma coisa nos devore!

— Os ursos não comem gente. Não temos um gosto tão bom. — Ele sorriu para mim na cabine escura do carro. — É claro que *você* pode ser uma exceção. Aposto que tem um gosto bom.

— Muito obrigada — eu disse, desviando os olhos. Ele não era a primeira pessoa a me falar isso.

9. TRIÂNGULO

O TEMPO COMEÇOU A PASSAR MUITO MAIS RÁPIDO DO QUE ANTES. Escola, trabalho e Jacob — não necessariamente nessa ordem — criaram um padrão simples e tranqüilo a seguir. E Charlie conseguiu o que queria: eu não era mais infeliz. É claro que eu não podia me enganar cem por cento. Quando parava para avaliar minha vida, o que eu procurava não fazer com muita freqüência, não podia ignorar as implicações de meu comportamento.

Eu parecia uma lua perdida — meu planeta destruído em algum cenário desolado de cinema-catástrofe — que continuava, apesar de tudo, a rodar numa órbita muito estreita pelo espaço vazio que ficou, ignorando as leis da gravidade.

Eu estava melhorando com a moto, o que significava menos curativos para preocupar Charlie. Mas também significava que a voz em minha cabeça começara a sumir, até que não a ouvi mais. Silenciosamente, entrei em pânico. Atirei-me na busca pela campina com uma intensidade um tanto frenética. Vasculhei meu cérebro à procura de outras atividades que gerassem adrenalina.

Não acompanhava os dias que passavam — não havia motivo para isso, já que eu tentava viver o máximo possível no presente, sem passado se desvanecendo, nem futuro iminente. Então, fiquei surpresa quando Jacob colocou em pauta uma data em um de nossos dias de dever de casa. Estava esperando quando parei o carro na frente da casa dele.

— Feliz Dia de São Valentino, o Dia dos Namorados — disse ao me receber, sorrindo, mas baixando a cabeça.

Ele estendeu uma caixa pequena e cor-de-rosa, equilibrando-a na palma da mão. Balinhas no formato de corações.

— Bom, eu me sinto uma imbecil — murmurei. — Hoje é o Dia dos Namorados?

Jacob sacudiu a cabeça, fingindo tristeza.

— Às vezes você é tão desligada. É, é o Dia dos Namorados. Então, vai ser minha namorada? Já que você não me deu uma caixa de balas de cinqüenta centavos, é o mínimo que pode fazer.

Eu começava a ficar pouco à vontade. As palavras eram brincalhonas, mas só na superfície.

— O que exatamente isso implica? — eu me esquivei.

— O de sempre... Escrava a vida toda, esse tipo de coisa.

— Ah, bom, se é só isso... — Eu peguei a caixa. Mas tentava pensar em um modo de deixar os limites bem claros. De novo. Eles pareciam estar muito confusos para Jacob.

— E aí, o que vamos fazer amanhã? Trilha ou pronto-socorro?

— Trilha — decidi. — Você não é o único que pode ser obsessivo. Estou começando a pensar que imaginei aquele lugar... — Franzi a testa.

— Vamos encontrar — garantiu-me ele. — Moto na sexta? — propôs ele.

Vi uma chance e a aproveitei sem parar para pensar.

— Vou ao cinema na sexta. Há séculos estou prometendo sair com minha turma do almoço. — Mike ia ficar satisfeito.

Mas o rosto de Jacob desmoronou. Percebi a expressão em seus olhos escuros antes que ele os desviasse para o chão.

— Você vai também, não é? — acrescentei depressa. — Ou será um sacrifício muito grande sair com o pessoal chato do último ano? — Era minha oportunidade de impor uma distância entre nós. Não suportava a idéia de magoar Jacob; parecíamos estar estranhamente ligados, e a dor dele provocava pequenas pontadas em minha própria dor. Além disso, a idéia de ter a companhia dele naquela provação — eu *prometera mesmo* a Mike, mas não estava nada animada em cumprir a promessa — era tentadora demais.

— Gostaria que eu fosse, com seus amigos lá?

— Sim — admiti com sinceridade, sabendo, ao continuar, que eu devia estar dando um tiro no próprio pé com aquelas palavras. — Vai ser muito mais divertido se você estiver lá. Leve Quil e vai ser uma festa.

— Quil vai ficar louco. Sair com veteranas. — Ele riu e revirou os olhos. Não falei em Embry, nem ele.

Eu também ri.

— Vou tentar arrumar as melhores para ele.

Toquei no assunto com Mike na aula de inglês.

— Ei, Mike — disse quando a aula acabou. — Você vai estar livre na sexta à noite?

Ele olhou para mim, os olhos azuis logo esperançosos.

— Vou, vou sim. Quer sair?

Formulei minha resposta rápido.

— Eu estava pensando em sair em *grupo* — destaquei a palavra — para ver *Alvos em Mira*. — Dessa vez eu tinha feito o dever de casa; até li sobre o filme para ter certeza de que não seria pega desprevenida. Devia ser um banho de sangue do começo ao fim. Eu não me recuperara a ponto de suportar um filme romântico. — Não acha divertido?

— Claro — concordou ele, visivelmente menos animado.

— Que bom.

Depois de um segundo, ele quase voltou a seu nível de empolgação anterior.

— E se levarmos Angela e Ben? Ou Eric e Katie?

Ao que parecia, ele estava decidido a tornar a saída uma espécie de encontro duplo.

— Ou todos eles? — sugeri. — E Jessica também, é claro. E Tyler e Conner, e talvez Lauren. — acrescentei sem entusiasmo algum. Eu *prometera* variedade para Quil.

— Tudo bem — murmurou Mike, derrotado.

— E — continuei — tem uns amigos meus de La Push que estou convidando. Então parece que vamos precisar de seu Suburban, se todo mundo for.

Os olhos de Mike se estreitaram de desconfiança.

— São os amigos com quem você agora fica estudando?

— É, eles mesmos — respondi, toda animada. — Mas você pode ver isso como aula particular... Eles estão só no segundo ano.

— Ah! — disse Mike, surpreso. Depois de um segundo pensando, ele sorriu.

No final, porém, o Suburban não foi necessário.

Jessica e Lauren alegaram estar ocupadas assim que Mike deixou escapar que eu estava envolvida no planejamento. Eric e Katie já tinham planos — era o aniversário de três semanas deles ou coisa assim. Lauren chegou a Tyler e a Conner antes de Mike, então esses dois também estavam ocupados. Até Quil ficou de fora — de castigo por ter brigado na escola. No final, só puderam ir Angela e Ben e, é claro, Jacob.

Mas o número reduzido não diminuiu a expectativa de Mike. Ele só falava na sexta-feira.

— Tem certeza de que não quer ver *Amanhã e para Sempre?* — perguntou no almoço, citando a comédia romântica da vez, que estava estourando nas bilheterias. — A crítica do site Rotten Tomatoes foi ótima.

— Quero ver *Alvos em Mira* — insisti. — Estou com humor para ação. Quero sangue e tripas!

— Tudo bem. — Mike virou a cara, mas antes vi sua expressão de afinal-talvez-ela-esteja-mesmo-louca.

Quando cheguei em casa, um carro muito familiar estava estacionado na frente. Jacob estava encostado no capô, um sorriso enorme iluminando o rosto.

— Mas não é possível! — gritei ao pular para fora da picape. — Você conseguiu! Nem acredito! Você terminou o Rabbit!

Ele estava radiante.

— Na noite passada mesmo. Esta é a primeira viagem.

— Incrível. — Ergui a mão para cumprimentá-lo.

Ele bateu a mão na minha, mas a deixou ali, entrelaçando os dedos nos meus.

— Então, posso levar você hoje à noite?

— Claro que sim — eu disse, depois suspirei.

— O que foi?

— Desisto... Não posso superar essa. Então, você venceu. Você é o mais velho.

Ele deu de ombros, sem se surpreender com minha capitulação.

— É claro que sou.

O Suburban de Mike fez barulho na esquina. Soltei a mão de Jacob e ele fez uma careta que eu não deveria ver.

— Eu me lembro desse cara — disse ele em voz baixa enquanto Mike estacionava do outro lado da rua. — Aquele que pensou que você era namorada dele. Ele ainda está confuso?

Ergui uma sobrancelha.

— Algumas pessoas são difíceis de desencorajar.

— Mas, então — disse Jacob, pensativo —, às vezes a insistência compensa.

— Na maioria das vezes é só irritante.

Mike saiu do carro e atravessou a rua.

— Oi, Bella — ele me cumprimentou, depois seus olhos ficaram preocupados ao ver Jacob. Também olhei brevemente para Jacob, tentando ser objetiva. Ele de fato não parecia nada com um aluno do segundo ano. Era muito alto — a cabeça de Mike mal chegava no ombro de Jacob; eu nem queria pensar onde eu batia perto dele — e seu rosto parecia mais velho do que costumava ser, mesmo um mês antes.

— Oi, Mike! Se lembra de Jacob Black?

— Não. — Mike estendeu a mão.

— Um velho amigo da família — Jacob se apresentou, apertando a mão de Mike. Eles trocaram um aperto mais forte do que o necessário. Quando soltaram as mãos, Mike flexionou os dedos.

Ouvi o telefone tocar na cozinha.

— É melhor eu atender... Pode ser Charlie — eu disse aos dois e disparei para dentro.

Era Ben. Angela estava doente, com virose gástrica, e ele não queria sair sem ela. Ele se desculpou por nos dar bolo.

Voltei bem devagar para os rapazes que esperavam, sacudindo a cabeça. Torcia com sinceridade para que Angela melhorasse logo, mas tive de admitir que fiquei aborrecida de um modo egoísta com a novidade. Só nós três, Mike, Jacob e eu, juntos à noite — tudo funcionara às mil maravilhas, pensei com um sarcasmo melancólico.

Não parecia que a amizade entre Jake e Mike tivesse feito algum progresso enquanto estive ausente. Estavam afastados vários metros um do outro, sem se olharem, esperando por mim; a expressão de Mike era carrancuda, mas a de Jacob era alegre, como sempre.

— Ang está doente — disse-lhes com tristeza. — Ela e Ben não vêm.

— Acho que a virose está atacando de novo. Austin e Conner também pegaram hoje. Talvez seja melhor fazer isso outro dia — sugeriu Mike.

Antes que eu pudesse concordar, Jacob falou.

— Eu ainda quero ir. Mas se prefere ficar, Mike...

— Não, eu vou — interrompeu ele. — Só estava pensando em Angela e Ben. Vamos. — Ele partiu para o Suburban.

— Ei, podemos ir no carro de Jacob? — perguntei. — Eu disse a ele que podia... Ele terminou o carro agora. Construiu do nada, sozinho — eu me gabei, orgulhosa como a mãe de um aluno na lista de melhores da turma.

— Tudo bem — disse Mike rapidamente.

— Muito bem, então — disse Jacob, como se fosse a palavra final. Ele parecia mais à vontade do que todo mundo.

Mike subiu no banco traseiro do Rabbit com cara de nojo.

Jacob estava de seu jeito normal, ensolarado, tagarelando a ponto de eu quase me esquecer de Mike de mau humor e em silêncio atrás.

Depois Mike mudou de estratégia. Inclinou-se para a frente, pousando o queixo no encosto de meu banco; seu rosto quase tocou o meu. Eu me afastei, virando-me de costas para o pára-brisa.

— O rádio dessa coisa não funciona? — perguntou Mike com um toque de petulância, interrompendo Jacob no meio de uma frase.

— Sim — respondeu Jacob. — Mas Bella não gosta de música.

Olhei para Jacob, surpresa. Eu nunca disse isso a ele.

— Bella? — perguntou Mike, irritado.

— É verdade — murmurei, ainda olhando o perfil sereno de Jacob.

— Como pode não gostar de música? — perguntou Mike.

Dei de ombros.

— Não sei. Simplesmente me irrita.

— Umpf. — Mike se recostou no banco.

Quando chegamos ao cinema, Jacob me passou uma nota de dez dólares.

— O que é isso? — discordei.

— Não tenho idade para entrar nesse — ele me lembrou.

Eu ri alto.

— As idades relativas não valem nada. Billy vai me matar se eu colocar você para dentro?

— Não. Disse a ele que você pretendia corromper minha inocência juvenil.

Dei uma risadinha, e Mike acelerou o passo para nos acompanhar.

Quase quis que Mike tivesse decidido não ir. Ele ainda estava mal-humorado — o que não somava nada à diversão. Mas eu também não queria terminar num encontro sozinha com Jacob. Não ia ajudar em nada.

O filme foi exatamente o que prometia. Só nos créditos de abertura, quatro pessoas explodiram e uma foi decapitada. A garota na minha frente colocou as mãos nos olhos e virou o rosto para o peito do namorado. Ele afagava seu ombro e de vez em quando também estremecia. Mike não parecia estar assistindo. Seu rosto estava rígido, olhando a franja da cortina acima da tela.

Acomodei-me para agüentar as duas horas, vendo as cores e o movimento na tela em vez de ver o formato das pessoas, dos carros e das casas. Mas depois Jacob começou a rir em silêncio.

— Que foi? — sussurrei.

— Ah, qual é! — sibilou ele. — Espirrou sangue a seis metros daquele cara. Tem coisa mais falsa?

Ele riu de novo, enquanto um mastro perfurava outro homem numa parede de concreto.

Depois disso, eu passei a prestar atenção ao filme, rindo com ele enquanto a carnificina ficava cada vez mais ridícula. Como eu poderia combater as fronteiras tênues de nosso relacionamento se gostava tanto de ficar com ele?

Jacob e Mike se apoderaram dos braços da poltrona dos dois lados. As mãos dos dois pousavam ali de leve, de palma para cima, numa posição que não era natural. Como armadilhas de urso, abertas e preparadas. Jacob estava com a mania de pegar minha mão sempre que surgia uma oportunidade, mas ali, na sala de projeção escura, com Mike olhando, teria um significado diferente — e eu tinha certeza de que ele sabia disso. Não acreditava que Mike estivesse pensando o mesmo, mas a mão dele estava colocada exatamente como a de Jacob.

Cruzei os braços com força e esperei que os dois ficassem com a mão dormente.

Mike foi o primeiro a desistir. Mais ou menos na metade do filme, puxou o braço, inclinou-se para a frente e apoiou a cabeça nas mãos. No começo pensei que estivesse reagindo a alguma coisa na tela, mas então ele gemeu.

— Mike, você está bem? — sussurrei.

O casal na frente virou-se para olhar quando ele gemeu outra vez.

— Não — ele arfava. — Acho que estou enjoado.

Com a luz da tela, eu podia ver o brilho de suor em seu rosto.

Mike gemeu de novo e correu para a porta. Eu me levantei para segui-lo e Jacob imediatamente fez o mesmo.

— Não, fique — cochichei. — Vou ver se ele está bem.

Jacob foi comigo mesmo assim.

— Não precisa vir. Aproveite suas oito pratas de carnificina — insisti enquanto íamos pelo corredor.

— Está tudo bem. Pode ficar com elas, Bella. Esse filme é uma porcaria. — A voz dele se elevou de um sussurro para o tom normal quando saímos da sala.

Não havia sinal de Mike no saguão, e fiquei feliz por Jacob ter ido comigo — ele foi até o banheiro dos homens para procurá-lo.

Voltou alguns segundos depois.

— Ah, tudo bem, ele está lá — disse, revirando os olhos. — Que molenga. Você devia sair com alguém de estômago mais forte. Alguém que ri do sangue que provoca vômito nos homens mais fracos.

— Vou ficar atenta para encontrar alguém assim.

Estávamos completamente a sós. As duas salas de cinema estavam na metade dos filmes e o saguão estava deserto — bastante silencioso para ouvirmos a pipoca estourando no balcão de balas e guloseimas.

Jacob foi se sentar no banco estofado de veludo junto à parede, dando um tapinha no espaço a seu lado.

— Acho que ele vai ficar lá por algum tempo — disse Jacob, esticando as pernas compridas ao se acomodar para esperar.

Juntei-me a ele com um suspiro. Ele parecia estar pensando em confundir mais algumas fronteiras. E, sem dúvida, assim que me sentei, ele mudou de posição e colocou o braço em meus ombros.

— Jake — protestei, afastando-me. Ele baixou o braço, sem parecer nada aborrecido com a pequena rejeição. Estendeu a mão e pegou a minha com firmeza, passando a outra mão em meu pulso quando tentei me afastar de novo. De onde tirava toda essa confiança?

— Não, espere só um minuto, Bella — disse ele numa voz calma. — Me diga uma coisa.

Fiz uma careta. Não queria fazer aquilo. Não só naquele momento, mas nunca. Àquela altura, não restava nada em minha vida que fosse mais importante do que Jacob Black. Mas ele parecia decidido a estragar tudo.

— O que é? — murmurei amarga.

— Você gosta de mim, não gosta?

— Você sabe que gosto.

— Mais do que do pateta que está colocando as tripas pra fora ali? — Ele gesticulou para a porta do banheiro.

— É — eu suspirei.

— Mais do que de qualquer outro cara que conheça? — Ele estava calmo, sereno, como se minha resposta não importasse ou ele já soubesse qual seria.

— Mais do que das meninas também — assinalei.

— Mas é só isso — disse ele, e não era uma pergunta.

Era difícil responder, dizer a palavra. Será que ele ficaria magoado e me evitaria? Como eu poderia suportar isso?

— É — sussurrei.

Ele sorriu para mim.

— Está tudo bem, sabe. Desde que goste mais de mim. *E* você me acha até bonito... Estou preparado para ser irritante de tão insistente.

— Não vou mudar — eu disse e, embora tenha tentado manter minha voz normal, pude ouvir a tristeza nela.

O rosto de Jake estava pensativo, não mais brincalhão.

— Ainda é o outro, não é?

Eu me encolhi. Estranho como ele parecia saber que não devia dizer o nome — assim como foi, pouco tempo antes, com a música no carro. Ele conhecia muitas características sobre mim que eu jamais comentara.

— Não precisa falar sobre isso — disse-me.

Eu assenti, agradecida.

— Mas não fique chateada comigo por ficar por perto, está bem? — Jacob afagou as costas da minha mão. — Por que não vou desistir. Eu tenho muito tempo.

Suspirei.

— Não devia perder seu tempo comigo — eu disse, embora quisesse isso. Em especial se ele estava disposto a me aceitar do jeito que eu era: um produto com defeito.

— É o que quero fazer, desde que você goste de ficar comigo.

— Nem imagino como poderia *não* gostar de ficar com você — eu lhe disse com sinceridade.

Jacob ficou radiante.

— Posso conviver com isso.

— Só não espere mais — eu o alertei, tentando puxar minha mão. Ele a segurava obstinado.

— Isso realmente não incomoda você, incomoda? — perguntou ele, apertando meus dedos.

— Não — suspirei. Na verdade a sensação era ótima. A mão dele era muito mais quente do que a minha; ultimamente, eu sempre me sentia fria demais.

— E você não liga para o que *ele* pensa. — Jacob apontou o polegar para o banheiro.

— Acho que não.

— Então, qual é o problema?

— O problema — eu disse — é que isso tem significados diferentes para mim e para você.

— Bom — Ele apertou minha mão. —, isso é problema *meu*, não é?

— Tudo bem — murmurei. — Mas não se esqueça disso.

— Não vou. Agora a granada sem pino está comigo, hein? — Ele me cutucou nas costelas.

Revirei os olhos. Acho que se ele tinha vontade de fazer piada daquilo, tinha todo o direito.

Ele riu baixinho por um minuto enquanto seu dedo mindinho distraidamente traçava desenhos na lateral de minha mão.

— Você tem uma cicatriz engraçada aqui — disse ele, de repente, girando minha mão para examinar. — Como foi que aconteceu?

O indicador de sua mão livre seguiu a linha do arco prateado e longo que mal se via em minha pele branca.

Fechei a cara.

— Você acha mesmo que eu me lembro de onde vieram todas as minhas cicatrizes?

Esperei que a lembrança viesse — que se abrisse o buraco. Mas, como acontecia com tanta freqüência, a presença de Jacob me manteve inteira.

— É fria — murmurou ele, apertando de leve o lugar onde James tinha me cortado com os dentes.

E depois Mike cambaleou para fora do banheiro, o rosto pálido e coberto de suor. Estava péssimo.

— Ah, Mike — eu disse, arfando.

— Vocês se importam se a gente for embora mais cedo? — sussurrou ele.

— Não, claro que não. — Puxei minha mão livre e fui ajudar Mike a andar. Ele parecia desequilibrado.

— O filme foi demais para você? — perguntou Jacob cruelmente.

O olhar de Mike era malévolo.

— Na verdade não vi nada — murmurou. — Fiquei enjoado antes que as luzes se apagassem.

— Por que não disse nada? — reclamei com ele enquanto seguíamos cambaleantes para a saída.

— Esperava que passasse — disse ele.

— Só um minutinho — falou Jacob enquanto chegávamos à porta. Ele foi correndo até o balcão.

— Pode me arrumar um balde de pipoca vazio? — perguntou à vendedora. Ela olhou para Mike, depois atirou um balde para Jacob.

— Leve-o para fora, por favor — pediu. Obviamente, ela era a pessoa que teria de limpar o chão.

Conduzi Mike para o ar frio e úmido. Respirou fundo. Jacob estava bem atrás de nós. Ele me ajudou a colocar Mike no banco traseiro do carro e lhe entregou o balde, com um olhar sério.

— Por favor. — Foi só o que Jacob disse.

Abrimos as janelas, deixando o ar gelado da noite soprar pelo carro, na esperança de que isso ajudasse Mike. Abracei minhas pernas para me aquecer.

— Com frio de novo? — perguntou Jacob, colocando o braço em volta de mim antes que eu pudesse responder.

— Você não está?

Ele sacudiu a cabeça.

— Deve estar com febre ou coisa assim — murmurei. Estava congelando. Toquei a testa dele com os dedos e a cabeça *estava mesmo* quente.

— Caramba, Jake... Você está pegando fogo!

— Eu estou bem. — Ele deu de ombros. — Em ótima forma.

Franzi a testa e toquei em sua cabeça de novo. A pele ardeu sob meus dedos.

— Suas mãos parecem de gelo — reclamou ele.

— Talvez seja eu — concordei.

No banco traseiro, Mike gemeu e vomitou no balde. Fiz uma careta, esperando que meu estômago suportasse o som e o cheiro. Jacob olhava ansiosamente por sobre o ombro para se certificar de que o carro não estava sujo.

A estrada parecia mais longa no caminho de volta.

Jacob ficou em silêncio, pensativo. Deixara o braço esquerdo em volta de mim e era tão quente que o vento frio parecia bom.

Eu olhava pelo pára-brisa, cheia de culpa.

Fora muito errado incentivar Jacob. Puro egoísmo. Não importava que eu tentasse deixar clara minha posição. Se ele tinha alguma esperança de que tudo aquilo pudesse se transformar em algo além de amizade, então eu não tinha sido muito clara.

Como eu poderia explicar de modo que ele entendesse? Eu era uma concha vazia. Como uma casa vazia, por meses sem ninguém — uma casa condenada —, eu era completamente inabitável. Agora havia algumas melhorias. A sala da frente estava em reformas. Mas era só isso — só um cômodo pequeno. Ele merecia alguém melhor — melhor do que uma casa em ruínas com um cômodo só. Nenhum investimento dele poderia me deixar funcional outra vez.

E, no entanto, apesar de tudo, eu sabia que não iria afastá-lo. Precisava muito dele, e era egoísta. Talvez pudesse deixar minha posição mais clara, assim ele poderia me abandonar. A idéia me fez tremer e Jacob apertou o braço à minha volta.

Levei Mike para casa no Suburban enquanto Jacob seguia atrás, para me levar para casa. Jacob ficou em silêncio por todo o caminho de volta e eu me perguntei se ele estava pensando o mesmo que eu. Talvez estivesse mudando de idéia.

— Eu me convidaria a entrar, já que chegamos cedo — disse ele enquanto parávamos ao lado de minha picape. — Mas acho que você pode ter razão quanto à febre. Estou começando a me sentir meio... estranho.

— Ah, não, você também não! Quer que o leve para casa?

— Não. — Ele sacudiu a cabeça, as sobrancelhas se unindo. — Ainda não estou mal. Só... estranho. Se precisar, paro o carro.

— Vai me ligar assim que chegar em casa? — perguntei, ansiosa.

— Claro, claro. — Ele franziu o cenho, olhando a escuridão à frente e mordendo o lábio.

Abri a porta para sair, mas ele pegou meu pulso de leve e me manteve ali. De novo percebi como sua pele ficava quente junto à minha.

— O que foi, Jake? — perguntei.

— Tem uma coisa que quero dizer Bella... Mas acho que vai parecer meio piegas.

Eu suspirei. Lá vinha mais do que acontecera no cinema.

— Pode falar.

— É só que eu sei que você está muito infeliz. E talvez isso não ajude em nada, mas queria que soubesse que sempre estarei a seu lado. Não quero decepcionar você... Prometo que sempre vai poder contar comigo. Caramba, isso está mesmo piegas. Mas você sabe disso, não sabe? Que eu nunca, jamais vou magoar você?

— Sei, Jake. Eu sei disso. Já conto com você, provavelmente mais do que imagina.

O sorriso se abriu em seu rosto como o nascer do sol incendiando as nuvens, e eu quis arrancar minha língua. Não disse uma palavra que fosse mentira, mas deveria ter mentido. A verdade era um erro, podia magoá-lo. *Eu* é que o decepcionaria.

Uma expressão estranha apareceu em seu rosto.

— Acho realmente que é melhor ir para casa agora — disse ele.

Eu saí depressa.

— Ligue! — gritei enquanto ele arrancava.

Eu o olhei partir e ele parecia, pelo menos, estar controlando o carro. Fitei a rua vazia quando ele se foi, eu mesma me sentindo meio enjoada, mas não por alguma causa física.

Como eu queria que Jacob Black tivesse nascido meu irmão, meu irmão de sangue, para eu ter um direito legítimo sobre ele que ainda me deixasse livre de qualquer culpa. Deus sabe que eu jamais quisera usar Jacob, mas não podia deixar de interpretar a culpa que sentia agora como uma indicação disso.

Mais ainda, eu jamais quisera amar Jacob. Algo de que eu tinha certeza — sabia disso na boca do estômago, no cerne de meus ossos, sabia disso do alto de minha cabeça à sola dos pés, sabia no fundo de meu peito vazio — era que o amor pode dar às pessoas o poder de despedaçar você.

Eu fora irremediavelmente despedaçada.

Mas eu precisava de Jacob, precisava dele como de uma droga. Eu o usara como muleta por muito tempo e fora mais fundo do que pretendia ir com qualquer outro. Agora não conseguia suportar que ficasse magoado, e ao mesmo tempo não podia impedir que se magoasse. Ele achava que tempo e paciência me fariam mudar, e embora eu soubesse que ele estava tremendamente errado, sabia também que o deixaria tentar.

Ele era meu melhor amigo. Eu sempre o amaria e isso nunca, jamais seria suficiente.

Entrei em casa e me sentei perto do telefone, roendo as unhas.

— O filme já acabou? — perguntou Charlie, surpreso quando me viu. Ele estava no chão, colado na tevê. Devia ser um jogo emocionante.

— Mike passou mal — expliquei. — Uma espécie de virose gástrica.

— Você está bem?

— Até agora, sim — eu disse meio em dúvida. É claro que eu me expusera ao vírus.

Encostei na bancada da cozinha, minha mão a centímetros do telefone, e tentei esperar paciente. Pensei no olhar estranho de Jacob antes de ele ir embora, e meus dedos começaram a tamborilar na bancada. Eu devia ter insistido em levá-lo para casa.

Fiquei olhando o relógio, vendo os minutos passarem. Dez. Quinze. Mesmo quando eu estava dirigindo, só precisava de quinze minutos, e Jacob dirigia mais rápido do que eu. Dezoito minutos. Peguei o telefone e disquei.

Tocou sem parar. Talvez Billy estivesse dormindo. Talvez eu tivesse discado errado. Tentei de novo.

No oitavo toque, quando eu estava prestes a desligar, Billy atendeu.

— Alô? — disse ele. Sua voz estava preocupada, como se esperasse por más notícias.

— Billy, sou eu, Bella... Jake já chegou? Ele saiu daqui há uns vinte minutos.

— Ele está aqui — disse Billy de um jeito monótono.

— Ele ia me ligar. — Fiquei meio irritada. — Estava passando mal quando foi embora e fiquei preocupada.

— Ele estava... mal demais para ligar. Não está se sentindo bem agora. — Billy parecia distante. Percebi que ele queria ficar com Jacob.

— Me avise se precisar de alguma ajuda — ofereci. — Posso ir até aí. — Pensei em Billy, preso em sua cadeira, e Jake tendo de se virar sozinho...

— Não, não — disse Billy com pressa. — Estamos bem. Fique em casa. Ele disse isso de um jeito quase rude.

— Tudo bem — concordei.

— Tchau, Bella.

A ligação foi interrompida.

— Tchau — murmurei.

Bom, pelo menos ele estava em casa. Era estranho, pois não fiquei menos preocupada. Arrastei-me escada acima, atormentada. Talvez devesse ver como ele estava antes de ir para o trabalho. Eu podia levar uma sopa — devíamos ter uma lata de Campbell's em algum lugar na casa.

Percebi que todos esses planos estavam cancelados quando acordei cedo — meu relógio marcava quatro e meia — e disparei para o banheiro. Charlie me encontrou ali meia hora depois, deitada no chão, o rosto encostado na beira da banheira.

Ele olhou para mim por um longo momento.

— Virose gástrica — disse, por fim.

— É — gemi.

— Precisa de alguma coisa?

— Ligue para os Newton por mim, por favor — instruí com a voz rouca. — Diga que tive o mesmo que Mike e que não posso ir hoje. Diga que peço desculpas.

— Claro, tudo bem — tranqüilizou-me Charlie.

Passei o restante do dia no chão do banheiro, dormindo por algumas horas com a cabeça sobre uma toalha dobrada. Charlie alegou que precisava ir trabalhar, mas desconfiei de que ele só queria usar um banheiro. Ele deixou um copo de água no chão a meu lado para me manter hidratada.

Acordei quando ele voltou para casa. Vi que estava escuro no meu quarto — já anoitecera. Ele subiu às pressas a escada para ver como eu estava.

— Ainda está viva?

— Mais ou menos — eu disse.

— Quer alguma coisa?

— Não, obrigada.

Ele hesitou, claramente sem jeito.

— Então, tudo bem — disse e desceu para a cozinha.

Ouvi o telefone tocar alguns minutos depois. Charlie falou com alguém em voz baixa por um momento, depois desligou.

— Mike está melhor — gritou para mim.

Bom, isso era animador. Ele ficou doente só umas oito horas antes de mim. Mais oito horas. A idéia fez meu estômago revirar e eu me ergui, curvando-me sobre a privada.

Adormeci em cima da toalha de novo, mas ao acordar estava em minha cama, e havia luz do lado de fora da janela. Não me lembrava de ter me mexido; Charlie devia ter me carregado para o quarto — também devia ter posto o copo de água na mesinha-de-cabeceira. Sentia-me ressecada. Bebi sedenta a água, embora tivesse um gosto estranho, por ter ficado parada a noite toda.

Levantei-me lentamente, tentando não despertar a náusea de novo. Eu estava fraca e com um gosto horrível na boca, mas meu estômago parecia bem. Olhei o relógio.

Minhas vinte e quatro horas tinham se passado.

Não abusei, limitando-me a comer biscoitos de água e sal no café-da-manhã. Charlie pareceu aliviado ao me ver recuperada.

Assim que tive certeza de que não ia mais passar o dia todo no chão do banheiro, liguei para Jacob.

Foi ele mesmo quem atendeu, mas percebi que não havia melhorado quando ouvi seu cumprimento.

— Alô? — A voz estava fraca e falhava.

— Ah, Jake — gemi, solidária. — Você parece péssimo.

— Eu me sinto péssimo — sussurrou ele.

— Desculpe por deixar você ir embora sem mim. Isso foi horrível.

— Ainda bem que eu vim. — A voz dele ainda era um sussurro. — Não se sinta culpada. Não é culpa sua.

— Vai ficar melhor amanhã — prometi. — Quando acordei hoje, estava me sentindo bem.

— Você ficou doente? — perguntou ele, desanimado.

— Sim, eu também peguei. Mas agora estou bem.

— Que bom. — Não havia vida na voz dele.

— Então você deve melhorar daqui a algumas horas — eu o encorajei.

Mal consegui ouvir a resposta.

— Não acho que tenha a mesma coisa que você.

— Não está com a virose gástrica? — perguntei, confusa.

— Não, é outra coisa.

— O que é que você tem?

— Tudo — sussurrou ele. — Cada parte do meu corpo dói.

A dor na voz dele era quase tangível.

— O que eu posso fazer, Jake? O que posso levar para você?

— Nada. Não pode vir aqui. — Ele foi rude. Lembrou-me de Billy na outra noite.

— Eu já fui exposta ao que você pegou — observei.

Ele me ignorou.

— Vou ligar para você quando puder. Aviso quando puder vir aqui.

— Jacob...

— Tenho que ir — disse ele com uma urgência repentina.

— Ligue quando estiver melhor.

— Tudo bem — concordou ele, e sua voz tinha uma amargura estranha.

Ele ficou em silêncio por um momento. Esperei que ele se despedisse, mas ele estava esperando também.

— Vejo você logo — falei, por fim.

— Espere eu ligar — disse ele de novo.

— Tudo bem... Tchau, Jacob.

— Bella — ele sussurrou meu nome e desligou o telefone.

10. A CAMPINA

Jacob não telefonou.

Na primeira vez que telefonei, Billy atendeu e me disse que Jacob ainda estava de cama. Fiquei curiosa e quis me certificar de que Billy o tivesse levado ao médico. Billy disse que sim, mas por algum motivo que não consegui identificar não acreditei muito nele. Liguei novamente, várias vezes por dia, nos dois dias seguintes, mas ninguém estava lá.

No sábado decidi ir vê-lo, mesmo sem ter sido convidada. Mas a casinha vermelha estava vazia. Isso me assustou — será que Jacob estava tão doente que precisou ir para o hospital? Parei no hospital a caminho de casa, mas a enfermeira da recepção me disse que nem Jacob nem Billy tinham estado lá.

Fiz Charlie ligar para Harry Clearwater assim que chegou do trabalho. Esperei, ansiosa, enquanto Charlie conversava com o velho amigo; a conversa pareceu durar uma eternidade sem que Jacob fosse mencionado. Parecia que *Harry* estivera hospitalizado... Alguns exames do coração. A testa de Charlie ficou toda enrugada, mas Harry brincou com ele, menosprezando o problema, até que Charlie estava rindo de novo. Só então ele perguntou sobre Jacob, e sua parte na conversa não me disse muito, só alguns *hmmm* e *é*. Tamborilei os dedos na bancada ao lado até que ele colocou a mão na minha, para me fazer parar.

Por fim, Charlie desligou o telefone e se virou para mim.

— Harry disse que houve um problema com as linhas telefônicas e que foi por isso que você não conseguiu ligar. Billy levou Jake ao médico e parece que ele está com mononucleose. Está muito cansado, e Billy disse "nada de visitas" — contou ele.

— Nada de visitas? — perguntei, incrédula.

Charlie ergueu uma sobrancelha.

— Agora não vá bancar a criança birrenta, Bells. Billy sabe o que é melhor para o Jake. Ele vai ficar bem logo. Tenha paciência.

Não insisti. Charlie estava preocupado demais com Harry. Esse era claramente o principal motivo — não seria correto incomodá-lo com minhas preocupações menores. Em vez disso, fui para o andar de cima e liguei o computador. Encontrei um site de medicina e digitei "mononucleose" na caixa de pesquisa.

Só o que eu sabia sobre a doença era que podia ser pega pelo beijo, o que com certeza não era o caso de Jake. Li os sintomas com rapidez — a febre, ele sem dúvida teve, mas e o restante? Nenhuma inflamação horrível na garganta, nada de exaustão, nem dores de cabeça, pelo menos não antes de ir para casa depois do cinema; ele disse que se sentia "em ótima forma". A doença apareceria assim tão rápido? A julgar pelo artigo, primeiro vinha a inflamação.

Olhei a tela do computador e me perguntei o motivo exato pelo qual eu estava fazendo aquilo. Por que eu estava... tão *desconfiada*, como se não acreditasse na história de Billy? Por que Billy mentiria para Harry?

Provavelmente, estava sendo uma tola. Só estava preocupada e, para falar com franqueza, temia não ter permissão para ver Jacob — isso me deixava nervosa.

Passei os olhos rapidamente pelo restante do artigo, procurando por mais informações. Parei quando cheguei à parte que dizia que a mononucleose podia durar mais de um mês.

Um *mês*? Minha boca se escancarou.

Mas Billy não poderia proibir as visitas por tanto tempo. Claro que não. Jake enlouqueceria preso na cama por tanto tempo, sem ninguém com quem conversar.

Do que Billy tinha medo, aliás? O artigo dizia que uma pessoa com mononucleose precisava evitar atividades físicas, mas não havia nada sobre visitas. A doença não era muito contagiosa.

Daria uma semana a Billy, decidi, antes de fazer pressão. Uma semana estava bom.

Uma semana era *muito tempo*. Na quarta-feira eu tinha certeza de que não ia sobreviver até sábado.

Quando decidi deixar Billy e Jacob em paz por uma semana, não acreditava realmente que Jacob fosse obedecer à regra de Billy. Todo dia, quando chegava da escola, corria até o telefone para verificar os recados. Nunca havia nenhum.

Trapaceei três vezes tentando ligar para ele, mas a linha ainda não estava funcionando.

Eu ficava em casa tempo demais e sozinha demais. Sem Jacob, e sem minha adrenalina e as distrações, tudo o que eu andara reprimindo começou a se arrastar até mim. Os sonhos voltaram a ficar opressivos. Eu não conseguia mais ver o final chegando. Só o nada terrível — metade do tempo no bosque, metade no mar vazio de samambaias onde a casa branca não existia mais. Às vezes Sam Uley estava ali no bosque, observando-me de novo. Eu não prestava atenção nele — não havia conforto algum em sua presença; não fazia com que me sentisse menos só. Não me impedia de gritar ao acordar, noite após noite.

O buraco em meu peito estava pior do que nunca. Pensei que o tivesse sob controle, mas me vi recurvada, dia após dia, tentando não desmoronar, ofegante.

Eu não estava bem sozinha.

Fiquei muito aliviada na manhã em que acordei — gritando, é claro — e me lembrei de que era sábado. Ia ligar para Jacob. E se a linha telefônica ainda estivesse com defeito, ia a La Push. De uma forma ou de outra, seria melhor do que a semana solitária que eu tinha passado.

Disquei, depois esperei sem grandes expectativas. Fui pega desprevenida quando Billy atendeu no segundo toque.

— Alô?

— Ah, ei, o telefone está funcionando de novo! Oi, Billy, é Bella. Só estou ligando para saber como está Jacob. Ele já pode receber visita? Eu estava pensando em dar um pulo aí...

— Desculpe, Bella — interrompeu Billy, e eu me perguntei se ele estava assistindo à tevê; parecia distraído. — Ele não está.

— Ah! — Precisei de um segundo. — Então ele está se sentindo melhor?

— É. — Billy hesitou por um instante longo demais. — Acabou que não era nada de mononucleose. Só outro vírus.

— Ah! Então... onde ele está?

— Ele deu uma carona a uns amigos até Port Angeles... Acho que iam pegar uma sessão dupla ou coisa assim. Vai ficar fora o dia todo.

— Bom, é um alívio. Fiquei tão preocupada. Estou feliz que ele esteja bem para sair. — Minha voz parecia horrivelmente falsa enquanto tagarelava.

Jacob estava melhor, mas não tão bem para me ligar. Saiu com amigos. Eu estava sentada em casa, sentindo mais a falta dele a cada hora. Estava solitária, preocupada, entediada... perfurada — e agora também desolada ao perceber que a semana em que ficamos separados não teve o mesmo efeito sobre ele.

— Você queria algo específico? — perguntou Billy, educado.

— Não, na verdade não.

— Bom, vou dizer a ele que ligou — prometeu Billy. — Tchau, Bella.

— Tchau — respondi, mas ele já havia desligado.

Fiquei por um momento ali, com o telefone na mão.

Jacob devia ter mudado de idéia, assim como eu temia. Ele ia aceitar meu conselho e parar de perder tempo com alguém que não retribuía seus sentimentos. Senti o sangue fugir de meu rosto.

— Algo errado? — perguntou Charlie ao descer a escada.

— Não — menti, desligando o telefone. — Billy disse que Jacob está se sentindo melhor. Não era mononucleose. Isso é muito bom.

— Ele vem aqui? Ou é você que vai lá? — perguntou Charlie, distraído, enquanto começava a vasculhar a geladeira.

— Nenhum dos dois — admiti. — Ele saiu com alguns amigos.

O tom de minha voz enfim atraiu a atenção de Charlie. Ele olhou para mim subitamente alarmado, as mãos paralisadas em torno de um pacote de queijo fatiado.

— Não é meio cedo para o almoço? — perguntei com a maior tranqüilidade que pude, tentando distraí-lo.

— Não, estou preparando alguma coisa para levar para o rio...

— Ah, dia de pescaria?

— Bom, Harry ligou... E não está chovendo. — Ele ia montando uma pilha de comida na bancada enquanto falava. De repente olhou para mim de novo, como se tivesse acabado de perceber algo. — Me diga uma coisa, quer que eu fique com você, já que Jake saiu?

— Está tudo bem, pai — eu disse, esforçando-me para parecer indiferente. — Os peixes mordem mais quando o tempo está bom.

Ele me fitou, a indecisão evidente em seu rosto. Eu sabia que estava preocupado, temeroso de me deixar sozinha, caso eu ficasse "biruta" de novo.

— É sério, pai. Acho que vou ligar para Jessica — menti depressa. Eu preferia ficar sozinha a ter Charlie me vigiando o dia inteiro. — Temos que estudar para a prova de cálculo. Queria a ajuda dela. — Essa parte era verdade. Mas eu podia me virar sem isso.

— É uma boa idéia. Você tem passado tanto tempo com Jacob que seus outros amigos vão pensar que você os esqueceu.

Eu sorri e assenti, como se me importasse com o que meus outros amigos pensavam.

Charlie começou a se virar, mas depois se voltou com uma expressão preocupada.

— Ei, vai estudar aqui ou na casa da Jess, não é?

— Claro, onde mais seria?

— Bom, só quero que você fique longe do bosque, como já lhe disse.

Estava tão distraída que precisei de um minuto para entender.

— Mais problemas com ursos?

Charlie assentiu, a testa franzida.

— Temos um montanhista desaparecido... A guarda florestal encontrou o acampamento hoje cedo, mas nenhum sinal dele. Havia umas pegadas bem grandes de animal... É claro que podem ter aparecido depois, farejando a comida... De qualquer modo, agora estão montando armadilhas.

— Ah! — eu disse vagamente. Não estava de fato ouvindo seus alertas; estava muito mais aborrecida com a situação com Jacob do que com a possibilidade de ser devorada por um urso.

Fiquei feliz por Charlie estar com pressa. Ele não esperou que eu ligasse para Jessica, então não tive de encenar nada. Reuni meus livros da escola na mesa da cozinha só para depois guardá-los na bolsa; era exagero meu, e se ele não estivesse ansioso para chegar ao rio, podia ter ficado desconfiado.

Fiquei tão ocupada dando a impressão de estar ocupada que o dia ferozmente vazio à frente só me esmagou depois que o vi partir. Só precisei de dois minutos olhando o telefone silencioso da cozinha para concluir que não ia ficar em casa. Pensei nas alternativas.

Eu não ia ligar para Jessica. Pelo que sabia, Jessica passara para o lado negro.

Podia ir até La Push e pegar minha moto — uma idéia atraente, exceto por um pequeno problema: quem me levaria para a emergência depois, se eu precisasse?

Ou... Eu estava com nosso mapa e a bússola na picape. Tinha certeza de que já entendia bem o processo e não me perderia. Talvez pudesse eliminar duas linhas, avançando em nosso cronograma para quando Jacob decidisse me honrar com sua presença de novo. Recusei-me a pensar em quanto tempo isso levaria. Ou se nunca aconteceria.

Houve uma breve pontada de culpa quando pensei em como Charlie se sentiria com relação a isso, mas ignorei a sensação. Eu simplesmente não podia ficar em casa de novo.

Alguns minutos depois eu estava na conhecida estrada de terra que levava a nenhum lugar em particular. As janelas do carro estavam abertas e eu dirigia o mais rápido que minha picape agüentava, tentando desfrutar do vento no rosto. Estava nublado, mas quase seco — um dia muito bonito para Forks.

Começar me consumiu muito mais tempo do que teria sido com Jacob. Depois de estacionar no lugar de sempre, tive de passar uns bons quinze minutos estudando a pequena agulha da bússola e as marcas no mapa, agora amassado. Quando estava razoavelmente segura de que seguia a linha certa na grade, parti para o bosque.

O bosque estava cheio de vida, todas as pequenas criaturas aproveitando o momentâneo tempo seco. De certo modo, porém, mesmo com os passarinhos piando e crocitando, os insetos zumbindo ruidosamente em volta de minha cabeça e a ocasional correria do camundongo silvestre pelos arbustos, o bosque parecia mais assustador; lembrou-me de meu pesadelo mais recente. Sabia que era apenas porque eu estava sozinha, sentindo falta do assovio despreocupado de Jacob e do som de outro par de pés no chão molhado.

O desconforto aumentava à medida que eu penetrava entre as árvores. Começou a ficar mais difícil respirar — não por causa do esforço, mas porque de novo eu tinha problemas com o buraco idiota em meu peito. Mantive os braços cruzados no peito, firmes, e tentei banir a dor de meus pensamentos. Quase fui embora, mas odiaria desperdiçar o esforço que já tinha feito.

O ritmo dos meus passos começou a entorpecer minha mente e minha dor enquanto eu avançava. Minha respiração enfim voltou ao normal e me senti feliz por não ter desistido. Estava melhorando nessa história de explorar a mata; sabia que estava mais rápida.

Não percebi o quanto me movimentava com mais eficiência. Pensava ter coberto talvez uns seis quilômetros e ainda nem começara a olhar em volta. E então, tão de repente que me desorientou, passei por um arco baixo, formado por dois galhos de bordo — depois de empurrar as samambaias na altura do peito —, e estava na campina.

Era o mesmo lugar, disso eu tive certeza de imediato. Nunca vi outra clareira tão simétrica. Era perfeitamente redonda, como se alguém tivesse criado de propósito o círculo impecável, cortando as árvores sem deixar nenhuma prova dessa violência na relva ondulante. A leste, eu podia ouvir o riacho borbulhando baixinho.

O lugar não era nem de longe tão atordoante sem a luz do sol, mas ainda era lindo e sereno. Não era a estação das flores silvestres; o chão estava coberto de relva alta, que balançava na brisa leve como ondas em um lago.

Era o mesmo lugar... Mas não guardara o que eu estava procurando.

A decepção foi quase tão imediata quanto o reconhecimento. Desabei onde estava, ajoelhando-me ali na beira da clareira, começando a ofegar.

Que sentido tinha ir adiante? Nada ficou aqui. Além das lembranças que eu podia reviver sempre que quisesse, se estivesse disposta a suportar a dor correspondente — a dor que me tomava naquele momento, que me deixava fria. Não havia nada de especial naquele lugar sem *ele*. Não tinha certeza do que esperava sentir ali, mas a campina estava sem atmosfera, desprovida de tudo, exatamente como qualquer outro lugar. Assim como meus pesadelos. Minha cabeça girava, tonta.

Pelo menos vim sozinha. Senti um surto de gratidão ao perceber isso. Se tivesse encontrado a campina com Jacob... Bom, não havia como disfarçar o abismo em que me afundava naquela hora. Como poderia ter explicado o modo como estava me desfazendo em pedaços, a maneira como tinha de me encolher, como uma bola, para impedir que o buraco vazio me dilacerasse? Foi muito melhor não ter platéia.

E também eu não precisaria explicar a ninguém por que eu estava com tanta pressa de ir embora. Jacob teria suposto, depois de tanto trabalho para localizar o lugar idiota, que eu ia querer passar mais de dez segundos ali. Mas eu já estava tentando encontrar forças para me colocar de pé, obrigando-me a sair daquela posição e escapar. Havia tanta dor naquele lugar vazio — eu iria embora engatinhando, se fosse preciso.

Que sorte eu estar sozinha!

Sozinha. Repeti a palavra com uma satisfação soturna ao me levantar, apesar da dor. Nesse exato momento, uma figura saiu das árvores ao norte, a uns trinta passos de distância.

Uma gama vertiginosa de emoções passou por mim em um segundo. A primeira foi surpresa; eu estava muito longe da trilha e não esperava companhia. Depois, à medida que meus olhos focalizavam na figura parada, vendo sua imobilidade completa, a pele pálida, fui tomada por uma esperança cortante. Reprimi-a com violência, combatendo o golpe igualmente agudo de agonia enquanto meus olhos se demoravam no rosto sob o cabelo escuro, o rosto que não era o que eu queria ver. Em seguida veio o medo; aquele não era o rosto pelo qual eu sofria, mas estava bastante perto de mim para eu saber que o homem que me encarava não era um andarilho perdido.

E, por fim, o reconhecimento.

— Laurent! — gritei, num prazer surpreso.

Foi uma reação irracional. Eu devia estar paralisada de medo.

Quando nos conhecemos, Laurent era do bando de James. Ele não se envolvera na caçada que se seguiu — em que eu era a presa —, mas só porque teve medo; eu estava sendo protegida por um bando maior que o dele. Teria sido diferente se não fosse assim — na época, ele não teria remorso em fazer de mim uma refeição. É claro que ele devia ter mudado, porque fora para o Alasca morar com outro clã civilizado de lá, a outra família que se recusava a beber sangue humano por motivos éticos. A outra família semelhante a... Mas eu não podia me permitir pensar no nome.

Sim, o medo teria feito mais sentido, mas só o que experimentei foi uma satisfação dominadora. A campina era um lugar mágico de novo. Uma magia mais sombria do que eu esperava, com certeza, mas mesmo assim era magia. Ali estava a ligação que eu procurava. A prova, embora remota, de que — em algum lugar no mesmo mundo em que eu vivia — *ele* existira.

Era impossível o quanto Laurent parecia exatamente o mesmo. Imagino que fosse muita tolice e muito humano esperar qualquer tipo de mudança no ano que passou. Mas havia alguma coisa... Eu não conseguia perceber o que era.

— Bella? — perguntou ele, parecendo mais pasmo do que eu.

— Você lembra. — Eu sorri. Era ridículo que eu ficasse tão eufórica porque um vampiro sabia meu nome.

Ele deu um sorriso malicioso.

— Não esperava vê-la aqui. — Ele andou na minha direção, com uma expressão de quem se divertia.

— E haveria outro lugar? Eu moro aqui. Pensei que você tivesse ido para o Alasca.

Ele parou a uns dez passos, inclinando a cabeça para o lado. Seu rosto era o mais lindo que eu vi no que parecia fazer uma eternidade. Analisei suas feições com uma sensação de libertação estranhamente ávida. Ali estava alguém com quem eu não tinha de fingir — alguém que já sabia tudo o que eu podia dizer.

— Tem razão — concordou ele. — Fui para o Alasca. Ainda assim, eu não esperava... Quando descobri a casa dos Cullen vazia, pensei que tivessem se mudado.

— Ah!

Mordi o lábio enquanto o nome fazia minha ferida pulsar. Precisei de um segundo para me recompor. Laurent esperou com os olhos curiosos.

— Eles se mudaram — consegui dizer afinal.

— Hmmm — murmurou ele. — Estou surpreso por terem deixado você para trás. Você não era o bichinho de estimação deles? — Seus olhos não tinham a intenção de ofender.

Dei um sorriso torto.

— Mais ou menos isso.

— Hmmm — disse ele, pensativo de novo.

Nesse exato momento, percebi por que ele parecia o mesmo — *demasiado* o mesmo. Depois que Carlisle nos contou que Laurent tinha ficado com a família de Tanya, comecei a imaginá-lo, nas raras ocasiões em que pensei nele, com os mesmos olhos dourados dos... Cullen — eu me obriguei a pensar no nome, estremecendo. Eram os olhos que todos os vampiros *bons* tinham.

Recuei um passo, involuntariamente, e seus olhos vermelhos, escuros e curiosos, seguiram o movimento.

— Eles costumam visitar? — perguntou ele, ainda despreocupado, mas transferiu seu peso na minha direção.

"Minta", sussurrou ansiosa a bela voz aveludada de minha lembrança.

Fiquei sobressaltada com o som da voz *dele*, mas isso não devia ter me surpreendido. Eu não corria o maior perigo imaginável? Perto daquilo, a moto era segura como um gatinho.

Fiz o que a voz me disse.

— De vez em quando. — Tentei dar alguma leveza à minha voz, fazê-la parecer relaxada. — Imagino que o tempo pareça mais longo para mim. Sabe como eles ficam entretidos... — Estava começando a tagarelar. Tinha de me esforçar para calar a boca.

— Hmmm — disse ele de novo. — A casa cheirava como se estivesse desocupada havia algum tempo...

"Precisa mentir melhor do que isso, Bella", insistiu a voz.

Eu tentei.

— Vou ter de falar com Carlisle que você passou por lá. Ele vai lamentar terem perdido sua visita. — Fingi pensar por um segundo. — Mas é melhor não comentar com... Edward, imagino... — Eu mal consegui pronunciar o nome, e isso distorceu minha expressão, arruinando meu blefe — ... ele tem um gênio... Bom, tenho certeza de que você se lembra. Ele ainda se irrita com toda aquela história com James. — Revirei os olhos e balancei a mão com repúdio, como se fosse uma história do passado, mas havia certa histeria em minha voz. Perguntei-me se ele reconheceria o que era.

— É mesmo? — perguntou Laurent de um jeito agradável... e cético.

Dei uma resposta curta, assim minha voz não trairia meu pânico.

— Arrã.

Laurent deu um passo despreocupado para o lado, olhando a pequena campina. Não me passou despercebido que esse passo o trazia para mais perto de mim. Em minha cabeça, a voz reagiu com um rosnado baixo.

— Então, como estão as coisas em Denali? Carlisle disse que você ia ficar com Tanya. — Minha voz era alta demais.

A pergunta o fez parar.

— Gosto muito de Tanya — refletiu ele. — E mais ainda da irmã dela, Irina... Nunca fiquei num lugar por tanto tempo, e gostei das vantagens, da novidade disso. Mas as restrições são complicadas... Fico surpreso que qualquer um deles consiga se manter firme por muito tempo. — Ele sorriu para mim como quem conspira. — Às vezes eu trapaceio.

Não consegui engolir. Meu pé começou a recuar, mas fiquei paralisada quando seus olhos vermelhos baixaram e captaram meu movimento.

— Ah! — eu disse numa voz fraca. — Jasper também tem problemas com isso.

"Não se mexa", sussurrou a voz. Tentei fazer o que ele mandava. Era difícil; o instinto de fugir era quase incontrolável.

— É mesmo? — Laurent pareceu interessado. — Por isso eles foram embora?

— Não — respondi com sinceridade. — Jasper é mais cuidadoso em casa.

— Sim — concordou Laurent. — Eu também.

O passo para a frente que ele deu então foi bastante estudado.

— Victoria chegou a encontrar você? — perguntei, sem fôlego, desesperada para distraí-lo. Foi a primeira pergunta que me passou pela cabeça, e me arrependi assim que pronunciei as palavras. Victoria, que *tinha* me caçado com James e depois desaparecera, não era uma pessoa em quem eu quisesse pensar naquele momento.

Mas a pergunta não o deteve.

— Sim — disse ele, hesitando neste passo. — Na verdade eu vim para cá como um favor a Victoria. — Ele fez uma careta. — Ela não vai ficar satisfeita com isso.

— Com o quê? — disse eu ansiosamente, convidando-o a continuar. Ele olhava fixamente as árvores, longe de mim. Tirei vantagem de sua distração e dei um passo furtivo para trás.

Ele me olhou de novo e sorriu — a expressão o fez parecer com um anjo de cabelos pretos.

— Que eu mate você — respondeu ele num ronronar sedutor.

Cambaleei mais um passo para trás. O rosnado frenético em minha cabeça me dificultava a audição.

— Victoria queria guardar essa parte para ela — continuou ele com tom alegre. — Ela está meio... aborrecida com você, Bella.

— Comigo? — guinchei.

Ele sacudiu a cabeça e riu.

— Eu sei, também me parece meio sem sentido. Mas James era o companheiro dela, e seu Edward o matou.

Mesmo ali, prestes a morrer, o nome dele rasgou minhas feridas abertas como uma lâmina serrilhada.

Laurent não percebeu minha reação.

— Ela achou que era mais adequado matar você do que Edward... Uma reviravolta justa, parceiro por parceiro. Ela me pediu para preparar o terreno, por assim dizer. Eu não imaginava que seria tão fácil chegar a você. Talvez o plano dela tenha falhado... Ao que parece, não será a vingança que ela imaginou, uma vez que você não deve significar muito para ele, se ele a deixou aqui desprotegida.

Outro golpe, outro rasgão em meu peito.

O peso de Laurent mudou de lado, e eu cambaleei outro passo para trás. Ele franziu o cenho.

— Mesmo assim, imagino que ela vá ficar irritada.

— Então por que não espera por ela? — comentei com a voz engasgada.

Um sorriso cruel refez as feições dele.

— Bem, você me pegou em um mau momento, Bella. Eu não vim a *este* lugar em missão por Victoria... Estava caçando. Estou com muita sede e você tem um cheiro... simplesmente de dar água na boca.

Laurent olhou para mim com aprovação, como se tivesse acabado de me elogiar.

"Ameace-o", ordenou a linda ilusão, a voz distorcida de pavor.

— Ele vai saber que foi você — sussurrei, obediente. — Não vai se safar dessa.

— E por que não? — O sorriso de Laurent se alargou. Ele fitou a pequena abertura entre as árvores. — O cheiro vai desaparecer com a próxima chuva. Ninguém vai encontrar seu corpo... Você simplesmente desaparecerá, como muitos, muitos outros humanos. Não há motivo para Edward pensar em mim, se ele se der ao trabalho de investigar. Não é nada pessoal, deixe-me tranqüilizá-la, Bella. É apenas sede.

"Implore", pediu minha alucinação.

— Por favor — ofeguei.

Laurent sacudiu a cabeça, o rosto suave.

— Veja dessa maneira, Bella: é muita sorte sua ter sido encontrada por mim.

— É? — murmurei, recuando outro passo.

Laurent prosseguiu, leve e gracioso.

— Sim — garantiu-me. — Serei muito rápido. Você não vai sentir nada, eu prometo. Ah, vou mentir para Victoria sobre esta última parte, naturalmente, só para deixá-la mais calma. Mas se você soubesse o que ela planejou para você, Bella... — Ele sacudiu a cabeça com um movimento lento, quase de repulsa. — Juro que me agradeceria por isso.

Eu o encarei com pavor.

Ele farejou a brisa que soprava os fios de meu cabelo em sua direção.

— De dar água na boca — repetiu, inspirando profundamente.

Preparei-me para o ataque, meus olhos se estreitando enquanto eu me encolhia, e o som do rugido furioso de Edward ecoou no fundo de minha cabeça, distante. O nome dele atravessou todos os muros que eu construíra para contê-lo. *Edward, Edward, Edward.* Eu ia morrer. Não ia importar se eu pensasse nele agora. *Edward, eu te amo.*

Pelos olhos semicerrados, vi quando Laurent parou de inspirar e virou a cabeça de repente para a esquerda. Tive medo de desviar os olhos dele, de seguir seu olhar, embora ele mal precisasse me distrair ou fazer qualquer outro truque para me dominar. Fiquei perplexa demais para sentir alívio quando ele começou a se afastar devagar.

— Não acredito nisso — disse ele, a voz tão baixa que mal a ouvi.

Então tive de olhar. Meus olhos varreram a campina, procurando pela interrupção que me dava mais alguns segundos de vida. No início não vi nada, e meu olhar voltou a Laurent. Ele recuava mais rápido, os olhos fixos no bosque.

Depois eu vi; uma forma escura e imensa se esgueirou por entre as árvores, silenciosa como uma sombra, e se moveu, decidido, na direção do vampiro. Era enorme — alta como um cavalo, porém mais volumosa, muito mais musculosa. O focinho comprido estava arreganhado, revelando uma fila de incisivos que pareciam adagas. Um rosnado horrível saiu por entre os dentes, estrondando pela clareira como um trovão prolongado.

O urso. Só que não era urso algum. Ainda assim, o monstro preto e gigantesco tinha de ser a criatura que causava tanto sobressalto. De longe, qualquer um acharia que era um urso. O que mais poderia ser tão grande e de compleição tão poderosa?

Queria ter tido a sorte de vê-lo de longe. Em vez disso, eu andava em silêncio pela relva a apenas três metros dele.

"Não se mova nem um centímetro", sussurrou a voz de Edward.

Olhei para a criatura monstruosa, minha mente atordoada enquanto eu tentava dar um nome a ela. Havia um traço distintamente canino em sua forma, no modo como se movia. Eu só podia pensar em uma possibilidade, travada pelo pavor como estava. E, no entanto, nunca imaginara que um lobo pudesse ser tão *grande*.

Outro rosnado trovejou daquela garganta e o som me fez estremecer.

Laurent recuava para o limite do bosque e sob o terror paralisante a confusão me tomou. Por que Laurent estava fugindo? Decerto, o lobo tinha um tamanho monstruoso, mas era só um animal. Que motivo um vampiro teria para temer um animal? E Laurent *estava* com medo. Seus olhos estavam arregalados de pavor, como os meus.

Como se fosse para responder às minhas perguntas, de repente o lobo imenso não estava só. Flanqueando os dois lados dele, outras duas feras gigantescas entraram silenciosas na campina. Uma era cinza-escura, a outra, castanha, nenhuma tão alta quanto a primeira. O lobo cinza passou pelas árvores a apenas alguns metros de mim, os olhos fixos em Laurent.

Antes que eu pudesse sequer reagir, apareceram mais dois lobos numa formação em V, como gansos voando para o sul. O que significava que o monstro castanho-avermelhado que passara pelos arbustos por último estava bastante perto para me tocar.

Ofeguei involuntariamente e pulei para trás — e essa foi a reação mais estúpida que eu poderia ter tido. Fiquei paralisada de novo, esperando que os lobos se virassem para mim, a mais fraca das presas disponíveis. Por um breve momento quis que Laurent avançasse e esmagasse a alcatéia — devia ser muito simples para ele. Imaginei que, dentre as duas opções diante de mim, ser devorada por lobos era quase certamente a pior.

O lobo mais próximo, o castanho-avermelhado, virou a cabeça devagar ao me ouvir arfar.

Seus olhos eram escuros, quase pretos. Ele me fitou por uma fração de segundo, o olhar profundo parecendo inteligente demais para um animal selvagem.

Enquanto aquilo me olhava, de repente pensei em Jacob — de novo com alívio. Pelo menos fui ali sozinha, àquela campina de conto de fadas repleta de monstros sombrios. Pelo menos Jacob não ia morrer também. Pelo menos eu não teria a morte dele em minhas mãos.

Depois, outro rosnado baixo do líder fez o lobo avermelhado girar a cabeça, de volta a Laurent.

Laurent encarava o bando de lobos monstruosos com choque e medo evidentes. O choque eu podia entender. Mas fiquei pasma quando, de repente, ele se virou e desapareceu nas árvores.

Ele fugira.

Os lobos partiram atrás dele num segundo, lançando-se na relva aberta em poucos saltos, enormes, rosnando e rangendo os dentes com tal volume que minhas mãos voaram instintivamente para cobrir os ouvidos. O som cessou com rapidez surpreendente depois que eles sumiram no bosque.

E, então, eu estava sozinha de novo.

Meus joelhos cederam e eu caí sobre as mãos, o choro se formando na garganta.

Eu sabia que precisava partir, e partir já. Quanto tempo os lobos levariam caçando Laurent antes de voltarem até mim? Ou Laurent daria conta deles? Seria ele que viria me procurar?

Mas de início não consegui me mexer; meus braços e pernas tremiam e eu não sabia como ficar novamente de pé.

Minha mente não conseguia superar o medo, o pavor nem a confusão. Eu não entendia o que acabara de testemunhar.

Um vampiro não devia fugir de cães gigantescos daquele jeito. De que adiantariam os dentes deles naquela pele de granito?

E os lobos deviam ter guardado distância de Laurent. Mesmo que seu tamanho extraordinário os tivesse ensinado a nada temer, ainda não fazia sentido que eles o perseguissem. Eu duvidava de que a pele marmórea e gelada de Laurent tivesse cheiro de comida. Por que eles rejeitaram um ser de sangue quente e fraco como eu para caçar Laurent?

Eu não conseguia entender.

Uma brisa fria varreu a campina, balançando a relva como se algo estivesse se movendo por ali.

Fiquei de pé com dificuldade, cambaleando, embora o vento soprasse inofensivo por mim. Tropeçando de pânico, virei-me e corri direto para as árvores.

As horas seguintes foram uma agonia. Demorei três vezes mais para escapar do bosque do que levara para chegar à campina. No início não prestei atenção por onde seguia, concentrada apenas no motivo de minha fuga. Quando me recuperei o bastante para me lembrar da bússola, tinha entrado muito no bosque desconhecido e ameaçador. Minhas mãos tremiam tanto que tive de apoiar a bússola no chão lamacento para conseguir ler. A cada poucos minutos eu parava para baixar a bússola e verificar se ainda seguia para noroeste, escutando — quando os sons não eram abafados pelo esmagar frenético de meus passos — o sussurro baixo de coisas invisíveis movendo-se na folhagem.

O chamado de um gaio me fez pular para trás e cair em um trecho denso de espruce novo, arranhando meus braços e emaranhando meu cabelo com seiva. A repentina disparada de um esquilo subindo numa cicuta me fez gritar tão alto que fez doer meus próprios ouvidos.

Enfim apareceu um espaço nas árvores à frente. Saí para a estrada vazia a mais ou menos um quilômetro e meio ao sul de onde deixara a picape. Embora estivesse exausta, andei pela estrada até encontrá-la. Quando me atirei na cabine, estava chorando de novo. Baixei freneticamente as duas travas antes de procurar a chave no bolso. O rugido do motor foi reconfortante e sensato. Ajudou-me a controlar as lágrimas enquanto eu acelerava na direção da estrada principal o máximo que meu carro permitia.

Eu estava mais calma, mas ainda um horror quando cheguei em casa. A viatura de Charlie estava na entrada — eu não percebera que era tarde. O céu já escurecera.

— Bella? — perguntou Charlie quando bati a porta da frente e tranquei as fechaduras às pressas.

— É, sou eu. — Minha voz era instável.

— Onde você esteve? — esbravejou ele, aparecendo na porta da cozinha com uma expressão agourenta.

Hesitei. Ele devia ter ligado para os Stanley. Era melhor contar a verdade.

— Estava fazendo trilha — admiti.

Seus olhos eram duros.

— O que aconteceu com a ida à casa de Jessica?

— Não estava com vontade de estudar cálculo hoje.

Charlie cruzou os braços.

— Pensei ter lhe pedido para ficar longe do bosque.

— É, eu sei. Não se preocupe. Não vou fazer isso de novo. — Estremeci.

Charlie pareceu pela primeira vez realmente olhar para mim. Lembrei-me de que tinha passado algum tempo no chão do bosque; devia estar imunda.

— O que aconteceu? — perguntou Charlie.

Outra vez decidi que a verdade, ou parte dela, era a melhor opção. Eu estava abalada demais para fingir que passara um dia tranqüilo com a flora e a fauna.

— Eu vi o urso. — Tentei dizer isso com calma, mas minha voz estava aguda e tremia. — Mas não era um urso... Era uma espécie de lobo. E eles são cinco. Um preto, grande, um cinza, um castanho-avermelhado...

Os olhos de Charlie ficaram arregalados de pavor. Ele correu até mim e me segurou pelos ombros.

— Você está bem?

Minha cabeça tombou num assentir fraco.

— Conte o que aconteceu.

— Eles não prestaram atenção em mim. Mas, depois que foram embora, eu corri e caí várias vezes.

Ele soltou meus ombros e me deu um abraço. Por um longo tempo, Charlie não disse nada.

— Lobos — murmurou.

— O quê?

— A guarda florestal disse que os rastros não eram de um urso... Mas os lobos não podem ser tão grandes...

— Esses eram *imensos*.

— Quantos você disse que viu?

— Cinco.

Charlie sacudiu a cabeça, franzindo a testa de ansiedade. Enfim, falou num tom que não permitia questionamento.

— Chega de fazer trilha.

— Tudo bem — prometi fervorosamente.

Charlie ligou para a delegacia para relatar o que eu vira. Menti um pouco sobre o local exato onde vira os lobos — alegando que estava na trilha que levava ao norte. Não queria que meu pai soubesse o quão distante tinha entrado no bosque contra a vontade dele e, mais importante, não queria que ninguém andasse por onde Laurent pudesse estar procurando por mim. A idéia me deixou enjoada.

— Está com fome? — perguntou-me quando desligou o telefone.

Sacudi a cabeça, embora devesse estar faminta. Não tinha comido nada o dia todo.

— Só cansada — disse a ele. Virei-me para a escada.

— Ei — disse Charlie, a voz de repente desconfiada de novo —, você não disse que Jacob ia passar o dia fora?

— Foi o que Billy me disse — falei, confusa com a pergunta.

Ele examinou minha expressão por um minuto e pareceu satisfeito com o que viu ali.

— Hmmm.

— Por quê? — perguntei. Parecia que ele estava sugerindo que naquela manhã eu mentira, sobre algo além de estudar com Jessica.

— Bom, é só que, quando fui pegar Harry, vi Jacob na frente da loja com alguns amigos. Eu acenei, mas ele... Bom, não sei se me viu. Talvez estivesse discutindo com os garotos. Ele parecia estranho, como se estivesse aborrecido. E... diferente. É como se a gente pudesse ver esse garoto crescendo! Toda vez que o vejo, ele está maior.

— Billy disse que Jake e os amigos iam a Port Angeles para ver uns filmes. Eles deviam estar esperando alguém.

— Ah. — Charlie assentiu e foi para a cozinha.

Fiquei parada no corredor, pensando em Jacob discutindo com os amigos. Perguntei-me se ele teria confrontado Embry sobre a situação com Sam. Talvez fosse esse o motivo de ele ter me dispensado — se isso significava que ele resolveria a situação com Embry, eu estava feliz.

Parei para verificar as trancas antes de ir para o quarto. Era uma coisa boba de se fazer. Que diferença uma tranca faria a qualquer um dos monstros que eu vira naquela tarde? Deduzi que só a maçaneta já impediria os lobos, que não tinham polegares opositores. E se Laurent viesse aqui...

Ou... *Victoria*.

Deitei-me na cama, mas tremia demais para pensar em dormir. Encolhi-me como uma bola sob o cobertor e encarei a realidade apavorante.

Não havia nada que eu pudesse fazer. Não havia precauções que pudesse tomar. Não havia um lugar onde pudesse me esconder. Não havia ninguém que pudesse me ajudar.

Percebi, com o estômago se contorcendo de náusea, que a situação era até pior do que isso. Porque todos os fatos também se aplicavam a Charlie. Meu pai, dormindo a um quarto de distância, estava apenas a um triz do alvo, que era eu. Meu cheiro os atrairia, quer eu estivesse em casa ou não.

Os tremores me sacudiram até meus dentes rangerem.

Para me acalmar, fantasiei o impossível: imaginei os grandes lobos alcançando Laurent nas árvores e massacrando o imortal indestrutível como fariam com uma pessoa normal. Apesar do absurdo dessa hipótese, a idéia me reconfortou. Se os lobos o pegassem, ele não poderia contar a Victoria que eu estava sozinha. Se ele não voltasse, talvez ela pensasse que os Cullen ainda estavam me protegendo. Se ao menos os lobos pudessem vencer uma briga dessas...

Meus vampiros bons nunca voltariam; como era tranqüilizador imaginar que o *outro* tipo também podia desaparecer.

Fechei bem os olhos e esperei pela inconsciência — quase ansiosa para que meu pesadelo começasse. Melhor do que o rosto pálido e lindo que agora sorria para mim por trás de minhas pálpebras.

Em minha imaginação, os olhos de Victoria eram pretos de sede, brilhantes de expectativa, e os lábios se repuxavam acima dos dentes reluzentes de prazer. O cabelo ruivo era brilhante como fogo; voava caoticamente em torno da face desvairada.

As palavras de Laurent se repetiram em minha cabeça: *Se você soubesse o que ela planejou para você...*

Apertei a boca com o punho para não gritar.

11. CULTO

SEMPRE QUE EU ABRIA OS OLHOS PARA A LUZ DA MANHÃ E PERCEBIA que sobrevivera a outra noite, era uma surpresa. Passada a surpresa, meu coração começava a disparar e a palma das mãos suava; eu não conseguia respirar até que me levantasse e checasse se Charlie também sobrevivera.

Eu sabia que ele estava preocupado — vendo-me saltar a qualquer ruído alto, ou meu rosto de repente ficar lívido por nenhum motivo que ele pudesse distinguir. Pelas perguntas que me fazia de vez em quando, ele parecia atribuir a mudança à ausência contínua de Jacob.

O pavor que sempre vinha antes de tudo em meus pensamentos costumava me distrair do fato de que mais uma semana se passara e Jacob ainda não tinha telefonado. Mas quando conseguia me concentrar em minha vida normal — como se minha vida já tivesse sido realmente normal —, eu ficava aborrecida.

Sentia uma saudade terrível dele.

Já era bem ruim ficar sozinha antes de estar apavorada. Agora, mais do que nunca, eu ansiava por seu riso despreocupado e seu sorriso contagiante. Precisava da sanidade segura de sua oficina caseira e de sua mão quente em meus dedos frios.

Cheguei a esperar que ele ligasse na segunda-feira. Se tivesse havido algum progresso com Embry, ele não iria me contar? Queria acreditar que era a preocupação com o amigo que ocupava o tempo de Jacob, e não que ele apenas tivesse desistido de mim.

Liguei na terça, mas ninguém atendeu. Será que o telefone ainda estava com defeito? Ou Billy comprara um identificador de chamadas?

Na quarta, liguei a cada meia hora até depois das onze da noite, desesperada para ouvir o calor da voz de Jacob.

Na quinta-feira, fiquei sentada dentro da picape na frente de minha casa — com as travas abaixadas —, a chave na mão, por uma hora inteira. Lutava comigo mesma, tentando justificar uma ida rápida a La Push, mas não consegui fazer isso.

Eu sabia que Laurent já teria voltado para Victoria. Se eu fosse a La Push, correria o risco de atrair um deles para lá. E se me encontrassem quando Jacob estivesse por perto? Por mais que isso me magoasse, eu sabia que era melhor para Jacob me evitar. Era mais seguro para ele.

Já era bem ruim que eu não conseguisse encontrar um modo de garantir a segurança de Charlie. Era mais provável que eles viessem me procurar à noite, e o que eu podia dizer para manter Charlie fora da casa? Se lhe contasse a verdade, ele me internaria. Eu teria suportado isso — até aceitaria de bom grado —, se fosse mantê-lo seguro. Mas Victoria ainda viria procurar por mim na casa dele primeiro. Talvez, se me encontrasse, isso bastasse para ela. Quem sabe ela simplesmente fosse embora após terminar comigo.

Então eu não podia fugir. Mesmo que pudesse, para onde iria? Para Renée? Estremeci ao pensar em arrastar minhas sombras letais para o mundo seguro e ensolarado de minha mãe. Eu jamais a colocaria em perigo desse jeito.

A preocupação devorava um buraco no meu estômago. Logo eu teria outras perfurações.

Naquela noite, Charlie me fez outro favor e ligou para Harry de novo, para saber se os Black tinham saído da cidade. Harry contou que Billy comparecera a uma reunião do conselho na noite de quarta-feira e não falara nada sobre ir embora. Charlie me alertou para não me inquietar tanto — Jacob ligaria quando estivesse pronto para isso.

Na tarde de sexta-feira, quando voltava da escola, de repente eu entendi.

Eu não estava prestando atenção na conhecida rua, deixando que o som do motor amortecesse meu cérebro e silenciasse as preocupações, quando meu subconsciente deu um veredicto que devia estar sendo forjado havia algum tempo sem que eu me desse conta.

Assim que pensei a respeito, senti-me uma completa idiota por não ter entendido antes. É claro que havia muita coisa na minha cabeça — vampiros obcecados com vingança, lobos mutantes gigantescos, um buraco dilacerado no meio do meu peito —, mas, quando segui as evidências, ficou constrangedoramente óbvio.

Meu Deus, eu sabia exatamente o que estava acontecendo com Jacob.

Jacob me evitando. Charlie dizendo que ele parecia estranho, chateado... As respostas vagas e inúteis de Billy.

Era Sam Uley. Até meus pesadelos tentavam me dizer isso. Sam conseguira pegar Jacob. O que quer que estivesse acontecendo com os outros rapazes na reserva, tinha alcançado meu amigo e o roubara. Ele fora tragado para o culto de Sam.

Ele não tinha desistido de mim, percebi com um jorro de emoção.

Deixei a picape em ponto morto na frente de casa. O que eu devia fazer? Pesei os riscos.

Se procurasse Jacob, arriscaria dar a Victoria ou Laurent a oportunidade de me encontrar junto a ele.

Se não fosse atrás dele, Sam o mergulharia ainda mais profundo em sua gangue compulsória e assustadora. Se eu não agisse logo, talvez fosse tarde demais.

Uma semana havia passado e nenhum vampiro aparecera para mim. Uma semana era tempo mais do que suficiente para terem voltado, então eu não devia ser prioridade para eles. O mais provável, como concluíra antes, seria eles virem atrás de mim à noite. A probabilidade de me seguirem a La Push era muito menor do que a de perder Jacob para Sam.

Valia a pena me arriscar na estrada isolada do bosque. Não seria uma visita à toa para ver o que estava acontecendo. Eu *sabia* o que estava acontecendo. Era uma missão de resgate. Eu falaria com Jacob — o raptaria, se fosse preciso. Assistira a um programa na tevê sobre desprogramação de lavagem cerebral. Tinha de haver algum tipo de cura.

Concluí que era melhor ligar para Charlie primeiro. Talvez o que estivesse acontecendo em La Push fosse algo em que a polícia devesse ser envolvida. Disparei para dentro de casa, na pressa para me colocar a caminho.

O próprio Charlie atendeu o telefone da delegacia.

— Chefe Swan.

— Pai, é Bella.

— Qual é o problema?

Dessa vez eu não podia discutir com seu pressuposto de Dia do Juízo Final. Minha voz tremia.

— Estou preocupada com Jacob.

— Por quê? — perguntou ele, surpreso com o assunto inesperado.

— Eu acho... Acho que tem algo esquisito acontecendo na reserva. Jacob me contou sobre uma coisa estranha que está acontecendo com os outros rapazes da idade dele. Agora ele age do mesmo jeito e eu estou com medo.

— Que tipo de coisa? — Ele usou sua voz profissional, de policial. Isso era bom; estava me levando a sério.

— Primeiro, ele estava com medo, depois, me evitou, e agora... Tenho medo de que esteja naquela gangue esquisita de lá, a gangue de Sam. A gangue de Sam Uley.

— Sam Uley? — repetiu Charlie, surpreso de novo.

— É.

A voz de Charlie estava mais relaxada quando ele respondeu.

— Acho que você entendeu errado, Bella. Sam Uley é um ótimo rapaz, quer dizer, agora ele é um homem. Um bom filho. Você tem de ouvir Billy falar dele. Ele faz maravilhas com a juventude da reserva. Foi ele que... — Charlie parou no meio da frase e imaginei que ele estava prestes a comentar a noite em que me perdi no bosque. Eu avancei rapidamente.

— Pai, não é isso. Jacob tinha *medo* dele.

— Você conversou com Billy sobre isso? — Ele agora tentava me tranqüilizar. Eu o tinha perdido assim que falei em Sam Uley.

— Billy não está preocupado.

— Ora, Bella, então tenho certeza de que está tudo bem. Jacob é um garoto; acho que só está zanzando por aí. Tenho certeza de que está bem. Afinal de contas, ele não pode passar cada minuto da vida com você.

— Não se trata de mim — insisti, mas a batalha estava perdida.

— Não acho que precise se preocupar com isso. Deixe que Billy cuide de Jacob.

— Charlie... — Minha voz começava a parecer um choramingo.

— Bells, agora eu tenho muito para fazer. Dois turistas desapareceram em uma trilha nos arredores do lago Crescent. — Havia ansiedade na voz dele. — O problema do lobo está ficando fora de controle.

A notícia me distraiu por um momento — na verdade me atordoou. De forma alguma os lobos teriam sobrevivido a um embate com Laurent...

— Tem certeza de que foi isso que aconteceu com eles? — perguntei.

— Receio que sim, querida. Havia... — Ele hesitou. — Havia rastros de novo e... dessa vez, um pouco de sangue.

— Oh! — Então não deve ter havido um confronto. Laurent devia simplesmente ter fugido dos lobos, mas por quê? O que vi na campina só ficava cada vez mais estranho... mais impossível de entender.

— Olhe, eu preciso mesmo ir. Não se preocupe com Jake, Bella. Tenho certeza de que não é nada.

— Tudo bem — eu disse com aspereza, frustrada enquanto suas palavras me lembravam da crise mais urgente que eu tinha nas mãos. — Tchau. — Desliguei.

Fiquei olhando o telefone por um longo minuto. *Dane-se,* decidi.

Billy atendeu depois de dois toques.

— Alô?

— Oi, Billy — quase grunhi. Tentei parecer mais simpática ao continuar. — Posso falar com Jacob, por favor?

— Jake não está aqui.

Que novidade.

— Sabe onde ele está?

— Ele saiu com os amigos. — A voz de Billy era cautelosa.

— Ah, é? Alguém que eu conheça? O Quil? — Sabia que as palavras não saíram de modo tão casual como eu pretendia.

— Não — disse Billy devagar. — Não acho que ele esteja com o Quil hoje.

Eu sabia muito bem que não devia tocar no nome de Sam.

— Embry? — perguntei.

Desta vez, Billy pareceu mais feliz em responder.

— É, ele está com Embry.

Foi o bastante para mim. Embry era um deles.

— Bom, quando ele chegar, diga que me ligue, está bem?

— Claro, claro. Tudo bem. — *Clique.*

— A gente se vê, Billy — murmurei para o telefone mudo.

Dirigi até La Push decidida a esperar. Se fosse necessário, ficaria sentada na frente da casa dele a noite inteira. Eu ia faltar à aula. Em algum momento o garoto ia ter de chegar em casa e, quando chegasse, ia ter de falar comigo.

Eu estava tão preocupada que a viagem que me apavorara pareceu durar só alguns segundos. Antes que me desse conta, o bosque começou a ficar mais esparso e eu sabia que logo veria as primeiras casinhas da reserva.

Seguindo a pé, pelo acostamento esquerdo da estrada, havia um menino alto, com um boné de beisebol.

Minha respiração parou por um momento na garganta, na esperança de que dessa vez a sorte estivesse comigo e eu encontrasse Jacob sem precisar me esforçar. Mas o menino era largo demais e o cabelo sob o boné era curto. Mesmo de costas, tive certeza de que era Quil, embora ele parecesse maior do que da última vez que o vira. O que havia com aqueles garotos quileutes? Será que estavam dando a eles hormônio do crescimento experimental?

Passei para a contramão a fim de parar perto dele. Ele olhou quando o ronco da picape se aproximou.

A expressão de Quil me assustou mais do que me surpreendeu. Seu rosto era triste, pensativo, a testa vincada de preocupação.

— Ah, oi, Bella — ele me cumprimentou, de um jeito apático.

— Oi, Quil... Está tudo bem?

Ele me fitou de mau humor.

— Tudo.

— Quer uma carona para algum lugar? — ofereci.

— Claro, acho que sim — murmurou. Ele se arrastou pela frente da picape e abriu a porta do carona para entrar.

— Para onde?

— Minha casa fica no lado norte, bem atrás da loja.

— Tem visto Jacob? — A pergunta explodiu de mim quase antes que ele terminasse de falar.

Olhei para Quil com ansiedade, esperando pela resposta. Ele olhou através do pára-brisa por um segundo antes de falar.

— De longe — disse por fim.

— De longe? — repeti.

— Tentei segui-los... Ele estava com Embry. — Sua voz era baixa, difícil de ouvir com o motor do carro. Aproximei-me dele. — Sei que me viram. Mas eles se viraram e simplesmente sumiram no bosque. Não acho que estivessem sozinhos... Acho que Sam e seu pessoal podiam estar com eles. Fiquei zanzando pelo bosque por uma hora, gritando por eles. Eu tinha acabado de achar a estrada de novo quando você passou.

— Então Sam o pegou. — As palavras saíram meio distorcidas, meus dentes estavam trincados.

Quil me olhou.

— Você sabe disso?

Eu assenti.

— Jake me contou... Antes.

— Antes — repetiu Quil, e suspirou.

— Jacob agora é tão ruim como os outros?

— Nunca desgruda de Sam. — Quil virou a cabeça e cuspiu pela janela aberta.

— E antes disso... Ele evitava todo mundo? Parecia aborrecido?

A voz dele era baixa e rouca.

— Não por tanto tempo quanto os outros. Talvez um dia. Depois Sam o pegou.

— O que você acha disso? Drogas ou algo assim?

— Não consigo ver Jacob nem Embry tomando nada desse tipo... Mas o que é que eu sei? O que mais pode ser? E por que os mais velhos não estão preocupados? — Ele sacudiu a cabeça, e agora o medo aparecia em seus olhos. — Jacob não queria fazer parte desse... culto. Não entendo como ele mudou. — Ele me encarou, o rosto assustado. — *Eu não quero ser o próximo.*

Meus olhos espelharam seu medo. Era a segunda vez que eu ouvia descreverem aquilo como um culto. Tremi.

— Seus pais não ajudam em nada?

Ele fez uma careta.

— Ah, tá. Meu avô é do conselho, com o pai de Jacob. Para ele, Sam Uley foi a melhor coisa que aconteceu neste lugar.

Nós nos olhamos por um longo momento. Já estávamos em La Push, e minha picape se arrastava na estrada vazia. Eu podia ver a única loja da aldeia não muito à frente.

— Vou descer agora — disse Quil. — Minha casa fica ali, à direita. — Ele gesticulou para o pequeno retângulo de madeira atrás da loja. Parei no acostamento e ele saiu.

— Vou esperar Jacob — disse a ele numa voz séria.

— Boa sorte. — Ele bateu a porta e se arrastou pela estrada, de cabeça baixa e ombros caídos.

A expressão no rosto de Quil me assombrou enquanto eu fazia um retorno e ia para a casa dos Black. Ele estava com medo de ser o próximo. O que estava acontecendo ali?

Parei na frente da casa de Jacob, desligando o motor e baixando as janelas. Estava abafado, sem brisa. Coloquei os pés no painel e me acomodei para esperar.

Um movimento lampejou em minha visão periférica — virei-me e vi Billy me olhando pela janela da frente com uma expressão confusa. Acenei uma vez e dei um sorriso rígido, mas fiquei onde estava.

Os olhos dele se estreitaram; ele baixou a cortina na vidraça.

Estava preparada para ficar pelo tempo que fosse necessário, mas desejei ter alguma atividade. Peguei uma caneta e uma prova antiga no fundo da mochila. Comecei a rabiscar no verso.

Só tivera tempo de desenhar uma fila de losangos quando ouvi uma batida áspera em minha porta.

Pulei e ergui os olhos, esperando ver Billy.

— O que você está fazendo aqui, Bella? — grunhiu Jacob.

Jacob mudara radicalmente nas últimas semanas desde que eu o vira. O primeiro detalhe que percebi foi seu cabelo — seu lindo cabelo se fora, cortado bem curto, cobrindo a cabeça como um cetim preto, muito escuro. As maçãs do rosto pareciam ter enrijecido discretamente... envelhecido. O pescoço e os ombros também estavam diferentes, de algum modo mais largos. As mãos, onde pegavam na moldura da janela, eram enormes, com os tendões e as veias mais pronunciados sob a pele avermelhada. Mas a mudança física era insignificante.

Era a expressão que o deixava quase irreconhecível por completo. O sorriso aberto e franco sumira com o cabelo, o calor em seus olhos escuros se transformara num ressentimento taciturno que era imediatamente perturbador. Havia trevas em Jacob. Como se meu sol tivesse implodido.

— Jacob? — sussurrei.

Ele se limitou a me encarar, os olhos tensos e raivosos.

Percebi que não estávamos sozinhos. Atrás dele havia outros quatro; todos altos e de pele vermelha, o cabelo preto curto como o de Jacob. Podiam ser irmãos — não distingui Embry no grupo. A semelhança era intensificada pela hostilidade perturbadoramente idêntica em cada par de olhos.

Cada par, exceto um. Anos mais velho, Sam estava ao fundo, a expressão serena e segura. Tive de engolir a bile que subia por minha garganta. Eu queria bater nele. Não, eu queria fazer mais do que isso. Mais do que tudo, eu queria ser feroz e mortal, alguém com quem ninguém se atrevesse a se meter. Alguém que metesse medo em Sam Uley.

Eu queria ser uma vampira.

O desejo violento me pegou desprevenida e me tirou o fôlego. Era o mais proibido de todos os desejos — mesmo quando eu só o queria por uma razão vil como essa, para ganhar vantagem sobre um inimigo —, porque era o mais doloroso. Esse futuro se perdera para sempre e nunca estaria a meu alcance. Lutei para recuperar o controle enquanto o buraco em meu peito doía, oco.

— O que você quer? — perguntou Jacob, a expressão tornando-se mais ressentida à medida que ele via as emoções passando por meu rosto.

— Quero conversar com você — respondi numa voz fraca. Tentei me concentrar, mas ainda estava às voltas com a fuga de meu sonho proibido.

— Pode falar — sibilou ele entre os dentes. Seu olhar era violento. Eu nunca o vira olhar para ninguém daquele jeito, e muito menos para mim. Isso me magoou com uma intensidade surpreendente; uma dor física, uma facada na cabeça.

— A sós! — sibilei, e minha voz era mais forte.

Ele olhou para trás e eu sabia para onde iriam seus olhos. Cada um dos garotos se virou para ver a reação de Sam.

Sam assentiu uma vez, a expressão impassível. Fez um breve comentário numa língua desconhecida e fluida — eu só tinha certeza de que não era francês nem espanhol, mas imaginei que fosse quileute. Ele se virou e foi para a casa de Jacob. Os outros, Paul, Jared e Embry, imaginei, o seguiram.

— Tudo bem. — Jacob parecia um pouco menos furioso depois que os outros partiram. Seu rosto estava mais calmo, mas também mais desamparado. A boca parecia permanentemente repuxada nos cantos.

Respirei fundo.

— Você sabe o que eu quero saber.

Ele não respondeu. Só me olhou com amargura.

Retribuí o olhar e o silêncio se prolongou. A dor em seu rosto me enervava. Senti um bolo começando a se formar em minha garganta.

— Podemos dar uma caminhada? — perguntei enquanto ainda conseguia falar.

Ele não deu nenhuma resposta; sua expressão não mudou.

Saí do carro, sentindo em mim olhos invisíveis por trás das janelas, e comecei a andar para as árvores ao norte. Meus pés pisavam a relva úmida e a lama na lateral da estrada, e como esse era o único som, a princípio pensei que Jacob não estivesse me seguindo. Mas, quando olhei em volta, ele estava bem a meu lado. Seus pés de alguma forma encontraram um caminho menos ruidoso do que o meu.

Eu me senti melhor perto do bosque, onde Sam não poderia estar vendo. Enquanto andávamos, lutei para encontrar as palavras certas a serem ditas, mas nada me ocorreu. Só fiquei com mais raiva ainda por Jacob ter sido puxado para aquilo... Que Billy tivesse permitido isso... Que Sam fosse capaz de ficar parado ali, tão seguro e calmo...

Jacob de repente acelerou o passo, me ultrapassando facilmente com suas pernas compridas, depois girou para ficar de frente para mim, plantando-se no meu caminho e me obrigando a parar também.

A elegância evidente de seus movimentos me distraiu. Jacob era quase tão desajeitado quanto eu, com seu surto de crescimento interminável. Quando foi que isso mudou?

Mas ele não me deu tempo para pensar.

— Vamos acabar logo com isso — disse numa voz rouca.

Eu esperei. Ele sabia o que eu queria.

— Não é o que você pensa. — Sua voz de repente era preocupada. — Não era o que eu pensava... Eu não sabia de nada.

— Então o que é?

Ele examinou meu rosto por um longo momento, refletindo. A raiva jamais deixava completamente seus olhos.

— Não posso lhe dizer — disse ele por fim.

Meu queixo se enrijeceu e falei entre os dentes.

— Pensei que fôssemos amigos.

— Nós éramos. — Houve uma discreta ênfase no verbo no passado.

— Mas você não precisa mais de amigos — eu disse, amargurada. — Você tem o Sam. Isso é muito bom... Você sempre o admirou tanto!

— Antes eu não o entendia.

— E agora você viu a luz. Aleluia.

— Não é como eu pensava. Não é culpa de Sam. Ele está me ajudando o máximo que pode. — Sua voz ficou frágil e ele olhou por sobre minha cabeça, para além de mim, a raiva ardendo nos olhos.

— Ele está ajudando você — repeti, em dúvida. — Claro.

Mas Jacob não parecia estar ouvindo. Respirava fundo e devagar, tentando se acalmar. Estava tão aborrecido que as mãos tremiam.

— Jacob, por favor — sussurrei. — Não vai me contar o que aconteceu? Talvez eu possa ajudar.

— Ninguém pode me ajudar agora. — As palavras foram um gemido baixo; sua voz falhou.

— O que ele fez com você? — perguntei, as lágrimas se empoçando em meus olhos. Estendi a mão para ele, como já fizera antes, avançando de braços abertos.

Desta vez ele se afastou, erguendo as mãos na defensiva.

— Não toque em mim — sussurrou ele.

— Sam, está vendo? — murmurei. As lágrimas estúpidas escaparam do canto de meus olhos. Eu as enxuguei com as costas da mão e cruzei os braços.

— Pare de culpar o Sam. — As palavras saíram rápido, como por reflexo. Suas mãos se ergueram para torcer os cabelos que não estavam mais ali, depois caíram hesitantes.

— Então, a quem eu devo culpar?

Ele deu um meio sorriso; era algo vazio e sem forma.

— Não vai querer ouvir isso.

— Mas é claro que vou! — rebati. — Eu quero saber e quero saber *agora*.

— Você está enganada — devolveu ele.

— Não se atreva a me dizer que estou errada... Não fui eu quem sofreu uma lavagem cerebral! Me diga agora de quem é a culpa por tudo isso, se não é de seu precioso Sam!

— Você pediu — grunhiu ele para mim, os olhos com um brilho duro. — Se quiser culpar alguém, por que não aponta seu dedo para aqueles sanguessugas imundos e *fedorentos* que você ama tanto?

Minha boca se escancarou e a respiração saiu com um assobio. Fiquei paralisada ali, apunhalada por aquelas palavras de dois gumes. A dor girou em seu padrão familiar por meu corpo, o buraco rasgando-me de dentro para fora, mas isso estava em segundo plano, uma música de fundo no caos de meus pensamentos. Eu não acreditava tê-lo ouvido corretamente. Não havia vestígio de indecisão em seu rosto. Só fúria.

Ainda estava boquiaberta.

— Eu lhe disse que você não ia querer ouvir — disse ele.

— Não entendo de quem você está falando — sussurrei.

Ele ergueu uma sobrancelha, incrédulo.

— Acho que entende perfeitamente de quem estou falando. Não vai me obrigar a dizer, não é? Não gosto de magoar você.

— Eu não entendo de quem você está falando — repeti de modo mecânico.

— Os *Cullen* — disse ele devagar, demorando-se na palavra, examinando meu rosto ao pronunciá-la. — Eu vi... Posso ver em seus olhos o que acontece com você quando digo o nome deles.

Sacudi a cabeça, negando, tentando ao mesmo tempo clareá-la. Como ele sabia daquilo? E como aquilo podia ter alguma relação com o culto de Sam? Seria uma gangue de odiadores de vampiros? Que sentido havia em formar uma sociedade dessas quando não havia mais vampiro algum em Forks? Por que Jacob começaria a acreditar nas histórias sobre os Cullen justo agora, quando a prova de sua existência tinha ido embora havia tanto tempo, para nunca mais voltar?

Precisei de um tempo mais longo para pensar na resposta correta.

— Não me diga que agora dá ouvidos aos absurdos supersticiosos de Billy — disse numa tentativa fraca de zombar dele.

— Ele sabe mais do que eu pensava.

— Fala sério, Jacob.

Ele me fitou, os olhos me julgando.

— Deixando as superstições de lado — eu disse rapidamente. — Ainda não sei do que você está acusando os... — tremor — ... Cullen. Eles foram embora há mais de seis meses. Como pode culpá-los pelo que Sam está fazendo agora?

— Sam não está *fazendo* nada, Bella. E eu sei que eles foram embora. Mas às vezes... as coisas entram em movimento e então é tarde demais.

— O que está em movimento? O que é tarde demais? Você os está culpando pelo quê?

Ele de repente estava bem na minha frente, a fúria reluzindo nos olhos.

— Por existirem — sibilou.

Fiquei surpresa e desconcentrada quando as palavras de alerta vieram na voz de Edward outra vez, quando eu nem estava com medo.

"Fique quieta agora, Bella. Não o pressione", avisou-me Edward em meu ouvido.

Desde que o nome de Edward irrompera para fora dos muros cautelosos que eu erguera para sepultá-lo, não consegui trancá-lo lá de novo. Agora não me doía — não durante os preciosos segundos em que podia ouvir sua voz.

Jacob fumegava na minha frente, tremendo de raiva.

Não entendi por que a ilusão de Edward apareceu inesperadamente em minha cabeça. Jacob estava furioso, mas ele era Jacob. Não havia adrenalina, nem perigo.

"Dê a ele uma chance de se acalmar", insistiu a voz de Edward.

Sacudi a cabeça, confusa.

— Está sendo ridículo — disse aos dois.

— Tudo bem — respondeu Jacob, respirando fundo de novo. — Não vou discutir com você. Não importa mais, o estrago está feito.

— *Que estrago?*

Ele nem vacilou quando gritei as palavras na cara dele.

— Vamos voltar. Não há mais nada a dizer.

Suspirei.

— Há tudo a dizer! Você ainda não disse nada!

Ele passou por mim, andando de volta para a casa.

— Dei uma carona para o Quil hoje — gritei nas costas dele.

Ele parou a meio passo, mas não se virou.

— Você se lembra de seu amigo Quil? É, ele está apavorado.

Jacob girou para me encarar. Sua expressão era de dor.

— Quil. — Foi só o que ele disse.

— Ele também está preocupado com você. Está morto de medo.

Jacob começou a se afastar de mim com olhos desesperados.

Eu o provoquei mais.

— Está com medo de ser o próximo.

Jacob teve de se apoiar numa árvore, o rosto assumindo um estranho tom de verde sob a superfície marrom-avermelhada.

— Ele não será o próximo — murmurou Jacob para si mesmo. — Não pode ser. Agora acabou. Isso nem devia estar acontecendo mais. Por quê? Por quê? — Ele socou a árvore com o punho. Não era uma árvore grande, era fina e só um pouco mais alta do que Jacob. Mas ainda me surpreendeu quando o tronco cedeu e se partiu com um estalo sob seus golpes.

Jacob olhou o ponto quebrado e áspero com um choque que logo se transformou em pavor.

— Tenho que voltar. — Ele girou o corpo e se afastou com tal rapidez que tive de correr para alcançá-lo.

— Vai voltar para Sam!

— É um ponto de vista — ele pareceu dizer. Estava murmurando e de cara virada.

Eu o segui de volta à picape.

— Espere! — gritei enquanto ele se virava para a casa.

Ele girou, ficando de frente para mim, e vi que suas mãos tremiam de novo.

— Vá para casa, Bella. Não posso mais ver você.

A dor tola e inconseqüente foi muito forte. As lágrimas voltaram a encher meus olhos.

— Você está... terminando comigo? — As palavras eram completamente erradas, mas foram a melhor maneira que encontrei para manifestar o que eu queria saber. Afinal, o que Jake e eu tínhamos era mais do que qualquer namoro de estudantes. Era mais forte.

Ele soltou uma risada amarga.

— Dificilmente. Se fosse esse o caso, eu diria "Vamos ser amigos". Nem isso eu posso dizer.

— Jacob... Por quê? Sam não deixa você ter outros amigos? Por favor, Jake. Você prometeu. Eu preciso de você! — O vazio completo de minha vida antes... antes de Jacob trazer de volta algo parecido com a razão... despertou e me confrontou. A solidão sufocava minha garganta.

— Desculpe, Bella. — Jacob pronunciou cada palavra com clareza, numa voz fria que não parecia pertencer a ele.

Não acreditei que fosse aquilo que Jacob realmente queria falar. Parecia haver outra mensagem tentando ser dita por seus olhos furiosos, mas eu não a entendia.

Talvez não se tratasse de Sam. Talvez não tivesse nada a ver com os Cullen. Talvez ele só estivesse tentando sair de uma situação irremediável. Talvez eu devesse deixá-lo fazer isso, se era o melhor para ele. Eu devia deixar. Seria a atitude correta.

Mas ouvi minha voz escapar num sussurro.

— Eu lamento não ter podido... antes... Queria poder mudar o que sinto por você, Jacob. — Eu estava desesperada, esforçando-me, esticando a verdade a tal ponto que ela se torcia quase na forma de uma mentira. — Talvez... Talvez eu mude — sussurrei. — Talvez, se me der algum tempo... Só não me abandone agora, Jake. Não posso suportar isso.

Seu rosto passou da raiva para a agonia em um segundo. A mão trêmula se estendeu para mim.

— Não. Não pense assim, Bella. Não se culpe, não pense que é culpa sua. O culpado de *tudo* sou eu. Eu juro, não tem nada a ver com você.

— Não é você, sou eu — sussurrei. — Há uma nova Bella.

— É sério, Bella. Eu não... — Ele lutou, e a voz ficava mais rouca à medida que ele tentava controlar a emoção. Os olhos estavam torturados. — Não sirvo para ser seu amigo, nem outra coisa. Não sou o que era antes. Eu não sou bom.

— Como é? — Eu o encarei, confusa e pasma. — O que está *dizendo*? Você é muito melhor do que eu, Jake. Você é bom! Quem disse que não é? Sam? É uma mentira maldosa, Jacob! Não deixe que ele diga isso a você! — De repente eu estava gritando de novo.

A face de Jacob ficou dura e inexpressiva.

— Ninguém precisa me dizer nada. Sei o que sou.

— Você é meu amigo, é isso que você é! Jake... Não!

Estava me dando as costas.

— Desculpe, Bella — disse de novo; desta vez foi um murmúrio fraco. Jacob se virou e quase correu para a casa.

Fui incapaz de me mexer. Olhei a casinha; parecia pequena demais para abrigar quatro rapazes grandalhões e dois homens maiores ainda. Não houve reação lá dentro. A beira da cortina não tremulou, nenhum som de vozes nem movimento. A casa me encarava vazia.

Começou a cair um chuvisco, pinicando minha pele aqui e ali. Eu não conseguia tirar os olhos da casa. Jacob ia voltar. Tinha de voltar.

A chuva aumentou e o vento também. As gotas não vinham mais do alto; caíam em diagonal, do oeste. Eu podia sentir o cheiro da maresia. Meu cabelo batia no rosto, grudando nos lugares molhados e se embaraçando em meus cílios. Eu esperei.

Por fim a porta se abriu e dei um passo para a frente, aliviada.

Billy foi em sua cadeira para a soleira da porta. Não pude ver ninguém atrás dele.

— Charlie ligou agora, Bella. Disse a ele que você estava a caminho de casa. — Os olhos dele estavam cheios de pena.

A piedade foi a gota d'água. Não fiz qualquer comentário. Só me virei automaticamente e subi na picape. Tinha deixado a janela aberta e os bancos ficaram escorregadios e molhados. Não importava. Eu já estava ensopada.

Não é tão ruim! Não é tão ruim!, minha mente tentava me confortar. Era verdade. Não era tão ruim. Não era o fim do mundo, não de novo. Era só o fim daquela pequena paz que havia ficado para trás. Era só isso.

Não é tão ruim, concordei, depois acrescentei: *mas é ruim o bastante*.

Pensei que Jake estivesse curando o buraco que havia em mim — ou pelo menos o estivesse cobrindo, impedindo que me doesse tanto. Eu estava errada. Ele estava apenas cavando um buraco só dele, e agora eu estava furada como queijo suíço. Imaginei por que eu não me desfazia em pedaços.

Charlie esperava por mim na varanda. Quando parei o carro, ele saiu para me receber.

— Billy ligou. Disse que você brigou com Jake... Que estava muito chateada — explicou ele ao abrir a porta da picape para mim.

Depois ele viu meu rosto. Uma espécie de reconhecimento apavorado apareceu em sua expressão. Tentei sentir meu rosto de dentro para fora, para saber o que ele estava vendo. Minha face parecia vazia e fria, e percebi o que isso o fazia lembrar.

— Não foi bem assim que aconteceu — murmurei.

Charlie passou o braço em mim e me ajudou a sair do carro. Não fez comentário algum sobre minhas roupas encharcadas.

— Então, o que aconteceu? — perguntou quando estávamos dentro de casa. Enquanto falava, ele pegou a manta do encosto do sofá e pôs em meus ombros. Percebi que ainda estava tremendo.

Minha voz não tinha vida.

— Sam Uley disse que Jacob não pode mais ser meu amigo.

Charlie me olhou de um jeito estranho.

— Quem lhe disse isso?

— Jacob — declarei, embora não fosse exatamente o que Jacob dissera. Ainda assim era verdade.

As sobrancelhas de Charlie se uniram.

— Acha mesmo que há alguma coisa errada com esse Uley?

— Eu sei que há. Mas Jacob não me contou. — Pude ouvir a água de minhas roupas pingando e formando uma poça no linóleo. — Vou trocar de roupa.

Charlie estava perdido em pensamentos.

— Tudo bem — disse, desligado.

Decidi tomar um banho porque eu estava fria demais, mas a água quente não pareceu afetar a temperatura de minha pele. Ainda estava congelando quando desisti e fechei a água. No silêncio súbito, pude ouvir Charlie falando com alguém no primeiro andar. Enrolei-me numa toalha e entreabri a porta do banheiro.

A voz dele estava irritada.

— Não engulo essa. Isso não faz sentido nenhum.

Fez-se um silêncio e percebi que ele estava ao telefone. Passou-se um minuto.

— Não culpe Bella por isso! — gritou Charlie de repente. Eu pulei. Quando ele voltou a falar, a voz era cuidadosa e baixa. — Bella deixou muito claro o tempo todo que ela e Jacob eram só amigos... Bom, se era isso, então por que não disse antes? Não, Billy, acho que ela tem razão... Porque conheço minha filha e, se ela diz que antes Jacob estava com medo...

Ele foi interrompido no meio da frase, e quando respondeu estava quase gritando de novo.

— O que você quer dizer com não conheço minha filha tão bem quanto penso! — Ele ouviu por um breve segundo e sua resposta foi quase baixa demais para que eu escutasse. — Se acha que vou lembrá-la disso, é melhor pensar duas vezes. Ela só está começando a se recuperar, e principalmente graças ao Jacob, acho. Se o que Jacob está fazendo com esse Sam deixar Bella deprimida de novo, então Jacob vai ter que se entender comigo. Você é meu amigo, Billy, mas isso está magoando minha família.

Houve outra pausa para Billy responder.

— Você entendeu muito bem... Basta esses garotos colocarem um dedo fora da linha e eu vou saber. Vamos ficar de olho na situação, pode ter certeza disso.

Ele não era mais Charlie; agora era o chefe de polícia Swan.

— Muito bem. Sim. Adeus. — O telefone bateu no gancho.

Fui na ponta dos pés pelo corredor às pressas até meu quarto. Charlie resmungava com raiva na cozinha.

Então Billy ia me culpar. Eu estava sobrecarregando Jacob e ele, enfim, se cansara disso.

Era estranho, porque era o que eu mesma temia, mas não acreditava mais nisso, não depois das últimas palavras de Jacob à tarde. Havia muito mais naquela história do que uma paixonite não correspondida, e me surpreendeu que Billy concordasse em alegar um motivo desses. Fez-me pensar que qualquer que fosse o segredo que guardavam devia ser maior do que eu imaginara. Pelo menos Charlie agora estava do meu lado.

Vesti o pijama e me arrastei para a cama. A vida parecia tão sombria naquele momento que me permiti trapacear. O buraco — agora os buracos — já doía, então, por que não? Invoquei a lembrança — não uma lembrança real que doesse *demais*, mas a falsa lembrança da voz de Edward em minha mente naquela tarde — e brinquei mentalmente com ela até que dormi, com as lágrimas ainda rolando devagar por meu rosto vazio.

Nessa noite, eu tive um novo sonho. A chuva caía e Jacob andava sem fazer ruído a meu lado, embora sob os *meus* pés o chão estalasse como cascalho seco. Mas ele não era o meu Jacob; era o novo Jacob, amargurado e elegante. A flexibilidade suave de seu andar me fez lembrar de outra pessoa, e enquanto eu observava suas feições começaram a mudar. A cor avermelhada de sua pele desbotou, deixando o rosto branco como osso. Os olhos ficaram dourados e depois vermelhos, e voltaram ao dourado. O cabelo curto se agitava na brisa, assumindo um tom de bronze onde o vento o tocava. E o rosto ficou tão lindo que despedaçou meu coração. Tentei alcançá-lo, mas ele se afastou, erguendo as mãos como um escudo. E depois Edward desapareceu.

Quando acordei no escuro, não tinha certeza se começara a chorar naquele momento ou se minhas lágrimas tinham escorrido enquanto eu dormia e agora simplesmente continuavam. Olhei o teto escuro. Podia sentir que chegara o meio da noite — ainda estava meio adormecida, talvez mais do que isso. Cansada, fechei os olhos e rezei para ter um sono sem sonhos.

Foi quando ouvi o barulho que deve ter me despertado. Algo afiado arranhava minha janela com um som agudo, como unhas contra o vidro.

12. INVASÃO

MEUS OLHOS SE ARREGALARAM DE SUSTO, EMBORA EU ESTIVESSE TÃO exausta e desnorteada que ainda não tinha certeza de estar acordada ou dormindo.

Algo arranhou a janela de novo com o mesmo som agudo e fino.

Confusa e desajeitada por causa do sono, tropecei para fora da cama e fui até a janela, piscando pelo caminho para me livrar das lágrimas que haviam ficado em meus olhos.

Uma forma enorme e escura se balançava, instável, do outro lado do vidro, inclinada na minha direção como se fosse se atirar contra a janela. Recuei, apavorada, minha garganta se fechando num grito.

Victoria.

Ela veio atrás de mim.

Estou morta.

Charlie também, não!

Sufoquei o grito que se formava. Tinha de passar por aquilo em silêncio. De algum modo. Precisava evitar que Charlie aparecesse ali...

E depois uma voz rouca e familiar chamou da forma escura.

— Bella! — sibilou. — Ai! Droga, abra a janela! AI!

Precisei de dois segundos para me livrar do terror e conseguir me mexer, mas depois corri até a janela e abri o vidro. Havia um pouco de claridade atrás das nuvens, o suficiente para que eu distinguisse as silhuetas.

— Mas o que você está *fazendo*? — disse, ofegante.

Jacob se segurava de maneira perigosa no alto do espruce que crescia no meio do pequeno jardim de Charlie. Seu peso tinha envergado a árvore na direção da casa e agora ele se balançava — as pernas penduradas a seis metros do chão — a menos de um metro de mim. Os galhos finos no alto da árvore arranhavam a lateral da casa com um som áspero.

— Estou tentando cumprir... — ele bufou de raiva, fazendo peso para trás e para a frente, enquanto o alto da árvore o sacudia — ... minha promessa!

Pisquei os olhos turvos e úmidos, de repente certa de que estava sonhando.

— Quando foi que prometeu se matar caindo da árvore de Charlie?

Ele bufou, sem achar graça, balançando as pernas para oscilar mais.

— Saia da frente — ordenou.

— O quê?

Jacob balançou as pernas de novo, para trás e para a frente, aumentando o impulso. Entendi o que ele queria fazer.

— Não, Jake!

Mas mergulhei para o lado, porque era tarde demais. Com um grunhido, ele se atirou contra a minha janela aberta.

Outro grito se formou em minha garganta enquanto eu esperava que ele caísse morto — ou pelo menos se desfigurasse de encontro à fachada de madeira. Para meu choque, ele se moveu com agilidade para dentro do quarto, aterrissando nos calcanhares com um baque surdo.

Nós dois olhamos automaticamente para a porta, prendendo a respiração, esperando para saber se o barulho tinha acordado Charlie. Passou-se um curto momento de silêncio, depois ouvimos o som abafado dos roncos de meu pai.

Um sorriso largo se espalhava pelo rosto de Jacob; ele parecia extremamente satisfeito consigo mesmo. Não era o sorriso que eu conhecia e adorava — era um sorriso novo, que zombava com amargura de sua antiga sinceridade, na cara nova que pertencia a Sam.

Isso foi um pouco demais para mim.

Chorei até dormir por causa daquele garoto. Sua rejeição cruel abrira um novo e doloroso buraco no que restava do meu peito. Ele deixara um novo pesadelo, como uma infecção numa ferida, aumentando ainda mais os estragos. E agora estava ali em meu quarto, sorrindo presunçoso para mim, como se nada tivesse acontecido. Pior ainda, embora sua chegada tivesse sido ruidosa e desajeitada, lembrou-me de quando Edward costumava se esgueirar por minha janela à noite, e a lembrança cutucou com violência as feridas abertas.

Tudo isso, combinado com o fato de que eu estava morta de cansaço, não me deixou num estado de espírito simpático.

— Saia! — sibilei, impregnando meu sussurro com o máximo de raiva que eu podia.

Ele piscou, o rosto pálido de surpresa.

— Não — protestou. — Eu vim me desculpar.

— Eu não *aceito*!

Tentei empurrá-lo para fora da janela — afinal, se aquilo era um sonho, não ia mesmo machucá-lo. Mas foi inútil. Não o movi nem um centímetro. Baixei as mãos depressa e recuei um passo.

Ele não estava de camisa, embora o ar que entrava pela janela fosse frio o bastante para me fazer tremer, e me deixou pouco à vontade ter minhas mãos em seu peito nu. Sua pele pegava fogo, como a cabeça na última vez em que o tocara. Como se ele ainda estivesse doente, com febre.

Ele não parecia doente. Ele estava *imenso*. Jacob se inclinou sobre mim, tão grande que escureceu a janela, mudo por minha reação furiosa.

De repente, era demais para mim — parecia que todas as minhas noites insones estivessem desabando juntas sobre mim. Eu estava tão brutalmente cansada que pensei que pudesse desmaiar ali mesmo, no chão. Oscilei sem equilíbrio e lutei para manter os olhos abertos.

— Bella? — sussurrou Jacob com ansiedade. Ele segurou meu cotovelo quando balancei de novo e me levou de volta para a cama. Minhas pernas cederam quando cheguei à beira e desabei no colchão macio. — Ei, você está bem? — perguntou Jacob, a preocupação vincando sua testa.

Eu o olhei, as lágrimas ainda não tinham secado em meu rosto.

— Por que diabos eu estaria bem, Jacob?

A angústia substituiu parte da amargura em seu rosto.

— Tem razão — concordou, e respirou fundo. — Droga. Bom... Eu... eu peço desculpas, Bella. — O pedido foi sincero, sem dúvida alguma, embora ainda houvesse um traço de raiva em suas feições.

— Por que veio aqui? Não quero suas desculpas, Jake.

— Eu sei — sussurrou ele. — Mas eu não podia deixar as coisas como ficaram esta tarde. Foi horrível. Me desculpe.

Sacudi a cabeça, cansada.

— Não estou entendendo nada.

— Eu sei. Quero explicar... — Ele se interrompeu de repente, a boca aberta, quase como se algo lhe tivesse tirado o ar. Depois respirou fundo. — Mas não posso — disse ele, ainda com raiva. — Bem que eu queria.

Deixei que minha cabeça tombasse nas mãos. A pergunta saiu abafada por meu braço.

— Por quê?

Ele ficou em silêncio por um momento. Girei a cabeça para o lado — cansada demais para levantá-la — e vi sua expressão. Isso me surpreendeu. Os olhos dele estavam semicerrados, os dentes trincados, a testa enrugada de esforço.

— Qual é o problema? — perguntei.

Jacob soltou o ar pesadamente e percebi que ele estivera também prendendo a respiração.

— Não posso fazer isso — murmurou, frustrado.

— Fazer o quê?

Ele ignorou minha pergunta.

— Olha, Bella, você nunca teve um segredo que não podia contar a ninguém?

Ele olhou para mim como quem sabia algo, e meus pensamentos saltaram de imediato para os Cullen. Esperava que minha expressão não transparecesse culpa.

— Uma coisa que sabia que tinha que esconder de Charlie, de sua mãe...? — pressionou ele. — Algo que você não falaria nem mesmo comigo? Nem mesmo agora?

Senti meus olhos se estreitarem. Não respondi à pergunta dele, embora soubesse que ele tomaria isso como uma confirmação.

— Consegue entender que eu possa estar no mesmo tipo de... situação? — Ele lutava de novo, parecendo se esforçar para encontrar as palavras certas. — Às vezes, a lealdade impede que você faça o que quer. Às vezes o segredo não é seu.

Eu não tinha como questionar aquilo. Ele estava com toda razão — eu tinha um segredo que não era meu; no entanto, que eu me sentia obrigada a proteger. Um segredo que, de repente, ele parecia conhecer por completo.

Ainda não via como isso se aplicava a ele, a Sam ou a Billy. O que aquilo tinha a ver com eles, agora que os Cullen tinham ido embora?

— Não sei por que veio aqui, Jacob, se ia me dar enigmas ao invés de respostas.

— Desculpe — sussurrou ele. — É tão frustrante!

Olhamos um para o outro por um longo tempo, no quarto escuro, os dois com expressão de desamparo.

— O que me mata — disse ele de repente — é que você já *sabe*. Eu já *disse* tudo a você!

— Do que você está falando?

Ele inspirou num sobressalto, depois se inclinou até mim, o rosto passando em um segundo do desalento para uma intensidade ardente. Olhou fundo em meus olhos e sua voz era rápida e ansiosa. Pronunciou as palavras bem no meu rosto; o hálito quente como sua pele.

— Acho que tenho um jeito de resolvermos isso... Porque você sabe disso, Bella! Não posso lhe contar, mas se você *adivinhasse*! Isso me livraria de uma situação complicada!

— Quer que eu adivinhe? Adivinhe o *quê*?

— O *meu* segredo! Você consegue... Sabe qual é a resposta!

Pisquei duas vezes, tentando clarear as idéias. Estava muito cansada. Nada do que ele dizia fazia sentido.

Ele viu minha expressão desconcertada e seu rosto voltou a ficar tenso de esforço.

— Espere aí, deixe-me ver se posso lhe dar alguma ajuda — disse. O que quer que estivesse tentando fazer, era tão difícil que ele estava ofegante.

— Ajuda? — perguntei, tentando acompanhar. Minhas pálpebras queriam se fechar, mas as mantive abertas à força.

— É — disse ele, respirando com dificuldade. — Umas dicas.

Ele pegou meu rosto em suas mãos enormes e quentes demais e o segurou a alguns centímetros do seu. Olhou em meus olhos enquanto sussurrava, como para comunicar algo que estava além das palavras que dizia.

— Lembra-se do dia em que nos encontramos... Na praia, em La Push?

— É claro que lembro.

— Me fale sobre ele.

Respirei fundo e tentei me concentrar.

— Você perguntou sobre minha picape...

Ele assentiu, incentivando-me a continuar.

— Conversamos sobre o Rabbit...

— Continue.

— Fomos caminhar na praia... — Meu rosto esquentava sob a palma das mãos dele enquanto eu lembrava, mas ele não perceberia, quente como era sua pele. Eu o convidara a andar comigo, paquerando-o desajeitadamente, mas com sucesso, para arrancar informações dele.

Jacob assentia, ansioso por mais.

Minha voz quase não tinha som.

— Você me contou histórias de terror... Lendas dos quileutes.

Ele fechou os olhos e os abriu de novo.

— Sim. — A palavra foi tensa, fervorosa, como se ele estivesse frente a algo vital. Ele falou devagar, destacando cada palavra. — Você se lembra do que eu disse?

Mesmo no escuro, ele devia ser capaz de ver a mudança na cor de meu rosto. Como poderia me esquecer daquilo? Sem perceber o que estava fazendo, Jacob tinha me contado precisamente o que eu necessitava saber naquele dia... Que Edward era um vampiro.

Ele me fitou com os olhos que sabiam demais.

— Procure pensar — disse-me.

— Sim, lembro — eu disse baixinho.

Ele respirou fundo, esforçando-se.

— Lembra-se de *todas* as histó... — Ele não conseguiu terminar a pergunta. Sua boca se abriu como se algo estivesse preso na garganta.

— Todas as histórias? — perguntei.

Ele assentiu em silêncio.

Minha cabeça se agitava. Só uma história importou de fato. Sabia que ele começara com outras, mas não conseguia me lembrar do prelúdio inconseqüente, em especial com meu cérebro tão turvo de exaustão. Comecei a sacudir a cabeça.

Jacob gemeu e pulou da cama. Apertou os dedos contra a testa e respirou rápida e furiosamente.

— Você sabe, você sabe — murmurou para si mesmo.

— Jake? Jake, por favor, eu estou *exausta*. Não estou me saindo bem nisso agora. Talvez de manhã...

Ele respirou para se recompor e assentiu.

— Talvez você vá lembrar. Acho que entendo por que só se lembra de uma história — acrescentou num tom sarcástico e amargurado. Ele se atirou no colchão a meu lado. — Posso lhe fazer uma pergunta sobre isso? — indagou, ainda sarcástico. — Estou morrendo de vontade de saber.

— Uma pergunta sobre o quê? — perguntei, cansada.

— Sobre a história de vampiro que lhe contei.

Eu o fitei com cautela, incapaz de responder. Ele fez a pergunta assim mesmo.

— Você sinceramente não sabia? — perguntou-me, a voz ficando rouca. — Fui eu quem lhe disse o que ele era?

Como ele sabe disso? Por que ele resolveu acreditar, por que *agora*? Meus dentes trincaram. Eu o encarava sem a intenção de falar. Ele podia ver isso.

— Entende o que quero dizer com lealdade? — murmurou ele, agora ainda mais rouco. — É o mesmo comigo, só que pior. Você não pode imaginar como estou preso a isso...

Eu não gostava daquilo — não gostava do modo como seus olhos se fecharam, como se ele estivesse sofrendo ao falar de estar preso. Mais do que não gostar, percebi que *odiava*, odiava tudo o que lhe causava dor. Odiava com fúria.

O rosto de Sam ocupou minha mente.

Comigo, tudo aquilo era essencialmente voluntário. Eu protegia o segredo dos Cullen por amor; não-correspondido, mas verdadeiro. Com Jacob não parecia ser dessa forma.

— Existe algum modo de você se libertar? — sussurrei, tocando as pontas ásperas de seu cabelo tosado, na nuca.

As mãos dele começaram a tremer, mas ele não abriu os olhos.

— Não, estou nisso para a vida toda. Prisão perpétua. — Um riso triste. — Talvez além.

— Não, Jake — gemi. — E se nós fugirmos? Só você e eu. E se saíssemos de casa e deixássemos Sam para trás?

— Não é algo de que eu possa fugir, Bella — sussurrou ele. — Mas eu fugiria com você, se pudesse. — Agora seus ombros também tremiam. Ele respirou fundo. — Olhe, tenho que ir embora.

— Por quê?

— Antes de tudo, você parece que vai desmaiar a qualquer momento. Precisa dormir... Eu preciso que você pense com clareza. Vai descobrir tudo, tem que descobrir.

— E por que mais?

Ele franziu a testa.

— Tive que vir escondido... Não devia ver você. Eles devem estar imaginando onde estou. — Sua boca se contorceu. — Acho que tenho que ir e contar.

— Não tem que contar nada a eles — sibilei.

— De qualquer jeito, vou contar.

A raiva esquentou dentro de mim.

— *Odeio* essa gente!

Jacob me fitou de olhos arregalados, surpreso.

— Não, Bella. Não odeie os garotos. Não é culpa de Sam nem dos outros. Eu já lhe disse... Sou eu. Sam na verdade é... bem, bastante legal. Jared e

Paul também são ótimos, embora Paul seja meio... E Embry sempre foi meu amigo. Nada mudou nisso... Foi a *única* coisa que não mudou. Eu me sinto muito mal pelas coisas que pensava de Sam...

Sam era bastante legal? Olhei para ele incrédula, mas deixei passar essa.

— Então, por que você não deveria me ver? — perguntei.

— Não é seguro — murmurou ele, baixando a cabeça.

Suas palavras provocaram um arrepio de medo em meu corpo.

Ele sabia *disso* também? Ninguém, além de mim, sabia. Mas ele tinha razão — estávamos no meio da noite, a hora perfeita para caçar. Jacob não deveria estar em meu quarto. Se alguém viesse me buscar, eu teria de estar sozinha.

— Se eu achasse que era tão... tão arriscado — sussurrou ele —, não teria vindo. Mas, Bella — ele me olhou de novo —, eu lhe fiz uma promessa. Não fazia idéia de que seria tão difícil cumpri-la, mas isso não significa que eu não vá tentar.

Ele viu a confusão em meu rosto.

— Depois daquele filme idiota — lembrou-me. — Eu lhe prometi que jamais magoaria você... Depois estraguei tudo hoje à tarde, não foi?

— Sei que não queria fazer isso, Jake. Está tudo bem.

— Obrigado, Bella. — Ele pegou minha mão. — Vou fazer o que puder para ficar a seu lado, como prometi. — Ele de repente sorriu para mim. O sorriso não era o meu nem o de Sam, mas uma estranha combinação dos dois. — Ajudaria muito se você pudesse deduzir tudo sozinha, Bella. Esforce-se sinceramente nisso.

Fiz uma careta vacilante.

— Vou tentar.

— E vou tentar vê-la logo. — Ele suspirou. — E eles vão tentar me impedir.

— Não dê ouvidos a eles.

— Vou tentar. — Ele sacudiu a cabeça, como se duvidasse do próprio sucesso. — Venha me contar assim que descobrir. — Então alguma coisa veio à sua mente, algo que fez suas mãos tremerem. — Se você... Se você *quiser*.

— Por que eu não ia querer ver você?

Seu rosto ficou duro e amargurado, cem por cento o rosto que pertencia a Sam.

— Ah, posso pensar num motivo — disse num tom rude. — Olhe, eu preciso mesmo ir. Pode fazer algo por mim?

Apenas assenti, com medo da mudança nele.

— Pelo menos me ligue... Se não quiser me ver de novo. Avise-me se for assim.

— Isso não vai acontecer...

Ele levantou a mão, interrompendo-me.

— Só me diga.

Ele se levantou e foi para a janela.

— Não seja idiota, Jake — reclamei. — Vai quebrar a perna. Use a porta. Charlie não vai pegar você.

— Não vou me machucar — murmurou ele, mas se virou para a porta. Ele hesitou ao passar por mim, fitando-me como se algo o estivesse apunhalando. Estendeu a mão de um jeito suplicante.

Peguei a mão dele e, de repente, ele me puxou da cama — com força demais. Bati direto contra seu peito.

— Só por precaução — murmurou ele em meu cabelo, esmagando-me num abraço de urso que quase quebrou minhas costelas.

— Não consigo... respirar! — disse ofegante.

Ele me largou na mesma hora, mantendo uma das mãos em minha cintura para que eu não caísse. E me empurrou, desta vez com mais gentileza, de volta à cama.

— Durma um pouco, Bells. Tem que colocar a cabeça para funcionar. Sei que pode fazer isso. Eu *preciso* que você entenda. Não quero perder você, Bella. Não para isso.

Ele estava na porta em um passo, abrindo-a em silêncio, e depois desapareceu. Fiquei ouvindo, esperando que ele chegasse ao degrau que rangia na escada, mas não houve som algum.

Deitei-me na cama, minha cabeça girando. Estava confusa demais, cansada demais. Fechei os olhos, tentando encontrar sentido naquilo, só para ser tragada pela inconsciência com uma rapidez tal que me desorientou.

Não foi o sono tranqüilo e sem sonhos pelo qual eu ansiava — é claro que não. Eu estava no bosque de novo e comecei a andar, como sempre fazia.

Rapidamente percebi que não era o sonho de sempre. Primeiro, eu não tinha a compulsão de andar a esmo ou procurar; apenas andava por hábito, porque era o que em geral se esperava de mim ali. Na verdade, aquele nem era o mesmo bosque. O cheiro e a luz também eram diferentes. Não tinha o cheiro da terra molhada do bosque, mas de maresia. Eu não conseguia ver o céu; ainda assim, parecia que o sol devia estar brilhando — as folhas no alto eram de um verde-jade cintilante.

Aquela era a floresta em volta de La Push — perto da praia, eu tinha certeza disso. Sabia que, se encontrasse a praia, poderia ver o sol, então corri para a frente, seguindo o som fraco das ondas ao longe.

E então Jacob estava ali. Ele pegou minha mão, puxando-me de volta para a parte mais escura da floresta.

"Jacob, qual é o problema?", perguntei. Seu rosto era o de um menino assustado, e o cabelo estava lindo de novo, balançando num rabo-de-cavalo na nuca. Ele puxava com toda a força, mas eu resistia; não queria ir para o escuro.

"Corra! Bella, você tem que correr!", sussurrou ele, apavorado.

A onda repentina de *déjà vu* foi tão forte que quase me acordou.

Nesse momento eu soube por que tinha reconhecido aquele lugar. Era porque eu estivera ali antes, em outro sonho. Um milhão de anos antes, parte de uma vida inteiramente diferente. Aquele era o sonho que tive na noite depois de andar com Jacob pela praia, na noite em que soube que Edward era um vampiro. Reviver aquele dia com Jacob devia ter cavado esse sonho em minhas lembranças enterradas.

Agora distanciada do sonho, esperei que ele se desenrolasse. Uma luz vinha da praia em minha direção. Em um instante, Edward passaria pelas árvores, a pele com um brilho discreto e os olhos negros e perigosos. Ele acenaria para mim e sorriria. Ele seria lindo como um anjo e seus dentes estariam pontudos e afiados...

Mas eu estava me antecipando. Tinha de acontecer outra coisa primeiro.

Jacob largou minha mão e gritou. Tremendo e se retorcendo, ele caiu no chão a meus pés.

"Jacob!", gritei, mas ele se fora.

Em seu lugar havia um imenso lobo castanho-avermelhado, com olhos escuros e inteligentes.

O sonho mudou de curso, como um trem mudando de trilhos.

Não era o mesmo lobo com que eu sonhara em outra vida. Era o lobo avermelhado e enorme que estivera a pouca distância de mim na campina, havia apenas uma semana. Era gigantesco, monstruoso, maior do que um urso.

Esse lobo me fitava com intensidade, tentando me dizer alguma coisa essencial com seus olhos inteligentes. Os conhecidos olhos castanho-escuros de Jacob Black.

Acordei gritando a plenos pulmões.

Quase esperei que Charlie viesse me ver dessa vez. Aquele não era meu grito habitual. Enterrei a cabeça no travesseiro e tentei abafar a histeria que meus gritos assumiam. Apertei o algodão contra o rosto, perguntando-me se eu, de algum jeito, não podia também abafar a conexão que acabara de fazer.

Mas Charlie não entrou no quarto e, por fim, consegui sufocar o estranho grito que saía de minha garganta.

Agora eu me lembrava de tudo — de cada palavra que Jacob dissera naquele dia na praia, mesmo da parte antes de ele chegar aos vampiros, aos "frios". Em especial dessa primeira parte.

"Conhece alguma de nossas histórias antigas, sobre de onde viemos... quer dizer, dos quileutes?", começou ele.

"Na verdade não", admiti.

"Bom, há um monte de lendas, e dizem que algumas datam da grande inundação... Ao que parece, os antigos quileutes amarraram as canoas no topo das árvores mais altas da montanha para sobreviver, como Noé e a arca." Ele sorriu, para me mostrar como dava pouco crédito a essas histórias. "Outra lenda diz que descendemos de lobos... E que os lobos ainda são nossos irmãos. É contra a lei da tribo matá-los.

"E há as histórias sobre os frios." A voz dele ficou um pouco mais baixa.

"Os frios?", perguntei, agora sem fingir estar intrigada.

"É. Há histórias dos frios tão antigas quanto as lendas dos lobos, e algumas são mais recentes. De acordo com a lenda, meu bisavô conheceu alguns. Foi ele quem fez o acordo que os manteve longe de nossas terras." Ele revirou os olhos.

"Seu bisavô?", eu o estimulei.

"Ele era um ancião da tribo, como meu pai. Olhe só, os frios são os inimigos naturais do lobo... Bom, não do lobo, mas dos lobos que se transformam em homens, como nossos ancestrais. Você pode chamar de lobisomens."

"Os lobisomens têm inimigos?"

"Só um."

Havia alguma coisa presa em minha garganta, sufocando-me. Tentei engolir, mas ficou alojada ali, sem se mexer. Tentei cuspi-la.

— Lobisomens — eu disse, ofegante.

Sim, era esta a palavra que me sufocava.

O mundo oscilou, inclinando-se do jeito errado em seu eixo.

Que tipo de lugar era *esse*? Poderia realmente existir um mundo onde lendas antigas ficavam vagando pelos limites de cidadezinhas mínimas e insignificantes, enfrentando monstros míticos? Isso queria dizer que todo conto de fadas impossível era baseado em alguma verdade absoluta? Havia, afinal, alguma coisa racional ou normal, ou tudo era magia e histórias de fantasmas?

Segurei a cabeça entre as mãos, tentando evitar que explodisse.

Uma voz baixa e seca no fundo de minha mente perguntou-me qual era o problema. Eu já não aceitara a existência de vampiros havia muito tempo — e sem toda aquela histeria?

Exato, eu queria gritar para a voz. Um mito não bastava para qualquer um, não era suficiente para uma vida inteira?

Além disso, nunca houve um momento em que eu não estivesse cem por cento ciente de que Edward Cullen estava muito além do comum. Não foi surpresa alguma descobrir o que ele era — porque ele, evidentemente, era *alguma coisa*.

Mas Jacob? Jacob, que era apenas Jacob, e nada mais do que isso. Jacob, meu amigo? Jacob, o único ser humano com quem eu era capaz de me relacionar...

E ele nem era humano.

Reprimi o impulso de gritar de novo.

O que isso dizia sobre mim?

Eu sabia a resposta a esta pergunta. Dizia que havia algo profundamente errado comigo. Por que outro motivo minha vida seria cheia de personagens de filmes de terror? Por que eu me importaria tanto com eles, a ponto de arrancar pedaços enormes de meu peito quando eles partiam em seus caminhos míticos?

Em minha cabeça, tudo girou e mudou de lugar, reorganizando-se de tal modo que aquilo que antes tinha um significado passara a ter outro.

Não havia culto nenhum. Nunca houvera um culto, nunca fora uma gangue. Não, era muito pior do que isso. Era uma *alcatéia*.

Uma matilha de cinco lobisomens perturbadoramente gigantescos e multicores que passara por mim na campina de Edward...

De repente, eu estava com uma pressa frenética. Olhei o relógio — era cedo demais, e eu não me importava. Precisava ir a La Push *logo*. Precisava ver Jacob para que ele me dissesse que eu não perdera o juízo de uma vez.

Peguei as primeiras roupas limpas que encontrei, sem me dar ao trabalho de ver se combinavam, e desci os degraus de dois em dois. Quase esbarrei em Charlie quando escorreguei até o corredor, indo para a porta.

— Aonde você vai? — perguntou ele, tão surpreso em me ver quanto eu em vê-lo. — Sabe que horas são?

— Sei. Preciso ir ver Jacob.

— Pensei que a história com Sam...

— Isso não importa, tenho que falar com ele agora.

— É cedo demais. — Ele franziu o cenho ao ver que minha expressão não se alterou. — Não quer tomar o café?

— Não estou com fome. — As palavras voaram para fora de meus lábios. Ele estava bloqueando minha saída. Pensei em contorná-lo e correr, mas sabia que teria de explicar isso mais tarde. — Volto logo, está bem?

Charlie fez uma cara feia.

— Direto à casa de Jacob, não é? Nada de parar no caminho?

— É claro que não, onde eu poderia parar? — Minhas palavras se atropelaram, na pressa.

— Não sei — admitiu ele. — É só que... Bom, houve outro ataque... Os lobos de novo. Foi bem perto do resort, perto da estação de águas... Dessa vez teve uma testemunha. A vítima estava a apenas dez metros da estrada quando desapareceu. A esposa viu um lobo cinza imenso poucos minutos depois, enquanto procurava pelo marido, e correu para pedir ajuda.

Meu estômago se desprendeu como se eu estivesse na espiral de uma montanha-russa.

— Um lobo o atacou?

— Não há sinal dele... Só um pouco de sangue de novo. — A expressão de Charlie era de dor. — A guarda florestal está saindo armada, usando voluntários armados. Há muitos caçadores ansiosos para se envolver... Há uma recompensa pelas carcaças dos lobos. Isso vai significar muitos tiros lá pela floresta, e me preocupa. — Ele sacudiu a cabeça. — Quando as pessoas ficam agitadas demais, acontecem acidentes...

— Eles vão atirar nos lobos? — Minha voz subiu três oitavas.

— O que mais podemos fazer? Qual é o problema? — perguntou ele, os olhos tensos examinando meu rosto. Senti que ia desmaiar; devia estar mais branca do que o normal. — Você não vai dar uma de ambientalista para cima de mim, não é?

Não consegui responder. Se ele não estivesse olhando, eu teria colocado a cabeça entre os joelhos. Tinha me esquecido dos montanhistas desaparecidos, das pegadas de sangue... Não ligara esses fatos à minha descoberta anterior.

— Olhe, querida, não deixe que isso a assuste. Apenas fique na cidade ou na estrada... Nada de parar... Está bem?

— Tudo bem — repeti com a voz fraca.

— Tenho que ir.

Olhei bem para ele pela primeira vez e vi que tinha a arma presa na cintura e estava com botas de caminhada.

— Não vai para lá atrás dos lobos, não é, pai?

— Tenho que ajudar, Bells. Tem gente sumindo.

Minha voz subiu de novo, agora quase histérica.

— Não! Não, não vá. É perigoso demais!

— Preciso fazer meu trabalho, garota. Não seja tão pessimista... Eu vou ficar bem. — Ele se virou para a porta e a segurou, aberta. — Vai sair?

Hesitei, meu estômago ainda girando em *loops* desagradáveis. O que eu poderia dizer para impedi-lo? Estava tonta demais para pensar numa solução.

— Bells?

— Talvez seja muito cedo para ir a La Push — sussurrei.

— Concordo — disse ele, e partiu para a chuva, fechando a porta atrás de si.

Assim que não o vi mais, desabei no chão e coloquei a cabeça entre os joelhos.

Eu deveria ir atrás de Charlie? O que ia dizer?

E Jacob? Jacob era meu melhor amigo; precisava alertá-lo. Se ele era mesmo um... Eu me encolhi e me obriguei a pensar na palavra — lobisomem (e eu sabia que era verdade, podia sentir), então as pessoas iam atirar nele! Precisava dizer a ele *e* aos amigos dele que as pessoas tentariam matá-los se ficassem zanzando por aí como lobos gigantes. Precisava lhes dizer para parar.

Tinham de parar! Charlie estava lá fora, no bosque. Será que eles se importavam com isso? Fiquei pensando... Até então, só estranhos haviam desaparecido. Isso significava alguma coisa ou era só obra do acaso?

Eu precisava acreditar que pelo menos Jacob se importaria.

De qualquer maneira, precisava alertá-lo.

Ou... Precisava mesmo?

Jacob era meu melhor amigo, mas era também um monstro? Um monstro de verdade? Dos maus? Eu *deveria* avisá-lo, se ele e os amigos fossem... fossem assassinos? Se eles estivessem lá fora abatendo a sangue-frio montanhistas inocentes? Se fossem mesmo criaturas de filmes de terror, em todos os sentidos, seria errado protegê-los?

Era inevitável que eu comparasse Jacob e os amigos com os Cullen. Cruzei os braços no peito, lutando contra o buraco, enquanto pensava neles.

Eu não sabia nada sobre lobisomens, isso era evidente. Teria esperado algo mais parecido com os filmes — criaturas metade homem, grandes e peludas, ou coisa assim —, se esperasse mesmo alguma coisa. Então não sabia o que os fazia caçar, se era fome, sede ou só o desejo de matar. Era difícil julgar, sem compreender isso.

Mas não podia ser pior do que o que os Cullen suportavam em seu esforço para serem bons. Pensei em Esme — as lágrimas surgiram quando imaginei seu rosto gentil e adorável — e em como, maternal e amorosa, ela teve de cobrir o nariz, toda envergonhada, e fugir de mim quando eu estava sangrando. Não podia ser mais difícil do que isso. Pensei em Carlisle, nos séculos após séculos em que ele lutou para se condicionar a ignorar o sangue e salvar vidas como médico. Nada podia ser mais difícil do que *isso*.

Os lobisomens escolheram um caminho diferente.

Agora, que caminho *eu* deveria escolher?

13. ASSASSINO

SE NÃO FOSSE POR JACOB, PENSEI, SACUDINDO A CABEÇA ENQUANTO ia de carro pela estrada ladeada pela floresta até La Push.

Ainda não tinha certeza se estava fazendo o que era certo, mas chegara a um denominador comum comigo mesma.

Não podia tolerar o que Jacob e os amigos, o bando dele, estavam fazendo. Agora entendia o que ele dissera na noite anterior — que eu talvez não quisesse vê-lo de novo —, e eu podia ter telefonado, como ele sugerira, mas isso parecia covardia. Eu lhe devia ao menos uma conversa frente a frente. Diria na cara dele que eu não podia simplesmente ignorar o que estava acontecendo. Não podia ser amiga de um assassino e não dizer nada, deixar seguir a matança... Isso faria de mim também um monstro.

Mas, do mesmo modo, eu não podia *deixar* de alertá-lo. Tinha de fazer o que pudesse para protegê-lo.

Parei perto da casa dos Black com os lábios apertados numa linha severa. Já era bem ruim que meu melhor amigo fosse um lobisomem. Tinha de ser um monstro também?

A casa estava escura, nenhuma luz nas janelas, mas eu não me importava de ter de acordá-los. Meu punho bateu na porta da frente com a energia da raiva; o som reverberou pelas paredes.

— Entre — ouvi Billy gritar depois de um minuto, e uma luz se acendeu.

Girei a maçaneta; estava destrancada. Billy estava encostado a uma porta aberta perto da pequena cozinha, um roupão sobre os ombros, e ainda não estava em sua cadeira. Quando viu quem era, seus olhos se arregalaram brevemente e seu rosto ficou sério.

— Ora, bom dia, Bella. O que está fazendo por aqui tão cedo?

— Oi, Billy. Preciso conversar com o Jake... Ele está?

— Hmmm... Na verdade não sei — mentiu ele, na maior cara-de-pau.

— Sabe o que Charlie está fazendo esta manhã? — perguntei, cansada de embromação.

— Eu deveria?

— Ele e metade dos homens da cidade estão no bosque, armados, caçando lobos gigantes.

A expressão de Billy vacilou e depois ficou vazia.

— Então, eu gostaria de falar com Jake sobre isso, se não se importa — continuei.

Billy franziu os lábios por um longo tempo.

— Poderia apostar que ele ainda está dormindo — disse por fim, indicando com a cabeça o minúsculo corredor na saída da sala. — Ele anda chegando tarde ultimamente. O garoto precisa descansar... Acho que não deveria acordá-lo.

— É a minha vez — murmurei baixinho enquanto andava para o corredor. Billy suspirou.

O quarto minúsculo de Jacob era a única porta no corredor de um metro. Não me incomodei em bater. Abri a porta num rompante; ela se chocou contra a parede com um baque.

Jacob — ainda com o mesmo moletom preto cortado que usara na noite anterior — estava deitado em diagonal na cama de casal que tomava todo o quarto, a não ser por alguns centímetros a seu redor. Mesmo assim, não era bastante grande; os pés dele pendiam de uma ponta e a cabeça, da outra. Ele dormia profundamente, ressonando de leve com a boca aberta. O som da porta não o fez nem ao menos tremer.

Seu rosto estava tranqüilo com o sono pesado, todos os traços de raiva suavizados. Havia olheiras que eu não tinha percebido antes. Apesar de seu tamanho descomunal, ele agora parecia muito jovem e muito cansado. A piedade tomou conta de mim.

Recuei um passo e fechei a porta em silêncio atrás de mim.

Billy olhava com curiosidade e reserva enquanto eu voltava devagar para a porta da frente.

— Acho que vou deixá-lo descansar um pouco.

Billy assentiu, depois nos olhamos por um minuto. Eu estava morrendo de vontade de perguntar sobre a participação dele naquilo. No que ele achava que o filho tinha se transformado? Mas eu sabia que ele apoiara Sam desde o início, então imaginei que os assassinatos não deviam incomodá-lo. Só não podia imaginar como ele justificava isso para si mesmo.

Pude ver muitas perguntas para mim nos olhos escuros de Billy, mas ele também não verbalizou nenhuma delas.

— Olhe — eu disse, rompendo o intenso silêncio. — Vou ficar lá embaixo, na praia, por um tempo. Quando Jake acordar, diga que estou esperando por ele, está bem?

— Claro, claro — concordou Billy.

Eu me perguntei se ele realmente faria isso. Bem, se não fizesse, pelo menos eu tinha tentado, não é?

Dirigi até First Beach e parei no estacionamento vazio. Ainda estava escuro — o amanhecer melancólico de um dia nublado —, e quando apaguei os faróis ficou difícil enxergar. Tive de deixar meus olhos se acostumarem antes de encontrar o caminho que passava pela alta cerca viva formada pelo mato. Ali estava mais frio, com o vento vindo em chibatadas da água escura, e enfiei as mãos no fundo dos bolsos de meu casaco de inverno. Pelo menos a chuva tinha parado.

Desci até a praia na direção do paredão do norte. Não conseguia ver St. James nem as outras ilhas, só o vago contorno do limite da água. Andei com cuidado pelas rochas, atenta aos galhos que podiam me fazer tropeçar.

Descobri o que buscava antes de perceber que estava procurando algo. Havia se materializado no escuro quando eu estava a pouca distância: um tronco branco feito osso, enfiado fundo nas pedras. As raízes se retorciam para cima na extremidade voltada para o mar, como uma centena de tentáculos frágeis. Não consegui ter certeza de que fosse a mesma árvore na qual Jacob e eu tivemos nossa primeira conversa — uma conversa que começou a embaralhar tantos fios diferentes em minha vida —, mas parecia estar mais ou menos no mesmo lugar. Sentei-me onde havia me sentado antes e olhei o mar invisível.

Ver Jacob daquele jeito — dormindo inocente e vulnerável — tinha roubado toda a revolta, dissolvido toda a raiva que eu sentia. Eu ainda não podia ignorar o que estava acontecendo, como Billy parecia fazer, mas também não podia condenar Jacob por isso. O amor não funciona desse jeito, concluí. Depois que você gosta de uma pessoa, é impossível ser lógica com relação a ela. Jacob era meu amigo, quer tivesse matado alguém ou não. E eu não sabia o que fazer com relação a isso.

Quando o imaginei dormindo tão tranqüilo, senti um impulso dominador de *protegê-lo*. Era completamente ilógico.

Ilógico ou não, remoí a lembrança de seu rosto sereno, tentando pensar numa resposta, numa forma de protegê-lo, enquanto o céu aos poucos ficava cinzento.

— Oi, Bella.

A voz de Jacob veio do escuro e me fez saltar. Era suave, quase tímida, mas eu estava esperando um alerta de sua aproximação pelas pedras ruidosas, então ainda assim ela me sobressaltou. Eu podia ver sua silhueta contra o sol que começava a nascer — ele parecia enorme.

— Jake?

Ele estava a vários passos de distância, balançando-se com ansiedade de um pé para o outro.

— Billy me disse que você apareceu... Não demorou muito, não é? Eu sabia que você podia descobrir.

— É, e agora me lembro da história certa — sussurrei.

Fez-se silêncio por um bom tempo, e embora ainda estivesse escuro demais para enxergar, minha pele formigou como se os olhos dele examinassem meu rosto. Devia haver luz suficiente para Jacob ler minha expressão porque, quando ele voltou a falar, sua voz de repente estava ríspida.

— Você podia ter apenas ligado — disse ele asperamente.

Assenti.

— Eu sei.

Jacob começou a andar pelas pedras. Se eu prestasse muita atenção, podia ouvir o roçar suave de seus pés, junto com o som das ondas. Comigo, as pedras estalaram como castanholas.

— Por que você veio? — perguntou ele, sem interromper o andar irritado.

— Pensei que seria melhor conversar pessoalmente.

Ele bufou.

— Ah, é muito melhor.

— Jacob, tenho que avisar você...

— Sobre a guarda florestal e os caçadores? Não se preocupe com isso. Já sabemos.

— Não me preocupar? — perguntei, incrédula. — Jake, eles estão armados! Estão montando armadilhas, oferecendo recompensas e...

— Sabemos nos cuidar — grunhiu ele, ainda andando. — Eles não vão pegar nada. Só estão dificultando mais a situação... Daqui a pouco vão começar a desaparecer também.

— Jake! — sibilei.

— Que foi? É só uma realidade.

Minha voz estava fraca de revolta.

— Como você pode... pensar assim? Você conhece essas pessoas. Charlie está lá! — A idéia revirou meu estômago.

Ele parou de repente.

— O que mais posso fazer? — retrucou.

O sol transformou as nuvens num rosa prateado acima de nós. Agora eu podia ver a expressão dele; era colérica, frustrada, traída.

— Poderia... Bom, tentar *não* ser um... lobisomem? — sugeri num sussurro.

Ele lançou as mãos para o alto.

— Como se eu tivesse alguma escolha! — gritou. — E como isso ajudaria, se você está preocupada com as pessoas desaparecendo?

— Não entendo você.

Ele me fitou, os olhos semicerrados e a boca se retorcendo num rosnado.

— Sabe o que me deixa tão louco que me dá vontade de vomitar?

Eu me encolhi ao ver sua expressão hostil. Ele parecia estar esperando uma resposta, então sacudi a cabeça.

— Você é tão hipócrita, Bella... Fica sentada aí, *apavorada* comigo! Acha que isso é justo? — As mãos dele tremiam de raiva.

— *Hipócrita*? Como ter medo de um monstro faz de mim uma hipócrita?

— Argh! — grunhiu ele, pressionando as têmporas com os punhos trêmulos e fechando os olhos bem apertados. — Você percebeu o que disse?

— O quê?

Ele se aproximou dois passos de mim, inclinando-se e me olhando com fúria.

— Bem, eu lamento muito não ser o tipo *certo* de monstro para você, Bella. Acho que não sou tão bom quanto um sanguessuga, não é?

Coloquei-me de pé num salto e o encarei de volta.

— Não, você não é! — gritei. — Não é o que você é, idiota, é o que você *faz*!

— O que quer dizer? — rugiu ele, todo o corpo tremendo de raiva.

Fui inteiramente tomada de surpresa quando a voz de Edward me alertou. "Cuidado, Bella", avisou a voz aveludada. "Não o pressione demais. Você precisa acalmá-lo."

Ali, nem a voz em minha cabeça fazia sentido.

Mas eu o ouvi. Eu faria qualquer coisa por aquela voz.

— Jacob — pedi, num tom suave e tranqüilo. — É necessário mesmo *matar* pessoas, Jacob? Não existe outro jeito? Quer dizer, se vampiros podem achar uma forma de sobreviver sem assassinar gente, você não poderia tentar também?

Ele endireitou o corpo com um solavanco, como se minhas palavras lhe tivessem dado um choque elétrico. As sobrancelhas se ergueram e os olhos ficaram arregalados.

— Matar gente? — perguntou.

— Do que você acha que estávamos falando?

Ele não tremia mais. Olhava para mim com uma descrença meio esperançosa.

— *Eu* pensei que estivéssemos falando de seu nojo por lobisomens.

— Não, Jake, não. Não é por você ser um... lobo. Isso não é problema — garanti, e sabia, enquanto pronunciava aquelas palavras, que estava sendo sincera. Não me importava mesmo que ele se transformasse em um lobo imenso; ainda era o Jacob. — Se puder pelo menos encontrar um jeito de não machucar as pessoas... É isso que me aborrece. São pessoas inocentes, Jake, gente como Charlie, e não posso virar a cara enquanto você...

— É só isso? Mesmo? — ele me interrompeu, um sorriso se abrindo em seu rosto. — Só está com medo porque sou um assassino? É essa a única razão?

— Não é o bastante?

Ele começou a rir.

— Jacob Black, isso não é *nada* engraçado!

— Claro, claro — concordou ele, ainda rindo.

Ele deu um passo longo e me pegou em outro abraço cruel de urso.

— Com sinceridade, você realmente não se importa que eu me transforme num lobo gigante? — perguntou ele, a voz alegre em meu ouvido.

— Não — ofeguei. — Não... consigo... respirar... Jake!

Ele me soltou, mas pegou as minhas mãos.

— Eu não sou um assassino, Bella.

Examinei seu rosto e ficou claro que era verdade. O alívio pulsou em meu corpo.

— É verdade? — perguntei.

— É — prometeu ele solenemente.

Joguei meus braços a seu redor. Isso me lembrou do primeiro dia com as motos — mas ele estava maior e eu agora me sentia ainda mais parecida com uma criança.

Como da outra vez, ele afagou meu cabelo.

— Desculpe por ter chamado você de hipócrita.

— Desculpe por ter chamado você de assassino.

Ele riu.

Então me ocorreu um pensamento, e me afastei dele para olhar seu rosto. Minhas sobrancelhas se franziram de angústia.

— E Sam? E os outros?

Ele sacudiu a cabeça, sorrindo como se um fardo imenso tivesse sido tirado de seus ombros.

— É claro que não. Não se lembra de como nos chamamos?

A lembrança era clara — eu estivera pensando naquele dia.

— Protetores?

— Exatamente.

— Mas não entendo. O que está acontecendo no bosque? Os montanhistas desaparecidos, o sangue?

De repente seu rosto ficou sério e preocupado.

— Estamos tentando fazer nosso trabalho, Bella. Estamos tentando protegê-los, mas sempre chegamos um pouco tarde.

— Protegê-los do quê? Há mesmo um urso lá, também?

— Bella, querida, só protegemos as pessoas de uma coisa... Nosso único inimigo. É por isso que existimos... porque eles existem.

Eu o olhei com a expressão vaga por um segundo antes de entender. Depois o sangue fugiu de meu rosto e um grito de pavor, agudo e sem palavras, saiu de meus lábios.

Ele assentiu.

— Pensei que, de todas as pessoas, você perceberia o que realmente estava acontecendo.

— Laurent — sussurrei. — Ele ainda está aqui.

Jacob piscou duas vezes e inclinou a cabeça para o lado.

— Quem é Laurent?

Tentei organizar o caos em minha cabeça para conseguir responder.

— Você sabe... Você o viu na campina. Vocês estavam lá... — As palavras saíram num tom pensativo à medida que tudo se encaixava. — Você estava lá, e você evitou que ele me matasse...

— Ah, o sanguessuga de cabelo preto? — Ele sorriu, um rosnado breve e feroz. — Era esse o nome dele?

Eu estremeci.

— O que você estava pensando? — sussurrei. — Ele podia ter matado você! Jake, não percebe como é perigoso...

Outro riso me interrompeu.

— Bella, um único vampiro não é bem um problema para um bando grande como o nosso. Foi tão fácil que nem deu para a gente se divertir!

— O que foi tão fácil?

— Matar o sanguessuga que ia matar você. Agora, eu não colocaria isso no cômputo dos assassinatos — acrescentou ele depressa. — Os vampiros não contam como pessoas.

Eu só pude murmurar as palavras.

— Você... matou... Laurent?

Ele assentiu.

— Bem, foi um esforço coletivo — esclareceu ele.

— Laurent está morto? — sussurrei.

Sua expressão mudou.

— Não está chateada com isso, está? Ele ia matar você... Estava se preparando para matar, Bella, tínhamos certeza disso antes de atacarmos. Você sabe, não é?

— Eu sei. Não, não estou chateada... Estou... — Tive de me sentar. Cambaleei um passo para trás até que senti o tronco em minhas pernas, depois desabei nele. — Laurent está morto. Ele não virá atrás de mim.

— Não está chateada? Ele não era um de seus amigos nem nada disso, era?

— Meu amigo? — Eu o encarei, confusa e tonta de alívio. Comecei a balbuciar, meus olhos ficando enevoados. — Não, Jake. Só estou tão... tão *aliviada*. Pensei que ele fosse me encontrar... Ficava esperando por ele todas as noites, esperando que se contentasse comigo e deixasse Charlie em paz. Fiquei com tanto medo, Jacob... Mas como? Ele era um vampiro! Como vocês o mataram? Ele era tão forte, tão duro, feito mármore...

Ele se sentou a meu lado e pôs o braço enorme ao meu redor para me reconfortar.

— É para isso que servimos, Bella. Também somos fortes. Queria que tivesse me dito que estava com tanto medo. Não precisa.

— Você não estava lá — murmurei, perdida em pensamentos.

— Ah, é verdade.

— Espere, Jake... Mas eu pensei que você soubesse. Ontem à noite você disse que não era seguro para você ficar no meu quarto. Pensei que soubesse que um vampiro podia aparecer por lá. Não era disso que estava falando?

Ele pareceu confuso por um minuto, depois baixou a cabeça.

— Não, não era disso que eu estava falando.

— Então por que acha que lá não é seguro para você?

Ele me olhou com os olhos cheios de culpa.

— Não disse que não era seguro para *mim*. Estava pensando em você.

— Como assim?

Ele baixou a cabeça e chutou uma pedra.

— Há mais de um motivo para eu não poder ficar perto de você, Bella. Um deles é que eu não devia lhe contar nosso segredo; mas a outra parte é que não é seguro para *você*. Se eu ficar irritado demais... aborrecido demais... você pode se machucar.

Pensei nisso com cuidado.

— Quando você ficou irritado antes... quando gritei com você... e você estava tremendo...?

— É. — Ele baixou o rosto ainda mais. — Foi muita idiotice minha. Preciso me controlar melhor. Jurei que não ia ficar irritado, independentemente do que você me dissesse. Mas... Fiquei tão aborrecido porque ia perder você... Porque você não conseguiria lidar com o que sou...

— O que aconteceria... se você ficasse irritado demais? — sussurrei.

— Eu me transformaria num lobo — sussurrou ele.

— Você não precisa de lua cheia?

Ele revirou os olhos.

— A versão de Hollywood não é lá muito correta. — Depois ele suspirou e ficou sério de novo. — Não precisa ficar tão estressada, Bells. Vamos cuidar disso. E vamos ficar de olho especialmente em Charlie e nos outros... Não vamos deixar que nada aconteça a ele. Confie em mim.

Só então, quando Jacob usou o verbo no presente de novo, me ocorreu um pensamento muito óbvio, algo que eu deveria ter percebido antes — mas fiquei tão distraída com a idéia de Jacob e os amigos lutando com Laurent que, na hora, esqueci por completo.

Vamos cuidar disso.

Não tinha acabado.

— Laurent está morto — eu disse ofegando, e todo o meu corpo ficou frio como gelo.

— Bella? — perguntou Jacob, ansioso, tocando meu rosto pálido.

— Se Laurent morreu... há uma semana... então outra coisa está matando as pessoas *agora*.

Jacob assentiu; seus dentes trincaram e ele falou através deles.

— Eram dois. Pensamos que a parceira dele fosse querer nos enfrentar... Em nossas histórias, em geral eles ficam muito irritados se você mata seu parceiro... Mas ela continua fugindo e de vez em quando volta. Se soubéssemos o que ela procura, seria mais fácil pegá-la. Mas a atitude dela não faz sentido. Ela fica cercando, como se estivesse testando nossas defesas, procurando um jeito de penetrá-las... Mas para *onde*? Aonde ela quer ir? Sam acha que ela está tentando nos separar, assim terá mais chance de...

A voz dele foi diminuindo, parecia estar vindo de um túnel comprido; eu não conseguia mais distinguir as palavras. Minha testa ficou coberta de gotas de suor e meu estômago se revirava como se eu estivesse com a virose de novo. Exatamente como se estivesse com a virose.

Dei as costas para ele depressa e me inclinei sobre o tronco da árvore. Meu corpo se agitou em espasmos inúteis de náusea, o estômago vazio se contraindo com um enjôo de pavor, embora não houvesse nada nele a expulsar.

Victoria estava aqui. Procurando por mim. Matando estranhos no bosque. O bosque onde Charlie estava fazendo a busca...

Minha cabeça girava de forma nauseante.

As mãos de Jacob seguraram meus ombros — impedindo que eu caísse nas pedras à frente. Eu podia sentir seu hálito quente em meu rosto.

— Bella? O que foi?

— Victoria — disse ofegante, assim que consegui tomar fôlego em meio aos espasmos de náusea.

Em minha cabeça, Edward rosnou de fúria ao ouvir o nome dela.

Senti Jacob me puxar, evitando que eu caísse. Ele me envolveu, desajeitado, em seu colo, pousando minha cabeça desfalecida em seu ombro. Jacob lutava para me equilibrar, impedir que eu desmoronasse, de algum jeito. Ele tirou o cabelo suado de meu rosto.

— Quem? — perguntou. — Está me ouvindo, Bella? Bella?

— Ela não era companheira de Laurent — gemi no ombro dele. — Eles só eram velhos amigos...

— Você quer água? Precisa de um médico? Me diga o que fazer — perguntou ele, frenético.

— Não estou passando mal... Estou com medo — expliquei num sussurro. A palavra *medo* parecia dizer pouco.

Jacob afagou minhas costas.

— Com medo dessa Victoria?

Eu assenti, tremendo.

— Victoria é a fêmea ruiva?

Eu tremi de novo e choraminguei.

— É.

— Como você sabe que não é a companheira dele?

— Laurent me disse que James era o parceiro dela — expliquei, flexionando de forma automática a mão da cicatriz.

Ele pegou meu rosto, segurando-o firme na mão grande. Olhou-me intensamente nos olhos.

— Ele contou mais alguma coisa a você, Bella? Isso é importante. Você sabe o que ela quer?

— É claro — sussurrei. — Ela quer *a mim*.

Seus olhos se arregalaram, depois se estreitaram em fendas.

— Por quê? — perguntou ele.

— Edward matou James — sussurrei. Jacob me segurava com tanta força que não havia necessidade de eu me encolher no buraco; ele me mantinha inteira. — Ela ficou... irritada. Mas Laurent disse que ela achava mais justo me matar do que matar Edward. Um parceiro pelo outro. Ela não sabia... ainda não sabe, eu acho... que... que... — Engoli em seco. — Que as coisas não são mais assim conosco. Não para Edward, de qualquer forma.

Isso desconcentrou Jacob, seu rosto dividido entre várias expressões diferentes.

— Foi o que aconteceu? Por isso os Cullen foram embora?

— Eu não passo de uma humana, afinal. Nada de especial — expliquei, dando de ombros.

Algo como um rosnado — não um rosnado real, só uma aproximação humana — rugiu no peito de Jacob sob meu ouvido.

— Se aquele sanguessuga idiota é imbecil o suficiente...

— Por favor — gemi. — Por favor. Não.

Jacob hesitou, depois assentiu uma vez.

— Isso é importante — disse de novo, seu rosto agora sério. — É exatamente disso que precisamos saber. Vamos ter que contar aos outros agora mesmo.

Ele se levantou, colocando-me de pé. Manteve as mãos na minha cintura até ter certeza de que eu não cairia.

— Estou bem — menti.

Ele trocou a cintura por uma de minhas mãos.

— Vamos.

Jacob me puxou de volta para a picape.

— Aonde? — perguntei.

— Ainda não sei bem — admitiu. — Vou convocar uma reunião. Ei, espere um minuto aqui, está bem? — Ele me encostou na lateral da picape e soltou minha mão.

— Aonde você vai?

— Volto já — prometeu. Depois se virou e correu pelo estacionamento, atravessou a estrada e entrou na floresta. Ele deslizou para dentro do bosque, rápido e suave como um cervo.

— Jacob! — gritei com a voz rouca, mas ele já havia sumido.

Não era uma boa hora para ficar sozinha. Segundos depois de Jacob não estar mais à vista eu estava com falta de ar. Arrastei-me para a cabine da picape e baixei as trancas de uma só vez. Mas não me senti melhor com isso.

Victoria já estava me caçando. Por pura sorte ela ainda não me encontrara — sorte e cinco lobisomens adolescentes. Expirei com força. Não importava o que Jacob dissera, era apavorante pensar nele chegando perto de Victoria. Eu não estava nem aí para em que ele podia se transformar quando ficava irritado. Podia vê-la em minha mente, o rosto desvairado, o cabelo como chamas, mortal, indestrutível...

Mas, de acordo com Jacob, Laurent estava acabado. Seria mesmo possível? Edward — agarrei automaticamente meu peito — dissera-me como era difícil matar um vampiro. Só outro vampiro poderia fazer isso. E, no entanto, Jake disse que esse era o papel dos lobisomens...

Ele disse que ia ficar de olho principalmente em Charlie — que eu devia confiar que os lobisomens manteriam meu pai seguro. Como eu poderia confiar nisso? Nenhum de nós estava seguro! Em especial Jacob, se estava tentando se interpor entre Victoria e Charlie... Entre Victoria e mim.

Senti que estava a ponto de vomitar de novo.

Uma batida rude na janela do carro me fez gritar de pavor — mas era apenas Jacob, já de volta. Destranquei a porta com os dedos trêmulos e gratos.

— Você está mesmo com medo, não? — perguntou ele ao entrar.

Assenti.

— Não fique assim. Vamos cuidar de você... e de Charlie também. Prometo.

— A idéia de você encontrando Victoria é mais apavorante do que a de ela me encontrar — sussurrei.

Ele riu.

— Devia ter um pouco mais de confiança em nós. Isso é um insulto.

Limitei-me a sacudir a cabeça; tinha visto muitos vampiros em ação.

— Aonde você foi? — perguntei.

Ele franziu os lábios e não disse nada.

— Que foi? É segredo?

Ele franziu a testa.

— Não. Mas é meio estranho. Não quero assustar você.

— Sabe que a essa altura estou acostumada com coisas estranhas. — Tentei sorrir, sem muito sucesso.

Jacob abriu um sorriso com facilidade.

— Acho que deve estar mesmo. Tudo bem. Olhe, quando somos lobos, podemos... nos ouvir.

Minhas sobrancelhas se uniram de confusão.

— Não ouvir sons — continuou ele —, mas podemos ouvir... *pensamentos*... uns dos outros... independentemente da distância entre nós. Isso ajuda muito quando caçamos, mas é bem chato em outros momentos. É constrangedor... não ter segredos desse jeito. Esquisito, não?

— Foi o que você quis dizer ontem à noite, quando falou que ia contar a eles que tinha me visto, embora não quisesse fazer isso?

— Você é rápida.

— Obrigada.

— Também é muito boa com esquisitices. Pensei que isso fosse incomodá-la.

— Não é... Bem, você não é a primeira pessoa que conheço que pode fazer isso. Então não é tão estranho para mim.

— É mesmo?... Espere... Está falando de seus sanguessugas?

— Gostaria que não os chamasse assim.

Ele riu.

— Que seja. Os Cullen, então?

— Só... Só Edward. — Disfarcei ao passar um braço pelo peito.

Jacob pareceu surpreso — desagradavelmente surpreso.

— Pensei que fossem só histórias. Ouvi lendas sobre vampiros que tinham... umas habilidades a mais, mas achei que fosse apenas mito.

— E ainda há alguma história que seja apenas mito? — perguntei com amargura.

Ele fez cara feia.

— Acho que não. Tudo bem, vamos nos encontrar com Sam e os outros no lugar onde pilotamos as motos.

Dei a partida no carro e voltamos para a estrada.

— Você simplesmente se transformou em lobo agora, para falar com Sam? — perguntei, curiosa.

Jacob assentiu, parecendo constrangido.

— Procurei ser rápido... Tentei não pensar em você, assim eles não saberiam o que estava acontecendo. Tive medo de que Sam me dissesse para não levá-la.

— Isso não teria me impedido. — Eu não conseguia me livrar da idéia que tinha de Sam como um sujeito mau. Meus dentes trincavam sempre que eu ouvia o nome dele.

— Bem, isso teria impedido *a mim* — disse Jacob, agora sombrio. — Lembra que não consegui terminar o que dizia ontem à noite? Que eu não conseguia contar a história toda?

— Lembro. Você parecia que ia sufocar ou coisa assim.

Ele riu sombriamente.

— Chegou perto. Sam me disse que eu não podia contar a você. Ele... é o líder da matilha, sabe como é. Ele é o alfa. Quando ele nos diz para fazer algo, ou não fazer... Quando ele fala sério, bem, não podemos ignorá-lo.

— Estranho — murmurei.

— Muito — concordou ele. — É uma coisa de lobos.

— Hã — foi a melhor resposta em que pude pensar.

— É, tem um monte de normas assim... Coisas de lobo. Ainda estou aprendendo. Nem imagino como deve ter sido para Sam, tentando lidar com isso sozinho. Já é bem ruim com toda uma matilha me dando apoio.

— Sam estava sozinho?

— Estava. — A voz de Jacob baixou. — Quando eu... mudei, foi o momento mais... *horrível*, mais *apavorante* pelo qual já passei... Pior do que qualquer situação que eu pudesse ter imaginado. Mas eu não estava sozinho... Havia vozes lá, em minha cabeça, dizendo o que tinha acontecido comigo e o que eu tinha de fazer. Acho que isso evitou que eu enlouquecesse. Mas Sam... — Ele sacudiu a cabeça. — Sam não teve qualquer ajuda.

Precisava me adaptar a isso. Quando Jacob explicou tudo desse jeito, foi difícil não sentir compaixão por Sam. Tive de ficar lembrando a mim mesma que não havia mais motivo para odiá-lo.

— Eles vão ficar com raiva por eu estar com você? — perguntei.

Ele fez uma careta.

— É provável.

— Talvez eu não deva...

— Não, está tudo bem — tranqüilizou-me Jacob. — Você sabe de um monte de informações que podem nos ajudar. Não é uma humana qualquer, ignorante. É como uma... sei lá, espiã ou algo assim. Você esteve por trás das linhas inimigas.

Franzi o rosto para mim mesma. Era isso que Jacob queria de mim? Informação privilegiada para ajudar a destruir os inimigos deles? Mas eu não era uma espiã. Não andei coletando esse tipo de informação. As palavras dele já faziam com que eu me sentisse uma traidora.

Mas eu queria deter Victoria, não queria?

Não.

Eu *queria* que Victoria fosse detida, de preferência antes de me torturar até a morte, esbarrar em Charlie ou matar outro estranho. Eu só não queria que fosse Jacob quem a detivesse, não queria nem mesmo que ele tentasse. Não queria que Jacob estivesse nem a cem quilômetros dela.

— É como a história do sanguessuga que lê pensamentos — continuou ele, sem saber de meus devaneios. — É o tipo de conhecimento de que precisamos. É mesmo uma droga que *essas* histórias sejam verdade. Isso complica tudo. Ei, você acha que essa Victoria tem alguma habilidade especial?

— Acho que não — hesitei, depois suspirei. — Ele teria falado nisso.

— Ele? Ah, quer dizer Edward... Epa, desculpe. Esqueci. Você não gosta de dizer o nome dele. Nem de ouvir.

Contraí o abdome, tentando ignorar a pulsação ao redor de meu peito.

— Na verdade, não.

— Desculpe.

— Como você me conhece tão bem, Jacob? Às vezes parece que você consegue ler os *meus* pensamentos.

— Não. Eu só presto atenção.

Estávamos na estradinha de terra onde Jacob me ensinara a pilotar a moto.

— Aqui está bom? — perguntei.

— Claro, claro.

Parei e desliguei o motor.

— Ainda está muito infeliz, não é? — murmurou ele.

Assenti, fitando o bosque sombrio, sem realmente ver nada.

— Acha que um dia... quem sabe... você vai ficar melhor?

Inspirei devagar, depois soltei o ar.

— Não.

— Porque ele não era o melhor...

— Por favor, Jacob — interrompi, começando num sussurro. — Pode, por favor, não falar nisso? Eu não agüento.

— Tudo bem. — Ele respirou fundo. — Desculpe por ter dito alguma coisa.

— Não se sinta mal. Se tudo fosse diferente, seria ótimo enfim poder conversar com alguém sobre isso.

Ele assentiu.

— É, foi difícil para mim esconder um segredo de você por duas semanas. Deve ser um inferno não poder falar com *ninguém*.

— Inferno — concordei.

Jacob deu uma fungada rápida.

— Eles estão aqui. Vamos.

— Tem certeza? — perguntei enquanto ele abria a porta. — Talvez eu não devesse estar aqui.

— Eles vão superar isso — disse ele, depois sorriu. — Quem tem medo do lobo mau?

— Rá rá — eu disse. Mas saí da picape contornando às pressas a frente do carro para ficar bem atrás de Jacob. Eu me lembrava muito bem dos monstros gigantes na campina. Minhas mãos tremiam como as de Jacob antes, mas de medo, não de raiva.

Jake pegou minha mão e a apertou.

— Lá vamos nós.

14. FAMÍLIA

Agachei-me ao lado de Jacob, meus olhos varrendo a floresta em busca dos outros lobisomens. Quando eles apareceram, saindo de entre as árvores, não eram o que eu esperava. Eu tinha a imagem dos lobos em minha cabeça. Esses eram só quatro rapazes grandes e seminus.

Novamente, eles me lembraram irmãos, quadrigêmeos. Algo no modo como se movimentaram quase em sincronia para se colocarem do outro lado da estrada, na nossa frente; o fato de todos terem os mesmos músculos longos e arredondados sob a mesma pele moreno-avermelhada, o cabelo idêntico preto curto e o modo como suas expressões mudavam justamente no mesmo momento.

Eles olhavam, curiosos e cautelosos. Quando me viram ali, meio escondida ao lado de Jacob, todos ficaram furiosos no mesmo segundo.

Sam ainda era o maior, embora Jacob estivesse quase de seu tamanho. Sam não parecia de fato um garoto. Seu rosto era mais velho — não no sentido de rugas ou sinais de envelhecimento, mas na maturidade, na paciência de sua expressão.

— O que você fez, Jacob? — perguntou ele.

Um dos outros, que não reconheci — Jared ou Paul — disparou por Sam e falou antes que Jacob pudesse se defender.

— Por que não consegue seguir as regras, Jacob? — gritou ele, atirando os braços para o alto. — Que diabos você está pensando? Ela é mais importante do que tudo... do que a tribo toda? Mais importante do que as pessoas que estão sendo mortas?

— Ela pode ajudar — disse Jacob em voz baixa.

— Ajudar! — gritou o rapaz, com raiva. Seus braços começaram a tremer.

— Ah, é bem provável mesmo! Tenho certeza de que a amante de sanguessuga está *morrendo* de vontade de nos ajudar!

— Não fale dela desse jeito! — gritou Jacob, irritado pela crítica do rapaz.

Um tremor percorreu em ondas o corpo do outro, passando pelos ombros e descendo pela coluna.

— Paul! Relaxe! — ordenou Sam.

Paul sacudiu a cabeça, não em desafio, mas como se tentasse se concentrar.

— Meu Deus, Paul — murmurou um dos outros meninos, provavelmente Jared. — Controle-se.

Paul girou a cabeça para Jared, os lábios contorcidos de irritação. Depois voltou seu olhar para mim. Jacob deu um passo para se colocar na minha frente.

Foi o que bastou.

— Isso mesmo, proteja a *garota*! — rugiu Paul, ultrajado. Outro tremor, outra convulsão percorreu seu corpo. Ele atirou a cabeça para trás, um grunhido rasgando por entre os dentes.

— PAUL! — gritaram Sam e Jacob juntos.

Paul pareceu tombar para a frente, tremendo com violência. A meio caminho do chão, houve o som alto de algo se rasgando e o menino explodiu.

O pêlo prateado-escuro brotou do rapaz, fundindo-se numa forma cinco vezes maior do que ele — uma forma forte e curvada, pronta para atacar.

O focinho do lobo recuava nos dentes e outro grunhido rolou por seu peito colossal. Os olhos escuros e coléricos me focalizavam.

No mesmo segundo, Jacob atravessou correndo a estrada, direto para o monstro.

— Jacob! — gritei.

A meio passo, um longo tremor abalou a coluna de Jacob. Ele pulou para a frente, mergulhando de cabeça no ar.

Com outro som áspero de algo se rasgando, Jacob também explodiu. Rompeu para fora de sua pele — fragmentos de roupa preta e branca se espalharam no ar. Aconteceu com tanta rapidez que, se eu piscasse teria perdido toda a transformação. Em um segundo era Jacob mergulhando no ar, no outro era o lobo castanho-avermelhado gigantesco — tão imenso que não consegui entender como sua massa podia caber dentro de Jacob — lançando-se para a fera prata que estava agachada.

Jacob recebeu de frente a investida do outro lobisomem. Seus rosnados furiosos ecoaram como trovão nas árvores.

Os farrapos pretos e bancos — restos da roupa de Jacob — flutuaram para o chão onde ele desaparecera.

— Jacob! — gritei outra vez, avançando um passo.

— Fique onde está, Bella — ordenou Sam. Era difícil ouvi-lo com o rugido dos lobos lutando. Eles se mordiam e se dilaceravam, os dentes afiados lampejando no pescoço do outro. O lobo-Jacob parecia estar em vantagem — era visivelmente maior do que o outro e também parecia ser mais forte. Ele golpeou o lobo cinzento com o ombro repetidas vezes, empurrando-o para as árvores.

— Leve-a para a casa de Emily — gritou Sam para os outros meninos, que assistiam ao conflito com uma expressão extasiada. Jacob conseguira empurrar o lobo cinza para fora da estrada e eles desapareceram na floresta, embora o som de seus rosnados ainda fosse alto. Sam correu atrás deles, tirando os sapatos no caminho. Enquanto disparava para as árvores, tremia da cabeça aos pés.

O rosnado e os golpes desapareciam ao longe. De repente, o som foi interrompido e o silêncio tomou a estrada.

Um dos meninos começou a rir.

Eu me virei para o encarar — meus olhos arregalados pareciam paralisados, como se eu não pudesse piscar.

O rapaz parecia estar rindo de minha expressão.

— Bom, isso é algo que não se vê todo dia — zombou ele. Seu rosto era meio familiar, mais fino que o dos outros... Embry Call.

— Eu vejo — murmurou o outro rapaz, Jared. — Todo santo dia.

— Ah, Paul não perde as estribeiras *todo* dia — discordou Embry, ainda rindo. — Talvez dia sim, dia não.

Jared parou para pegar um objeto branco no chão. Ele o estendeu para Embry; despencava de sua mão em tiras.

— Todo arrebentado — disse Jared. — Billy falou que era o último par que podia comprar... Acho que agora Jacob vai andar descalço.

— Este sobreviveu — disse Embry, erguendo um tênis branco. — Jake pode pular num pé só — acrescentou ele com uma risada.

Jared começou a recolher os vários pedaços de tecido do chão.

— Pegue os sapatos de Sam, está bem? Todo o resto vai para o lixo.

Embry pegou os sapatos e então andou para as árvores, onde Sam desaparecera. Estava de volta alguns segundos depois com uma bermuda jeans pendurada no braço. Jared pegou os restos rasgados das roupas de Jacob e de Paul e os enrolou numa bola. De repente, pareceu se lembrar de mim.

Ele me olhou com cuidado, avaliando-me.

— Ei, você não vai desmaiar, vomitar, nem nada disso, não é? — perguntou.

— *Acho* que não — eu disse ofegante.

— Você não parece bem. Talvez deva se sentar.

— Tudo bem — murmurei. Pela segunda vez em uma manhã, botei a cabeça entre os joelhos.

— Jake devia ter nos avisado — reclamou Embry.

— Não devia ter metido a namorada nisso. O que ele esperava?

— Bom, agora sabem do lobo. — Embry suspirou. — Que ótimo, Jake.

Levantei a cabeça para olhar os dois meninos que pareciam estar levando tudo com muita tranqüilidade.

— Não estão preocupados com eles? — perguntei.

Embry piscou uma vez de surpresa.

— Preocupados? Por quê?

— Eles podem se machucar!

Embry e Jared riram.

— Eu *espero mesmo* que Paul dê uma dentada nele — disse Jared. — Para lhe ensinar uma lição.

Fiquei pálida.

— Ah, tá! — discordou Embry. — Você *viu* o Jake? Nem Sam poderia ter se transformado em pleno vôo daquele jeito. Ele viu Paul se descontrolando e precisou de quê, meio segundo para atacar? O cara tem um dom.

— Paul está lutando há mais tempo. Aposto dez pratas com você como ele deixa uma marca.

— Feito. Jake nasceu para isso. Paul não tem a menor chance.

Eles trocaram um aperto de mãos, sorrindo.

Tentei me consolar com a despreocupação deles, mas não conseguia tirar da cabeça a imagem brutal dos lobisomens em luta. Meu estômago se revirou, dolorido e vazio, minha cabeça doía de preocupação.

— Vamos ver Emily. Sabe que vai ter comida lá. — Embry olhou para mim. — Pode nos dar uma carona?

— Tudo bem — eu disse com a voz sufocada.

Jared ergueu uma sobrancelha.

— Talvez seja melhor você dirigir, Embry. Ainda parece que ela pode vomitar.

— Boa idéia. Onde está a chave? — perguntou-me Embry.

— Na ignição.

Embry abriu a porta do carona.

— Primeiro as damas — disse alegremente, puxando-me do chão com uma das mãos e me colocando no banco. Ele avaliou o espaço disponível. — Vai ter que ir atrás — disse ele a Jared.

— Tudo bem. Tenho estômago fraco. Não quero estar aí dentro quando ela vomitar.

— Aposto que ela é mais durona do que isso. Ela anda com vampiros.

— Cinco pratas? — perguntou Jared.

— Feito. Até me sinto culpado, tirando dinheiro de você assim.

Embry entrou e deu a partida no carro enquanto Jared saltou com agilidade na caçamba. Assim que fechou a porta, Embry murmurou para mim:

— Não vomite, está bem? Só tenho dez dólares, e se Paul colocar os dentes em Jacob...

— Tudo bem — sussurrei.

Embry nos levou de volta à aldeia.

— Ei, como foi que Jake contornou a injunção mesmo?

— A... o quê?

— Hã, a ordem. Sabe como é, de não dar com a língua nos dentes. Como foi que ele contou a você sobre isso?

— Ah, isso — eu disse, lembrando de Jacob tentando cuspir a verdade para mim na noite anterior. — Ele não conseguiu. Eu adivinhei.

Embry franziu os lábios, parecendo surpreso.

— Hmmm. Acho que você seria capaz.

— Aonde estamos indo? — perguntei.

— À casa de Emily. Ela é namorada de Sam... Não, agora é noiva, eu acho. Eles vão nos encontrar lá depois que Sam lhes der uma lição pelo que aconteceu agora. E depois que Paul e Jake arrumarem umas roupas novas, se Paul ainda tiver alguma.

— Emily sabe dos...?

— Sabe. E, olhe, não fique encarando a garota. Isso irrita Sam.

Eu franzi a cara para ele.

— Por que eu iria encarar?

Embry pareceu pouco à vontade.

— Como você acabou de ver, ficar entre lobisomens tem seus riscos. — Ele mudou de assunto rapidamente. — Ei, tudo bem com a história do sanguessuga de cabelo preto na campina? Não parecia ser amigo seu, mas... — Embry deu de ombros.

— Não, ele não era meu amigo.

— Que bom. Não quisemos começar nada, quebrar o pacto, sabe como é.

— Ah, sim, uma vez, há muito tempo, Jake me contou sobre o pacto. Por que matar Laurent quebraria o pacto?

— Laurent — repetiu ele, bufando, como se fosse engraçado o vampiro ter um nome. — Bom, tecnicamente estávamos no território dos Cullen. Não temos permissão para atacar nenhum deles, dos Cullen pelo menos, fora de nossas terras... A não ser que eles rompam o pacto primeiro. Não sabíamos se o moreno era parente deles ou coisa assim. Parecia que você o conhecia.

— Como eles poderiam romper o pacto?

— Se mordessem um humano. Jake não estava muito a fim de deixar chegar a esse ponto.

— Ah. Hmmm, obrigada. Fico feliz por não terem esperado.

— O prazer foi nosso. — Ele pareceu dizer isso no sentido literal.

Embry passou pela casa mais a leste da estrada antes de entrar em uma rua estreita de terra.

— Sua picape é lenta — observou ele.

— Desculpe.

No final da rua, havia uma casinha mínima que um dia fora cinza. Só existia uma única janela estreita ao lado da porta azul desbotada, mas a jardineira embaixo era cheia de cravos amarelos e laranja, conferindo a todo o lugar uma aparência alegre.

Embry abriu a porta e inspirou.

— Hmmm, Emily está cozinhando.

Jared pulou da traseira da picape e foi para a porta, mas Embry o impediu com a mão no peito. Ele olhou para mim sugestivamente e deu um pigarro.

— Eu não trouxe a carteira — disse Jared.

— Tudo bem. Não vou esquecer.

Eles subiram um degrau e entraram na casa sem bater. Eu os segui com timidez.

Como na casa de Billy, a cozinha ocupava a maior parte do cômodo da frente. Uma jovem com pele acobreada e acetinada e cabelos longos, lisos e pretos estava junto à bancada da pia, tirando grandes *muffins* de um tabuleiro e os colocando num prato de papel. Por um segundo, pensei que o motivo de Embry me dizer para não encará-la fosse ela ser tão bonita.

Depois ela perguntou, numa voz melodiosa: "Estão com fome?", e se virou para nós com um sorriso em metade do rosto.

O lado direito de sua face era marcado, do limite do couro cabeludo até o queixo, por três linhas grossas e vermelhas, de cor vívida, embora havia muito estivessem curadas. Uma linha repuxava para baixo o canto de seu olho direito, escuro e quase amendoado, outra retorcia o lado direito da boca numa careta permanente.

Grata pelo aviso de Embry, rapidamente desviei os olhos para os *muffins* em sua mão. Tinham um cheiro maravilhoso — de mirtilos frescos.

— Ah — disse Emily, surpresa. — Quem é essa?

Olhei para cima, tentando focalizar o lado esquerdo de seu rosto.

— Bella Swan — disse-lhe Jared, dando de ombros. Ao que parecia, eu já fora assunto de conversa. — Quem mais seria?

— Jacob sempre descobre um jeito de quebrar as regras — murmurou Emily. Ela me encarou, e nenhuma das metades de seu rosto antigamente bonito era simpática. — Então, é a garota do vampiro.

Eu enrijeci.

— Sim. Você é a garota do lobo?

Ela riu, assim como Embry e Jared. O lado esquerdo de seu rosto ficou amistoso.

— Acho que sou. — Ela se virou para Jared. — Cadê Sam?

— Bella, hã, surpreendeu Paul esta manhã.

Emily revirou o olho bom.

— Ah, Paul — ela suspirou. — Acha que vão demorar muito? Eu estava começando com os ovos.

— Não se preocupe — disse-lhe Embry. — Se eles se atrasarem, não vamos deixar que nada se desperdice.

Emily riu e abriu a geladeira.

— Sem dúvida — concordou. — Bella, está com fome? Pode pegar um *muffin*.

— Obrigada. — Peguei um no prato e comecei a mordiscar as beiradas. Era delicioso e caiu bem em meu estômago sensível. Embry pegou o terceiro dele e atirou na boca enorme.

— Deixe alguns para seus irmãos — repreendeu Emily, batendo na cabeça dele com a colher de pau. A palavra me surpreendeu, mas para os outros passou despercebida.

— Porco — comentou Jared.

Encostei-me na bancada e olhei os três brincarem como uma família. A cozinha de Emily era um lugar agradável, iluminada, com armários brancos e piso de madeira clara. Numa mesinha redonda, um jarro rachado de porcelana azul e branca estava abarrotado de flores silvestres. Embry e Jared pareciam inteiramente à vontade ali.

Emily misturava uma quantidade imensa de ovos, várias dúzias, numa tigela grande e amarela. Estava com as mangas da blusa lavanda arregaçadas, e pude ver que as cicatrizes se estendiam por seu braço e iam até as costas da mão direita. Andar com lobisomens tinha mesmo seus riscos, como Embry dissera.

A porta da frente se abriu e Sam passou por ela.

— Emily — disse ele, e havia tanto amor em sua voz que fiquei sem graça, sentindo-me invasiva, enquanto o observava atravessar a sala em apenas um passo e pegar o rosto dela nas mãos largas. Ele se inclinou e beijou suas cicatrizes escuras na bochecha direita antes de beijar seus lábios.

— Ei, parem com isso — reclamou Jared. — Estou comendo.

— Então cale a boca e coma — sugeriu Sam, beijando outra vez a boca arruinada de Emily.

— Argh — gemeu Embry.

Aquilo era pior do que um filme romântico; era tão real que soava alto com alegria, vida e amor verdadeiro. Baixei meu bolinho e cruzei os braços no peito vazio. Olhei as flores, tentando ignorar a paz completa do momento dos dois e o latejar deplorável de minhas feridas.

Fiquei grata por ser distraída quando Jacob e Paul passaram pela porta, depois chocada quando vi que eles estavam rindo. Enquanto eu olhava, Paul deu um soco no ombro de Jacob, que, em troca, deu-lhe um murro nos rins. Eles riram de novo. Os dois pareciam estar ilesos.

Jacob esquadrinhou a sala, os olhos parando quando me viram encostada, desajeitada e deslocada, na bancada do canto mais distante da cozinha.

— Ei, Bells — cumprimentou-me alegremente. Pegou dois bolinhos ao passar pela mesa e parou a meu lado. — Desculpe por antes — murmurou. — Como está?

— Não se preocupe, estou bem. Bolinhos gostosos. — Peguei o meu de novo e recomecei a mordiscar. Meu peito pareceu melhorar assim que Jacob ficou perto de mim.

— Ah, cara! — gemeu Jared, interrompendo-nos.

Eu olhei. Ele e Embry estavam examinando uma linha rosada e fraca no antebraço de Paul. Embry sorria, exultante.

— Quinze dólares — disse ele em júbilo.

— Você fez aquilo? — sussurrei para Jacob, lembrando-me da aposta.

— Eu mal toquei nele. Estará ótimo ao pôr-do-sol.

— Ao pôr-do-sol? — Olhei a marca no braço de Paul. Estranho, mas parecia ter semanas.

— Coisa de lobo — sussurrou Jacob.

Assenti, tentando não deixar transparecer meu espanto.

— *Você* está bem? — perguntei a ele em voz baixa.

— Nem um arranhão. — Sua expressão era presunçosa.

— Ei, caras — disse Sam em voz alta, interrompendo as conversas no cômodo pequeno. Emily estava junto ao fogão, mexendo a mistura de ovos numa caçarola grande, mas Sam ainda estava com a mão na parte de baixo das costas dela, um gesto inconsciente. — Jacob tem informações para nós.

Paul não pareceu surpreso. Jacob já devia ter explicado a ele e a Sam. Ou... eles simplesmente tinham ouvido os pensamentos dele.

— Sei quem a ruiva quer. — Jacob dirigiu as palavras a Jared e a Embry. — Era o que eu estava tentando dizer antes. — Ele chutou a perna da cadeira em que Paul se sentara.

— E? — perguntou Jared.

A cara de Jared ficou séria.

— Ela *está* tentando vingar o companheiro... Só que não era o sanguessuga moreno que *nós* matamos. Os Cullen pegaram o parceiro dela ano passado e agora ela está atrás de Bella.

Aquilo não era novidade para mim, mas ainda assim estremeci.

Jared, Emily e Embry me encararam, boquiabertos de surpresa.

— Ela é só uma menina — protestou Embry.

— Eu não disse que fazia sentido. Mas é por isso que a sanguessuga estava tentando passar por nós. Ela está indo para Forks.

Eles continuaram a me encarar, de boca ainda escancarada, por um longo tempo. Abaixei a cabeça.

— Excelente — disse por fim Jared, um sorriso começando a se formar nos cantos da boca. — Temos uma isca.

Com uma velocidade espantosa, Jacob pegou um abridor de latas na bancada e o atirou na direção da cabeça dele. A mão de Jared fez um movimento mais rápido do que eu achava possível e ele pegou o objeto pouco antes de atingir seu rosto.

— Bella *não* é uma isca.

— Você entendeu o que eu quis dizer — disse Jared, sem se deixar abalar.

— Então vamos mudar nossos padrões — disse Sam, ignorando a briga dos dois. — Vamos tentar deixar algumas brechas e ver se ela cai. Teremos de nos dividir, e não gosto disso. Mas se ela está mesmo atrás de Bella, não deve tentar tirar proveito da divisão de nosso grupo.

— Quil está quase se juntando a nós — murmurou Embry. — Então vamos poder nos dividir igualmente.

Todos baixaram a cabeça. Olhei para Jacob e ele estava desanimado, como ficara na tarde anterior, do lado de fora da casa dele. Por mais confortáveis que estivessem com seu destino, ali, na cozinha animada, nenhum daqueles lobisomens queria o mesmo para o amigo.

— Bom, não vamos contar com isso — disse Sam em voz baixa, e continuou no volume normal. — Paul, Jared e Embry ficarão no perímetro mais externo, e Jacob e eu, no interno. Vamos atacar quando ela cair na armadilha.

Percebi que Emily não gostou particularmente de que Sam estivesse no grupo menor. Sua preocupação me fez olhar para Jacob, apreensiva também.

Sam entendeu meu olhar.

— Jacob acha que seria melhor se você passasse o maior tempo possível em La Push. Ela não ia saber onde encontrar você com tanta facilidade, só por precaução.

— E Charlie? — perguntei.

— As finais do basquete universitário ainda estão acontecendo — disse Jacob. — Acho que Billy e Harry podem manter Charlie por aqui quando ele não estiver no trabalho.

— Espere — disse Sam, erguendo a mão. Seu olhar disparou por Emily e voltou para mim. — Isso é o que Jacob acha melhor, mas você tem de decidir sozinha. Deve pesar com muita seriedade os riscos das duas opções. Você viu hoje de manhã como as coisas podem muito bem ficar perigosas aqui, com que rapidez elas saem de controle. Se você escolher ficar conosco, não posso dar nenhuma garantia quanto a sua segurança.

— Não vou machucá-la — murmurou Jacob, baixando a cabeça.

Sam agiu como se não o tivesse ouvido.

— Se houver outro lugar em que se sinta segura...

Mordi o lábio. Onde eu poderia ir sem colocar mais ninguém em perigo? Rejeitei a idéia de envolver Renée nisso — colocando-a perto do alvo, que era eu...

— Não quero levar Victoria a mais nenhum lugar — sussurrei.

Sam assentiu.

— É verdade. É melhor tê-la aqui, onde podemos dar um fim nisso.

Eu vacilei. Não queria Jacob ou qualquer um deles tentando *dar um fim* em Victoria. Olhei para o rosto de Jacob; estava relaxado, quase o mesmo de que eu me lembrava, antes do início dessa história de lobo, e completamente despreocupado com a idéia de caçar vampiros.

— Vai tomar cuidado, não é? — perguntei, um perceptível nó na garganta.

Os meninos explodiram em uivos altos de diversão. Todos riram de mim — exceto Emily. Ela me olhou nos olhos e de repente pude ver a simetria por baixo de sua deformidade. Seu rosto ainda era bonito e vivo com uma preocupação ainda mais feroz do que a minha. Tive de desviar os olhos antes que o amor por trás daquela preocupação começasse a me machucar de novo.

— A comida está pronta — ela anunciou então, e a conversa sobre estratégia ficou para trás. Os rapazes correram para cercar a mesa, que parecia minúscula e sob o risco de ser esmagada por eles, e devoraram em tempo recorde a panela gigante com os ovos que Emily colocara no centro. Emily comeu encostada na bancada, como eu — evitando o tumulto à mesa — e os observou com olhos afetuosos. Sua expressão dizia de modo claro que aquela era sua família.

De modo geral, não era exatamente o que eu esperava de um bando de lobisomens.

Passei o dia em La Push, a maior parte dele na casa de Billy. Ele deixou um recado no telefone de Charlie e na delegacia, e Charlie apareceu lá pela hora do jantar com duas pizzas. Ainda bem que ele levou duas grandes; Jacob comeu sozinho uma inteira.

Vi Charlie nos olhando com desconfiança a noite toda, em especial o tão mudado Jacob. Ele perguntou sobre o cabelo; Jacob deu de ombros e lhe disse apenas que era mais conveniente.

Eu sabia que assim que Charlie e eu fôssemos para casa, Jacob ia sair — sair para correr por aí como um lobo, como fizera inúmeras vezes o dia todo. Ele e os irmãos mantinham uma vigilância constante, procurando algum sinal da volta de Victoria. Mas desde que eles a afugentaram da estação de águas na noite anterior — caçaram-na meio caminho até o Canadá, de acordo com Jacob —, ela ainda não fizera outra incursão.

Eu não tinha esperança alguma de que ela simplesmente desistisse. Não tinha esse tipo de sorte.

Jacob me acompanhou até a picape depois do jantar e se encostou na janela, esperando que Charlie arrancasse primeiro.

— Não tenha medo hoje à noite — disse, enquanto Charlie fingia ter problemas com o cinto de segurança. — Vamos estar lá fora, vigiando.

— Não vou me preocupar comigo — garanti.

— Você é uma boba. Caçar vampiros é divertido. É a melhor parte de toda essa confusão.

Sacudi a cabeça.

— Se sou uma boba, então você é perigosamente desequilibrado.

Ele riu.

— Bella, benzinho, vá descansar um pouco. Você parece exausta.

— Vou tentar.

Charlie buzinou, impaciente.

— A gente se vê amanhã — disse Jacob. — Venha logo.

— Virei.

Charlie me seguiu para casa. Prestei pouca atenção nas luzes em meu retrovisor. Em vez disso, eu me perguntava onde estavam Sam, Jared, Embry e Paul, correndo pela noite. Perguntava-me se Jacob já havia se encontrado com eles.

Quando chegamos em casa, disparei para a escada, mas Charlie estava bem atrás de mim.

— O que está havendo, Bella? — perguntou antes que eu pudesse escapar. — Pensei que Jacob fosse parte de uma gangue e vocês dois tivessem brigado.

— Fizemos as pazes.

— E a gangue?

— Não sei... Quem consegue entender os adolescentes? Eles são um mistério. Mas conheci Sam Uley e a noiva dele, Emily. Eles me pareceram muito legais. — Dei de ombros. — Deve ter sido um mal-entendido.

A expressão dele mudou.

— Não sabia que ele e Emily tinham oficializado. Isso é ótimo. Pobrezinha.

— Sabe o que aconteceu com ela?

— Foi atacada por um urso, ao norte, na temporada de desova do salmão... Um acidente horrível. Agora já tem mais de um ano. Soube que Sam ficou muito perturbado.

— É horrível — eu fiz eco. Mais de um ano atrás. Aposto que significava que aconteceu quando só havia um lobisomem em La Push. Estremeci ao pensar em como Sam devia se sentir sempre que olhava o rosto de Emily.

Naquela noite, fiquei acordada na cama por um bom tempo tentando entender o dia que tivera. Lembrei-me do jantar com Billy, Jacob e Charlie e da longa tarde na casa dos Black, esperando ansiosamente ouvir algo de Jacob, voltei até a cozinha de Emily, ao pavor da briga dos lobos, à conversa com Jacob na praia.

Pensei no que Jacob dissera de manhã, sobre a hipocrisia. Pensei nisso por um longo tempo. Eu não gostava de pensar que era hipócrita, mas que sentido tinha mentir para mim mesma?

Enrosquei-me apertada como se fosse uma bola. Não, Edward não era um assassino. Mesmo em seu passado mais sombrio, ele nunca fora um assassino de inocentes, pelo menos.

Mas e se ele *tivesse sido*? E se, na época em que o conheci, ele fosse exatamente como qualquer outro vampiro? E se as pessoas estivessem desaparecendo no bosque, como agora? Será que isso teria me afastado dele?

Sacudi a cabeça com tristeza; o amor é irracional, lembrei a mim mesma. Quanto mais você ama alguém, menos tudo faz sentido.

Rolei na cama e tentei desviar o pensamento — pensei em Jacob e nos irmãos, correndo pela escuridão. Dormi imaginando os lobos, invisíveis na noite, protegendo-me do perigo. Quando sonhei, eu estava na floresta de novo, mas não andava. Segurava a mão marcada de Emily e estávamos de frente para as sombras, esperando, ansiosas, nossos lobisomens voltarem para casa.

15. PRESSÃO

Eram as férias de primavera em Forks, de novo. Quando acordei na manhã de segunda-feira, fiquei deitada na cama alguns segundos absorvendo a idéia. Nas férias anteriores, eu também tinha sido caçada por um vampiro. Esperava que isso não fosse algum tipo de tradição se estabelecendo.

Eu já estava me adaptando ao ritmo da vida em La Push. Passei a maior parte do domingo na praia, enquanto Charlie ficou com Billy na casa dos Black. Para Charlie eu estava com Jacob, mas Jacob tinha outras coisas para fazer, então andei por ali sozinha, guardando dele o segredo.

Quando Jacob apareceu para ver como eu estava, pediu desculpas por ter me deixado tão de lado. Disse-me que sua rotina nem sempre era tão louca, mas, até que Victoria parasse, os lobos estavam em alerta vermelho.

Agora, quando andávamos pela praia, ele sempre segurava minha mão.

Isso me fez refletir no que Jared tinha dito, sobre Jacob envolver a "namorada" na história. Achei que isso era exatamente o que parecia para quem via de fora. Como Jake e eu sabíamos qual era a realidade, não devia deixar que esse tipo de suposição me incomodasse. E talvez não incomodasse, se eu não soubesse que Jacob adoraria que nosso relacionamento fosse o que aparentava. Mas eu gostava da mão dele aquecendo a minha, e não protestei.

Trabalhei na loja terça de tarde — Jacob me seguiu na moto para ter certeza de que eu chegaria em segurança — e Mike percebeu.

— Está namorando aquele garoto de La Push? O do segundo ano? — perguntou ele, sem conseguir disfarçar o ressentimento na voz.

Dei de ombros.

— Não no sentido técnico da palavra. Mas passo a maior parte do tempo com Jacob. Ele é meu melhor amigo.

Os olhos de Mike se estreitaram com astúcia.

— Não se engane, Bella. O cara é louco por você.

— Eu sei — suspirei. — A vida é complicada.

— E garotas são cruéis — disse Mike em voz baixa.

Também achei a conclusão óbvia.

Naquela noite, Sam e Emily se reuniram comigo e com Charlie para a sobremesa na casa de Billy. Emily levou um bolo que teria conquistado um homem mais durão do que Charlie. Pude ver, enquanto a conversa fluía naturalmente por um leque de assuntos fortuitos, que qualquer preocupação que Charlie pudesse ter guardado a respeito de gangues em La Push se dissolvia.

Jake e eu saímos de lá cedo, para ter alguma privacidade. Fomos para a garagem dele e nos sentamos no Rabbit. Jacob recostou a cabeça, o rosto tenso de exaustão.

— Você precisa dormir um pouco, Jake.

— Vou encontrar tempo.

Ele pegou minha mão. Sua pele ardia na minha.

— Essa é uma daquelas coisas de lobo? — perguntei a ele. — Quer dizer, o calor.

— É. Somos um pouco mais quentes do que as pessoas normais. Cerca de 42, 43 graus. Nunca mais fico frio. Poderia ficar desse jeito — ele gesticulou para o peito nu — numa nevasca e não me incomodaria. Os flocos de neve virariam chuva onde eu estivesse.

— E vocês todos se curam rápido... Isso também é coisa de lobo?

— É, quer ver? É bem legal. — Seus olhos se abriram e ele sorriu. Estendeu o braço por mim, abrindo o porta-luvas, e vasculhou ali por um minuto. Sua mão apareceu com um canivete.

— Não, não quero ver! — gritei assim que percebi em que ele estava pensando. — Guarde isso!

Jacob riu, mas devolveu o canivete a seu lugar.

— Tudo bem. Mas isso de nos curarmos é bom. Não se pode procurar nenhum médico quando se tem uma temperatura que devia significar que está morto.

— Não, acho que não. — Pensei nisso por um minuto. — ... E ser tão grande... também faz parte disso? É por isso que todos vocês se preocupam com Quil?

— Isso e o fato de que o avô de Quil disse que o garoto pode fritar um ovo na testa. — A expressão de Jacob ficou desanimada. — Agora não deve levar muito tempo. Não existe uma idade exata... Só vai se formando, se formando e de repente... — Ele se interrompeu, parando por um momento antes de voltar a falar. — Às vezes, se você fica muito aborrecido ou coisa assim, isso pode desencadear tudo mais cedo. Mas eu não estava aborrecido com nada... Estava feliz. — Ele riu com amargura. — Por causa de você, principalmente. Foi por isso que não aconteceu comigo mais cedo. Em vez disso, a coisa ficou se formando dentro de mim... eu era como uma bomba-relógio. Sabe o que disparou tudo? Voltei do cinema e Billy disse que eu parecia estranho. Foi só isso, mas eu simplesmente rompi. E depois eu... eu explodi. Quase arranquei a cara dele... Do meu pai! — Ele estremeceu e seu rosto ficou branco.

— É tão ruim assim, Jake? — perguntei com ansiedade, desejando ter uma maneira de ajudá-lo. — Você está infeliz?

— Não, não estou infeliz — disse-me ele. — Não estou mais. Não agora, que você sabe. Mas antes foi difícil. — Ele se inclinou de modo que seu rosto pousou no alto de minha cabeça.

Jacob ficou em silêncio por um momento, e me perguntei no que ele estava pensando. Talvez eu não quisesse saber.

— Qual é a parte mais difícil? — sussurrei, ainda querendo poder ajudar.

— A parte mais difícil é me sentir... fora de controle — disse ele devagar. — Sentir que não consigo ter certeza sobre mim mesmo... Como se talvez você não devesse estar comigo, como se ninguém devesse. Como se eu fosse um monstro que pode machucar alguém. Você viu Emily. Sam perdeu o controle só por um segundo... E ela estava perto demais. Agora não há nada que ele possa fazer para consertar isso. Ouço os pensamentos dele... Sei como se sente... Quem quer ser um pesadelo, um monstro? E, depois, o modo como acontece comigo com tanta facilidade, o modo como sou melhor nisso do que os outros... Isso me torna menos humano do que Embry ou Sam? Às vezes tenho medo de estar perdendo a mim mesmo.

— É difícil? Encontrar a si mesmo de novo?

— No começo — disse ele. — É preciso alguma prática para ir e voltar. Mas é mais fácil para mim.

— Por quê? — perguntei.

— Porque Ephraim Black era o avô de meu pai e Quil Ateara era o avô de minha mãe.

— Quil? — perguntei, confusa.

— O bisavô dele — esclareceu Jacob. — Quil que você conhece é meu primo em segundo grau.

— Mas por que importa quem foram seus bisavós?

— Porque Ephraim e Quil eram do último bando. Levi Uley era o terceiro. Está em meu sangue, dos dois lados. Nunca tive nenhuma chance. Assim como Quil não tem chance.

Sua expressão era triste.

— Qual é a melhor parte? — perguntei, na esperança de animá-lo.

— A melhor parte — disse ele, de repente sorrindo de novo — é a velocidade.

— Melhor do que as motos?

Ele assentiu, entusiasmado.

— Não tem comparação.

— A que velocidade você pode...?

— Correr? — ele completou minha pergunta. — Bem rápido. Como posso estimar? Nós alcançamos... qual era o nome dele? Laurent? Imagino que isso signifique mais para você do que para outra pessoa.

Significava algo para mim. Eu não conseguia imaginar aquilo — os lobos correndo mais rápido do que um vampiro. Quando os Cullen corriam, a velocidade os deixava quase invisíveis.

— Agora me conte uma coisa que eu não sei — disse ele. — Sobre vampiros. Como você conseguiu ficar com eles? Não ficou apavorada?

— Não — eu disse com rispidez.

Meu tom de voz o deixou pensativo por um momento.

— Diga, por que afinal seu sanguessuga matou aquele James? — perguntou ele de repente.

— James estava tentando me matar... Era uma espécie de jogo para ele. Ele perdeu. Lembra a primavera passada, quando fiquei no hospital em Phoenix?

Jacob respirou fundo.

— Ele chegou assim tão perto?

— Chegou muito, muito perto. — Afaguei a cicatriz. Jacob percebeu, porque segurava a mão que mexi.

— O que é isso? — Ele trocou de mãos, examinando minha mão direita. — É a sua cicatriz engraçada, a fria. — Ele a olhou mais de perto, com outros olhos, e ofegou.

— Sim, é o que você está pensando — eu disse. — James me mordeu.

Seus olhos se arregalaram e seu rosto assumiu uma cor estranha e pálida sob a superfície avermelhada. Ele parecia estar a ponto de vomitar.

— Mas se ele mordeu você...? Você não devia ser...? — disse baixinho.

— Edward me salvou duas vezes — sussurrei. — Ele sugou o veneno... Sabe como é, como se faz com uma cascavel. — Eu me contorcia enquanto a dor açoitava as bordas do buraco.

Mas não fui a única a me contorcer. Pude sentir todo o corpo de Jacob tremendo ao lado do meu. Até o carro sacudia.

— Cuidado, Jake. Calma. Relaxe.

— É — ele arfava. — Calma. — Ele sacudiu a cabeça rapidamente. Depois de um momento, só as mãos tremiam.

— Você está bem?

— Estou, quase. Me conte outra coisa. Me dê algo mais em que pensar.

— O que quer saber?

— Não sei. — Ele estava de olhos fechados, concentrado. — Acho que os dons extras. Algum dos outros Cullen tem... talentos a mais? Como ler pensamentos?

Hesitei por um segundo. Essa parecia uma pergunta que ele faria a sua espiã, e não à amiga. Mas qual era o sentido de esconder o que eu sabia? Agora não importava e ajudaria Jacob a se controlar.

Então falei depressa, a imagem do rosto arruinado de Emily em minha mente e os pêlos dos meus braços se arrepiando. Não podia imaginar como o lobo avermelhado caberia dentro do Rabbit — Jacob destruiria a oficina toda se se transformasse naquele instante.

— Jasper pode... algo como controlar as emoções das pessoas que estão perto dele. Não de uma forma ruim, só acalmá-las, esse tipo de coisa. Isso ajudaria muito Paul — acrescentei, brincando sem jeito. — E Alice pode enxergar o que vai acontecer. O futuro, mas não definitivamente. O que ela vê muda quando alguém muda de rumo...

Como quando ela me viu morrendo... e me viu me tornando um deles. Duas coisas que não aconteceram. E uma que jamais acontecerá. Minha cabeça começou a girar — parecia que eu não conseguia inspirar oxigênio suficiente. Não tinha pulmões.

Jacob agora estava completamente controlado, quase imóvel a meu lado.

— Por que você faz isso? — perguntou ele. Ele puxou de leve meu braço, o que estava junto a meu peito, e depois desistiu quando não o afrouxei com facilidade. Nem percebi que o havia mexido. — Você faz isso quando está aborrecida. Por quê?

— Dói pensar neles — sussurrei. — É como se eu não conseguisse respirar... Como se estivesse me desfazendo em pedaços... — Era estranho o quanto eu agora podia contar a Jacob. Não tínhamos mais segredos.

Ele afagou meu cabelo.

— Está tudo bem, Bella, está tudo bem. Não vou falar nisso de novo. Desculpe.

— Estou bem — eu disse, ofegando. — Acontece o tempo todo. Não é sua culpa.

— Somos uma dupla transtornada, não é? — disse Jacob. — Nenhum de nós consegue se manter inteiro.

— É patético — concordei, ainda sem fôlego.

— Pelo menos temos um ao outro — disse ele, claramente reconfortado com a idéia.

Eu também fiquei reconfortada.

— Pelo menos temos isso — concordei.

E quando estávamos juntos, era ótimo. Mas Jacob tinha uma tarefa horrível e perigosa que se sentia compelido a realizar, e assim eu ficava sozinha com freqüência, presa em La Push para minha segurança, sem nada a fazer para manter minha mente livre de qualquer preocupação.

Eu me sentia estranha, sempre ocupando espaço na casa de Billy. Fiquei estudando para outra prova de cálculo marcada para a semana seguinte, mas só consegui me dedicar à matemática por algum tempo. Quando parecia óbvio que eu não estava fazendo nada, sentia-me obrigada a conversar com Billy — a pressão das regras normais da sociedade. Mas Billy não era de preencher os longos silêncios, então a estranheza continuava.

Tentei ficar na casa de Emily na tarde de quarta-feira, só para variar. No início foi um pouco legal. Emily era uma pessoa alegre que nunca parava sentada. Eu vagava atrás dela enquanto ela se movimentava pela casinha e pelo jardim, esfregando um chão sem sujeira alguma, arrancando um matinho minúsculo, consertando uma dobradiça quebrada, puxando um fio de lã de uma tapeçaria antiga e, ainda, sempre cozinhando. Ela reclamava um pouco do aumento do apetite dos rapazes devido a toda a correria extra, mas era fácil ver que não se importava de cuidar deles. Não era difícil ficar com ela — afinal, éramos agora duas garotas de lobos.

Mas Sam apareceu depois que eu estava ali havia algumas horas. Fiquei apenas tempo suficiente para me certificar de que Jacob estava bem e que não havia novidades, depois tive de fugir. Ficava mais difícil suportar a aura de amor e felicidade que os cercava em doses concentradas, sem mais ninguém por perto para diluí-la.

Então isso me fez vagar pela praia, andar pelo crescente rochoso de um lado para outro, sem parar.

Ficar sozinha não me fazia bem. Graças à nova franqueza com Jacob, eu falara e pensara nos Cullen um pouco demais. Por mais que tentasse me distrair — e eu tinha muito em que pensar: estava sincera e desesperadamente preocupada com Jacob e seus irmãos-lobos; estava apavorada por Charlie e pelos outros, que pensavam estar caçando animais; estava cada vez mais envolvida com Jacob sem sequer ter tomado uma decisão consciente sobre progredir nessa direção, e não sabia o que fazer a esse respeito —, nenhuma dessas preocupações tão reais, tão prementes e tão merecedoras de minhas reflexões conseguia afastar minha mente da dor em meu peito por muito tempo. Por fim, eu nem conseguia mais andar, porque não conseguia respirar. Sentei-me num trecho de pedras quase secas e me encolhi como uma bola.

Jacob me encontrou desse jeito e eu sabia, pela expressão dele, que ele entendia.

— Desculpe — disse ele na mesma hora.

Jacob me puxou do chão e me abraçou. Só então percebi que estava com frio. Seu calor me fez tremer, mas, enfim, com ele ali, eu conseguia respirar.

— Estou estragando suas férias de primavera — Jacob acusou a si mesmo enquanto voltávamos pela praia.

— Não está, não. Eu não tinha nenhum plano. De qualquer jeito, acho que não gosto de férias de primavera.

— Amanhã vou tirar a manhã de folga. Os outros podem correr sem mim. Vamos fazer algo divertido.

Naquele momento a palavra parecia deslocada em minha vida, era quase incompreensível, bizarra.

— Divertido?

— Diversão é exatamente do que você precisa. Hmmm... — Ele olhou as ondas cinzentas e oscilantes, refletindo. Enquanto seus olhos examinavam o horizonte, ele teve um lampejo de inspiração.

— Já sei! — disse, exultante. — Outra promessa a ser cumprida.

— De que você está falando?

Ele soltou minha mão e apontou para a extremidade sul da praia, onde a meia-lua rochosa e plana terminava de encontro aos penhascos acima do mar. Eu olhei, sem compreender.

— Não prometi que ia levar você para mergulhar do penhasco?

Eu tremi.

— É, vai estar muito frio... Mas não tão frio quanto hoje. Consegue sentir o clima mudando? A pressão? Amanhã estará mais quente. Preparada?

A água escura não era nada convidativa e, daquele ângulo, o penhasco parecia ainda mais alto do que antes.

Mas já fazia dias que eu não ouvia a voz de Edward. Isso devia ser parte do problema. Eu era viciada no som de minhas ilusões. Tudo piorava quando eu passava muito tempo sem elas. Pular de um penhasco certamente remediaria essa situação.

— Claro, preparada. Diversão.

— É um encontro — disse ele, e colocou o braço em meus ombros.

— Tudo bem... Agora vamos dormir um pouco. — Eu não gostava do modo como as olheiras estavam começando a parecer permanentes na pele de Jacob.

Na manhã seguinte, acordei cedo e coloquei uma muda de roupa na picape. Tinha a sensação de que Charlie aprovaria os planos de hoje tanto quanto teria aprovado a motocicleta.

A idéia de me distrair de todas as preocupações quase me animou. Talvez *pudesse* mesmo ser divertido. Um encontro com Jacob, um encontro com Edward... Ri sombriamente para mim mesma. Jake podia dizer o que quisesse sobre sermos um par transtornado — eu é que era transtornada de verdade. Fazia os lobisomens parecerem quase normais.

Esperava que Jacob me encontrasse na frente da casa, como sempre fazia quando a picape barulhenta anunciava minha chegada. Como não estava ali, imaginei que ainda estivesse dormindo. Eu esperaria — deixar que descansasse o máximo que conseguisse. Ele precisava dormir, e isso daria tempo para o dia esquentar um pouco. Mas Jake estava certo sobre o clima; mudara à noite. Uma camada densa de nuvens agora pesava na atmosfera, tornando-a quase abafada; estava quente e sufocante sob o cobertor cinza. Deixei meu suéter no carro.

Bati de leve na porta da casa.

— Entre, Bella — disse Billy.

Ele estava à mesa da cozinha, comendo cereais frios.

— Jake está dormindo?

— Hã, não. — Ele baixou a colher e suas sobrancelhas se uniram.

— O que houve? — perguntei. Sabia, pela expressão dele, que algo acontecera.

— Embry, Jared e Paul deram com um rastro fresco de manhã cedo. Sam e Jake foram ajudar. Sam estava esperançoso... Ela seguiu para o lado das montanhas. Ele acha que têm uma boa probabilidade de terminar com isso.

— Ah, não, Billy — sussurrei. — Ah, não.

Ele soltou uma risada grave e baixa.

— Gosta tanto assim de La Push que quer estender sua sentença aqui?

— Não brinque, Billy. É apavorante demais para isso.

— Tem razão — concordou ele, ainda complacente. Era impossível interpretar seus olhos de ancião. — Essa é esperta.

Mordi o lábio.

— Não é tão perigoso para eles como você pensa. Sam sabe o que está fazendo. É consigo mesma que você deve se preocupar. A vampira não quer lutar contra eles. Só está tentando encontrar um jeito de passar por eles... e chegar a você.

— Como Sam sabe o que está fazendo? — perguntei, deixando de lado a preocupação dele comigo. — Eles só mataram um vampiro... Pode ter sido por sorte.

— Nós levamos o que fazemos muito a sério, Bella. Nada foi esquecido. Tudo de que precisamos saber foi transmitido de pai para filho por gerações.

Isso não me reconfortou como ele provavelmente pretendia. A lembrança de Victoria, louca, furtiva e letal, era forte demais em minha mente. Se ela não conseguisse passar pelos lobos, acabaria mesmo tentando enfrentá-los.

Billy voltou para seu café-da-manhã; eu me sentei no sofá e zapeei pelos canais de tevê. Não durou muito tempo. Comecei a me sentir presa na salinha, claustrofóbica, aborrecida com o fato de que não podia enxergar através de janelas com cortinas.

— Vou para a praia — disse a Billy de maneira abrupta e corri porta afora.

Ficar ao ar livre não ajudou tanto quanto eu esperava. As nuvens faziam pressão com um peso invisível, que impedia que a claustrofobia passasse. A floresta parecia estranhamente vazia enquanto eu seguia a pé para a praia. Não vi nenhum bicho — nem passarinhos nem esquilos. Também não consegui ouvir ave nenhuma. O silêncio era sinistro; não havia sequer o som do vento nas árvores.

Eu sabia que era tudo resultado do clima, mas ainda assim fiquei tensa. A pressão da atmosfera, pesada e quente, era perceptível até para meus fracos sentidos humanos e sugeria alguma coisa maior no departamento "tempestade". Um olhar para o céu reforçou essa teoria; as nuvens avançavam indolentes, apesar de não haver vento no nível do solo. As nuvens mais próximas eram de um cinza esfumaçado, mas por entre elas eu podia ver outra camada, que era de um roxo horrível. O céu tinha um plano feroz para aquele dia. Os animais deviam estar se protegendo.

Assim que cheguei à praia, quis não ter ido — já estava cheia daquele lugar. Estivera ali quase todos os dias, andando sozinha. Aquilo era muito diferente de meus pesadelos? No entanto, aonde mais eu iria? Arrastei-me até o tronco e me sentei na ponta para me encostar nas raízes emaranhadas. Olhei pensativa para o céu furioso, esperando que as primeiras gotas rompessem a imobilidade.

Tentei não pensar no perigo que Jacob e seus amigos corriam. Porque nada podia acontecer com Jacob. A idéia era insuportável. Eu já havia perdido muito — o destino levaria os últimos restos de paz que haviam ficado para trás? Isso parecia injusto, sem lógica. Mas talvez eu tivesse violado alguma regra desconhecida, atravessado um limite que me condenara. Talvez fosse um erro me envolver tanto com mitos e lendas, dar as costas a meu mundo humano. Talvez...

Não. Não ia acontecer nada com Jacob. Eu precisava acreditar nisso ou não conseguiria mais viver.

— Argh! — grunhi e pulei do tronco. Não conseguia ficar sentada; era pior do que andar.

Já estava contando que ouviria Edward aquela manhã. Parecia ser a única maneira de tornar suportável viver aquele dia. O buraco inflamara nos últimos dias, como se estivesse se vingando do tempo em que a presença de Jacob o domara. As bordas ardiam.

As ondas ficaram maiores enquanto eu andava, começando a quebrar nas rochas, mas ainda não havia vento. Senti-me presa ao chão pela pressão da tempestade. Tudo girava a meu redor, mas era perfeitamente tranqüilo onde eu estava. O ar tinha uma suave carga elétrica— eu podia sentir a estática em meu cabelo.

Mais ao longe, as ondas estavam mais furiosas do que junto à praia. Eu podia vê-las quebrando na linha dos penhascos, espalhando pelo céu grandes nuvens brancas de espuma. Ainda não havia movimento no ar, embora as nuvens agora se agitassem com mais rapidez. Era uma visão sinistra — como se as nuvens se mexessem por vontade própria. Tremi, apesar de saber que era só um truque da pressão.

Os penhascos eram uma lâmina preta contra o céu claro. Olhando-os, lembrei-me do dia em que Jacob contou sobre Sam e a "gangue" dele. Pensei nos meninos — os lobisomens — atirando-se no ar vazio. A imagem das figuras espiralando em queda ainda era nítida em minha mente. Imaginei a total liberdade da queda... Imaginei como a voz de Edward ficaria em minha cabeça — furiosa, aveludada, perfeita... O ardor no peito incendiou-se em agonia.

Tinha de haver uma forma de extingui-lo. A dor ficava mais insuportável a cada segundo. Olhei os penhascos e as ondas que quebravam.

Bem, por que não? Por que não extinguir a dor agora mesmo?

Jacob me prometera um mergulho do penhasco, não foi? Só porque ele não estava disponível eu deveria desistir da distração de que precisava tanto — ainda mais necessária porque Jacob estava lá fora, arriscando sua vida? Arriscando-a, essencialmente, por mim. Se não fosse por mim, Victoria não estaria matando pessoas por aqui... Estaria em outro lugar, longe. Se algo acontecesse com Jacob, seria por minha culpa. Essa percepção me apunhalou fundo e me fez correr para a estrada que levava à casa de Billy, onde minha picape esperava.

Eu conhecia a rua que passava mais perto dos penhascos, mas tive de procurar o pequeno caminho que me levaria à pedra. Enquanto seguia, tentei encontrar desvios ou bifurcações, sabendo que Jake tinha planejado me levar à pedra mais baixa ao invés de ao topo, mas o caminho seguia numa linha reta e estreita até a beira, sem me deixar opções. Não tive tempo para encontrar um jeito de descer — a tempestade se aproximava rapidamente. O vento, enfim, começava a me tocar, as nuvens pesando mais próximas do chão. Assim que cheguei ao local onde a estrada de terra se abria num precipício de pedra, as primeiras gotas irromperam e se esparramaram em meu rosto.

Não foi difícil convencer a mim mesma de que não tinha tempo para procurar outro caminho — eu *queria* pular do topo. Essa era a imagem que se fixara em minha mente. Eu queria a longa queda que me daria a sensação de voar.

Sabia que aquela era a atitude mais idiota e mais imprudente que já tomara. Pensar nisso me fez sorrir. A dor já estava cedendo, como se meu corpo soubesse que a voz de Edward estava a apenas segundos de mim...

O mar parecia muito distante, de certo modo mais distante do que antes, quando estava no caminho, entre as árvores. Fiz uma careta quando pensei na provável temperatura da água. Mas não ia deixar que isso me impedisse.

O vento agora soprava com mais força, chicoteando a chuva em redemoinhos ao meu redor.

Dei um passo para a beirada, sem tirar os olhos do espaço vazio à frente. Os dedos de meus pés já tateavam às cegas, acariciando a beira da pedra quando a encontraram. Respirei fundo e prendi o ar... Esperando.

"Bella."

Eu sorri e soltei a respiração.

Sim? Não respondi em voz alta, por medo de que minha voz dispersasse a bela ilusão. Ele parecia tão real, tão próximo. Só quando me reprovava desse jeito eu podia ouvir a verdadeira lembrança de sua voz — a textura aveludada e a entonação musical que compunha a mais perfeita das vozes.

"Não faça isso", pediu ele.

Você quis que eu fosse humana, lembrei a ele. *Bem, assista.*

"Por favor. Por mim."

Mas você não vai ficar comigo de nenhuma outra maneira.

"Por favor." Era só um sussurro na pancada de chuva que agitou meu cabelo e ensopou minhas roupas — deixando-me tão molhada que era como meu segundo salto do dia.

Fiquei na ponta dos pés.

"Não, Bella!" Ele agora estava com raiva, e isso era adorável.

Sorri e levantei os braços, como se fosse mergulhar, erguendo o rosto para a chuva. Mas aquilo estava arraigado demais dos anos de natação na piscina pública — primeiro o pé, primeira vez. Inclinei-me para a frente, agachando-me para tomar mais impulso.

E me atirei do penhasco.

Gritei ao cair pelo espaço aberto como um meteoro, mas foi um grito de alegria, não de medo. O vento impunha resistência, tentando em vão lutar com a gravidade indomável, empurrando-me e me fazendo girar em espiral como um foguete atingindo a terra.

Sim! A palavra ecoou em minha cabeça enquanto eu cortava a superfície da água. Era gelada, mais fria do que eu temia, e, no entanto, o frio só aumentou meu prazer.

Estava orgulhosa de mim à medida que mergulhava mais fundo na água escura e congelante. Não senti nem um segundo de pavor — só pura adrenalina. Na verdade, a queda não fora nada assustadora. Onde estava o desafio?

Foi então que a correnteza me pegou.

Fiquei tão preocupada com a altura dos penhascos, com o perigo evidente de suas faces elevadas e escarpadas, que nem pensei na água escura que me aguardava. Nunca imaginei que a verdadeira ameaça estivesse espreitando muito abaixo de mim, sob as ondas que se erguiam.

Parecia que as ondas lutavam comigo, lançando-me de um lado para outro como se estivessem decididas a me dividir, cortando-me pelo meio. Eu sabia a maneira certa de evitar uma corrente marinha: nadar paralelamente à praia em vez de lutar para chegar à margem. Mas o conhecimento de pouco me valeu, já que não sabia para que lado estava a praia.

Eu nem sabia dizer para que lado estava a superfície.

A água furiosa era negra em todas as direções; não havia qualquer claridade que me orientasse para cima. A gravidade era onipotente quando competia com o ar, mas não significava nada nas ondas — eu não sentia um empuxo para baixo, não afundava em nenhuma direção. Só sentia o bater da corrente que me arremessava em círculos, feito uma boneca de trapos.

Lutei para manter presa a respiração, para manter meus lábios fechados em torno de minha última reserva de oxigênio.

Não me surpreendeu que minha ilusão de Edward estivesse ali. Ele me devia muito, considerando que eu estava morrendo. Fiquei surpresa por estar tão certa disso. Ia me afogar. Estava me afogando.

"Continue nadando!", implorou Edward com urgência em minha cabeça.

Para onde? Não havia nada a não ser a escuridão. Não havia para onde nadar.

"Pare com isso!", ordenou ele. "Não se atreva a desistir!"

O frio da água entorpecia meus braços e minhas pernas. Eu não sentia o açoite tanto quanto antes. Agora era mais uma vertigem, um giro desamparado na água.

Mas eu o ouvi. Obriguei meus braços a continuarem estendidos, minhas pernas a baterem com mais força, embora a cada segundo eu tomasse um rumo diferente. Aquilo não devia estar adiantando nada. Que sentido tinha?

"Lute!", gritou ele. "Que droga, Bella, continue lutando."

Por quê?

Não queria mais lutar. E não era a vertigem, nem o frio, nem o fracasso dos braços à medida que os músculos desistiam de exaustão que me deixava contente por ficar onde estava. Eu estava quase feliz por aquilo ter acabado. Era uma morte mais fácil do que outras que enfrentei. Estranhamente em paz.

Pensei por pouco tempo nos clichês, sobre como você devia ver sua vida passar diante dos olhos. Eu tinha muito mais sorte. Quem afinal queria ver uma reprise?

Foi *ele* que eu vi, e não tive vontade de lutar. Era muito claro, muito mais definido do que qualquer lembrança. Meu subconsciente guardara Edward em detalhes impecáveis, poupando-o para este último momento. Pude ver seu rosto perfeito como se ele estivesse mesmo ali; o tom exato de sua pele gélida, o formato de seus lábios, a linha de seu queixo, o cintilar dourado de seus olhos furiosos. Ele estava com raiva, naturalmente, por eu desistir. Seus dentes estavam trincados e as narinas infladas de cólera.

"Não! Bella, não!"

Minhas orelhas foram inundadas da água gélida, mas a voz dele era mais clara do que nunca. Ignorei as palavras e me concentrei no som de sua voz. Por que eu lutaria se estava tão feliz ali? Mesmo enquanto meus pulmões ardiam, querendo mais ar, e minhas pernas doíam do frio gelado, eu estava contente. Tinha me esquecido de como era a verdadeira felicidade.

Felicidade. Isso tornava toda a história de morrer bastante suportável.

A correnteza venceu nesse momento, lançando-me repentinamente contra algo rígido, uma rocha invisível no escuro. Atingiu-me com força no peito, golpeando-me como uma barra de ferro, e o ar fugiu de meus pulmões, escapando numa nuvem espessa de bolhas prateadas. A água inundou minha garganta, sufocando e queimando. A barra de ferro pareceu me arrastar, puxando-me para longe de Edward, mais fundo nas sombras, para o fundo do mar.

Adeus, eu te amo, foi meu último pensamento.

16. PÁRIS

Naquele momento, minha cabeça surgiu na superfície.

Foi muito desorientador. Eu tinha certeza de que estava afundando.

A correnteza não ia amainar. Jogava-me de encontro a outras pedras; elas batiam no meio de minhas costas bruscamente, de um jeito cadenciado, arrancando a água de meus pulmões. Eu esguichava um volume inacreditável, torrentes eram despejadas de minha boca e do nariz. O sal ardia, meus pulmões queimavam, minha garganta estava cheia demais de água para que eu pudesse tomar fôlego e as pedras machucavam minhas costas. De algum modo fiquei num lugar só, embora as ondas ainda oscilassem em volta de mim. Só o que eu conseguia ver em toda parte era água, chegando a meu rosto.

— Respire! — ordenou uma voz, louca de ansiedade, e senti uma pontada cruel de dor quando a reconheci, porque não era a de Edward.

Eu não conseguia obedecer. O aguaceiro que saía de minha boca não parou por tempo suficiente para que eu tomasse fôlego. A água escura e gelada encheu meu peito, queimando.

A pedra bateu nas minhas costas de novo, bem entre as omoplatas, e outra torrente de água abriu caminho para fora de meus pulmões.

— Respire, Bella! Vamos! — pediu Jacob.

Pontos pretos floresceram em minha visão, aumentando cada vez mais, obstruindo a luz.

A pedra me atingiu outra vez.

A pedra não era fria como a água; estava quente em minha pele. Percebi que era a mão de Jacob, tentando expulsar a água de meus pulmões. A barra de ferro que me arrastara do mar também era... quente... Minha cabeça girava, os pontos pretos cobriam tudo...

Então eu estava morrendo de novo? Não gostei disso — não era tão bom como da última vez. Agora só estava escuro, não havia nada digno de se ver. O som das ondas quebrando desapareceu na escuridão e tornou-se um silvo tranqüilo e uniforme que parecia vir de dentro de meus ouvidos...

— Bella? — perguntou Jacob, a voz ainda tensa, mas não nervosa como antes. — Bells, querida, está me ouvindo?

Os assuntos em minha cabeça zuniam e rolavam de uma forma nauseante, como se tivessem se unido à água agitada...

— Quanto tempo ela ficou inconsciente? — perguntou alguém.

A voz que não era de Jacob me surpreendeu, lançou-me numa consciência mais focalizada.

Percebi que estava parada. A correnteza não me puxava — o balanço estava dentro de minha cabeça. A superfície sob meu corpo era plana e imóvel. Senti-a granulosa em meus braços nus.

— Não sei — disse Jacob, ainda frenético. Sua voz estava muito perto.

Mãos, tão quentes que tinham de ser as dele, tiraram o cabelo molhado de meu rosto.

— Alguns minutos? Não levei muito tempo para trazê-la até a praia.

O silvo baixo em meus ouvidos não era das ondas — era o ar entrando e saindo de meus pulmões novamente. Cada respiração queimava — as vias aéreas estavam tão sensíveis que pareciam ter sido esfregadas com palha de aço. Mas eu estava respirando.

E congelando. Mil gotas geladas e afiadas golpeavam meu rosto e meus braços, aumentando ainda mais o frio.

— Ela está respirando. Vai voltar a si. Mas precisamos tirá-la do frio. Não estou gostando da cor dela... — Desta vez, reconheci a voz de Sam.

— Acha que tem algum problema movê-la?

— Ela não machucou as costas nem nada quando caiu?

— Não sei.

Eles hesitaram.

Tentei abrir os olhos. Precisei de um minuto, mas pude ver as nuvens escuras e roxas atirando a chuva gelada em mim.

— Jake? — grasnei.

O rosto dele escondeu o céu.

— Ah! — falou ele ofegante, o alívio tomando suas feições. Os olhos estavam molhados de chuva. — Ah, Bella! Você está bem? Pode me ouvir? Algum lugar dói?

— S-só m-minha garganta — gaguejei, os lábios tremendo de frio.

— Então vamos tirar você daqui — disse Jacob.

Ele passou os braços sob meu corpo e me ergueu sem esforço algum, como se pegasse uma caixa vazia. Seu peito estava nu e quente; ele curvou os ombros para me proteger da chuva. Minha cabeça tombou em seu braço. Olhei inexpressivamente a água furiosa, batendo na areia atrás dele.

— Você a pegou? — ouvi Sam perguntar.

— Peguei, deixe comigo. Volte para o hospital. Encontro você lá mais tarde. Obrigado, Sam.

Minha cabeça ainda girava. De início, não compreendi nenhuma das palavras dele. Sam não respondeu. Não houve qualquer som, e eu me perguntei se ele já havia ido embora.

A água lambia e revolvia a areia atrás de nós enquanto Jacob me carregava dali, como se estivesse com raiva por eu ter escapado. Enquanto olhava para a frente, exausta, uma centelha de cor atraiu meus olhos sem foco — um pequeno lampejo de fogo dançava na água escura, longe, na baía. A imagem não fez sentido e me perguntei até que ponto eu estava consciente. Minha cabeça girou com a lembrança da água negra e agitada — de ficar tão perdida que não conseguia achar o acima ou o abaixo. Tão perdida... Mas de algum modo Jacob...

— Como você me encontrou? — Minha voz arranhou.

— Estava procurando você — disse-me Jacob. Ele estava quase correndo, na chuva, subindo a praia na direção da estrada. — Segui as marcas dos pneus até sua picape, depois ouvi você gritar... — Ele estremeceu. — Por que você pulou, Bella? Não percebeu que estava vindo um furacão? Não podia ter esperado por mim? — A raiva enchia sua voz à medida que o alívio desaparecia.

— Desculpe — murmurei. — Fui uma idiota.

— É, você foi realmente idiota — concordou ele, gotas de chuva se desprendendo de seu cabelo quando ele assentiu. — Olhe, importa-se de poupar essas idiotices para quando eu estiver por perto? Não vou poder me concentrar se achar que está pulando de penhascos pelas minhas costas.

— Claro — concordei. — Tudo bem. — Eu parecia uma fumante inveterada. Tentei dar um pigarro... depois tremi; pigarrear foi como cravar uma faca na garganta. — O que aconteceu hoje? Vocês... encontraram? — Era minha vez de estremecer, embora não estivesse mais com tanto frio, colada ao corpo ridiculamente quente dele.

Jacob sacudiu a cabeça. Ainda corria ao seguir pela estrada até sua casa.

— Não. Ela fugiu para a água... Nela os sanguessugas têm vantagem. Foi por isso que corri para casa... Tive medo de que ela voltasse a nado. Você passa muito tempo na praia... — Ele se interrompeu com um nó na garganta.

— Sam voltou com você... Está todo mundo em casa também? — Esperava que não estivessem mais procurando por ela.

— É. Mais ou menos.

Tentei entender a expressão dele, os olhos semicerrados na chuva que martelava. O olhar de Jacob estava tenso de preocupação ou dor.

As palavras que antes não tinham feito sentido de repente ficaram claras.

— Você disse... hospital. Antes, ao Sam. Alguém se machucou? Ela lutou contra vocês? — Minha voz saltou uma oitava, parecendo estranha com a rouquidão.

— Não, não. Quando voltamos, Em estava esperando com a notícia. É Harry Clearwater. Ele teve um ataque cardíaco hoje de manhã.

— Harry? — sacudi a cabeça, tentando absorver o que ele dizia. — Ah, não! Charlie já sabe?

— Sabe. Ele também está lá, com meu pai.

— Harry vai ficar bem?

Os olhos de Jacob ficaram tensos de novo.

— Agora não parece muito bem.

De repente, senti-me nauseada de culpa — sentia-me verdadeiramente péssima pelo mergulho idiota do penhasco. Ninguém precisava se preocupar comigo agora. Que hora mais absurda para ser imprudente.

— O que posso fazer? — perguntei.

Naquele momento, a chuva parou. Só percebi que já estávamos na casa dos Black quando ele passou pela porta. A tempestade martelava o telhado.

— Você pode ficar aqui — disse Jacob ao me colocar no sofá pequeno. — Estou falando sério... Bem aqui. Vou pegar umas roupas secas.

Deixei que meus olhos se adaptassem à sala escura enquanto Jacob disparava para o quarto. A sala abarrotada parecia tão vazia sem Billy, quase desolada. Era de algum modo estranho agourenta — provavelmente só porque eu sabia onde ele estava.

Jacob voltou segundos depois. Atirou em mim uma pilha de roupas cinza, de algodão.

— Vão ficar enormes em você, mas é o melhor que tenho. Vou, hã, lá fora para você trocar de roupa.

— Não vai a lugar nenhum. Ainda estou cansada demais para me mexer. Só fique aqui comigo.

Jacob se sentou no chão perto de mim, as costas encostadas no sofá. Perguntei-me quando ele tinha dormido pela última vez. Parecia tão exausto quanto eu.

Ele encostou a cabeça na almofada ao lado da minha e bocejou.

— Acho que posso descansar um pouquinho...

Seus olhos se fecharam. Deixei que os meus se fechassem também.

Coitado de Harry. Coitada de Sue. Eu sabia que Charlie ia ficar ao lado dele. Harry era um de seus melhores amigos. Apesar do pessimismo de Jake, eu esperava fervorosamente que Harry superasse tudo. Pelo bem de Charlie. Por Sue, Leah e Seth...

O sofá de Billy ficava bem ao lado do aquecedor e eu agora estava quente, apesar das roupas ensopadas. Meus pulmões doíam de um jeito que me empurrava para a inconsciência ao invés de me manter acordada. Perguntei-me vagamente se era errado dormir... Ou eu estava ficando sonolenta por causa das concussões...? Jacob começou a ressonar suave e o som era tranqüilizador como uma cantiga de ninar. Dormi logo.

Pela primeira vez em muito tempo meu sonho foi normal. Só um passeio borrado por lembranças antigas — visões ofuscantes do sol de Phoenix, o rosto de minha mãe, uma frágil casa na árvore, uma manta desbotada, uma parede de espelhos, uma chama na água escura... Esquecia-me de cada uma delas assim que a imagem mudava.

A última foi a única que se fixou em minha mente. Não tinha significado — só um cenário num palco. Uma sacada à noite, uma lua pintada pendurada no céu. Vi a garota de camisola debruçar no parapeito e falar consigo mesma.

Sem significado... Mas quando aos poucos voltei à consciência, Julieta ficou em minha mente.

Jacob ainda dormia; desabara no chão e sua respiração era profunda e uniforme. A casa agora estava mais escura do que antes, era um breu do lado de fora da janela. Eu estava rígida, rnas aquecida e quase seca. Minha garganta ardia cada vez que eu respirava.

Ia ter de me levantar — pelo menos para beber algo. Mas meu corpo só queria ficar deitado ali, sem forças, para nunca mais se mexer.

Em vez de me mexer, pensei mais um pouco em Julieta.

Imaginei o que ela teria feito se Romeu a deixasse, não porque fosse proibido, mas por perder o interesse. E se Rosalina lhe tivesse dado atenção e ele mudasse de idéia? E se, em vez de se casar com Julieta, ele simplesmente sumisse?

Pensei que sabia como Julieta se sentiria.

Ela não voltaria para sua antiga vida, não mesmo. Não teria sequer se mudado, disso eu tinha certeza. Mesmo que tivesse vivido até ficar velha e grisalha, cada vez que fechasse os olhos teria sido o rosto de Romeu que veria por trás das pálpebras. No fim das contas, já teria aceitado isso.

Imaginei se ela teria se casado com Páris no final, só para agradar aos pais, para manter a paz. Não, era provável que não, concluí. Por outro lado, a história não falava muito de Páris. Ele era só um estorvo — um substituto, uma ameaça, um prazo final para forçar a mão dela.

E se ele fosse mais do que isso?

E se Páris tivesse sido amigo de Julieta? Seu melhor amigo? E se ele fosse o único a quem ela pudesse fazer confidências sobre toda a história arrasadora com Romeu? A única pessoa que a entendia de verdade e a fazia se sentir quase humana de novo? E se ele fosse paciente e gentil? E se ele cuidasse dela? E se Julieta soubesse que não podia viver sem ele? E se ele realmente a amasse e quisesse que ela fosse feliz?

E... E se ela amasse Páris? Não como Romeu. Nada disso, é claro. Mas o bastante para querer que ele também fosse feliz?

A respiração lenta e profunda de Jacob era o único som na sala — como uma cantiga de ninar cantarolada para uma criança, como o som baixo de uma cadeira de balanço, como o bater de um relógio antigo quando não se tem necessidade de ir a lugar nenhum... Era o som do conforto.

Se Romeu tivesse mesmo partido, para nunca mais voltar, teria feito diferença Julieta ter aceitado ou não a oferta de Páris? Talvez ela devesse ter tentado se adaptar aos pedaços de vida que restaram. Talvez fosse o mais perto que ela chegaria da felicidade.

Suspirei, depois gemi quando o suspiro arranhou minha garganta. Eu estava incluindo informações demais na história. Romeu não mudaria de idéia. É por isso que as pessoas ainda se lembravam do nome dele, sempre em par com o dela: Romeu e Julieta. Por isso era uma boa história. "Julieta leva um fora e fica com Páris" nunca teria sido um sucesso.

Fechei os olhos e fiquei à deriva de novo, deixando que minha mente vagasse para longe da peça idiota em que eu não queria mais pensar. Em vez dela, pensei na realidade — em pular do penhasco e no erro insensato que aquilo fora. E não só o penhasco, mas as motos e toda aquela maluquice irresponsável de dublê de cinema. E se acontecesse algum acidente comigo? O que seria de Charlie? O ataque cardíaco de Harry colocara tudo em perspectiva para mim. Perspectiva que eu não queria ver, porque — se admitisse a verdade — significaria ter de mudar. Eu conseguiria mudar?

Talvez. Não seria fácil; na realidade, seria uma desgraça completa desistir de minhas alucinações e tentar ser adulta. Mas talvez eu devesse fazer isso. E talvez conseguisse. Se tivesse Jacob.

Não podia decidir naquela hora. Doía demais. Pensei em outro assunto.

Imagens de minha proeza impensada da tarde rolaram por minha cabeça enquanto eu tentava encontrar algo agradável em que pensar... A sensação do ar quando caí, a escuridão da água, a surra da correnteza... O rosto de Edward... Demorei-me nisso por um bom tempo. As mãos quentes de Jacob, tentando me fazer voltar à vida... A chuva atirada das nuvens arroxeadas... O estranho fogo nas ondas...

Havia algo familiar naquele lampejo de cor acima da água. É claro que não podia ser fogo...

Meus pensamentos foram interrompidos pelo barulho de um carro na lama da rua. Ouvi-o parar na frente da casa e suas portas começaram a se abrir e se fechar. Pensei em me sentar, depois decidi pelo contrário.

Era fácil identificar a voz de Billy, mas ele a mantinha incomumente baixa, então era só um murmúrio aborrecido.

A porta se abriu e a luz foi acesa. Pisquei, sem enxergar por um instante. Jake acordou assustado, ofegando, e pôs-se de pé num salto.

— Desculpe — grunhiu Billy. — Acordamos vocês?

Meus olhos focalizaram devagar o rosto dele, e depois, quando consegui ler sua expressão, encheram-se de lágrimas.

— Ah, não, Billy! — gemi.

Ele assentiu devagar, a expressão dura de pesar. Jake correu até o pai e pegou sua mão. De repente, a dor tomou seu rosto como o de uma criança — pareceu estranho, no alto daquele corpo de homem.

Sam estava bem atrás de Billy, empurrando a cadeira pela porta. Sua serenidade habitual sumira no rosto agoniado.

— Lamento tanto — sussurrei.

Billy assentiu.

— Vai ficar difícil por aqui.

— Onde está Charlie?

— Seu pai ainda está no hospital, com Sue. Há muitas... providências a serem tomadas.

Engoli em seco.

— É melhor eu voltar lá — murmurou Sam, e ele saiu rapidamente.

Billy afastou sua mão da de Jacob, depois passou pela cozinha e foi para o quarto.

Jake o encarou por um minuto, depois voltou a se sentar no chão a meu lado. Colocou o rosto nas mãos. Afaguei seus ombros, desejando conseguir pensar em algo para dizer.

Depois de um longo tempo, Jacob pegou minha mão e a levou ao rosto.

— Como está se sentindo? Você está bem? Eu devia ter levado você a um médico ou coisa assim. — Ele suspirou.

— Não se preocupe comigo — grasnei.

Ele girou a cabeça para me olhar. Seus olhos estavam vermelhos.

— Você não parece muito bem.

— Acho que também não me sinto muito bem.

— Vou pegar sua picape e levá-la para casa... Convém estar lá quando Charlie voltar.

— Tudo bem.

Fiquei apática no sofá enquanto esperava por ele. Billy estava em silêncio no outro cômodo. Eu me sentia uma enxerida, olhando pelas frestas para uma tristeza que não era minha.

Jake não demorou muito. O ronco do motor da picape interrompeu o silêncio antes do que eu esperava. Sem dizer nada, ele me ajudou a sair do sofá, mantendo o braço em meu ombro quando o ar frio do lado de fora me fez tremer. Assumiu o banco do motorista sem pedir e me puxou para junto de si, para manter o braço firme à minha volta. Encostei a cabeça em seu peito.

— Como você vai para casa? — perguntei.

— Não vou. Ainda não pegamos a sanguessuga, lembra?

Meu tremor seguinte nada teve a ver com o frio.

Depois disso, a viagem foi silenciosa. O ar gelado me despertou. Minha mente estava alerta, funcionando muito bem e muito rápido.

E se acontecesse? Qual era a atitude certa a tomar?

Agora eu não conseguia imaginar minha vida sem Jacob — eu me encolhia de medo só de tentar pensar nisso. De certo modo, ele se tornara essencial para minha sobrevivência. Mas deixar a situação como estava... era crueldade, como Mike dissera?

Lembrei-me de ter desejado que Jacob fosse meu irmão. Agora percebia que o que eu de fato queria era reivindicá-lo para mim. Não parecia nada fraternal quando ele me segurava daquele jeito. Era apenas gostoso — quente, reconfortante e familiar. Seguro. Jacob era um porto seguro.

Eu podia reivindicar meus direitos. Tinha poder para isso.

Tinha de dizer tudo a ele, sabia disso. Era a única maneira de ser justa. Precisava explicar direito, para que ele soubesse que eu não estava me recompondo, que ele era bom demais para mim. Ele já sabia que eu estava arrasada, essa parte não o surpreenderia, mas ele precisava saber a extensão disso. Tinha de admitir até mesmo que estava louca — explicar sobre as vozes que ouvia. Ele precisava saber de tudo antes de tomar uma decisão.

Mas, mesmo quando reconheci essa necessidade, sabia que ele me aceitaria, apesar de tudo. Ele nem sequer pensaria duas vezes.

Teria de me comprometer com isso — comprometer o máximo de mim que ainda restava, cada um de meus fragmentos. Era a única maneira de ser justa com Jacob. Será que eu faria? Conseguiria?

Seria tão errado tentar fazer Jacob feliz? Mesmo que o amor que eu sentia por ele não passasse de um eco fraco do que eu era capaz de amar, mesmo que meu coração estivesse muito longe, vagando e lamentando por meu Romeu volúvel, seria assim tão errado?

Jacob parou o carro em frente à casa escura e desligou o motor, então, de repente, fez-se silêncio. Como tantas outras vezes, ele agora parecia estar sintonizado com meus pensamentos.

Ele passou o outro braço em mim, apertando-me contra seu peito, prendendo-me a ele. Mais uma vez, era gostoso. Quase como ser uma pessoa inteira de novo.

Achei que Jake estivesse pensando em Harry, mas ele falou e sua voz tinha um tom de desculpas.

— Me perdoe. Sei que você não sente o mesmo que eu sinto, Bells. Juro que não ligo. Só estou tão feliz por você estar bem que poderia até cantar... E isso é uma coisa que ninguém quer ouvir. — Ele soltou seu riso rouco em minha orelha.

Minha respiração se acelerou um pouco, arranhando as paredes da garganta como areia.

Edward, embora indiferente, não gostaria que, dadas as circunstâncias, eu fosse o mais feliz possível? Não restaria amizade suficiente para ele querer o melhor para mim? Achei que sim. Ele não me negaria isso: dar ao meu amigo Jacob só um bocadinho do amor que ele não queria. Afinal, não era o mesmo amor.

Jake apertou o rosto quente contra minha cabeça.

Se eu virasse o rosto de lado — se colocasse meus lábios em seu ombro nu... Eu sabia exatamente, sem dúvida alguma, o que viria a seguir. Seria muito fácil. Não haveria necessidade de explicações naquela noite.

Mas eu conseguiria fazer isso? Conseguiria trair meu coração ausente para salvar minha vida patética?

Borboletas assaltaram meu estômago quando pensei em virar a cabeça.

E depois, tão clara como se eu corresse um perigo imediato, a voz aveludada de Edward sussurrou em meu ouvido.

"Seja feliz", disse-me.

Fiquei paralisada.

Jacob sentiu-me enrijecer e me soltou automaticamente, estendendo a mão para a porta.

Espere, eu queria dizer. *Só um minuto.* Mas eu ainda estava paralisada, ouvindo o eco da voz de Edward em minha cabeça.

O ar frio da tempestade soprou pela cabine da picape.

— OH! — A respiração escapou de Jacob como se alguém tivesse socado seu estômago. — Mas que *droga*!

Ele bateu a porta e girou a chave na ignição no mesmo instante. As mãos tremiam tanto que não sei como ele conseguiu.

— Que foi?

Ele acelerou demais o motor; o carro engasgou e morreu.

— Vampiro — ele soltou.

O sangue fugiu de minha cabeça e me deixou tonta.

— Como você sabe?

— Porque posso sentir o cheiro! Droga!

Os olhos de Jacob estavam desvairados, disparando pela rua escura. Ele mal parecia perceber os tremores que percorriam seu corpo.

— Me transformar ou tirá-la daqui? — sibilou para si mesmo.

Ele me olhou por uma fração de segundo, vendo meus olhos apavorados e o rosto branco, depois olhou a rua de novo.

— Muito bem. Tirar você daqui.

O motor pegou com um ronco. Os pneus cantaram enquanto ele manobrava, virando para nossa única rota de fuga. Os faróis varreram a calçada, iluminando a linha da floresta nos fundos, e finalmente refletiram num carro estacionado do outro lado da rua.

— Pare! — disse ofegante.

Era um carro preto — um carro que eu conhecia. Eu podia não entender nada de automóveis, mas conhecia tudo daquele carro em particular. Era um Mercedes S55 AMG. Eu sabia a potência e a cor de seu interior. Sabia a sensação do motor poderoso roncando no chassi. Conhecia o cheiro penetrante dos bancos de couro e sabia como os vidros muito escuros faziam o meio-dia parecer o crepúsculo através daquelas janelas.

Era o carro de Carlisle.

— Pare! — pedi de novo, dessa vez mais alto, porque Jacob disparava com o carro rua abaixo.

— O quê?!

— Não é Victoria. Pare, pare! Quero voltar.

Ele pisou no freio com tanta força que tive de segurar no painel.

— O quê? — perguntou, estupefato. Ele me encarou com pavor nos olhos.

— É o carro de Carlisle! São os Cullen. Eu conheço o carro.

Ele me olhou inexpressivamente e um tremor violento sacudiu seu corpo.

— Ei, calma, Jake. Está tudo bem. Não há perigo, entendeu? Relaxe.

— É, calma. — Ele ofegou, baixando a cabeça e fechando os olhos. Enquanto ele se concentrava em não explodir num lobo, olhei o carro preto pelo vidro traseiro.

Era só Carlisle, disse a mim mesma. Não espere mais do que isso. Talvez Esme... *Pare agora mesmo*, disse a mim mesma. Só Carlisle. Isso já é muito. Mais do que eu esperava ter de novo.

— Tem um vampiro na sua casa — sibilou Jacob. — E você *quer* voltar?

Olhei para ele, sem querer desviar os olhos do Mercedes — com medo de que ele desaparecesse no segundo em que eu virasse a cabeça.

— Claro — eu disse, minha voz vazia devido à surpresa com a pergunta dele. Era claro que eu queria voltar.

A expressão de Jacob enrijeceu enquanto eu o fitava, congelando na máscara amarga que eu pensava ter ido embora para sempre. Pouco antes de ele colocar a máscara, percebi o espasmo de traição que cintilou em seus olhos. Suas mãos ainda tremiam. Ele parecia dez anos mais velho que eu.

Ele respirou fundo.

— Tem certeza de que não é um truque? — perguntou numa voz lenta e pesada.

— Não é um truque. É Carlisle. Me leve de volta!

Um tremor percorreu seus ombros largos, mas os olhos estavam fixos e sem emoção.

— Não.

— Jake, está tudo bem...

— Não. Volte sozinha, Bella.

Sua voz foi como um tapa — eu me encolhi quando o som me atingiu. Seu maxilar se contraía e relaxava.

— Olhe, Bella — disse ele na mesma voz dura. — Não posso voltar. Com ou sem pacto, há um inimigo meu lá.

— Não é assim...

— Tenho que contar a Sam agora. Isso muda a situação. Não podemos ser pegos no território deles.

— Jake, isso não é uma guerra!

Ele não me ouviu. Colocou o carro em ponto morto e pulou fora, o motor ligado.

— Tchau, Bella — gritou por sobre o ombro. — Espero realmente que você não morra.

Jake disparou para o escuro, tremendo tanto que sua silhueta parecia borrada; desapareceu antes que eu pudesse abrir a boca para chamá-lo de volta.

O remorso me prendeu no banco do carro por um longo segundo. O que eu acabara de fazer com Jacob?

Mas não pôde me prender por muito tempo.

Escorreguei pelo banco e engatei a marcha do carro. Minhas mãos tremiam quase tanto quanto as de Jake, e precisei de um minuto de concentração. Depois manobrei a picape com cuidado e voltei para casa.

Estava muito escuro quando apaguei os faróis. Charlie tinha saído com tanta pressa que esquecera de deixar a luz da varanda acesa. Senti uma pontada de dúvida, olhando a casa imersa nas sombras. E se fosse mesmo um truque?

Olhei de novo o carro preto, quase invisível na noite. Não. Eu conhecia aquele carro.

Mesmo assim, minhas mãos tremiam ainda mais do que antes quando peguei a chave no alto da porta. Quando segurei a maçaneta para destrancá-la, ela girou facilmente em minha mão. Deixei a porta se abrir. O corredor estava escuro.

Quis gritar uma saudação, mas minha garganta estava seca demais. Eu parecia nem mesmo conseguir respirar direito.

Dei um passo para dentro e tateei em busca do interruptor. Estava muito escuro — como a água negra... Onde estava o interruptor?

Exatamente como a água negra, com a chama laranja bruxuleando de maneira impossível. Chama que não podia ser fogo, mas o quê...? Meus dedos percorreram a parede, ainda procurando, ainda tremendo...

De repente, algo que Jacob dissera à tarde ecoou em minha cabeça, enfim eu entendia... *Ela fugiu para a água*, disse ele. *Nela os sanguessugas têm vantagem. Foi por isso que corri para casa... Tive medo de que ela voltasse a nado.*

Minha mão ficou paralisada em sua busca, todo o meu corpo imóvel, enquanto eu percebia por que reconhecera a estranha cor laranja na água.

O cabelo de Victoria, esvoaçando caótico ao vento, a cor do fogo...

Ela estivera ali. Bem ali, na reserva, comigo e com Jacob. Se Sam não estivesse lá, se estivéssemos só os dois...? Eu não conseguia respirar nem me mexer.

A luz se acendeu, embora minha mão paralisada ainda não tivesse encontrado o interruptor.

Pestanejei na claridade repentina e vi que havia alguém ali, esperando por mim.

17. VISITANTE

Imóvel e branca de uma forma que não era natural, com os grandes olhos escuros atentos em meu rosto, minha visitante esperava completamente parada no meio do corredor, linda além da imaginação.

Meus joelhos tremeram por um segundo e eu quase caí. Depois me atirei para ela.

— Alice, ah, Alice! — gritei, enquanto me jogava.

Tinha esquecido como Alice era *dura*; era como correr direto para um muro de cimento.

— Bella? — havia um misto estranho de alívio e confusão em sua voz.

Abracei-a, ofegando, tentando sentir o máximo possível o cheiro de sua pele. Não era igual a nada — não era floral nem picante, nem cítrico nem almiscarado. Nenhum perfume no mundo podia se comparar àquilo. Minha memória não lhe fazia justiça.

Não percebi quando o ofegar se transformou em algo mais — só vi que estava chorando quando Alice me arrastou para o sofá da sala e me colocou em seu colo. Era como me enroscar numa pedra fria, mas uma pedra que contornava confortavelmente o formato de meu corpo. Ela afagou minhas costas num ritmo suave e esperou que eu me controlasse.

— Eu... Desculpe — balbuciei. — Estou tão... feliz... por ver você!

— Está tudo bem, Bella. Está tudo bem.

— Sim — chorei. E pela primeira vez parecia estar mesmo.

Alice suspirou.

— Tinha me esquecido de como você é cheia de vida — disse ela, e sua voz era de reprovação.

Olhei-a através dos olhos chorosos. O pescoço de Alice estava rígido, afastando-se de mim, os lábios apertados com firmeza. Seus olhos estavam negros como breu.

— Ah! — ofeguei quando percebi o problema. Ela estava com sede. E eu tinha um cheiro apetitoso. Já havia algum tempo que eu não precisava pensar nesse tipo de coisa. — Desculpe.

— A culpa é minha. Faz muito tempo que não caço. Eu não devia ficar com tanta sede. Mas hoje estava com pressa. — O olhar que ela me dirigiu depois foi feroz. — Por falar nisso, poderia me explicar como você está viva?

Isso chamou minha atenção num instante e o choro cessou. Logo percebi o que devia ter acontecido e por que Alice estava ali.

Engoli em seco com ruído.

— Você me viu cair.

— Não — discordou ela, semicerrando olhos. — Vi você *pular*.

Franzi os lábios ao tentar pensar numa explicação que não parecesse maluca.

Alice sacudiu a cabeça.

— Eu disse a ele que isso ia acontecer, mas ele não acreditou em mim. "A Bella prometeu." — A imitação era tão perfeita que fiquei paralisada de choque enquanto a dor rasgava meu peito. — "Não fique olhando o futuro dela também." — Ela continuava a citá-lo. — "Já causamos muitos danos." Mas não estar olhando não quer dizer que eu não *veja* — continuou ela. — Eu não a estava vigiando, eu juro, Bella. Mas já estou sintonizada em você... Quando a vi pular, nem pensei, só peguei um avião. Sabia que chegaria tarde demais, mas não podia não fazer *nada*. Então cheguei aqui, pensando que talvez pudesse ajudar Charlie de alguma maneira, e você apareceu de carro.

Ela sacudiu a cabeça, desta vez confusa. Sua voz era tensa.

— Eu a vi entrar na água e esperei que saísse, mas isso não aconteceu. O que houve? E como você pôde fazer isso com Charlie? Não pára para pensar no que causaria a ele? E a meu irmão? Você tem *alguma* idéia do que Edward...

Então a interrompi, assim que disse o nome dele. Eu a deixaria continuar, mesmo depois de ter percebido que ela estava entendendo errado, só para ouvir o perfeito tom de sino de sua voz. Mas era hora de interromper.

— Alice, eu não estava tentando me suicidar.

Ela me olhou, em dúvida.

— Está dizendo que não pulou de um penhasco?

— Não, mas... — Fiz uma careta. — Era só para me divertir.

Sua expressão endureceu.

— Vi alguns amigos de Jacob pulando do penhasco — insisti. — Pareceu... divertido e eu estava entediada...

Ela esperou.

— Não pensei que a tempestade fosse afetar a correnteza. Na verdade, nem pensei muito na água.

Alice não se convenceu. Estava claro que ela ainda pensava que eu tentara me matar. Decidi mudar o rumo da conversa.

— Então, se me viu mergulhando, por que não viu Jacob?

Ela inclinou a cabeça, distraída.

Eu continuei.

— É verdade que eu provavelmente teria me afogado se Jacob não tivesse pulado atrás de mim. Bom, tudo bem, não há dúvidas disso. Mas ele pulou e me tirou de lá, e acho que me levou de volta à praia, mas a essa altura eu estava meio desligada. Não devo ter ficado mais de um minuto embaixo da água até ele me pegar. Como você não viu isso?

Ela franziu o cenho, perplexa.

— Alguém tirou você de lá?

— Sim. Jacob me salvou.

Olhei com curiosidade enquanto um leque enigmático de emoções passava por seu rosto. Algo a estava incomodando — sua visão incompleta? Mas eu não tinha certeza. Depois, deliberadamente, ela se inclinou e farejou meu ombro.

Fiquei paralisada.

— Não seja ridícula — murmurou ela, farejando-me mais um pouco.

— O que está fazendo?

Ela ignorou minha pergunta.

— Quem estava com você lá fora agora mesmo? Parecia que estavam discutindo.

— Jacob Black. Ele é... meu melhor amigo, eu acho. Pelo menos era... — Pensei na raiva de Jacob, na expressão de traído. E me perguntei o que ele era para mim.

Alice assentiu, aparentando preocupação.

— O que foi?

— Não sei — disse ela. — Não tenho certeza do que isso significa.

— Bom, pelo menos não estou morta.

Ela revirou os olhos.

— Ele foi um tolo por pensar que você podia sobreviver sozinha. Nunca vi ninguém com tamanha tendência à idiotice letal.

— Eu sobrevivi — assinalei.

Ela estava pensando em outra coisa.

— Então, se a correnteza era muito forte para você, como esse Jacob conseguiu?

— Jacob é... forte.

Ela ouviu a relutância em minha voz e suas sobrancelhas se ergueram.

Mordi o lábio por um segundo. Era um segredo ou não? E, se fosse, a quem eu devia maior fidelidade? A Jacob ou a Alice?

Era difícil demais guardar segredos, concluí. Jacob sabia de tudo, então por que Alice não poderia saber também?

— Olhe, bom, ele é... algo como um lobisomem — admiti depressa. — Os quileutes se transformam em lobos quando há vampiros por perto. Eles conhecem Carlisle de muito tempo atrás. Você estava com Carlisle na época?

Alice olhou pasma para mim por um momento, depois se recuperou, piscando rapidamente.

— Bom, acho que isso explica o cheiro — murmurou ela. — Mas explicaria o que eu não vi? — Ela franziu o cenho, a testa de porcelana se vincando.

— O cheiro? — repeti.

— Você está com um cheiro horrível — disse ela distraída, ainda de testa franzida. — Um lobisomem? Tem certeza?

— Muita — garanti, tremendo ao me lembrar de Paul e de Jacob lutando na estrada. — Acho que você não estava com Carlisle na última vez que houve lobisomens aqui em Forks, não é?

— Não. Ainda não o tinha encontrado. — Alice estava perdida em pensamentos. De repente, seus olhos se arregalaram e ela se virou para me fitar com uma expressão de choque. — Seu melhor amigo é um lobisomem?

Eu assenti num tom tímido.

— Há quanto tempo?

— Não muito — disse num tom defensivo. — Ele só virou lobisomem há algumas semanas.

Ela fez uma cara feia para mim.

— Um lobisomem *jovem*? Pior ainda! Edward tinha razão... Você é um ímã para o perigo. Não devia ficar longe de problemas?

— Não há nada de errado com os lobisomens — grunhi, magoada por seu tom crítico.

— Até que eles se zanguem. — Ela sacudiu a cabeça categoricamente.

— Faça como bem entender, Bella. Qualquer outro seria melhor depois que os vampiros saíram da cidade. Mas você tem que começar a sair com os primeiros monstros que encontra.

Eu não queria discutir com Alice — ainda estava tremendo de alegria por ela estar realmente ali de verdade, por eu poder tocar sua pele de mármore e ouvir sua voz de sino dos ventos — mas ela estava completamente equivocada.

— Não, Alice, os vampiros não foram embora... Quer dizer, não todos. É esse o problema. Se não fosse pelos lobisomens, Victoria já teria me pegado. Bem, se não fosse por Jake e os amigos dele, acho que Laurent teria me pegado antes dela, então...

— Victoria? — sibilou ela. — Laurent?

Eu assenti, um tanto alarmada pela expressão de seus olhos negros. Apontei para o peito.

— Ímã para o perigo, lembra?

Ela sacudiu a cabeça de novo.

— Conte tudo... Desde o começo.

Eu atenuei o começo, pulando a parte das motos e das vozes, mas contei-lhe tudo mais até a malfadada aventura daquele dia. Alice não gostou de minha explicação boba para o tédio e o penhasco, então acelerei para a chama estranha que vira na água e o que achava que significava. Nessa parte do relato, os olhos dela se estreitaram quase em fendas. Era estranho vê-la tão... tão perigosa — como uma vampira. Engoli em seco e continuei com o restante sobre Harry.

Ela ouviu minha história sem interromper. De vez em quando, sacudia a cabeça, e o vinco em sua testa se aprofundava até dar a impressão de estar permanentemente entalhado no mármore de sua pele. Ela não falou e, por fim, fiquei em silêncio, de novo tomada de tristeza pelo falecimento de Harry. Pensei em Charlie; ele chegaria logo em casa. Em que condições estaria?

— Nossa partida não lhe fez nenhum bem, não foi? — murmurou Alice.

Dei uma risada — foi um som um tanto histérico.

— Mas isso nunca teve importância, não é? Até parece que vocês partiram para o meu bem.

Por um momento, Alice olhou para o chão.

— Bem... Acho que hoje agi por impulso. Não devia ter me intrometido.

Pude sentir o sangue fugindo de meu rosto. Meu estômago despencou.

— Não vá, Alice — sussurrei. Meus dedos se fecharam na gola de sua blusa branca e comecei a sentir falta de ar. — Por favor, não me deixe.

Os olhos dela se arregalaram.

— Tudo bem — disse ela, enunciando cada palavra com vagarosa precisão. — Não vou a lugar nenhum esta noite. Respire fundo.

Tentei obedecer, embora quase não conseguisse localizar meus pulmões.

Ela olhava meu rosto enquanto eu me concentrava em minha respiração. Alice esperou para comentar até que eu estivesse mais calma.

— Você está horrível, Bella.

— Eu me afoguei hoje — lembrei a ela.

— É mais do que isso. Você está péssima.

Eu me encolhi.

— Olhe, estou fazendo o melhor que posso.

— O que quer dizer?

— Não tem sido fácil. Estou me esforçando.

Ela franziu o cenho.

— Eu disse a ele — falou consigo mesma.

— Alice — suspirei —, o que você achava que ia encontrar? Quer dizer, fora a minha morte? Esperava me ver saltitando por aí e assoviando musiquinhas animadas? Você me conhece bem.

— Conheço. Mas eu tinha esperanças.

— Então acho que a idiotice não é exclusividade minha.

O telefone tocou.

— Deve ser Charlie — eu disse, cambaleando de pé. Peguei a mão de pedra de Alice e a arrastei comigo até a cozinha. Eu não ia deixar que ela saísse de minha vista.

— Charlie? — atendi o telefone.

— Não, sou eu — disse Jacob.

— Jake!

Alice examinou minha expressão.

— Só queria saber se ainda estava viva — disse Jacob com amargura.

— Eu estou bem. Eu lhe disse que não era...

— Tá. Entendi. Tchau.

Jacob desligou o telefone.

Eu suspirei e joguei a cabeça para trás, encarando o teto.

— Isso vai ser um problema.

Alice apertou minha mão.

— Eles não estão animados com minha presença aqui.

— Não especialmente. Mas não é da conta deles.

Alice passou o braço à minha volta.

— Então, o que vamos fazer agora? — refletiu. Ela parecia falar consigo mesma por um momento. — Providências a tomar. Pontas soltas a amarrar.

— Que providências?

Seu rosto de repente era cauteloso.

— Não sei bem... Preciso ver Carlisle.

Ela iria embora logo? Meu estômago desabou.

— Não pode ficar? — pedi. — Por favor. Só um pouquinho. Senti tanto sua falta. — Minha voz falhou.

— Se acha que é uma boa idéia. — Os olhos dela estavam tristes.

— Acho. Você pode ficar aqui... Charlie ia adorar.

— Eu tenho casa, Bella.

Assenti, decepcionada porém resignada. Ela hesitou, avaliando-me.

— Bem, preciso pelo menos pegar uma mala de roupas.

Eu a abracei.

— Alice, você é o máximo!

— E acho que vou precisar caçar. Imediatamente — acrescentou ela numa voz tensa.

— Epa. — Recuei um passo.

— Pode ficar longe de problemas por uma hora? — perguntou ela, descrente. Depois, antes que eu pudesse responder, ergueu um dedo e fechou os olhos. Seu rosto ficou suave e inexpressivo por uns segundos.

Os olhos se abriram e ela respondeu à própria pergunta.

— Sim, você ficará bem. Pelo menos esta noite. — Ela fez uma careta. Mesmo fazendo caretas, parecia um anjo.

— Vai voltar? — perguntei, numa voz fininha.

— Prometo... Daqui a uma hora.

Olhei o relógio acima da mesa da cozinha. Ela riu e se inclinou rapidamente para me dar um beijo no rosto. Depois partiu.

Respirei fundo. Alice voltaria. De repente me senti muito melhor.

Eu tinha muito o que fazer para me manter ocupada enquanto esperava. Um banho sem dúvida era o primeiro compromisso na agenda. Cheirei meus ombros enquanto me despia, mas não consegui sentir nada além de cheiro de mar e algas marinhas. Perguntei-me o que Alice quis dizer sobre eu estar cheirando mal.

Depois do banho, voltei para a cozinha. Não encontrei nenhum sinal de que Charlie comera recentemente, e ele decerto estaria faminto quando voltasse. Cantarolei comigo mesma, desafinada, ao zanzar pela cozinha.

Enquanto o guisado da terça-feira rodava no microondas, preparei o sofá com lençóis e um travesseiro velho. Alice não precisaria daquilo, mas Charlie precisaria ver. Tive o cuidado de não olhar o relógio. Não havia motivo para começar a entrar em pânico; Alice prometera.

Comi às pressas, sem sentir o gosto do jantar — só sentia a dor enquanto a comida descia por minha garganta áspera. Estava mesmo era com sede; quando terminei, devia ter bebido quase dois litros de água. A quantidade de sal em meu organismo me desidratara.

Fui tentar ver tevê enquanto esperava.

Alice já estava ali, sentada na cama improvisada. Seus olhos eram de um caramelo líquido. Ela sorriu e deu um tapinha no travesseiro.

— Valeu.

— Você chegou cedo — eu disse, exultante.

Sentei-me ao lado dela e encostei a cabeça em seu ombro. Ela pôs os braços frios em volta de mim e suspirou.

— Bella. O que *vamos fazer* com você?

— Não sei — admiti. — Eu tenho mesmo tentado ao máximo.

— Acredito.

Ficamos em silêncio.

— Ele... ele... — Respirei fundo. Era mais difícil dizer o nome em voz alta, ainda que eu já fosse capaz de pensar nele. — Edward sabe que está aqui? — Não pude deixar de perguntar. Afinal, a dor era minha. Lidaria com ela quando Alice fosse embora, prometi a mim mesma, e senti náusea ao pensar nisso.

— Não.

Só havia um jeito de isso ser verdade.

— Ele não está com Esme e Carlisle?

— Ele os visita de meses em meses.

— Ah!— Ele ainda devia estar desfrutando de suas distrações. Concentrei minha curiosidade num assunto mais seguro. — Você disse que veio de avião... De onde veio?

— Eu estava em Denali. Visitando a família de Tanya.

— Jasper está aqui? Ele veio com você?

Ela sacudiu a cabeça.

— Ele não aprova que eu interfira. Nós prometemos... — Ela se interrompeu, depois o tom de voz mudou. — E você acha que Charlie não vai se importar por eu estar aqui? — perguntou, parecendo preocupada.

— Charlie acha você maravilhosa, Alice.

— Bom, isso nós estamos prestes a descobrir.

Com precisão, alguns segundos depois eu ouvi a viatura parar na entrada de carros. Dei um salto e corri para abrir a porta.

Charlie se arrastava devagar pela calçada, a cabeça baixa e os ombros caídos. Avancei para me encontrar com ele; ele só me viu quando abracei sua cintura. Ele retribuiu o abraço impetuosamente.

— Lamento muito por Harry, pai.

— Vou sentir muita saudade dele — murmurou Charlie.

— Como está Sue?

— Ela parece tonta, como se ainda não tivesse assimilado o fato. Sam vai ficar com ela... — O volume de sua voz diminuiu e sumiu. — Aquelas pobres crianças. Leah é só um ano mais velha do que você, e Seth só tem 14... — Ele sacudiu a cabeça.

Ele manteve os braços firmes em volta de mim quando voltou a andar rumo à porta.

— Hmmm, pai? — Achei melhor alertá-lo. — Não vai adivinhar quem está aqui.

Ele me olhou sem expressão. Virou a cabeça e viu o Mercedes do outro lado da rua, a luz da varanda refletida na pintura preta e reluzente. Antes que ele pudesse reagir, Alice estava na soleira da porta.

— Oi, Charlie — disse ela numa voz contida. — Desculpe por ter vindo em má hora.

— Alice Cullen? — Ele olhou a figura magra diante dele como se duvidasse do que seus olhos lhe diziam. — Alice, é você?

— Sou eu — confirmou ela. — Estava por perto.

— Carlisle está...?

— Não, estou sozinha.

Alice e eu sabíamos que ele na verdade não estava perguntando por Carlisle. O braço dele apertou mais forte meu ombro.

— Ela pode ficar aqui, não pode? — pedi. — Já convidei.

— Claro que sim — disse Charlie mecanicamente. — Adoraríamos se ficasse, Alice.

— Obrigada, Charlie. Sei que é um momento terrível.

— Não, está tudo bem. Vou ficar muito ocupado fazendo o que puder pela família de Harry; será ótimo para Bella ter alguma companhia.

— Tem jantar para você na mesa, pai — eu lhe disse.

— Obrigado, Bell. — Ele me abraçou mais uma vez antes de se arrastar para a cozinha.

Alice voltou ao sofá e eu a segui. Desta vez, foi ela quem me puxou para o seu ombro.

— Você parece cansada.

— É — concordei, e dei de ombros. — É isso que as experiências de quase-morte fazem comigo... E, então, o que Carlisle pensa de você estar aqui?

— Ele não sabe. Ele e Esme estavam numa viagem de caça. Vou saber dele daqui a alguns dias, quando ele voltar.

— Mas você não vai contar *a ele*... Quando ele aparecer de novo? — perguntei. Ela sabia que agora eu não estava falando de Carlisle.

— Não. Ele arrancaria minha cabeça — disse Alice, carrancuda.

Soltei uma risada, depois suspirei.

Não queria dormir. Queria ficar acordada a noite toda conversando com Alice. E para mim não fazia sentido estar cansada, depois de ter ficado o dia inteiro no sofá de Jacob. Mas o afogamento realmente *exigira* muito de mim, e meus olhos não iam ficar abertos. Pousei a cabeça em seu ombro de pedra e vaguei para um esquecimento mais tranqüilo do que eu podia esperar.

Acordei cedo, de um sono profundo e sem sonhos, sentindo-me descansada, porém tensa. Eu estava no sofá, enfiada sob os cobertores que colocara ali para Alice, e pude ouvi-la falando com Charlie na cozinha. Parecia que Charlie preparava o café-da-manhã para ela.

— Foi tão ruim, Charlie? — perguntou Alice de um modo delicado, e a princípio pensei que eles estivessem falando dos Clearwater.

Charlie suspirou.

— Muito ruim.

— Conte-me tudo. Quero saber exatamente o que aconteceu quando partimos.

Houve uma pausa enquanto uma porta de armário era fechada e um queimador era apagado no fogão. Esperei, encolhendo-me.

— Nunca me senti tão impotente — começou Charlie devagar. — Não sabia o que fazer. Aquela primeira semana... Pensei que ia ter que hospitalizá-la. Ela não comia nem bebia nada, não queria se mexer. O Dr. Gerandy despejava palavras como "catatônica", mas eu não o deixei subir para vê-la. Tive medo de que isso a assustasse.

— Ela superou?

— Pedi para Renée vir e levá-la para a Flórida. Eu simplesmente não queria ser o responsável... Se ela tivesse de ir para um hospital ou coisa assim. Pensei que ficar com a mãe a ajudaria. Mas quando começamos a guardar as roupas dela, ela despertou, agitadíssima. Nunca tinha visto Bella ter um ataque daquele. Ela nunca foi de ter acessos de raiva, mas, meu Deus, ficou furiosa. Atirava as roupas por toda parte e gritava que não podíamos obrigá-la a ir embora... E depois, enfim, começou a chorar. Pensei que aquele seria o momento da virada. Não discuti quando ela insistiu em ficar aqui... e ela parecia ter melhorado no começo...

Charlie parou. Era difícil ouvir aquilo, sabendo quanta dor eu causara a ele.

— Mas? — incitou Alice.

— Ela voltou à escola e ao trabalho, comia, dormia e fazia o dever de casa. Respondia quando alguém lhe fazia uma pergunta direta. Mas estava... vazia. Seus olhos eram inexpressivos. Havia um monte de pequenos detalhes... Ela não ouvia mais música; encontrei um monte de CDs quebrados no lixo. Ela não lia; não ficava na sala quando a tevê estava ligada, não que antes ela visse muita tevê. Finalmente eu entendi... Ela estava evitando tudo o que podia lembrá-la... dele.

Charlie continuou:

— Mal conversávamos; estava tão preocupado em dizer algo que a aborrecesse... Coisas mínimas a faziam se retrair... E ela nunca dizia nada espontaneamente. Só respondia se eu lhe fizesse uma pergunta. Ficava sozinha o tempo todo. Não retornava os telefonemas dos amigos e depois de um tempo eles pararam de ligar. Parecia a noite dos mortos-vivos aqui. Eu ainda a ouço gritando enquanto dorme...

Quase pude vê-lo tremendo. Também tremi, lembrando. E depois suspirei. Eu não o enganara em nada, nem por um segundo.

— Sinto muito, Charlie — disse Alice, a voz abatida.

— Não é culpa *sua*. — O modo como disse isso deixou perfeitamente claro que ele considerava alguém responsável. — Você sempre foi uma boa amiga para ela.

— Mas agora ela parece melhor.

— É. Desde que começou a passar o tempo com Jacob Black, percebi uma grande melhora. Ela tem alguma cor no rosto quando chega em casa, um pouco de luz nos olhos. Está mais feliz. — Ele parou e sua voz era diferente quando voltou a falar. — Ele é mais ou menos um ano mais novo do que ela, e sei que ela o considerava um amigo, mas acho que talvez agora haja algo mais, ou, de qualquer modo, que estejam indo nessa direção. — Charlie disse isso num tom quase hostil. Era um aviso, não para Alice, mas para que ela passasse adiante. — Jake é maduro para a idade dele — continuou, ainda na defensiva. — Ele cuida da saúde do pai como Bella cuidou da mãe emocionalmente. Isso o fez amadurecer. É também um garoto bonito... Herdou da mãe. Ele é bom para Bella, sabe — insistiu Charlie.

— Então é bom que ela o tenha — concordou Alice.

Charlie soltou um suspiro forte, logo frustrado pela ausência de oposição.

— Tudo bem, então talvez eu esteja exagerando. Eu não sei... Mesmo com Jacob, de vez em quando vejo alguma coisa nos olhos dela e me pergunto se cheguei a entender a dor que ela realmente sente. Não é normal, Alice, e isso... me assusta. Não é nada normal. Não é como se alguém... a tivesse deixado, mas como se tivesse morrido. — Sua voz falhou.

Era mesmo como se alguém tivesse morrido — como se *eu* tivesse morrido. Porque foi mais do que apenas perder o mais verdadeiro dos amores verdadeiros, como se isso não fosse o bastante para matar alguém. Também foi a perda de todo um futuro, de toda uma família — toda a vida que eu escolhera...

Charlie continuou num tom desesperançado.

— Não sei se ela vai superar... Não tenho certeza se é da natureza dela se curar de uma situação dessas. Ela sempre foi uma criaturinha decidida. Não deixa nada de lado, não muda de idéia.

— Ela é uma figura — concordou Alice com a voz seca.

— E, Alice... — Charlie hesitou. — Agora, você sabe como eu gosto de você, e sei que ela está feliz por vê-la, mas... fico meio preocupado com o que sua visita pode provocar nela.

— Eu também, Charlie, eu também. Eu não teria vindo se soubesse disso. Desculpe.

— Não se desculpe, querida. Quem sabe? Talvez seja bom para ela.

— Espero que tenha razão.

Houve uma longa pausa enquanto garfos raspavam em pratos e Charlie comia. Perguntei-me onde Alice estava escondendo sua comida.

— Alice, tenho que lhe fazer uma pergunta — disse Charlie, sem jeito.

Alice estava calma.

— Pode perguntar.

— Ele não virá visitá-la também, não é? — Pude ouvir a raiva reprimida na voz de Charlie.

Alice respondeu num tom suave e tranqüilizador.

— Ele nem sabe que estou aqui. Da última vez em que nos falamos, ele estava na América do Sul.

Enrijeci quando ouvi essa nova informação e fiquei mais atenta.

— Já é alguma coisa — bufou Charlie. — Bom, espero que ele esteja se divertindo.

Pela primeira vez a voz de Alice foi um tanto dura.

— Eu não faria suposições, Charlie.

Eu sabia como os olhos dela lampejavam quando ela usava esse tom.

Uma cadeira foi afastada da mesa, fazendo um som alto ao arrastar no piso. Imaginei Charlie se levantando; não seria possível Alice fazer um barulho daqueles. A torneira foi aberta, esparramando água num prato.

Não parecia que eles iam falar mais sobre Edward, então concluí que estava na hora de acordar.

Eu me virei, balançando-me nas molas para que elas guinchassem. Depois bocejei alto.

Tudo ficou em silêncio na cozinha.

Eu me espreguicei e gemi.

— Alice? — perguntei com inocência; minha garganta inflamada ajudou muito na cena.

— Estou na cozinha, Bella — Alice respondeu, sem que a voz sugerisse qualquer suspeita de que eu os estivesse ouvindo. Mas ela sabia esconder esse tipo de coisa.

Charlie então teve de ir embora — ele estava ajudando Sue Clearwater com os preparativos do enterro. Teria sido um longo dia sem Alice. Ela não falava em partir e eu não perguntei nada. Eu sabia que era inevitável, mas tirei isso de minha cabeça.

Em vez disso, conversamos sobre a família dela — sobre todos, menos um.

Carlisle estava trabalhando à noite em Ithaca e ensinando em meio expediente em Cornell. Esme restaurava uma casa do século XVII, Emmett e

Rosalie haviam ido à Europa passar alguns meses em outra lua-de-mel, mas voltariam logo. Jasper também estava em Cornell, desta vez estudando filosofia. E Alice fazia alguma pesquisa pessoal, relacionada com as informações que por acaso eu lhe revelara na primavera passada. Ela conseguira localizar o sanatório onde passou os últimos anos de sua vida humana. A vida de que não tinha lembrança alguma.

— Meu nome era Mary Alice Brandon — disse-me em voz baixa. — Eu tinha uma irmã chamada Cynthia. A filha dela... minha sobrinha... ainda está viva em Biloxi.

— Descobriu por que eles a colocaram... naquele lugar? — O que leva os pais a um extremo desses? Mesmo que a filha tivesse visões do futuro...

Ela se limitou a sacudir a cabeça, os olhos cor de topázio pensativos.

— Não descobri muito sobre eles. Vi todos os jornais antigos em microfilmes. Minha família não era mencionada com freqüência; eles não faziam parte do círculo social que chegava aos jornais. O noivado de meus pais estava lá, e o de Cynthia. — O nome saiu com insegurança de sua boca. — Meu nascimento foi anunciado... e minha morte. Encontrei meu túmulo. Também roubei minha ficha de admissão dos arquivos do antigo sanatório. A data de admissão e a data em minha lápide são as mesmas.

Eu não sabia o que dizer e depois de uma curta pausa Alice passou a temas mais leves.

Os Cullen agora haviam se reagrupado, com uma exceção, e estavam passando em Denali as férias de primavera de Cornell, com Tanya e sua família. Ouvi com ansiedade exagerada até as notícias mais banais. Ela nunca falou naquele em que eu estava mais interessada, e fiquei grata por isso. Já era o bastante ouvir as histórias da família à qual sonhei pertencer.

Charlie só voltou depois do anoitecer e parecia mais cansado do que na noite anterior. Ele teria de voltar à reserva de manhã, na primeira hora, para o enterro de Harry, então foi dormir cedo. Eu fiquei no sofá com Alice de novo.

Charlie estava quase irreconhecível quando desceu a escada antes de o sol nascer, vestindo um terno antigo que eu nunca o vira usar. O paletó estava aberto; imaginei que era apertado demais para que ele o abotoasse. Sua gravata era um pouco larga para o estilo atual. Ele foi para a porta na ponta dos pés, tentando não nos acordar. Eu o deixei sair, fingindo que dormia, como Alice fez na poltrona.

Assim que ele saiu, Alice se sentou. Sob a manta, ela estava vestida, pronta para sair.

— E, então, o que vamos fazer hoje? — perguntou ela.

— Não sei... Vê alguma coisa interessante acontecendo?

Ela sorriu e sacudiu a cabeça.

— Mas ainda é cedo.

O tempo todo que passei em La Push representou um monte de negligências em casa, e decidi colocar meus deveres em dia. Eu queria fazer algo, qualquer coisa que facilitasse mais a vida de Charlie — talvez ele se sentisse um pouco melhor ao voltar para uma casa limpa e organizada. Comecei pelo banheiro — era o cômodo que mostrava os maiores sinais de desleixo.

Enquanto eu trabalhava, Alice ficou encostada na soleira da porta e fazia perguntas indiferentes sobre meus, bom, *nossos* amigos da escola e o que eles andaram aprontando desde que ela fora embora. Seu rosto era despreocupado e não tinha emoções, mas senti sua reprovação quando ela percebeu que eu pouco podia contar. Ou talvez eu só estivesse com a consciência pesada depois de ouvir a conversa dela com Charlie na manhã do dia anterior.

Eu estava literalmente até os cotovelos em desinfetante, esfregando o chão do banheiro, quando a campainha tocou.

Olhei na mesma hora para Alice e sua expressão era perplexa, quase preocupada, o que era estranho; Alice jamais era pega de surpresa.

— Já vai! — gritei na direção da porta, levantando-me e correndo para a pia a fim de lavar meus braços.

— Bella — disse Alice com um vestígio de frustração na voz. — Tenho um bom palpite de quem seja e acho que é melhor eu ir embora.

— Palpite? — repeti. Desde quando Alice tinha palpites?

— Se esta é uma repetição de meu lapso extraordinário de previsão de ontem, então é mais provável que seja Jacob Black ou um dos... amigos dele.

Olhei para ela, entendendo tudo.

— Você não consegue *ver* os lobisomens?

Ela fez uma careta.

— É o que parece. — Ela estava obviamente irritada com esse fato, *muito* irritada.

A campainha tocou de novo — duas vezes mais rápida e mais impaciente.

— Não tem que ir a lugar nenhum, Alice. Você chegou aqui primeiro.

Ela soltou seu riso baixo prateado — tinha um tom sombrio.

— Confie em mim... Não seria uma boa idéia ter Jacob Black e eu no mesmo ambiente.

Ela me deu um beijo no rosto rapidamente antes de desaparecer pela porta do quarto de Charlie — e pela janela dos fundos, sem dúvida.

A campainha tocou outra vez.

18. O ENTERRO

DESCI A ESCADA CORRENDO E ABRI A PORTA NUM ROMPANTE.

Era Jacob, é claro. Mesmo sem ver, Alice era rápida.

Ele estava parado a uns dois metros da porta, o nariz franzido de nojo, mas seu rosto era tranqüilo — como uma máscara. Ele não me enganava; eu podia ver o leve tremor de suas mãos.

A hostilidade rolava dele em ondas. Trouxe a lembrança daquela tarde medonha em que ele preferiu Sam a mim, e eu senti meu queixo empinar numa reação defensiva.

O Rabbit de Jacob estava em ponto morto junto ao meio-fio, com Jared ao volante e Embry no banco do carona. Entendi o que isso significava; eles tinham medo de deixá-lo vir aqui sozinho. Isso me deixou triste e um pouco irritada. Os Cullen não eram assim.

— Oi — eu disse por fim, uma vez que ele não falou nada.

Jake franziu os lábios, ainda afastado da porta. Seus olhos faiscavam pela frente da casa.

Eu cerrei os dentes.

— Ela não está aqui. Precisa de alguma coisa?

Ele hesitou.

— Você está sozinha?

— Estou. — Eu suspirei.

— Posso falar com você um minutinho?

— *É claro* que você pode, Jacob. Entre.

Jacob olhou por sobre o ombro para os amigos no carro. Vi Embry sacudir a cabeça um pouquinho. Por algum motivo, isso me irritou profundamente.

Meus dentes trincaram de novo.

— *Covarde* — murmurei.

Os olhos de Jake faiscaram para mim, as sobrancelhas grossas e pretas unindo-se num ângulo furioso acima dos olhos fundos. Seu queixo empinou e ele marchou — não havia outra maneira de descrever seu movimento — pela calçada, esbarrando em mim ao passar pela porta.

Troquei um olhar com Jared e depois com Embry antes de fechar a porta para eles. Eu não gostava do modo severo como me olhavam; eles realmente pensavam que eu deixaria algo machucar Jacob?

Jacob estava no corredor atrás de mim, olhando a bagunça de lençóis na sala de estar.

— Festinha do pijama? — perguntou ele, num tom sarcástico.

— É — respondi com o mesmo nível de acidez. Eu não gostava de Jacob quando ele agia assim. — O que você tem a ver com isso?

Ele franziu o nariz de novo como se sentisse um cheiro desagradável.

— Onde está sua "amiga"? — Pude ouvir as aspas em seu tom de voz.

— Ela teve algumas coisas para fazer. Olhe, Jacob, o que você quer?

Algo na sala parecia deixá-lo mais tenso — seus braços compridos tremiam. Ele não respondeu à minha pergunta. Em vez disso, foi até a cozinha, os olhos inquietos disparando para todo lado.

Eu o segui. Ele andava de um lado para outro junto à pequena bancada.

— Ei — eu disse, colocando-me no caminho dele. Ele parou de andar e me olhou de cima. — Qual é o seu problema?

— Não me agrada ter vindo aqui.

Isso me magoou. Eu estremeci e os olhos dele se endureceram.

— Então lamento que tenha vindo — murmurei. — Por que não me diz de que precisa? Assim pode ir embora.

— Só tenho que lhe fazer algumas perguntas. Não vai demorar muito. Temos que voltar para o enterro.

— Tudo bem. Vamos acabar com isso, então. — Eu devia estar exagerando com o antagonismo, mas não queria que ele visse o quanto aquilo me magoava. Eu sabia que não estava sendo justa. Afinal, eu escolhera a *sanguessuga* em detrimento dele na noite anterior. Eu o magoara primeiro.

Ele respirou fundo e seus dedos trêmulos de repente ficaram imóveis. Seu rosto se suavizou numa máscara de serenidade.

— Um dos Cullen está aqui com você — declarou ele.

— Sim. Alice Cullen.

Ele assentiu, pensativo.

— Quanto tempo ela vai ficar?

— O tempo que ela quiser. — A beligerância ainda estava em minha voz. — É um convite em aberto.

— Você acha que poderia... por favor... explicar a ela sobre a outra... Victoria?

Eu empalideci.

— Já contei a ela sobre isso.

Ele assentiu.

— Precisa saber que só podemos vigiar nosso próprio território com uma Cullen aqui. Você só ficará segura em La Push. Não posso mais protegê-la aqui.

— Tudo bem — eu disse em voz baixa.

Ele desviou os olhos, fitando a janela dos fundos. Não disse mais nada.

— É só isso?

Ele respondeu com os olhos fixos na janela.

— Só mais uma coisa.

Eu esperei, mas Jacob não continuou.

— Sim? — incitei finalmente.

— Os outros vão voltar? — perguntou ele num tom frio e tranqüilo. Lembrou-me das maneiras sempre calmas de Sam. Jacob estava ficando mais parecido com Sam... Perguntei-me por que isso me incomodava tanto.

Agora quem não disse nada fui *eu*. Ele olhou de novo para mim, perscrutando-me.

— E então? — perguntou. Jacob lutava para esconder a tensão por trás de sua expressão serena.

— Não. — Eu disse por fim. De má vontade. — Eles não vão voltar.

A expressão dele não mudou.

— Tudo bem. É só isso.

Olhei para ele, a irritação reacesa.

— Bom, pode ir correndo. Vá dizer a Sam que os monstros apavorantes não vão voltar para pegar vocês.

— Tudo bem — repetiu ele, ainda calmo.

Aquilo pareceu bastar. Jacob saiu rapidamente da cozinha. Esperei ouvir a porta da frente se abrir, mas nada. Eu podia ouvir o relógio acima do fogão e outra vez fiquei maravilhada com o quão silencioso ele podia ser.

Que desastre! Como pude perdê-lo tão completamente em tão pouco tempo?

Será que ele me perdoaria quando Alice fosse embora? E se não perdoasse?

Encostei-me na bancada e enterrei o rosto nas mãos. Como pudera criar essa confusão toda? Mas o que eu teria feito de diferente? Mesmo percebendo isso agora, eu não podia pensar numa maneira melhor, em nenhuma atitude melhor.

— Bella...? — perguntou Jacob numa voz trêmula.

Tirei o rosto das mãos ao ver Jacob hesitando na soleira da porta da cozinha; ele não fora embora, como eu havia pensado. Só quando vi as gotas claras cintilando em minhas mãos foi que percebi que estava chorando.

A expressão calma de Jacob se fora; sua face era angustiada e insegura. Ele voltou depressa e se colocou na minha frente, baixando a cabeça para que seus olhos ficassem na altura dos meus.

— Eu fiz de novo, não foi?

— Fez o quê? — perguntei, a voz rouca.

— Quebrei minha promessa. Desculpe.

— Tudo bem — murmurei. — Desta vez quem começou fui eu.

Seu rosto se retorceu.

— Eu sabia como você se sentia com relação a isso. Não devia ter me surpreendido em nada.

Eu podia ver a revolta em seus olhos. Eu queria explicar como Alice realmente era, defendê-la contra as críticas que ele fazia, mas algo me avisou que esse não era o momento oportuno.

— Desculpe — limitei-me a dizer de novo.

— Não vamos nos preocupar com isso, está bem? Ela só está de visita, não é? Ela vai embora e tudo voltará ao normal.

— Não posso ser amiga dos dois ao mesmo tempo? — perguntei, minha voz sem esconder nem um grama da mágoa que eu sentia.

Ele sacudiu a cabeça devagar.

— Não, acho que não pode.

Funguei e olhei seus pés grandes.

— Mas você vai esperar, não vai? Ainda será meu amigo, mesmo que eu também ame Alice?

Não olhei para seu rosto, com medo de ver o que ele achava desta última parte. Ele levou um minuto para responder, então eu provavelmente tivera razão em não olhar.

— É, sempre serei seu amigo — disse ele num tom ríspido. — Independentemente de quem você ame.

— Promete?

— Prometo.

Senti os braços dele me envolvendo e me encostei em seu peito, ainda fungando.

— Que situação chata.

— É. — Depois ele cheirou meu cabelo e disse: — Ai.

— *O quê?* — perguntei. Olhei para ele e vi que seu nariz estava franzido de novo. — Por que todo mundo fica fazendo isso comigo? Eu não estou fedendo!

Ele sorriu um pouco.

— Está sim... Está fedendo a *eles*. Eca. Tão doce... enjoativo de tão doce. E... gelado. Queima meu nariz.

— É mesmo? — Isso era estranho. Alice tinha um cheiro extraordinariamente maravilhoso. Para uma humana, pelo menos. — Mas, então, por que Alice também acha que estou fedendo?

Com esta, seu sorriso desapareceu.

— Arrã. Talvez eu não tenha um cheiro bom para ela também. Arrã.

— Bom, vocês dois têm um cheiro ótimo para mim. — Pousei a cabeça nele de novo. Eu ia sentir uma falta terrível de Jacob quando ele saísse. Era um beco sem saída desagradável. Por um lado, eu queria que Alice ficasse para sempre. Eu ia morrer, metaforicamente, quando ela me deixasse. Mas como poderia continuar vivendo sem ver Jake nem por um minuto que fosse? *Que confusão*, pensei de novo.

— Vou sentir sua falta — sussurrou Jacob, ecoando meus pensamentos. — A cada minuto. Espero que ela vá embora logo.

— Não precisa ser assim, Jake.

Ele suspirou.

— Sim, precisa, Bella. Você... a ama. Então é melhor que eu não esteja perto dela. Não sei se sou controlado o suficiente para lidar com isso. Sam ficaria louco se eu quebrasse o pacto e... — sua voz ficou sarcástica — você, provavelmente, não ia gostar muito se eu matasse sua amiga.

Afastei-me de Jacob quando ele disse isso, mas ele só estreitou os braços, recusando-se a me deixar escapar.

— Não tem sentido evitar a verdade. É assim que as coisas são, Bells.

— Eu *não* gosto do jeito como as coisas são.

Jacob libertou um braço para colocar a mão grande e castanha sob meu queixo e me fazer olhar para ele.

— É. Era mais fácil quando nós dois éramos humanos, não era?

Eu suspirei.

Ficamos nos olhando por um longo momento. A mão dele queimava em minha pele. Em meu rosto, eu sabia que não havia nada além de uma tristeza suplicante — eu não queria ter de dizer adeus agora, mesmo que por pouco tempo. No início seu rosto refletiu o meu, mas depois, como nenhum de nós desviava os olhos, sua expressão mudou.

Ele me soltou, erguendo a outra mão para passar a ponta dos dedos em meu rosto, descendo-os até meu queixo. Eu podia sentir seus dedos tremerem — desta vez, não de raiva. Ele colocou a palma em minha bochecha, para que meu rosto ficasse preso entre suas mãos ardentes.

— Bella — sussurrou ele.

Fiquei paralisada.

Não! Eu ainda não havia tomado essa decisão. Não sabia se podia fazer isso e agora estava sem tempo para pensar. Mas eu seria uma tola se pensasse que rejeitá-lo naquele momento não teria conseqüências.

Eu o fitava. Ele não era o *meu* Jacob, mas podia ser. Seu rosto era familiar e adorado. De muitas maneiras verdadeiras, eu o amava. Ele era meu conforto, meu porto seguro. Naquele exato momento, eu preferia que ele me pertencesse.

Alice havia voltado por um tempo, mas isso não mudara nada. O verdadeiro amor estava perdido para sempre. O príncipe nunca voltaria para me despertar de meu sono encantado com um beijo. Eu não era uma princesa, afinal. Então, o que dizia o protocolo dos contos de fadas sobre *outros* beijos? Do tipo comum, que não quebra feitiços?

Talvez fosse fácil — como segurar a mão dele ou ter seus braços me envolvendo. Talvez fosse ótimo. Talvez não fosse uma traição. Além disso, a quem eu estava traindo, aliás? Só a mim mesma.

Sem tirar os olhos dos meus, Jacob começou a inclinar a cabeça para mim. E eu ainda estava absolutamente indecisa.

O toque agudo do telefone nos fez pular, mas não interrompeu seu foco. Ele tirou a mão de sob meu queixo e estendeu o braço para pegar o fone, mas ainda segurava meu rosto com firmeza, a mão em minha bochecha. Seus olhos escuros não deixavam os meus. Eu estava desnorteada demais para reagir, até para tirar proveito da distração.

— Residência dos Swan — disse Jacob, a voz rouca baixa e intensa.

Alguém respondeu e Jacob mudou num instante. Ele se endireitou e sua mão largou meu rosto. Os olhos ficaram apáticos, a face inexpressiva, e eu teria apostado o que restava de meu magro fundo da universidade como era Alice.

Recuperei-me e estendi a mão para o fone. Jacob me ignorou.

— Ele não está — disse Jacob, e as palavras eram ameaçadoras.

Houve uma resposta muito curta, um pedido por mais informações, ao que parecia, porque ele acrescentou, de má vontade:

— No enterro.

Depois Jacob desligou o telefone.

— Maldito sanguessuga — murmurou ele. O rosto que se voltou para mim era a máscara amargurada de novo.

— Você desligou na cara de quem? — eu disse, furiosa. — Na *minha* casa e no *meu* telefone?

— Calma! Ele é que desligou na minha cara!

— Ele? Quem era?!

Ele escarneceu do título.

— O *Dr.* Carlisle Cullen.

— Por que não me deixou falar com ele?!

— Ele não perguntou por você — disse Jacob com frieza. Seu rosto era suave e inexpressivo, mas as mãos tremiam. — Ele perguntou onde Charlie estava e eu respondi. Não acho que tenha quebrado alguma regra de etiqueta.

— Agora olhe aqui, Jacob Black...

Mas era óbvio que ele não estava ouvindo. Olhou rapidamente por sobre o ombro, como se alguém tivesse chamado seu nome de outro cômodo. Seus olhos se arregalaram e o corpo enrijeceu, depois ele começou a tremer. Procurei escutar também, automaticamente, mas nada ouvi.

— Tchau, Bells — cuspiu ele e disparou para a porta da frente.

Fui atrás dele.

— O que é?

Depois esbarrei em Jacob, enquanto ele se virava de volta, xingando em voz baixa. Ele girou de novo, chocando-se comigo de lado. Eu cambaleei e caí no chão, minhas pernas enroscadas nas dele.

— Mas que droga! — protestei enquanto ele libertava as pernas às pressas, uma de cada vez.

Lutei para me levantar enquanto ele disparava para a porta dos fundos; de repente ele ficou paralisado de novo.

Alice estava imóvel ao pé da escada.

— Bella — engasgou-se.

Levantei-me vacilante e corri para o lado dela. Seus olhos eram aturdidos e distantes, a face contorcida e mais branca do que osso. Seu corpo magro tremia com um turbilhão íntimo.

— Alice, qual é o problema? — gritei. Coloquei as mãos em seu rosto, tentando acalmá-la.

Seus olhos focalizaram os meus abruptamente, arregalados de dor.

— Edward — foi só o que ela sussurrou.

Meu corpo reagiu mais rápido do que minha mente podia acompanhar com as implicações da resposta de Alice. De início não entendi por que a sala girava, nem de onde vinha o rugido oco em meus ouvidos. Minha mente se esforçava, incapaz de encontrar sentido no rosto triste de Alice e em como aquilo podia ter alguma relação com Edward, enquanto meu corpo já oscilava, buscando o alívio do inconsciente antes que a realidade pudesse me atingir.

A escada entortou num ângulo estranho.

A voz furiosa de Jacob de repente estava em meu ouvido, sibilando um jorro de blasfêmias. Senti uma vaga reprovação. Os novos amigos dele claramente eram má influência.

Eu estava no sofá sem entender como conseguira chegar lá e Jacob ainda xingava. Parecia que havia um terremoto — o sofá tremia debaixo de mim.

— O que você fez com ela? — perguntou ele.

Alice o ignorou.

— Bella? Bella, pare com isso. Precisamos correr.

— Fique longe daqui — alertou Jacob.

— Calma, Jacob Black — ordenou Alice. — Não vai querer fazer isso tão perto dela.

— Não acho que terei problemas para manter o foco — retorquiu ele, mas sua voz parecia um pouco mais fria.

— Alice? — Minha voz era fraca. — O que houve? — perguntei, embora não quisesse ouvir.

— Não sei — gemeu ela de repente. — O que ele está pensando?!

Lutei para me levantar, apesar da vertigem. Percebi que era o braço de Jacob que agarrara para me equilibrar. Era ele que tremia, não o sofá.

Alice pegava um pequeno celular prateado na bolsa quando meus olhos voltaram a focalizá-la. Seus dedos discaram os números tão rápido que foi como um borrão.

— Rose, preciso falar com Carlisle *agora*. — Sua voz cuspia rápido as palavras. — Tudo bem, assim que ele voltar. Não, estarei num avião. Olhe, soube alguma notícia de Edward?

Alice fez uma pausa, ouvindo com uma expressão que ficava mais horrorizada a cada segundo. Sua boca se abriu num pequeno "O" de pavor e o telefone tremeu em sua mão.

— Por quê? — ofegou ela. — *Por que* você fez isso, Rosalie?

Qualquer que tenha sido a resposta, fez seu queixo endurecer de raiva. Seus olhos faiscaram e se estreitaram.

— Bom, mas você está errada nos dois sentidos, Rosalie, então isso é um problema, não acha? — perguntou ela com acidez. — Sim, ela está bem. Ela está absolutamente bem... Eu estava errada... É uma longa história... Mas você errou nessa parte também e é por isso que estou ligando... Sim, foi exatamente o que eu vi.

A voz de Alice era muito dura e seus lábios estavam repuxados.

— É meio tarde para isso agora, Rose. Poupe seu remorso para alguém que acredite nele. — Alice desligou o telefone com um giro rápido dos dedos.

Seus olhos estavam torturados quando ela se virou para mim.

— Alice — eu disse logo. Ainda não podia deixá-la falar. Eu precisava de mais alguns segundos antes que ela falasse e suas palavras destruíssem o que restava de minha vida. — Alice, Carlisle voltou. Ele ligou antes...

Ela me olhou, confusa.

— Há quanto tempo? — perguntou numa voz seca.

— Meio minuto antes de você aparecer.

— O que ele disse? — Ela agora estava concentrada, esperando por minha resposta.

— Eu não falei com ele. — Meus olhos voltaram-se para Jacob.

Alice virou seu olhar penetrante para ele. Ele se encolheu, mas sustentou sua posição a meu lado. Jacob se sentou, desajeitado, quase como se estivesse tentando me proteger com o corpo.

— Ele perguntou por Charlie e eu disse que Charlie não estava aqui — murmurou Jacob, com ressentimento.

— Só isso? — perguntou Alice, a voz como gelo.

— Depois ele desligou na minha cara — cuspiu Jacob. Um tremor desceu por sua coluna, fazendo-me tremer com ele.

— Você disse que Charlie estava no enterro — lembrei a ele.

Alice virou a cabeça rapidamente para mim.

— Quais foram suas palavras exatas?

— Ele disse: "Ele não está", e quando Carlisle perguntou onde Charlie estava, Jacob respondeu: "No enterro."

Alice gemeu e caiu de joelhos.

— Me diga, Alice — sussurrei.

— Não era Carlisle ao telefone — disse ela de um jeito desamparado.

— Está me chamando de mentiroso? — rosnou Jacob ao meu lado.

Alice o ignorou, concentrando-se em meu rosto perplexo.

— Era Edward. — As palavras eram só um sussurro sufocado. — Ele acha que você está morta.

Minha cabeça começou a funcionar de novo. As palavras não eram as que eu temia e o alívio clareou minha mente.

— Rosalie disse a ele que eu me matei, não foi? — eu disse, suspirando enquanto relaxava.

— Sim — admitiu Alice, os olhos faiscando severos de novo. — Preciso ressaltar que ela acreditava nisso. Eles confiaram demais na minha visão, numa habilidade que é tão imperfeita. Mas ela o localizou para contar isso a ele! Será que ela não percebeu... nem se importou...? — Sua voz sumiu de horror.

— E quando Edward ligou para cá, pensou que Jacob estivesse se referindo ao *meu* enterro — percebi. Doeu saber o quanto eu estivera perto, só a centímetros de sua voz. Cravei minhas unhas no braço de Jacob, mas ele nem pestanejou.

Alice olhou de um jeito estranho para mim.

— Você não está perturbada — sussurrou ela.

— Bom, o momento é horrível, mas tudo isso pode ser consertado. Da próxima vez que ele ligar, alguém dirá a ele... o que... na verdade... — eu parei. Seu olhar estrangulou as palavras em minha garganta.

Por que ela estava em tal pânico? Por que seu rosto se retorcia agora de piedade e pavor? O que foi que ela dissera a Rosalie ao telefone agora mesmo? Alguma coisa sobre ela ter visto... E o remorso de Rosalie; Rosalie nunca sentiria remorso por nada que acontecesse comigo. Mas se ela magoasse a família, se magoasse o irmão...

— Bella — sussurrou Alice. — Edward não vai ligar de novo. Ele acreditou nela.

— Eu. Não. Entendo. — Minha boca compôs cada palavra em silêncio. Eu não conseguia colocar o ar para fora e realmente pronunciar as palavras que a fariam explicar o que queria dizer.

— Ele foi para a Itália.

Levei uma batida do coração para entender.

Quando a voz de Edward me voltou agora, não era a imitação perfeita de minhas ilusões. Era só o tom fraco e apático de minhas lembranças. Mas as palavras, sozinhas, foram suficientes para despedaçar meu peito e deixar o buraco aberto. Palavras de uma época em que eu teria apostado tudo o que tivesse ou conseguisse no fato de que ele me amava.

Bem, eu não ia viver sem você, dissera ele enquanto víamos Romeu e Julieta morrendo, aqui, nesta mesma sala. *Mas não tinha certeza de como fazer... Eu sabia que Emmett e Jasper não me ajudariam... Então pensei em talvez ir à Itália e fazer algo para provocar os Volturi... Não se deve irritar os Volturi. A não ser que se queira morrer...*

A não ser que se queira morrer.

— NÃO! — A negação aos gritos foi tão alta depois das palavras sussurradas que todos nós pulamos. Senti o sangue disparar para meu rosto ao perceber o que ela vira. — Não! Não, não, não! Ele não pode! Não pode fazer isso!

— Ele se decidiu assim que seu amigo confirmou que era tarde demais para salvar você.

— Mas ele... Ele *foi embora*! Ele não me queria mais! Que diferença isso faz agora? Ele sabia que um dia eu ia morrer!

— Não acho que ele tenha planejado viver muito tempo após sua morte — disse Alice em voz baixa.

— Como ele *se atreve*! — gritei. Agora eu estava de pé, e Jacob se levantou inseguro para se colocar entre mim e Alice de novo.

— Ah, saia da minha frente, Jacob! — Abri caminho a cotoveladas por seu corpo trêmulo com uma impaciência desesperada. — O que vamos fazer? — perguntei a Alice. Deveria haver alguma coisa. — Não podemos ligar para ele? Carlisle não pode?

Ela sacudia a cabeça.

— Esta foi a primeira coisa que tentei. Ele largou o telefone numa lata de lixo no Rio de Janeiro... Alguém atendeu... — ela sussurrou.

— Você antes disse que tínhamos que correr. Correr como? Vamos fazer logo, seja lá o que for!

— Bella, eu... eu não acho que possa pedir a você para... — Ela parou de falar, indecisa.

— Peça! — exigi.

Ela pôs as mãos em meus ombros, segurando-me, os dedos flexionando-se a intervalos para destacar suas palavras.

— Pode ser tarde demais para nós. Eu o vi indo aos Volturi... e pedindo para morrer. — Nós duas nos encolhemos, e meus olhos de repente ficaram cegos. Pisquei febrilmente para as lágrimas. — Tudo depende do que eles decidirem. Não consigo ver nada até que eles tomem uma decisão. Mas se eles disserem "Não", e eles podem fazer isso... Aro gosta de Carlisle e não vão querer ofendê-lo... Edward tem um plano B. Eles protegem muito a cidade deles. Se Edward fizer algo para perturbar a paz, ele acha que vão tentar impedi-lo. E tem razão. Eles vão mesmo.

Encarei-a com o queixo cerrado de frustração. Eu ainda não ouvira nada que explicasse por que ainda estávamos paradas ali.

— Assim, se eles concordarem em fazer esse favor a Edward, já é tarde demais para nós. Se eles disserem "Não" e ele pensar num plano para irritá-los rapidamente, será tarde demais para nós. Se ele ceder a suas tendências mais teatrais... Talvez tenhamos tempo.

— Vamos!

— Preste atenção, Bella! Quer tenhamos tempo ou não, estaremos no meio da cidade dos Volturi. Seremos consideradas cúmplices dele se ele for bem-sucedido. Você será uma humana que não só sabe demais, mas que também tem um cheiro bom demais. Há uma boa possibilidade de que eles eliminem todos nós... Bem, no seu caso, não será tanto uma punição, mas o jantar.

— É isso que está nos prendendo aqui? — perguntei, incrédula. — Eu vou sozinha, se você estiver com medo. — Calculei mentalmente quanto dinheiro restava em minha conta e me perguntei se Alice me emprestaria o restante.

— Só tenho medo de provocar sua morte.

Eu bufei de asco.

— Eu quase me matei diariamente! Me diga o que precisamos fazer!

— Escreva um bilhete para Charlie. Vou ligar para a companhia aérea.

— Charlie — ofeguei.

Não que minha presença o estivesse protegendo, mas eu poderia deixá-lo sozinho para enfrentar...

— Não vou deixar que nada aconteça a Charlie — a voz grave de Jacob era ríspida e irritada. — O pacto que se dane.

Olhei para ele, que fez uma cara feia para minha expressão de pânico.

— Rápido, Bella — interrompeu Alice com urgência.

Corri até a cozinha, puxando as gavetas e atirando o conteúdo pelo chão ao procurar uma caneta. Uma mão morena e macia estendia uma para mim.

— Obrigada — murmurei, tirando a tampa com os dentes. Ele me passou em silêncio um bloco de papel onde anotávamos os recados telefônicos. Arranquei a folha de cima e atirei o bloco por sobre o ombro.

Pai, escrevi. *Estou com Alice. Edward está com problemas. Pode me colocar de castigo quando eu voltar. Sei que é uma péssima hora. Me perdoe. Te amo muito. Bella.*

— Não vá — sussurrou Jacob. A raiva desaparecera completamente, agora que Alice estava fora de vista.

Eu não ia perder tempo discutindo com ele.

— Por favor, por favor, *por favor*, cuide de Charlie — eu disse enquanto voltava às pressas para a porta da frente. Alice esperava na soleira com uma bolsa no ombro.

— Pegue sua carteira... Vai precisar da identidade. *Por favor*, me diga que tem passaporte. Não tenho tempo para falsificar um.

Eu assenti e corri escada acima, meus joelhos fracos de gratidão por minha mãe ter pensado em se casar com Phil numa praia do México. É claro que, como todos os planos que ela fazia, esse fora um completo fracasso. Mas não antes de eu fazer todos os preparativos práticos que podia por ela.

Entrei em meu quarto. Enfiei na mochila minha carteira velha, uma camiseta limpa e moletons, depois atirei minha escova de dentes por cima. Corri de volta pela escada. A sensação de *déjà vu* a essa altura era quase sufocante. Pelo menos, ao contrário da última vez — quando fugi de Forks para *escapar* de vampiros sedentos ao invés de *encontrá-los* —, eu não tive de dizer adeus a Charlie pessoalmente.

Jacob e Alice estavam presos em algum tipo de confronto diante da porta aberta, tão separados ali que a princípio não se pensaria que estavam conversando. Nenhum dos dois pareceu perceber meu reaparecimento ruidoso.

— Você pode se controlar de vez em quando, mas esses sanguessugas de onde a está levando... — Jacob a acusava furiosamente.

— Sim. Tem razão, cachorro. — Alice também rosnava. — Os Volturi são a essência de nossa espécie... São o motivo para seus pêlos se eriçarem quando você sente meu cheiro. Eles são a substância de seus pesadelos, o pavor por trás de seus instintos. Não estou alheia a isso.

— E vai levá-la para eles como uma garrafa de vinho a uma festa! — gritou ele.

— Acha que ela vai ficar melhor aqui sozinha, com Victoria em seu encalço?

— Podemos cuidar da ruiva.

— Então por que ela ainda está caçando?

Jacob rosnou e um tremor percorreu seu corpo.

— Parem com isso! — gritei para os dois, louca de impaciência. — Discutam quando voltarmos, agora vamos!

Alice virou-se para o carro, desaparecendo em sua pressa. Eu corri atrás dela, parando automaticamente para me virar e olhar a porta.

Jacob pegou meu braço com a mão trêmula.

— Por favor, Bella. Estou pedindo.

Seus olhos escuros cintilavam de lágrimas. Um nó tomou minha garganta.

— Jake, eu *tenho* que...

— Não tem, não. Não tem mesmo. Pode ficar aqui comigo. Pode ficar viva. Por Charlie. Por mim.

O motor do Mercedes de Carlisle ronronava; o ritmo aumentou quando Alice o acelerou com impaciência.

Sacudi a cabeça, as lágrimas caindo de meus olhos com o movimento súbito. Soltei meu braço e ele não me impediu.

— Não morra, Bella — ele disse, engasgado. — Não vá. Não.

E se eu nunca mais o visse?

A idéia venceu minhas lágrimas silenciosas; um choro irrompeu de meu peito. Atirei os braços em sua cintura e o abracei por um momento curto demais, enterrando a cara molhada de lágrimas em seu peito. Ele pôs a mão em minha nuca, como que para me prender ali.

— Tchau, Jake. — Tirei sua mão de meu cabelo e beijei a palma. Não suportava olhar seu rosto. — Desculpe — sussurrei.

Depois me virei e corri para o carro. A porta do banco do carona estava aberta à espera. Atirei minha mochila por sobre o apoio de cabeça e entrei, batendo a porta.

— Cuide de Charlie! — Eu me virei para gritar para o vento, mas Jacob não estava mais à vista. Enquanto Alice pisava no acelerador e, com os pneus cantando feito gritos humanos, manobrava o carro na rua, vi um fragmento branco junto à margem do bosque. Um pedaço de sapato.

19. CORRIDA

Chegamos a nosso vôo com segundos de folga, e então a tortura começou. O avião permaneceu na pista enquanto as comissárias de bordo andavam — com muita despreocupação — de um lado a outro do corredor, dando tapinhas nas malas no compartimento no alto para se assegurar de que estava tudo ajustado. Os pilotos inclinaram-se para fora da cabine, conversando com elas quando passaram. A mão de Alice era dura em meu ombro, segurando-me em meu lugar enquanto eu quicava ansiosa na poltrona.

— É mais rápido do que correr — lembrou-me ela numa voz baixa.

Eu só assenti no ritmo de meu balanço.

Enfim o avião saiu preguiçosamente do portão, ganhando velocidade com uma constância gradual que me torturou ainda mais. Eu esperava algum tipo de alívio quando chegamos à decolagem, mas minha impaciência frenética não se atenuou.

Alice ergueu o telefone no encosto da poltrona da frente antes que terminássemos de subir, dando as costas para as comissárias que a olhavam com reprovação. Algo na expressão dela impediu que as comissárias de bordo viessem protestar.

Tentei não sintonizar no que Alice murmurava com Jasper; eu não queria ouvir as palavras de novo, mas parte delas escapou.

— Não tenho certeza, eu continuo vendo-o fazer coisas diferentes, ele fica mudando de idéia... Uma matança pela cidade, atacando a guarda. Levantando um carro no alto na praça principal... Principalmente atitudes que os exporiam... Ele conhece a forma mais rápida de forçar uma reação... Não, você não pode. — A voz de Alice diminuiu até que ficou quase inaudível, embora eu estivesse sentada a centímetros dela. Ao contrário, eu me esforcei mais para ouvir. — Diga a Emmett que não... Bom, vá atrás de Emmett e de Rosalie e traga-os de volta... Pense nisso, Jasper. Se ele vir qualquer um de nós, o que acha que vai fazer?

Ela assentiu.

— Exatamente. Acho que Bella é a única chance... Se houver uma chance... Vou fazer tudo o que puder, mas prepare Carlisle; as probabilidades não são boas.

Ela então riu e houve um embaraço na voz dela.

— Pensei nisso... Sim, prometo. — Sua voz ficou suplicante. — Não venha atrás de mim. Eu prometo, Jasper. De uma forma ou de outra, vou sair... E eu te amo.

Ela desligou, recostando-se na poltrona de olhos fechados.

— Odeio mentir para ele.

— Me diga uma coisa, Alice — pedi. — Eu não entendi. Por que você disse a Jasper para impedir Emmett, por que eles não podem nos ajudar?

— Por dois motivos — sussurrou ela de olhos ainda fechados. — O primeiro eu disse a ele. Nós *poderíamos* impedir Edward sozinhos... Se Emmett conseguisse pôr as mãos nele, poderíamos detê-lo por tempo suficiente para convencê-lo de que você está viva. Mas não podemos nos aproximar sorrateiramente de Edward. E se ele pressentir nossa aproximação, vai agir muito mais rápido. Vai atirar um Buick num muro ou coisa assim, e os Volturi o pegarão. E, então, vem o segundo motivo, o motivo que não pude dizer a Jasper. Porque, se eles estiverem lá, e os Volturi matarem Edward, eles vão lutar, Bella.

Ela abriu os olhos e me fitou, suplicante.

— Se houvesse alguma possibilidade de vencermos... Se houvesse um modo de um de nós quatro salvar meu irmão lutando junto com ele, talvez fosse diferente. Mas não podemos, e, Bella, eu não posso perder Jasper desse jeito.

Percebi por que seus olhos suplicavam por minha compreensão. Ela estava protegendo Jasper, à nossa custa e talvez à custa de Edward também. Eu entendi e não pensei mal dela. Assenti.

— Mas Edward não poderia ouvir você? — perguntei. — Ele não saberia, assim que ouvisse seus pensamentos, que eu estava viva, que não havia sentido nenhum nisso?

Não que existisse alguma justificativa, de um modo ou de outro. Eu ainda não conseguia acreditar que ele era capaz de reagir desse jeito. Não fazia sentido! Lembrei-me da clareza dolorosa de suas palavras naquele dia no sofá, enquanto víamos Romeu e Julieta se matarem, um depois do outro. *Eu não ia viver sem você*, disse-me, como se fosse uma conclusão óbvia. Mas as palavras que ele dissera no bosque, quando me deixou, anularam todas as outras — à força.

— *Se* ele estivesse ouvindo — explicou ela. — Mas, você pode não acreditar, é possível mentir com os pensamentos. Se você tivesse morrido, eu ainda tentaria detê-lo. E estaria pensando "Ela está viva, ela está viva" com a maior intensidade que pudesse. Ele sabe disso.

Cerrei os dentes numa frustração muda.

— Se houvesse alguma maneira de fazer isso sem você, Bella, eu não a colocaria assim em perigo. É muito errado de minha parte.

— Não seja idiota. Sou a última coisa com que deve se preocupar. — Sacudi a cabeça com impaciência. — Me explique o que você quis dizer quando falou em odiar mentir para Jasper.

Ela deu um sorriso melancólico.

— Eu prometi a ele que sairia de lá antes que eles me matassem também. Não é algo que eu possa garantir... de maneira nenhuma. — Ela ergueu as sobrancelhas, como se me incitasse a levar o perigo mais a sério.

— Quem são esses Volturi? — perguntei num sussurro. — O que os torna muito mais perigosos do que Emmett, Jasper, Rosalie e você? — Era difícil imaginar algo mais assustador do que isso.

Ela respirou fundo, depois de repente lançou um olhar sombrio por sobre meu ombro. Virei-me a tempo de ver o homem na poltrona do corredor desviando os olhos como se não estivesse nos ouvindo. Parecia um executivo, num terno escuro com uma gravata chamativa e um laptop nos joelhos. Enquanto eu o olhava irritada, ele abriu o computador e muito disfarçadamente colocou os fones de ouvido.

Inclinei-me para mais perto de Alice. Seus lábios estavam em minha orelha quando ela sussurrou a história.

— Fiquei surpresa de você reconhecer o nome — disse ela. — Que você entendesse tão de imediato o que eu quis dizer... Quando falei que ele ia para a Itália. Pensei que eu tivesse de explicar. Até que ponto Edward contou a você?

— Ele só disse que era uma família antiga e poderosa... Como a realeza. Que não se criariam problemas com eles a não ser que se quisesse... morrer — sussurrei. A última palavra foi difícil de pronunciar.

— Você precisa entender — disse ela, a voz mais lenta, mais estudada agora. — Nós, os Cullen, somos singulares de muitas maneiras, além das que você conhece. É... *anormal* que tantos de nós vivam juntos em paz. O mesmo acontece com a família de Tanya, no norte, e Carlisle especula que a abstinência torna mais fácil sermos civilizados, formar vínculos baseados no amor e não na sobrevivência ou na conveniência. Até o pequeno bando de James, com apenas três, era incomumente grande... E você viu com que facilidade Laurent os deixou. Nossa espécie viaja sozinha, ou em duplas, em geral. A família de Carlisle é a maior que existe, pelo que sei, com uma exceção. Os Volturi. Eles eram originalmente três: Aro, Caius e Marcus.

— Eu os vi — murmurei. — No quadro no estúdio de Carlisle.

Alice assentiu.

— Duas mulheres se juntaram a eles com o passar do tempo, e os cinco formam uma família. Não sei bem, mas desconfio de que é a idade deles que lhes permite a vida em paz juntos. Eles têm bem mais de 3.000 anos. Ou talvez seus dons confiram uma tolerância a mais. Como Edward e eu, Aro e Marcus são... talentosos.

Ela continuou antes que eu pudesse perguntar.

— Ou talvez eles sejam unidos pelo amor que têm pelo poder. A realeza é uma descrição adequada.

— Mas se eles são só cinco...

— Cinco que formam uma família — corrigiu ela. — Isso não inclui a guarda deles.

Respirei fundo.

— Isso parece... importante.

— Ah, e é mesmo — garantiu-me ela. — Havia nove membros permanentes da guarda, da última vez que eu soube. Outros são mais... transitórios. Muda muito. E muitos também são dotados... de poderes formidáveis, perto dos quais o que fazemos parece truque de mágico. Os Volturi os escolhem por suas habilidades, físicas ou outras.

Abri a boca, depois a fechei. Acho que não queria saber que as chances eram tão ruins.

Ela assentiu de novo, como se entendesse exatamente o que eu estava pensando.

— Eles não são confrontados muitas vezes. Ninguém é idiota para criar caso com eles. Ficam em sua cidade, saindo só para os chamados do dever.

— Dever? — perguntei.

— Edward não lhe contou o que eles fazem?

— Não — eu disse, sentindo a expressão perplexa em meu rosto.

Alice olhou por sobre minha cabeça de novo, para o executivo, e encostou os lábios gelados em minha orelha.

— Há um motivo para que ele os tenha chamado de realeza... A classe governante. Com o passar dos milênios, eles assumiram o encargo do cumprimento de nossas regras... O que pode ser traduzido como castigar os transgressores. E eles cumprem esse dever até o fim.

Meus olhos saltaram, arregalados de choque.

— Existem *regras*? — perguntei numa voz que saiu alta demais.

— Shhh!

— Não deveriam ter falado disso comigo antes? — cochichei com raiva. — Quer dizer, eu queria ser uma... uma de vocês! Não deveriam ter me explicado as regras?

Alice riu de minha reação.

— Não é assim tão complicado, Bella. Só há uma restrição essencial... E, se você pensar bem, pode deduzir isso sozinha.

Eu pensei no assunto.

— Não, não faço idéia.

Ela sacudiu a cabeça, decepcionada.

— Talvez seja óbvia demais. Temos que manter nossa existência em segredo.

— Ah — murmurei. *Era mesmo* óbvia.

— Faz sentido, e a maioria de nós não precisa ser policiada — continuou ela. — Mas, depois de alguns séculos, às vezes alguém fica entediado. Ou louco. Não sei. E então os Volturi interferem antes que isso possa comprometê-los ou ao restante de nós.

— Então Edward...

— Pretende desconsiderar isso na cidade deles... A cidade que eles mantêm secretamente há três mil anos, desde a época dos etruscos. Eles protegem tanto sua cidade que não permitem que cacem dentro de seus muros. Volterra deve ser a cidade mais segura do mundo... Pelo menos de ataque de vampiros.

— Mas você disse que eles não saem. Como eles comem?

— Eles não saem. Buscam a comida deles fora, às vezes muito longe. Isso dá a sua guarda algo para fazer, quando não estão aniquilando dissidentes fora dali. Ou protegendo Volterra da exposição...

— De situações como esta, como Edward — concluí a frase por ela. Agora era incrivelmente fácil dizer o nome dele. Eu não tinha certeza de qual seria a diferença. Talvez porque eu não pretendesse na realidade viver muito mais tempo sem vê-lo. Ou apenas viver, se chegássemos tarde demais. Era reconfortante saber que eu tinha uma saída fácil.

— Duvido de que eles tenham visto uma situação dessas — murmurou ela, revoltada. — Não se conhecem muitos vampiros suicidas.

O som que escapou de minha boca era muito baixo, mas Alice pareceu entender que era um grito de dor. Ela passou o braço magro e forte por meus ombros.

— Vamos fazer o que for possível, Bella. Ainda não acabou.

— Ainda não. — Deixei que ela me reconfortasse, embora soubesse que ela considerava pequenas as nossas chances. — E os Volturi vão nos pegar se fizermos besteira.

Alice se enrijeceu.

— Você diz isso como se fosse algo bom.

Eu dei de ombros.

— Pare com isso, Bella, ou vamos descer em Nova York e voltar para Forks.

— O quê?

— Você sabe. Se chegarmos atrasadas a Edward, eu vou fazer o máximo possível para levá-la de volta a Charlie, e não quero nenhum problema vindo de você. Entendeu isso?

— Claro, Alice.

Ela recuou um pouco para me olhar.

— Sem problemas.

— Palavra de escoteiro — murmurei.

Ela revirou os olhos.

— Agora preciso me concentrar. Estou tentando ver o que ele está planejando.

Ela manteve o braço à minha volta, mas deixou a cabeça tombar no banco e fechou os olhos. Comprimiu a mão livre na face, esfregando a ponta dos dedos na têmpora.

Eu a observei, fascinada, por um bom tempo. Por fim, ela ficou completamente imóvel, seu rosto como uma escultura de pedra. Os minutos se passaram, e, se não a conhecesse bem, pensaria que estava dormindo. Não me atrevi a interrompê-la para perguntar o que estava havendo.

Eu queria ter algo seguro em que pensar. Não podia me permitir considerar os horrores para onde estávamos indo ou, mais pavoroso ainda, a possibilidade de fracassarmos — não se eu quisesse reprimir um grito.

Eu não podia *esperar* nada também. Talvez, se tivéssemos muita, muita, mas *muita* sorte mesmo, talvez eu fosse capaz de salvar Edward de algum modo. Mas eu não era idiota a ponto de pensar que salvá-lo significaria que ficaria com ele. Eu não estava diferente, não era mais especial do que antes. Não haveria nenhum novo motivo para ele me querer agora. Vê-lo e perdê-lo de novo...

Lutei contra a dor. Esse era o preço que eu tinha de pagar por salvar a vida dele. E eu pagaria.

Exibiram um filme no avião e meu vizinho colocou os fones de ouvido. Às vezes eu via as figuras se mexerem na pequena tela, mas não conseguia sequer dizer se o filme era romântico ou de terror.

Depois de uma eternidade, o avião começou a descer em Nova York. Alice continuava em seu transe. Eu estremeci, estendendo a mão para tocá-la, mas puxei de volta. Isso aconteceu uma dezena de vezes antes de o avião tocar a cidade com um impacto vibrante.

— Alice — eu disse por fim. — Alice, temos que ir.

Toquei seu braço.

Seus olhos se abriram muito devagar. Ela sacudiu a cabeça por um momento.

— Alguma novidade? — perguntei em voz baixa, consciente do homem ouvindo do outro lado.

— Não exatamente — sussurrou ela numa voz que eu mal pude entender. — Ele está se aproximando. Está decidindo como vai pedir.

Tivemos de correr para pegar nossa conexão, mas isso foi bom — melhor do que ter de esperar. Assim que o avião ganhou o ar, Alice fechou os olhos e deslizou para o mesmo estupor de antes. Esperei com a maior paciência que pude. Quando ficou escuro de novo, levantei a cobertura da janela para olhar para fora, para a completa escuridão que não era melhor do que o vidro coberto.

Fiquei grata por ter tantos meses de prática no controle de meus pensamentos. Em vez de insistir nas possibilidades terríveis de que, independentemente do que Alice dissesse, eu não sobreviveria, concentrei-me nos problemas menores. Por exemplo, o que eu ia dizer a Charlie se voltasse? Esse era um problema espinhoso que me ocuparia várias horas. E Jacob? Ele prometera esperar por mim. Mas a promessa ainda seria válida? Eu terminaria em casa sozinha em Forks, sem ninguém? Talvez eu não *quisesse* sobreviver, acontecesse o que acontecesse.

Pareciam ter se passado segundos quando Alice sacudiu meu ombro — eu não tinha percebido que dormira.

— Bella — sibilou ela, a voz um pouco alta demais na cabine escura, cheia de humanos adormecidos.

Eu não estava desorientada — não tinha desligado por tempo suficiente para isso.

— Qual o problema?

Os olhos de Alice cintilaram na luz fraca da lâmpada de leitura na fila atrás da nossa.

— Não é problema. — Ela sorriu. — É bom. Eles estão deliberando, mas decidiram lhe dizer "Não".

— Os Volturi? — murmurei, grogue.

— Claro, Bella, acorde. Posso ver o que eles vão dizer.

— Me conte.

Um comissário de bordo chegou na ponta dos pés pelo corredor.

— Posso trazer um travesseiro para as senhoritas? — Seu sussurro era uma repreensão a nossa conversa comparativamente alta.

— Não, obrigada. — Alice abriu um sorriso radiante para ele, um sorriso escandalosamente encantador. A expressão do comissário era perplexa enquanto ele se virava e cambaleava de volta.

— Me conte — sussurrei quase em silêncio.

Ela cochichou em meu ouvido.

— Eles estão interessados nele... Acham que seu talento pode ser útil. Vão oferecer um lugar com eles.

— O que ele vai dizer?

— Ainda não posso ver, mas aposto que será em cores. — Ela sorriu de novo. — Esta é a primeira notícia boa... A primeira pausa. Eles estão intrigados; na verdade, não querem destruí-lo... "Desperdício", foi a palavra que Aro usou... E isso pode ser o bastante para obrigá-lo a ser criativo. Quanto mais tempo ele passar com seus planos, melhor para nós.

Não foi o suficiente para me dar esperanças, para provocar em mim o alívio que ela sentia. Ainda havia muitas maneiras de nos atrasarmos. E se eu não conseguisse passar pelos muros da cidade dos Volturi, se eu não conseguisse impedir Alice de me arrastar de volta para casa?

— Alice?

— Sim?

— Estou confusa. Como você vê isso com tanta clareza? E nas outras vezes, você viu coisas distantes... Coisas que não aconteceram?

Seus olhos endureceram. Perguntei-me se ela adivinhava o que eu estava pensando.

— Está claro porque é imediato e próximo, e eu estou realmente me concentrando. As coisas distantes que chegam sozinhas... estas são só vislumbres, possibilidades fracas. Além disso, vejo minha espécie com mais facilidade do que a sua. Edward é ainda mais fácil porque estou sintonizada com ele.

— Às vezes você me vê — lembrei a ela.

Ela sacudiu a cabeça.

— Não com tanta clareza.

Suspirei.

— Queria muito que você pudesse estar certa a meu respeito. No começo, quando você viu coisas sobre mim, antes até de nos conhecermos...

— O que quer dizer?

— Você me viu como uma de vocês. — Eu mal sussurrei as palavras.

Ela suspirou.

— Na época, era uma possibilidade.

— Na época — repeti.

— Na verdade, Bella... — Ela hesitou, depois pareceu tomar uma decisão. — Sinceramente, acho que tudo isso está além do ridículo. Estou considerando se eu mesma transformo você.

Eu a fitei, paralisada de choque. De imediato, minha mente resistiu às palavras dela. Eu não poderia suportar esse tipo de esperança se ela mudasse de idéia.

— Assustei você? — perguntou ela. — Pensei que fosse o que você queria.

— Eu quero! — arfei. — Ah, Alice, faça isso agora! Posso ajudar tanto você... E eu não seria mais tão lenta. Me morda!

— Shhhh — alertou ela. O comissário olhava para nós novamente. — Procure ser razoável — sussurrou. — Não temos tempo para isso. Temos que chegar a Volterra amanhã. Você vai ficar se retorcendo de dor durante dias. — Ela fez uma careta. — E não acho que os outros passageiros vão reagir bem.

Mordi meu lábio.

— Se você não fizer isso agora, vai mudar de idéia.

— Não. — Ela franziu o cenho, a expressão infeliz. — Não acho que vá. Ele vai ficar furioso, mas o que poderá fazer?

Meu coração bateu mais rápido.

— Absolutamente nada.

Ela riu baixinho, depois suspirou.

— Você tem muita confiança em mim, Bella. Não sei bem o que eu *posso* fazer. É provável que eu acabe matando você.

— Eu arrisco.

— Você é tão estranha, até para uma humana.

— Obrigada.

— Ah, mas a essa altura isso é puramente hipotético, de qualquer modo. Primeiro temos que sobreviver ao dia de amanhã.

— Bom argumento. — Pelo menos eu tinha motivos para ter esperança, se conseguíssemos. Se Alice cumprisse sua promessa, e se ela não me matasse, Edward poderia correr atrás das distrações que quisesse, e eu o seguiria. Eu não o deixaria se distrair. Talvez, quando eu fosse linda e forte, ele não quisesse mais distrações.

— Volte a dormir — estimulou-me ela. — Vou acordá-la quando houver alguma novidade.

— Tudo bem — grunhi, certa de que agora o sono era uma causa perdida.

Alice pôs as pernas na poltrona, passando os braços por elas e encostando a testa nos joelhos. Ela se balançava para se concentrar.

Eu pousei minha cabeça na poltrona, observando-a, e em seguida só o que vi foi ela fechando a cortina para obstruir o brilho fraco do céu, a leste.

— O que está acontecendo? — murmurei.

— Eles disseram "Não" — disse ela rapidamente.

Percebi de imediato que seu entusiasmo se fora.

Minha voz ficou presa na garganta, de pânico.

— O que ele vai fazer?

— No começo, foi caótico. Só peguei vislumbres, ele estava mudando de planos com muita rapidez.

— Que tipo de planos? — pressionei.

— Houve uma hora ruim — sussurrou ela. — Ele decidiu sair para caçar.

Ela me olhou, vendo a incompreensão em meu rosto.

— Na cidade — explicou ela. — Chegou muito perto. Mudou de idéia no último minuto.

— Ele não ia querer decepcionar Carlisle — murmurei. — Não no fim.

— É provável — concordou ela.

— Haverá tempo? — Enquanto eu falava, houve uma alteração na pressão da cabine. Pude sentir o avião descendo.

— Espero que sim... Se ele se prender à última decisão que tomou, talvez.

— Qual foi?

— Ele vai agir da forma mais simples. Apenas vai andar para o sol.

Só andar para o sol. Só isso.

Seria o bastante. A imagem de Edward na campina — cintilante, faiscando como se sua pele fosse feita de um milhão de facetas de diamantes — ardia em minha memória. Nenhum humano que visse aquilo se esqueceria. Os Volturi não permitiriam. Não se quisessem manter a cidade discreta.

Olhei a luz cinzenta que brilhava pelas janelas abertas.

— Vamos chegar tarde demais — sussurrei, minha garganta se fechando de pânico.

Ela sacudiu a cabeça.

— Neste momento, ele tende ao melodramático. Ele quer a maior platéia possível, então vai escolher a praça principal, sob o relógio da torre. Os muros são altos ali. Ele vai esperar até que o sol esteja a pino.

— Então temos até o meio-dia?

— Se tivermos sorte. Se ele se prender a essa decisão.

O piloto falou no intercomunicador, anunciando, primeiro em francês e depois em inglês, nosso pouso iminente. As luzes dos cintos de segurança se acenderam e piscaram.

— A que distância Volterra fica de Florença?

— Depende da velocidade a que você dirige... Bella?

— Sim?

Ela me lançou um olhar especulativo.

— Até que ponto você se oporia a um roubo de carro?

Um Porsche amarelo vivo cantou pneu e parou a alguns metros de onde eu andava, a palavra TURBO escrita em letra cursiva prata na traseira. Todos do meu lado na calçada lotada do aeroporto se viraram para olhar.

— Rápido, Bella! — gritou Alice com impaciência pela janela do carona.

Corri para a porta e me joguei para dentro, sentindo que podia muito bem estar usando uma meia preta na cabeça.

— Meu Deus, Alice — reclamei. — Não podia ter roubado um carro *mais* indiscreto?

O interior era de couro preto e as janelas, fumê. Eu me senti mais segura ali dentro, como na hora de dormir.

Alice já estava costurando no trânsito, rápido demais, passando pelo tráfego intenso do aeroporto — entrando por espaços minúsculos entre os carros enquanto eu me encolhia e me atrapalhava com o cinto de segurança.

— O que importa — corrigiu-me ela — é se eu podia ter roubado um carro mais rápido, e acho que não. Eu tive sorte.

— Tenho certeza de que isso será muito reconfortante num bloqueio da polícia.

Ela deu uma risada.

— Confie em mim, Bella. Se alguém montar um bloqueio, será *atrás* de nós. — Ela então pisou no acelerador, como se quisesse provar seu argumento.

Eu devia ter olhado pela janela enquanto a cidade de Florença e a paisagem da Toscana disparavam por nós numa velocidade de borrão. Era minha primeira viagem a algum lugar, e talvez fosse também a última. Mas a direção de Alice me apavorava, apesar do fato de eu saber que podia confiar nela atrás do volante. E eu estava torturada demais de ansiedade para realmente ver as colinas ou as cidades muradas que pareciam castelos ao longe.

— Você vê algo mais?

— Algo está acontecendo — murmurou Alice. — Uma espécie de festival. As ruas estão cheias de gente e bandeiras vermelhas. Que dia é hoje?

Eu não sabia muito bem.

— Dezenove, talvez?

— Ora, que ironia. É o Dia de São Marcos.

— O que isso significa?

Ela riu sombriamente.

— A cidade promove uma comemoração todo ano. Segundo a lenda, um missionário cristão, um padre Marcos... na verdade, Marcus dos Volturi... expulsou todos os vampiros de Volterra há mil e quinhentos anos. A história diz que ele foi martirizado na Romênia, ainda tentando eliminar a praga de vampiros. É claro que isso é absurdo... Ele jamais saiu da cidade. Mas é daí que vêm algumas superstições sobre coisas como crucifixos e alho. O *padre*

Marcus as usava com sucesso. E os vampiros não perturbam Volterra, então elas devem ter funcionado. — Seu sorriso era sardônico. — Passou a ser mais uma celebração da cidade, o reconhecimento pela força policial... Afinal, Volterra é uma cidade incrivelmente segura. A polícia leva o crédito.

Eu estava percebendo o que ela queria dizer quando falou que era *irônico*.

— Não vão ficar muito felizes se Edward criar confusão para eles no Dia de São Marcos, não é?

Ela sacudiu a cabeça, a expressão melancólica.

— Não. Vão agir com muita rapidez.

Olhei para fora, lutando contra meus dentes enquanto eles tentavam romper a pele de meu lábio inferior. Um sangramento não era uma boa idéia agora.

O sol estava terrivelmente alto no céu azul-claro.

— Ele ainda pretende fazer isso ao meio-dia? — verifiquei.

— Sim. Está decidido a esperar. E eles estão esperando por ele.

— Me diga o que tenho de fazer.

Ela mantinha os olhos na estrada sinuosa — o ponteiro do velocímetro tocava a extremidade mais distante do mostrador.

— Não tem de fazer nada. Ele só precisa ver você antes de ir para a luz. E precisa ver você antes de me ver.

— Como vamos fazer isso?

Um carrinho vermelho parecia estar correndo de ré enquanto Alice passou zunindo por ele.

— Vou colocar você o mais perto possível, e depois você vai correr na direção que eu apontar.

Eu assenti.

— Procure não tropeçar — acrescentou ela. — Hoje não temos tempo para uma concussão.

Eu grunhi. Isso seria bem típico — eu estragar tudo, destruir o mundo, num momento de trapalhada.

O sol continuava a subir no céu enquanto Alice corria contra ele. Era forte demais, e isso me deixou em pânico. Talvez ele não achasse necessário esperar até o meio-dia, afinal.

— Lá — disse Alice de repente, apontando a cidade encastelada no alto da colina mais próxima.

Olhei, sentindo a primeira pontada de um novo tipo de medo. A cada minuto, desde a manhã de ontem — parecia ter se passado uma semana —, quando Alice falou o nome dele ao pé da escada, só houve um medo. E no entanto, agora, ao fitar os antigos muros castanho-avermelhados e as torres que coroavam o alto da colina íngreme, senti um tipo mais egoísta de medo percorrer meu corpo.

Imaginei que a cidade era linda. Isso me apavorou completamente.

— Volterra — anunciou Alice numa voz monótona e gélida.

20. VOLTERRA

Começamos a subida íngreme e a estrada ficou congestio-
nada. À medida que seguíamos, os carros ficavam juntos demais para que
Alice costurasse como louca por entre eles. Reduzimos a velocidade, quase
parando, atrás de um pequeno Peugeot caramelo.

— Alice — gemi.

O relógio no painel parecia estar se acelerando.

— É a única maneira de entrar — ela tentou me tranqüilizar. Mas sua voz
era tensa demais para ser reconfortante.

Os carros continuavam a avançar, um de cada vez. O sol caía intensamente, parecendo já estar a pino.

Os carros se arrastaram um por um para a cidade. À medida que nos
aproximávamos, pude ver carros estacionados dos dois lados da rua, as pessoas saindo para seguir a pé o restante do caminho. De início pensei que era
só impaciência — algo que eu podia entender com facilidade. Mas depois
chegamos a uma curva e pude ver o estacionamento lotado fora dos muros da
cidade, a multidão passando pelos portões a pé. Ninguém tinha permissão
para entrar de carro.

— Alice — sussurrei com urgência.

— Eu sei — disse ela. O rosto esculpido em gelo.

Agora que eu estava prestando atenção, e que nos arrastávamos bem devagar para perceber, vi que ventava muito. As pessoas que se espremiam
pelo portão seguravam os chapéus e tiravam o cabelo do rosto. As roupas
se inflavam em volta delas. Também percebi que a cor vermelha estava em
tudo. Camisetas vermelhas, chapéus vermelhos, bandeiras vermelhas pen-
dendo como fitas compridas de cada lado do portão, chicoteando ao vento —

enquanto eu olhava, o lenço vermelho brilhante que uma mulher prendera no cabelo soltou-se numa súbita rajada de vento. Girou no ar, acima dela, retorcendo-se como se estivesse vivo. Ela estendeu a mão, pulando, mas ele continuou a flutuar para o alto, um retalho cor de sangue contra os muros antigos e opacos.

— Bella. — Alice falou rapidamente numa voz feroz e baixa. — Não consigo ver o que o guarda aqui vai decidir agora... Se não der certo, você terá de ir sozinha. Vai ter de correr. Apenas vá perguntando pelo Palazzo dei Priori e corra na direção que lhe apontarem. Não se perca.

— Palazzo dei Priori, Palazzo dei Priori — repeti o nome várias vezes, tentando gravá-lo.

— Ou "A torre do relógio", se falarem sua língua. Vou dar a volta e tentar encontrar um lugar isolado atrás da cidade, onde possa pular o muro.

Eu assenti.

— Palazzo dei Priori.

— Edward estará sob o relógio da torre, no lado norte da praça. Há um beco estreito à direita, e ele estará ali, na sombra. Você precisa chamar a atenção dele antes que ele ande para o sol.

Assenti furiosamente.

Alice estava quase na frente da fila. Um homem de uniforme azul-marinho orientava o fluxo do trânsito, direcionando os carros para longe do estacionamento cheio. Estes manobravam e voltavam para encontrar uma vaga no acostamento da estrada. Então chegou a vez de Alice.

O homem uniformizado movimentava-se preguiçosamente, desatento. Alice acelerou, passando por ele e indo para o portão. Ele gritou alguma coisa, mas ficou onde estava, acenando frenético para evitar que o carro seguinte seguisse nosso mau exemplo.

O homem no portão vestia um uniforme igual. À medida que nos aproximávamos dele, as hordas de turistas passavam, abarrotando as calçadas, olhando com curiosidade para o Porsche abusado e berrante.

O guarda foi para o meio da rua. Alice posicionou o carro com cuidado antes de parar. O sol batia em minha janela, e ela estava na sombra. Ela estendeu a mão depressa para trás do banco e pegou algo na bolsa.

O guarda contornou o carro com uma expressão irritada e bateu na janela com raiva.

Ela baixou a janela até a metade e eu o vi vacilar ao ver o rosto por trás do vidro escuro.

— Desculpe, só ônibus de turismo podem entrar na cidade hoje, senhorita — disse em inglês, com forte sotaque. Ele agora se desculpava, como se quisesse ter notícias melhores para a mulher incrivelmente bonita.

— É um *tour* particular — disse Alice, abrindo um sorriso sedutor. Ela estendeu a mão pela janela, para a luz do sol. Fiquei paralisada até perceber que ela usava luvas caramelo até o cotovelo. Alice pegou a mão dele, ainda levantada depois de bater na janela, e a puxou para o carro. Colocou algo na palma da mão e dobrou os dedos dele em volta.

O rosto do homem estava perplexo quando ele recolheu a mão e olhou o grosso rolo de notas que segurava. A de fora era de mil dólares.

— É alguma piada? — murmurou ele.

O sorriso de Alice era ofuscante.

— Só se você achar engraçado.

Ele a fitou, os olhos arregalados. Olhei nervosa para o relógio do painel. Se Edward mantivesse seus planos, só nos restavam cinco minutos.

— Estou com um pouquinho de pressa — sugeriu ela, ainda sorrindo.

O guarda piscou duas vezes, depois meteu o dinheiro no colete. Afastou-se um passo da janela e acenou para seguirmos. Nenhuma das pessoas que passavam pareceu perceber a troca silenciosa. Alice entrou na cidade e nós duas suspiramos de alívio.

A rua era muito estreita, pavimentada com pedras da mesma cor das construções marrom-canela desbotadas que escureciam a rua com sua sombra. Tinha a aparência de um beco. Bandeiras vermelhas decoravam as paredes a poucos metros umas das outras, voando no vento que assoviava pela rua estreita.

O caminho estava abarrotado e o tráfego a pé atrapalhava nosso progresso.

— Só um pouco mais — Alice me encorajou; eu agarrava a maçaneta da porta, pronta para me atirar na rua assim que ela mandasse.

Ela dirigia arrancando apressada e parando de repente, e as pessoas na multidão agitavam os punhos para nós e diziam palavras de irritação que fiquei feliz por não entender. Ela entrou numa viela que não devia ter sido feita para carros; pessoas chocadas tiveram de se espremer na soleira das portas enquanto passávamos de raspão. Encontramos outra rua no final. As construções eram mais altas ali; elas se aproximavam no alto, de modo que nenhum sol tocava o pavimento — as bandeiras vermelhas que se agitavam de cada lado quase se encontravam. A multidão era mais compacta ali do que em qualquer outro lugar. Alice freou o carro. Abri minha porta antes que parássemos completamente.

Ela apontou para onde a rua se abria num trecho claro.

— Lá... Estamos na extremidade sul da praça. Atravesse correndo, para a direita do relógio da torre. Vou encontrar um caminho por trás...

Sua respiração parou de repente, e quando ela falou de novo a voz era um silvo.

— Eles estão *em toda parte*!

Fiquei onde estava, mas ela me empurrou para fora do carro.

— Esqueça eles. Você tem dois minutos. Vá, Bella, vá! — gritou, saindo do carro ao falar.

Não parei para ver Alice se misturar às sombras. Não parei para fechar a porta do carro. Empurrei uma mulher pesadona para fora do caminho e corri, de cabeça baixa, prestando pouca atenção a qualquer coisa que não fossem as pedras irregulares sob meus pés.

Ao sair da rua escura, o sol forte que batia na praça principal ofuscou minha visão. O vento sibilou em mim, fazendo meu cabelo voar para os olhos e me cegando ainda mais. Não admira que eu só tenha visto o muro de gente quando esbarrei nele.

Não havia caminho, nenhuma fresta entre os corpos espremidos. Empurrei-os furiosamente, lutando contra as mãos que me empurravam para trás. Ouvi exclamações de raiva e até de dor enquanto lutava para passar, mas nenhuma em uma língua que eu entendesse. Os rostos eram um borrão de raiva e surpresa, cercados pelo vermelho onipresente. Uma loura fez cara feia para mim, o cachecol vermelho enrolado em seu pescoço parecia uma ferida horrenda. Uma criança, erguida nos ombros de um homem para ver por sobre a multidão, sorriu para mim, os lábios esticados sobre presas falsas de vampiro.

A multidão empurrava à minha volta, girando-me para o lado errado. Fiquei feliz porque o relógio era bem visível, ou nunca manteria o rumo certo. Mas os dois ponteiros apontavam para o sol impiedoso e, embora eu me enfiasse violentamente entre a multidão, sabia que era tarde demais. Eu não estava nem na metade do caminho. Não conseguiria. Era idiota, lenta e humana, e todos morreríamos por causa disso.

Desejei que Alice fugisse. Desejei que me visse de alguma sombra escura e soubesse que eu tinha falhado, assim poderia ir para casa, para Jasper.

Apurei os ouvidos, acima das exclamações de raiva, tentando ouvir o som da descoberta: o ofegar, talvez o grito, enquanto Edward entrava no campo de visão de alguém.

Mas houve uma brecha na multidão — pude ver um bolha de espaço à frente. Empurrei com urgência naquela direção, sem perceber, até ferir as canelas nos tijolos, que era uma fonte quadrada e larga instalada no meio da praça.

Quase gritei de alívio quando mergulhei a perna na beira e corri com a água até os joelhos. Ela se espalhava ao meu redor enquanto eu atravessava a fonte. Mesmo no sol, o vento era glacial e a água tornava o frio realmente doloroso. Mas a fonte era enorme; pude atravessar o centro da praça em segundos. Não parei quando cheguei à outra borda — usei o muro baixo como trampolim, atirando-me na multidão.

As pessoas agora se afastavam mais facilmente de mim, evitando a água gelada que se espalhava pingando de minhas roupas molhadas enquanto eu corria. Olhei o relógio de novo.

Um carrilhão grave e retumbante ecoou pela praça. Fez pulsarem as pedras sob meus pés. As crianças gritaram, tapando as orelhas. E comecei a gritar enquanto corria.

— Edward! — gritava, sabendo que era inútil. A multidão era ruidosa demais e minha voz estava fraca por causa do esforço. Mas eu não conseguia parar de gritar.

O relógio soou de novo. Passei correndo por uma criança nos braços da mãe — seu cabelo era quase branco no sol ofuscante. Uma roda de homens altos, todos de blazer vermelho, me advertiu gritando quando irrompi por eles. O relógio soou novamente.

Do outro lado dos homens de blazer, havia uma brecha na multidão, um espaço entre os espectadores que vagavam a esmo à minha volta. Meus olhos procuraram a passagem escura e estreita à direita do prédio quadrado e largo sob a torre. Eu não conseguia ver no nível da rua — ainda havia gente demais no caminho. O relógio soou outra vez.

Agora era difícil enxergar. Sem a multidão para bloquear o vento, ele açoitava meu rosto e ardia em meus olhos. Não tinha certeza de ser esse o motivo de minhas lágrimas ou se era por causa da derrota, enquanto o relógio soava novamente.

Uma pequena família de quatro pessoas estava mais perto da entrada do beco. As duas meninas estavam de vestido vermelho, com fitas da mesma cor prendendo os cabelos escuros para trás. O pai não era alto. Parecia que eu podia ver algo brilhante nas sombras, pouco além de seu ombro. Corri para eles, tentando enxergar através das lágrimas urticantes. O relógio bateu e a menina menor apertou as mãos contra as orelhas.

A mais velha, que batia na cintura da mãe, abraçou-se à perna dela e olhou as sombras atrás deles. Enquanto eu observava, ela cutucou o cotovelo da mulher e apontou para a escuridão. O relógio bateu e agora eu estava muito perto.

Eu estava bastante perto para ouvir a voz aguda da menina. O pai me encarou surpreso quando abri caminho entre eles, gritando sem parar o nome de Edward.

A menina mais velha riu e fez um comentário para a mãe, gesticulando para as sombras de novo, impacientemente.

Eu me desviei do pai — ele tirou o bebê de meu caminho — e disparei para a fresta escura atrás deles, enquanto o relógio soava sobre minha cabeça.

— Edward, não! — gritei, mas minha voz se perdeu no rugido do carrilhão.

Agora eu podia vê-lo. E podia ver que ele não podia me ver.

Era ele mesmo, desta vez não era alucinação. Percebi que minhas ilusões eram mais falhas do que eu pensara; elas nunca lhe fizeram justiça.

Edward estava de pé, imóvel como uma estátua, a apenas alguns metros da entrada do beco. Seus olhos estavam fechados, as olheiras de um roxo-escuro, os braços relaxados ao lado do corpo, a palma das mãos voltada para a frente. Sua expressão estava muito tranqüila, como se estivesse tendo sonhos agradáveis. A pele marmórea de seu peito estava à mostra — havia um pequeno monte de tecido branco a seus pés. A luz refletida pelo calçamento da praça brilhava fraca em sua pele.

Nunca vi nada mais lindo — mesmo enquanto eu corria, ofegando e gritando, pude perceber. E os últimos sete meses nada significaram. E as palavras dele no bosque nada significaram. E não importava se ele não me quisesse. Eu jamais desejaria nada a não ser ele, não importa o quanto vivesse.

O relógio bateu e ele deu um longo passo para a luz.

— Não! — gritei. — Edward, olhe para mim!

Ele não ouvia. Sorria de modo muito sutil. Levantou o pé para dar o passo que o colocaria diretamente sob o sol.

Eu me choquei contra ele com tanta intensidade que a força teria me atirado no chão se os braços dele não tivessem me agarrado e segurado. Perdi o fôlego e minha cabeça pendeu para trás.

Seus olhos escuros se abriram devagar enquanto o relógio soava novamente. Ele olhou para mim numa surpresa muda.

— Incrível — disse ele, a linda voz cheia de admiração, um tanto divertida. — Carlisle tinha razão.

— Edward — tentei dizer, ofegante, mas minha voz não saía. — Você tem de voltar para a sombra. Tem de sair daqui!

Ele parecia bestificado. Sua mão afagou meu rosto com delicadeza. Ele não pareceu perceber que eu tentava obrigá-lo a voltar. Eu podia estar empurrando as paredes do beco, a julgar pelo progresso que fazia. O relógio soou, mas ele não reagiu.

Foi muito estranho, porque eu sabia que nós dois corríamos um risco mortal. Ainda assim, naquele instante, eu me senti *bem*. Inteira. Pude sentir meu coração batendo no peito, o sangue pulsando quente e rápido por minhas veias de novo. Meus pulmões encheram-se do doce aroma que vinha da pele dele. Era como se nunca tivesse havido um buraco em meu peito. Eu estava perfeita — não curada, mas como se nunca tivesse havido nenhuma ferida.

— Nem acredito em como foi rápido. Não senti nada... Eles são muito bons — refletiu ele, fechando outra vez os olhos e apertando os lábios contra meu cabelo. A voz dele era como mel e veludo. — *A morte, que sugou todo o mel de teu doce hálito, não teve poder nenhum sobre tua beleza* — murmurou ele, e reconheci a fala de Romeu junto ao túmulo. O relógio soou sua última badalada. — Você tem exatamente o mesmo cheiro de sempre — continuou. — Então talvez isso *seja* o inferno. Não me importo. Eu aceito.

— Não estou morta — interrompi. — Nem você! Por favor, Edward, temos de sair daqui. Eles não devem estar longe!

Lutei em seus braços e sua testa se franziu de confusão.

— O que foi isso? — perguntou ele educadamente.

— Não estamos mortos, ainda não! Mas temos de sair daqui antes que os Volturi...

A compreensão faiscou em seu rosto enquanto eu falava. Antes que eu pudesse terminar, ele de repente me puxou da beira da sombra e me girou sem esforço, pondo-me atrás dele, com as costas coladas à parede de tijolos, enquanto olhava o beco. Seus braços se abriram, protetores, na minha frente.

Olhei por baixo de seu braço e vi duas formas negras destacadas no escuro.

— Saudações, cavalheiros — a voz de Edward era superficialmente calma e agradável. — Não acho que vou precisar de seus serviços hoje. Agradeceria muito, porém, se transmitissem minha gratidão a seus senhores.

— Não deveríamos ter esta conversa em um lugar mais apropriado? — sussurrou uma voz suave de forma ameaçadora.

— Não acredito que será necessário. — A voz de Edward agora era mais dura. — Sei de suas instruções, Felix. Não quebrei nenhuma regra.

— Felix se referia apenas à proximidade do sol — disse a outra sombra num tom brando. Os dois estavam ocultos por mantos cinza até o chão que ondulavam ao vento. — Procuremos um abrigo melhor.

— Estarei bem atrás de vocês — disse Edward num tom seco. — Bella, por que não volta para a praça e desfruta do festival?

— Não, traga a garota — disse a primeira sombra, de algum modo imprimindo um tom faminto a seus sussurros.

— Acho que não. — A falsa civilidade desaparecera. A voz de Edward era seca e gélida. Sua postura mudou minimamente e pude ver que ele se preparava para lutar.

— Não — murmurei a palavra.

— Shhhh — murmurou ele, só para mim.

— Felix — alertou a segunda sombra, mais razoável. — Aqui não. — Ele se virou para Edward. — Aro quer apenas falar com você de novo, se afinal decidiu não nos forçar a agir.

— Claro — concordou Edward. — Mas a menina fica livre.

— Temo que não seja possível — disse com pesar a sombra educada. — Temos regras a obedecer.

— Então *eu* temo que seja incapaz de aceitar o convite de Aro, Demetri.

— Está bem — rugiu Felix.

Meus olhos estavam se adaptando à sombra escura e pude ver que Felix era muito alto, grande e de ombros largos. Seu tamanho me lembrou Emmett.

— Aro ficará decepcionado — suspirou Demetri.

— Tenho certeza de que sobreviverá à decepção — respondeu Edward.

Felix e Demetri aproximaram-se sorrateiros da entrada do beco, separando-se um pouco para que pudessem atacar Edward dos dois lados. Eles pretendiam obrigá-lo a penetrar ainda mais no beco, para evitar uma cena. Nenhuma luz refletida chegava à pele deles; estavam seguros dentro do manto.

Edward não se mexeu um centímetro. Estava condenando a si mesmo ao me proteger.

De repente, Edward girou a cabeça para a escuridão do beco tomado pelo vento e Demetri e Felix fizeram o mesmo, em resposta a algum som ou movimento sutil demais para meus sentidos.

— Vamos nos comportar, sim? — sugeriu uma voz cadenciada. — Há senhoras presentes.

Alice colocou-se de maneira casual ao lado de Edward, numa atitude despreocupada. Não havia nenhum sinal de tensão disfarçada. Ela parecia muito pequena e frágil. Seus bracinhos balançavam como os de uma criança.

E, no entanto, Demetri e Felix se endireitaram, os mantos oscilando um pouco enquanto uma rajada de vento se afunilava no beco. A expressão de Felix se tornou amarga. Ao que parecia, não lhes agradava ficar em mesmo número.

— Não estamos sós — ela advertiu.

Demetri olhou por sobre o ombro. A alguns metros na praça, a pequena família, com as meninas de vestido vermelho, nos observava. A mãe falava insistentemente com o marido, de olho em nós cinco. Ela virou o rosto quando Demetri encontrou seu olhar. O homem se afastou alguns passos para dentro da praça e deu um tapinha no ombro de um dos homens de blazer vermelho.

Demetri sacudiu a cabeça.

— Por favor, Edward, sejamos razoáveis — disse ele.

— Sejamos — concordou Edward. — E agora vamos sair discretamente, sem imprudências.

Demetri suspirou de frustração.

— Vamos ao menos discutir isso em particular.

Seis homens de vermelho se juntaram à família enquanto nos observavam com uma expressão ansiosa. Eu estava muito consciente da posição protetora de Edward, à minha frente — certa de que tinha sido isso que alarmara as pessoas. Queria gritar para que corressem.

Os dentes de Edward trincaram de forma audível.

— Não.

Felix sorriu.

— Basta.

A voz era alta, aguda, e veio de trás de nós.

Espiei por sobre o outro braço de Edward e vi uma forma pequena e escura vindo em nossa direção. Pelo modo como a silhueta ondulava, eu sabia que devia ser outro deles. Quem mais?

De início pensei que fosse um garoto. O recém-chegado era minúsculo como Alice, tinha cabelos castanho-claros curtos e lisos. O corpo sob o manto — que era mais escuro, quase negro — era magro e andrógino. Mas o rosto era bonito demais para um menino. Os olhos grandes e os lábios cheios fariam um anjo de Botticelli parecer uma gárgula. Mesmo considerando as íris opacas e vermelhas.

Seu tamanho era tão insignificante que a reação ao seu aparecimento me confundiu. Felix e Demetri relaxaram de imediato, recuando de suas posições ofensivas para se juntarem novamente às sombras das paredes enormes.

Edward baixou os braços e também relaxou — mas de derrota.

— Jane — suspirou ele, em reconhecimento e resignação.

Alice cruzou os braços, a expressão impassível.

— Acompanhem-me — falou Jane de novo, a voz infantil e monótona. Ela deu as costas para nós e vagou em silêncio para o escuro.

Felix gesticulou para que fôssemos primeiro, com um sorriso falso.

Alice seguiu a pequena Jane de imediato. Edward passou o braço em minha cintura e me puxou para o lado dele. O beco descia um pouco à medida que se estreitava. Eu o encarei com perguntas frenéticas nos olhos, mas ele apenas sacudiu a cabeça. Embora eu não pudesse ouvir os outros atrás de nós, tinha certeza de que estavam ali.

— Bem, Alice — disse Edward de forma despreocupada enquanto andávamos. — Acho que não deveria me surpreender de ver você aqui.

— O erro foi meu — respondeu Alice no mesmo tom. — Era obrigação minha corrigi-lo.

— O que aconteceu? — A voz dele era educada, como se ele mal estivesse interessado. Imaginei que isso se devesse aos ouvidos atrás de nós.

— É uma longa história. — Os olhos de Alice bateram em mim e se desviaram. — Em resumo, ela pulou de um penhasco, mas não estava tentando se matar. Bella anda praticando esportes radicais ultimamente.

Corei e voltei meus olhos para a frente, procurando a sombra escura que não conseguia mais ver. Podia imaginar que agora ele estava ouvindo os pensamentos de Alice. Quase-afogamento, perseguição de vampiros, amigos lobisomens...

— Hmmm — disse Edward brevemente, e o tom despreocupado de sua voz sumira.

Havia uma curva aberta para o beco, ainda descendo, então não enxerguei o final chegando até que alcançamos o paredão de tijolos plano, sem janelas. A pequenina Jane não estava em lugar nenhum que eu visse.

Alice não hesitou, não diminuiu o ritmo enquanto andava para a parede. Depois, com uma graça tranqüila, ela deslizou para uma abertura na rua.

Parecia um ralo, afundado no ponto mais baixo do calçamento. Não o tinha notado até Alice desaparecer, mas a grade já estava puxada meio de lado. O buraco era pequeno e escuro.

Empaquei.

— Está tudo bem, Bella — disse Edward em voz baixa. — Alice vai pegar você.

Olhei o buraco, na dúvida. Imaginei que ele teria ido primeiro se Demetri e Felix não estivessem esperando, presunçosos e em silêncio, atrás de nós.

Eu me agachei, balançando as pernas na abertura estreita.

— Alice? — sussurrei, a voz trêmula.

— Estou bem aqui, Bella — garantiu-me ela. Sua voz vinha de muito longe para que eu me sentisse melhor.

Edward pegou meus pulsos — suas mãos pareciam pedras no inverno — e me abaixou na escuridão.

— Pronta? — perguntou ele.

— Largue-a — gritou Alice.

Fechei os olhos para não ver a escuridão, apertando-os de pavor, cerrando os lábios para não gritar. Edward me soltou.

Foi silencioso e curto. O ar passou por mim durante meio segundo e depois, com um sopro enquanto eu soltava o ar, os braços de Alice me pegaram.

Eu ia ficar com hematomas; os braços eram muito duros. Ela me colocou de pé.

No fundo havia pouca luz, mas não era escuro. A claridade que vinha do buraco proporcionava um brilho suave, refletindo-se úmida nas pedras sob meus pés. A luz desapareceu por um segundo e Edward era uma radiância branca e fraca a meu lado. Ele passou o braço em mim, segurando-me a seu lado, e começou a me conduzir rapidamente para a frente. Envolvi sua cintura fria com os braços, tropecei e cambaleei pela superfície de pedra irregular. O som da grade pesada deslizando pelo bueiro atrás de nós soou como um ponto final metálico.

A luz fraca da rua logo se perdeu na escuridão. O som de meus passos vacilantes ecoava pelo espaço negro; parecia muito largo, mas eu não tinha certeza. Não houve outros sons além de meu coração frenético e de meus pés nas pedras molhadas — exceto uma vez, quando um suspiro impaciente surgiu atrás de mim.

Edward me segurava com firmeza. Ele estendeu a mão livre para segurar meu rosto também, o polegar suave acompanhando meus lábios. De vez em quando, sentia seu rosto apertado contra meu cabelo. Percebi que aquele era o único reencontro que teríamos e me apertei mais junto dele.

Naquele momento, parecia que ele me queria, e isso foi o bastante para afugentar o pavor do túnel subterrâneo e dos vampiros à espreita atrás de nós. Provavelmente, não passava de culpa — a mesma culpa que o compelira a vir aqui para morrer quando ele acreditou que eu me matara por causa dele. Mas senti seus lábios pressionando silenciosamente minha testa e não me importei com seus motivos. Pelo menos eu podia estar com ele mais uma vez antes de morrer. Isso era melhor do que uma vida longa.

Desejei poder perguntar a ele o que de fato estava para acontecer. Queria desesperadamente saber como iríamos morrer — como se saber de antemão de algum modo tornasse aquilo melhor. Mas eu não podia falar, nem mesmo aos sussurros, cercados como estávamos. Os outros podiam ouvir tudo — cada respiração minha, cada batimento cardíaco.

O caminho sob nossos pés continuava a descer, fazendo-nos penetrar mais fundo no chão, e isso me deixou claustrofóbica. A única coisa que me impediu de gritar foi a mão de Edward, suave em meu rosto.

Eu não sabia de onde vinha a luz, mas ela lentamente transformou o negro em cinza-escuro. Estávamos em um túnel baixo, em arco. Faixas longas de uma água cor de ébano escorriam pelas pedras cinzentas, como se elas estivessem sangrando tinta.

Eu tremia e pensei que fosse de medo. Só quando meus dentes começaram a bater percebi que estava com frio. Minhas roupas ainda estavam molhadas e a temperatura sob a cidade era invernal. Como a pele de Edward.

Ele percebeu isso ao mesmo tempo que eu e me soltou, segurando apenas minha mão.

— N-n-não — gaguejei, atirando os braços a seu redor. Eu não me importava de congelar. Quem sabia quanto tempo ainda tínhamos?

Sua mão fria esfregou meu braço, tentando me aquecer com o atrito.

Corremos pelo túnel, ou me parecia que estávamos correndo. Meu progresso lento irritou alguém — acho que Felix — e o ouvi suspirar de vez em quando.

No final do túnel havia uma grade — as barras de ferro estavam enferru-jadas, mas eram grossas como meu braço. Uma porta pequena feita de barras mais finas entrelaçadas estava aberta. Edward passou por ela e foi depressa para um espaço de pedra maior e mais iluminado. A grade se fechou com um *cleng*, seguido pelo estalo de uma tranca. Eu estava com medo demais para olhar para trás.

Do outro lado do espaço comprido havia uma porta de madeira pesada e baixa. Era muito grossa — pude perceber porque essa, também, estava aberta.

Passamos pela porta e eu olhei em volta surpresa, relaxando automatica-mente. A meu lado, Edward se contraiu, a mandíbula trincada.

21. VEREDICTO

Estávamos num corredor nada extraordinário, bem iluminado. As paredes eram quase brancas, o chão acarpetado de um cinza industrial. Lâmpadas fluorescentes retangulares e comuns espaçavam-se uniformemente pelo teto. Estava mais quente ali, e fiquei grata por isso. O corredor parecia muito agradável depois da escuridão dos horripilantes esgotos de pedra.

Edward não parecia concordar com minha avaliação. Olhava sombriamente o longo corredor, na direção da figura magra e escura no final, parada perto de um elevador.

Ele me puxou consigo, e Alice seguiu a meu lado. A porta pesada se fechou rangendo atrás de nós, depois houve o baque de uma tranca sendo posta no lugar.

Jane esperava junto ao elevador, com uma das mãos mantendo as portas abertas para nós. Sua expressão era apática.

Dentro do elevador, os três vampiros que pertenciam aos Volturi relaxaram ainda mais. Jogaram os mantos, deixando que o capuz caísse nos ombros. Felix e Demetri tinham a pele meio azeitonada — era estranha, combinada com a palidez de giz. O cabelo preto de Felix era curto, mas o de Demetri caía em ondas até os ombros. As íris eram de um vermelho-escuro nas bordas, escurecendo até que ficavam pretas em volta da pupila. Sob os mantos, as roupas eram modernas, claras e indefiníveis. Eu me espremi no canto, encolhendo-me junto a Edward. Sua mão ainda esfregava meu braço. Ele não tirou os olhos de Jane.

O elevador fez uma viagem curta; saímos no que parecia a elegante recepção de uma empresa. As paredes eram revestidas de madeira, o piso com um carpete grosso, verde-escuro. Não havia janelas, mas pinturas grandes e muito iluminadas do interior da Toscana penduradas em toda parte as substituíam. Sofás de couro claro estavam arrumados em grupos aconchegantes e as mesas reluzentes tinham vasos de cristal cheios de buquês de cores vibrantes. O cheiro das flores me lembrou um velório.

No centro da sala havia um balcão de mogno encerado. Olhei pasma a mulher atrás dele.

Ela era alta, de pele morena e olhos verdes. Seria muito bonita em qualquer outra companhia — mas não naquela. Porque era tão humana quanto eu. Não consegui compreender o que aquela humana estava fazendo ali, totalmente à vontade, cercada de vampiros.

Ela deu um sorriso de boas-vindas educado.

— Boa tarde, Jane — disse. Não houve surpresa em seu rosto quando ela olhou para quem acompanhava Jane. Nem para Edward, com seu peito nu cintilando um pouco nas luzes brancas, nem para mim, desgrenhada e comparativamente horrível.

Jane a cumprimentou com a cabeça.

— Gianna. — Ela seguiu para um grupo de portas duplas nos fundos da sala, e nós fomos atrás.

Do outro lado das portas de madeira havia um tipo de recepção diferente. O rapaz pálido de terno cinza-pérola podia muito bem ser gêmeo de Jane. Seu cabelo era mais escuro e os lábios não eram tão cheios, mas era tão lindo quanto. Ele veio nos receber. Sorriu, estendendo a mão.

— Jane.

— Alec — respondeu ela, abraçando o rapaz. Eles se beijaram no rosto. Depois ele olhou para nós.

— Mandaram-na pegar um e você voltou com dois... e meio — observou ele, olhando para mim. — Bom trabalho.

Ela riu. O som era vivo de prazer, como os de um bebê.

— Bem-vindo de volta, Edward — Alec o cumprimentou. — Você parece estar com o humor melhor hoje.

— Um pouco — concordou Edward num tom monótono.

Olhei sua expressão dura e me perguntei como seu humor poderia ter estado mais sombrio antes.

Alec riu e me examinou enquanto eu grudava ao lado de Edward.

— E essa é a causa de todo o problema? — perguntou, cético.

Edward limitou-se a sorrir, a expressão desdenhosa. Depois ficou parado.

— É minha — disse Felix casualmente de trás.

Edward se virou, um rosnado baixo se formando em seu peito. Felix sorriu — a mão estava erguida, a palma para cima; ele dobrou os dedos duas vezes, convidando Edward a avançar.

Alice tocou o braço de Edward.

— Paciência — alertou.

Eles trocaram um longo olhar e desejei poder ouvir o que ela lhe dizia. Imaginei que tivesse algo a ver com não atacar Felix, porque Edward respirou fundo e se virou para Alec.

— Aro ficará muito satisfeito por vê-lo novamente — disse Alec, como se nada tivesse acontecido.

— Não vamos fazê-lo esperar — sugeriu Jane.

Edward assentiu uma vez.

Alec e Jane, de mãos dadas, foram na frente por outro corredor largo e ornamentado — haveria afinal um fim?

Ignoraram as portas no final do corredor — inteiramente folheadas de ouro —, parando no meio do caminho e deslocando parte do revestimento, expondo uma porta de madeira comum. Não estava trancada. Alec a manteve aberta para Jane.

Eu quis gemer quando Edward me puxou para o outro lado da porta. Era a mesma pedra antiga da praça, do beco e dos esgotos. E estava escuro e frio de novo.

A antecâmara de pedra não era grande. Abria-se logo em um espaço oco e mais iluminado, perfeitamente redondo, como um torreão imenso de castelo... O que provavelmente devia ser. Dois andares acima, longas fendas lançavam seus retângulos de sol no piso de pedra. Não havia luz artificial. A única mobília na sala eram várias cadeiras de madeira imensas, como tronos, espaçadas de forma irregular, alinhadas nas paredes curvas de pedra. No meio do círculo, numa leve depressão, havia outro ralo. Perguntei-me se eles usavam aquilo como saída, como o buraco na rua.

A sala não estava vazia. Algumas pessoas se reuniam numa conversa que aparentava ser relaxada. O murmúrio de vozes baixas e suaves era um zumbido delicado no ar. Enquanto eu observava, duas mulheres pálidas com vestidos de verão pararam em um trecho de luz e, como prismas, a pele delas lançou a luz em centelhas de arco-íris nas paredes castanho-avermelhadas.

Todos os belos rostos viraram-se para nosso grupo enquanto entrávamos na sala. A maioria dos imortais estava vestida de calças e blusas discretas

— peças que não chamariam nenhuma atenção nas ruas. Mas o homem que falou primeiro usava um dos mantos longos, preto feito breu e roçando no chão. Por um momento, pensei que seu cabelo longo e preto fosse o capuz do manto.

— Jane, minha cara, você voltou! — disse ele com evidente prazer. A voz era apenas um suspiro suave.

Ele avançou e o movimento fluiu com uma graça tão surreal que fiquei estarrecida e boquiaberta. Até Alice, de quem cada movimento parecia uma dança, não se comparava com aquilo.

Fiquei ainda mais pasma quando ele se aproximou flutuando e pude ver seu rosto. Não era como os rostos extraordinariamente atraentes que o cercavam — porque ele não se aproximou de nós sozinho; todo o grupo convergiu em volta dele, alguns atrás, outros à frente, com a postura atenta de guarda-costas. Eu não conseguia decidir se o rosto era bonito ou não. Acho que as feições eram perfeitas. Mas ele era tão diferente dos vampiros a seu lado quanto eles eram de mim. A pele era de um branco translúcido, como papel de seda, e parecia muito delicada — era um contraste chocante com o cabelo preto e comprido que emoldurava o rosto. Senti um impulso estranho e apavorante de tocar sua face, para ver se era mais macia do que a de Edward ou a de Alice, ou se era poeirenta, como giz. Os olhos eram vermelhos, como os dos dois outros vampiros em torno dele, mas a cor era enevoada e leitosa; imaginei se a névoa interferia em sua visão.

Ele deslizou até Jane, pegou seu rosto nas mãos de papiro, beijou-a de leve nos lábios cheios e flutuou um passo para trás.

— Sim, meu senhor. — Jane sorriu; a expressão a deixava parecida com uma criança angelical. — Eu o trouxe de volta vivo, como era de seu desejo.

— Ah, Jane. — Ele também sorriu. — Você é um grande conforto para mim.

Ele virou os olhos enevoados para nós e o sorriso se iluminou — tornando-se extático.

— E também Alice e Bella! — rejubilou-se, unindo as palmas das mãos finas. — Isso sim *é* uma surpresa feliz! Maravilhoso!

Olhei chocada enquanto ele falava nossos nomes informalmente, como se fôssemos velhos amigos passando para uma visita inesperada.

Ele se virou para nossa escolta volumosa.

— Felix, seja gentil e conte a meus irmãos sobre nossa companhia. Tenho certeza de que não gostariam de perder isso.

— Sim, meu senhor. — Felix assentiu e desapareceu por onde viemos.

— Está vendo, Edward? — O vampiro estranho se virou e sorriu para Edward como um avô afetuoso mas rabugento. — O que eu lhe disse? Não está feliz por eu não lhe ter dado o que queria ontem?

— Sim, Aro, estou — concordou ele, apertando o braço em minha cintura.

— Adoro finais felizes. — Aro suspirou. — São tão raros! Mas quero a história toda. Como isso aconteceu? Alice? — Ele voltou o olhar enevoado e curioso para Alice. — Seu irmão parecia pensar que você era infalível, mas parece que houve algum equívoco.

— Ah, estou longe de ser infalível. — Ela abriu um sorriso estonteante. Parecia perfeitamente à vontade, exceto pelas mãos fechadas em punhos. — Como pode ver hoje, causo problemas com a mesma freqüência com que os resolvo.

— Você é muito modesta — repreendeu Aro. — Já vi algumas de suas façanhas mais inacreditáveis e devo admitir que nunca observei nada como seu talento. Maravilhoso!

Alice olhou às pressas para Edward. O que não passou despercebido a Aro.

— Lamento, ainda não fomos apresentados adequadamente, não é? É que tenho a sensação de que já conheço você e acabo me precipitando. Seu irmão nos apresentou ontem, de maneira peculiar. Veja você, compartilho de alguns dos talentos de seu irmão, mas sou limitado de uma forma que ele não é. — Aro sacudiu a cabeça; seu tom era de inveja.

— E é também exponencialmente mais poderoso — acrescentou Edward num tom seco. Ele olhou para Alice enquanto explicava rápido. — Aro precisa de contato físico para ouvir seus pensamentos, mas ele ouve muito mais do que eu. Sabe que só posso ouvir o que está se passando em sua cabeça no momento. Aro ouve cada pensamento que sua mente já teve.

Alice ergueu as sobrancelhas delicadas e Edward inclinou a cabeça.

Aro também não deixou passar essa.

— Mas ser capaz de ouvir a distância... — suspirou, gesticulando para os dois e para o diálogo que acabara de acontecer. — Isso seria *muito conveniente*.

Aro olhou por sobre nossos ombros. Todas as outras cabeças viraram-se na mesma direção, inclusive Jane, Alec e Demetri, que se postavam em silêncio perto de nós.

Eu fui a mais lenta. Felix estava de volta, e atrás dele flutuavam mais dois homens de manto preto. Os dois eram muito parecidos com Aro, um deles tinha até o mesmo cabelo preto e delicado. O outro tinha cabelos brancos como a neve — do mesmo tom de sua pele — que roçavam os ombros. Os rostos tinham a mesma pele de papel de seda.

O trio do quadro de Carlisle estava completo, inalterado pelos últimos trezentos anos desde que fora pintado.

— Marcus, Caius, vejam! — sussurrou Aro. — Bella está viva afinal, e Alice está aqui com ela! Não é ótimo?

Nenhum dos outros dois deu a impressão de que *ótimo* seria a palavra de sua escolha. O de cabelo preto parecia completamente entediado, como se tivesse visto muitos milênios do entusiasmo de Aro. A expressão do outro era amargurada sob o cabelo de neve.

O desinteresse deles não refreou o deleite de Aro.

— Conte-nos a história. — Aro, com sua voz leve, quase cantava.

O vampiro ancião de cabelos brancos se afastou, deslizando para um dos tronos de madeira. O outro parou ao lado de Aro e estendeu a mão, e de início pensei que fosse para pegar a mão dele. Mas ele apenas tocou a palma e logo a largou. Aro ergueu uma das sobrancelhas pretas. Perguntei-me como sua pele de papiro não se amassou com o esforço.

Edward bufou muito baixo e Alice o olhou, curiosa.

— Obrigado, Marcus — disse Aro. — Isso é muito interessante.

Percebi, um segundo atrasada, que Marcus estava deixando que Aro lesse seus pensamentos.

Marcus não *parecia* interessado. Afastou-se de Aro para se unir ao que devia ser Caius, sentado junto à parede. Dois dos vampiros que o acompanhavam seguiram atrás dele em silêncio — guarda-costas, como pensei antes. Pude ver que as duas mulheres de vestido de verão foram se colocar ao lado de Caius da mesma maneira. A idéia de um vampiro precisar de segurança era ridícula para mim, mas talvez os antigos fossem tão frágeis quanto sua pele sugeria.

Aro sacudia a cabeça.

— Incrível — disse ele. — Absolutamente incrível.

A expressão de Alice era de frustração. Edward virou-se para ela e de novo explicou numa voz baixa e rápida:

— Marcus vê relacionamentos. Ele está surpreso com a intensidade do nosso.

Aro sorriu.

— Muito conveniente — repetiu para si mesmo. Depois falou conosco: — É preciso muito para surpreender Marcus, posso lhes garantir.

Olhei o rosto apático de Marcus e acreditei nisso.

— É que é tão difícil de entender, mesmo agora — refletiu Aro, olhando o braço de Edward em minha cintura. Para mim, era difícil acompanhar a linha de raciocínio caótica de Aro. Eu me esforçava para entender. — Como pode ficar assim tão perto dela?

— Não é sem esforço — respondeu Edward calmamente.

— Mas ainda assim... *La tua cantante!* Que desperdício!

Edward riu uma vez, sem nenhum humor.

— Vejo isso mais como um preço.

Aro estava cético.

— Um preço muito alto.

— Apropriado.

Aro riu.

— Se eu não tivesse sentido o cheiro dela em suas lembranças, não teria acreditado que o apelo do sangue de alguém pudesse ser tão forte. Nunca senti nada parecido. A maioria de nós daria muito por um presente desses, e no entanto você...

— Desperdiço — concluiu Edward, a voz agora sarcástica.

Aro riu outra vez.

— Ah, como sinto falta de meu amigo Carlisle! Faz-me lembrar dele... Só que ele não era tão irritável.

— Carlisle é melhor que eu de muitas outras maneiras.

— Certamente, entre tudo mais, nunca imaginei ver Carlisle ser suplantado na questão do autocontrole, mas você o supera.

— Dificilmente. — Edward parecia impaciente. Como se estivesse cansado das preliminares. Isso me deu mais medo; não pude deixar de imaginar o que ele esperava que acontecesse.

— Sinto-me recompensado pelo sucesso dele — refletiu Aro. — Suas lembranças de Carlisle são uma dádiva para mim, embora me tenham atordoado de maneira extraordinária. Estou surpreso pelo modo como isso... me *agrada*, o sucesso dele na via heterodoxa que escolheu. Esperava que ele se desgastasse, que enfraquecesse com o tempo. Ridicularizei seus planos de encontrar outros que compartilhassem sua visão peculiar. E, no entanto, de algum modo, fico feliz por ter me enganado.

Edward não respondeu.

— Mas o *seu* controle! — Aro suspirou. — Não sabia que essa força era possível. Habituar-se contra tal canto de sereia, não apenas uma vez, mas repetidamente... Se eu próprio não sentisse, não teria acreditado.

Edward retribuiu o olhar de admiração de Aro sem nenhuma expressão. Eu conhecia bem seu rosto — o tempo não mudara isso — para supor que algo fervilhava sob a superfície. Lutei para manter minha respiração constante.

— Só de me lembrar o apelo que ela tem a você... — Aro riu. — Fico com sede.

Edward se contraiu.

— Não fique perturbado — Aro o tranqüilizou. — Não pretendo causar nenhum dano a ela. Mas estou *muito* curioso com uma questão em particular. — Ele me olhou com vivo interesse. — Posso? — perguntou ansiosamente, erguendo a mão.

— Peça a *ela* — sugeriu Edward numa voz monótona.

— Claro, que grosseria a minha! — exclamou Aro. — Bella — ele agora se dirigia a mim. — Estou fascinado que você seja a única exceção ao talento impressionante de Edward... É tão interessante que aconteça uma coisa dessas! E estava me perguntando, uma vez que nossos talentos são em muitos aspectos semelhantes, se você faria a gentileza de me permitir tentar... ver se você é uma exceção também para *mim*?

Meus olhos voaram apavorados para o rosto de Edward. Apesar da gentileza explícita de Aro, eu não acreditava que de fato tivesse alternativa. Estava apavorada com a idéia de permitir que ele me tocasse, e, no entanto, também perversamente intrigada com a possibilidade de sentir sua pele estranha.

Edward assentiu, encorajando-me — se foi porque ele tinha certeza de que Aro não ia me machucar ou porque não havia alternativa, eu não sabia.

Virei-me de novo para Aro e ergui a mão lentamente diante de mim. Eu tremia.

Ele se aproximou, e acredito que sua intenção fosse mostrar uma expressão tranqüilizadora. Mas suas feições de papiro eram estranhas demais, fora do comum e assustadoras demais para me acalmarem. O olhar em seu rosto era mais confiante do que as palavras que dissera.

Aro estendeu a mão, como que para me cumprimentar, e comprimiu a pele de aparência insubstancial na minha pele. Era dura, mas pareceu frágil — de xisto e não de granito — e ainda mais fria do que eu esperava.

Os olhos turvos sorriram para mim e foi impossível desviar o olhar. Eles eram hipnóticos, de maneira estranha e desagradável.

A expressão de Aro mudou enquanto eu observava. A confiança oscilou e se tornou primeiro dúvida, depois incredulidade antes de ele se acalmar numa máscara de simpatia.

— Muitíssimo interessante — disse ao soltar minha mão e recuar.

Meus olhos dispararam para Edward, e embora seu rosto estivesse composto, achei que ele parecia um pouco presunçoso.

Aro continuava a se mover, com uma expressão pensativa. Ficou em silêncio por um momento, os olhos adejando entre nós três. Depois, de repente, sacudiu a cabeça.

— É um começo — disse a si mesmo. — Pergunto-me se ela é imune a nossos outros talentos... Jane, minha cara?

— Não! — Edward rosnou a palavra. Alice pegou seu braço com ímpeto. Ele se livrou dela.

A pequena Jane sorria feliz para Aro.

— Sim, meu senhor?

Edward agora rosnava mesmo, o som saindo rasgado e dilacerado, e encarava Aro com olhos mortais. A sala ficou em silêncio, todos o observavam com uma descrença assombrada, como se ele estivesse cometendo uma gafe social constrangedora. Vi Félix sorrir esperançoso e avançar um passo. Aro o olhou uma vez e ele ficou imóvel, o sorriso transformando-se numa expressão carrancuda.

Depois ele falou com Jane.

— Imagino, minha querida, se Bella é imune a *você*.

Eu mal podia ouvir Aro com os rosnados furiosos de Edward. Ele me soltou, movendo-se para me esconder da visão deles. Caius veio em nossa direção com sua comitiva, para olhar.

Jane virou-se para nós com um sorriso beatífico.

— Não! — Alice gritou enquanto Edward se atirava para a menina.

Antes que eu pudesse reagir, antes que alguém pudesse se colocar entre eles, antes que os seguranças de Aro pudessem se compor, Edward estava no chão.

Ninguém o tocou, mas ele estava no chão de pedra retorcendo-se numa agonia evidente, enquanto eu olhava apavorada.

Agora Jane sorria só para ele, e tudo se encaixou. O que Alice dissera sobre os *dons formidáveis*, por que todos tratavam Jane com tanta deferência e por que Edward se atirara em seu caminho antes que ela pudesse fazer aquilo comigo.

— Pare! — gritei, minha voz ecoando no silêncio, e pulei para me interpor entre eles.

Mas Alice atirou os braços ao meu redor num aperto insuportável e ignorou meu esforço. Nenhum som saiu dos lábios de Edward enquanto ele se contorcia nas pedras. Parecia que minha cabeça ia explodir com a dor de assistir àquilo.

— Jane. — Aro a chamou com a voz tranqüila.

Ela lançou-lhe um olhar rápido, ainda sorrindo de prazer, os olhos indagativos. Assim que Jane desviou o olhar, Edward ficou imóvel.

Aro inclinou a cabeça para mim.

Jane voltou seu sorriso na minha direção.

Eu nem encontrei seu olhar. Vi Edward pela prisão dos braços de Alice, ainda lutando em vão.

— Ele está bem — sussurrou Alice numa voz áspera.

Enquanto ela falava, ele se sentou, depois se colocou ligeiramente de pé. Seus olhos encontraram os meus, e estavam tomados de horror. De início pensei que o horror era pelo que ele tinha sofrido. Mas depois ele olhou depressa para Jane, e de novo para mim — e seu rosto relaxou de alívio.

Olhei para Jane também e ela não sorria mais. Encarava-me, o maxilar trincado devido à intensidade de sua concentração. Eu me encolhi, esperando pela dor.

Nada aconteceu.

Edward estava a meu lado de novo. Tocou o braço de Alice e ela me entregou a ele.

Aro começou a rir.

— Rá, rá, rá — gargalhava ele. — Isso é maravilhoso!

Jane sibilou de frustração, inclinando-se para a frente como se estivesse se preparando para atacar.

— Não fique aborrecida, minha querida — disse Aro num tom reconfortante, colocando a mão leve e poeirenta no ombro dela. — Ela confunde a todos nós.

O lábio superior de Jane se retraiu, mostrando os dentes, enquanto ela continuava a me encarar.

— Rá, rá, rá. — Aro riu de novo. — Você é muito corajoso, Edward, para suportar em silêncio. Pedi a Jane que fizesse isso comigo uma vez... Só por curiosidade. — Ele sacudiu a cabeça, admirado.

Edward o encarava enojado.

— E o que vamos fazer com vocês agora? — Aro suspirou.

Edward e Alice se enrijeceram. Essa era a parte que eles esperavam. Eu comecei a tremer.

— Não suponho que haja alguma possibilidade de você ter mudado de idéia? — perguntou Aro a Edward, cheio de esperança. — Seu talento seria um excelente incremento para nossa pequena companhia.

Edward hesitou. Pelo canto do olho, vi Felix e Jane torcerem a cara.

Edward parecia pesar cada palavra antes de pronunciá-las.

— Eu... prefiro... não.

— Alice? — perguntou Aro, ainda com esperanças. — Estaria talvez interessada em se juntar a nós?

— Não, obrigada — disse Alice.

— E você, Bella? — Aro ergueu as sobrancelhas.

Edward sibilou baixo em meus ouvidos. Olhei apático para Aro. Estaria ele brincando? Ou realmente me perguntava se eu queria ficar para o jantar?

Foi Caius, o de cabelos brancos, quem rompeu o silêncio.

— O quê? — ele perguntou a Aro; sua voz, embora não mais que um sussurro, era uniforme.

— Caius, com certeza você vê o potencial — Aro o repreendeu afetuosa- mente. — Não vejo um possível talento tão promissor desde que encontramos Jane e Alec. Pode imaginar as possibilidades quando ela for uma de nós?

Caius desviou os olhos com uma expressão cáustica. Os olhos de Jane cintilaram de indignação com a comparação.

Edward se enfureceu a meu lado. Conseguia ouvir o trovão em seu peito, formando um rosnado. Eu não podia deixar que seu gênio o ferisse.

— Não, obrigada — falei no que mal passava de um sussurro, minha voz falhando de medo.

Aro suspirou.

— É lamentável. Um desperdício.

Edward sibilou.

— Unir-se ou morrer, não é? Desconfiei disso quando fomos trazidos a *esta* sala. Bem de acordo com suas leis.

O tom de sua voz me surpreendeu. Ele parecia colérico, mas havia algo premeditado no modo como falou — como se tivesse escolhido as palavras com muito cuidado.

— É claro que não. — Aro piscou, atordoado. — Já estávamos reunidos aqui, Edward, esperando pelo retorno de Heidi. Não por você.

— Aro — sibilou Caius. — A lei os reclama.

Edward fitou Caius.

— Como assim? — perguntou ele. Aro devia saber o que Caius estava pensando, mas parecia decidido a obrigá-lo a falar em voz alta.

Caius apontou um dedo esquelético para mim.

— Ela sabe demais. Você expôs nossos segredos. — A voz era fina como papel, exatamente como sua pele.

— Também há alguns humanos em seu teatro aqui — Edward o lembrou, e pensei na recepcionista bonita lá embaixo.

A face de Caius se retorceu numa nova expressão. Seria aquilo um sorriso?

— Sim — concordou ele. — Mas quando não nos forem mais úteis, servirão para nos sustentar. Não é seu plano para essa. Se ela trair nossos segredos, está preparado para destruí-la? Acho que não — zombou ele.

— Eu não... — comecei, ainda sussurrando.

Caius me silenciou com um olhar gélido.

— Também não pretende torná-la uma de nós — continuou Caius. — Portanto, ela é uma vulnerabilidade. Admitindo que isso seja verdade, nesse caso, só *ela* perde o direito à vida. Você pode partir, se desejar.

Edward mostrou os dentes.

— Foi o que pensei — disse Caius, com algo parecido com prazer. Felix se inclinou para a frente, ansioso.

— A não ser... — interrompeu Aro. Ele parecia infeliz com o rumo que a conversa tomara. — A não ser que pretenda dar-lhe a imortalidade.

Edward franziu os lábios, hesitando por um momento antes de responder.

— E se eu der?

Aro sorriu, feliz de novo.

— Assim estaria livre para ir para casa e levar meus cumprimentos a meu amigo Carlisle. — Sua expressão tornou-se mais hesitante. — Mas receio que tenha de estar sendo sincero.

Aro ergueu a mão diante dele.

Caius, que começara a fazer uma carranca furiosa, relaxou.

Os lábios de Edward se estreitaram numa linha feroz. Ele me olhou nos olhos e eu retribuí.

— Seja sincero — sussurrei. — Por favor.

Seria mesmo uma idéia tão repugnante? Então ele preferia *morrer* a me modificar? Parecia que eu tinha levado um chute na barriga.

Edward olhou-me de cima com uma expressão torturada.

E depois Alice se afastou de nós, indo até Aro. Nos viramos para olhar. Sua mão estava erguida, como a dele.

Ela não disse nada e Aro afastou os seguranças ansiosos quando eles se moveram para impedir a aproximação dela. Aro a encontrou a meio caminho e pegou sua mão com um brilho de ansiedade e cobiça nos olhos.

Ele inclinou a cabeça na direção das mãos que se tocavam, os olhos se fechando ao se concentrar. Alice ficou imóvel, o rosto inexpressivo. Ouvi os dentes de Edward trincando.

Ninguém se mexeu. Aro parecia congelado junto à mão de Alice. Os segundos se passaram e eu fui ficando cada vez mais estressada, perguntando-me quanto tempo se passaria antes que fosse tempo *demais*. Antes que significasse que havia algo errado — mais errado do que já estava.

Outro momento de agonia se passou, depois a voz de Aro quebrou o silêncio.

— Rá, rá, rá — ele riu, a cabeça ainda tombada para a frente. Ele olhou para cima devagar, os olhos brilhando de emoção. — Isso foi *fascinante*!

Alice deu um sorriso seco.

— Fico feliz que tenha gostado.

— Ver as coisas que você viu... Em especial aquelas que ainda não aconteceram! — Ele sacudiu a cabeça, maravilhado.

— Mas acontecerão — ela comentou, a voz calma.

— Sim, sim, está bem determinado. Certamente não há problema.

Caius parecia amargamente decepcionado — uma sensação que ele parecia compartilhar com Felix e com Jane.

— Aro — queixou-se Caius.

— Meu caro Caius. — Aro sorriu. — Não se aflija. Pense nas possibilidades! Eles não se unirão a nós hoje, mas sempre podemos ter esperança quanto ao futuro. Imagine a alegria que a jovem Alice, sozinha, poderia trazer à nossa pequena família... Além disso, estou terrivelmente curioso para ver como Bella ficará!

Aro parecia convencido. Não percebera o quanto as visões de Alice eram subjetivas? Que ela podia se resolver a me transformar hoje, amanhã mudar de idéia? Um milhão de decisões mínimas, as decisões dela e de tantos outros — de Edward — podiam alterar seu rumo e, com ele, o futuro.

E importava mesmo que Alice estivesse disposta a fazer, faria alguma diferença se eu *me tornasse* vampira, se a idéia era tão repulsiva para Edward?

Se para ele a morte era uma alternativa melhor do que me ter perto dele para sempre, um aborrecimento imortal? Apavorada como estava, senti-me afundando na depressão, afogando-me nela...

— Então agora estamos livres para partir? — perguntou Edward numa voz monótona.

— Sim, sim — disse Aro com satisfação. — Mas, por favor, volte a nos visitar. Foi absolutamente fascinante!

— E nós também os visitaremos — prometeu Caius, os olhos subitamente semicerrados como o olhar de pálpebras pesadas de um lagarto. — Para nos assegurarmos de que sua parte foi cumprida. Em seu lugar, eu não me demoraria muito. Não oferecemos uma segunda chance.

O maxilar de Edward trincou, mas ele assentiu uma vez.

Caius deu um sorriso malicioso e voltou para onde Marcus ainda estava sentado, imóvel e desinteressado.

Felix grunhiu.

— Ah, Felix. — Aro sorriu, divertindo-se. — Heidi estará aqui a qualquer momento. Paciência.

— Hmmm. — A voz de Edward tinha certa tensão. — Nesse caso, talvez seja melhor partirmos o quanto antes.

— Sim — concordou Aro. — É uma boa idéia. Acidentes *acontecem*. Mas, por favor, esperem até que escureça, se não se importam.

— Claro — concordou Edward, enquanto eu me encolhia com a idéia de esperar que o dia acabasse antes de podermos escapar.

— E tome — acrescentou Aro, sinalizando para Felix com um dedo. Felix deu um passo à frente e Aro abriu o manto cinza que o imenso vampiro usava, tirando-o de seus ombros. Ele o atirou a Edward. — Pegue isto. Você chama um pouco a atenção.

Edward pôs o longo manto, deixando o capuz abaixado.

Aro suspirou.

— Cabe em você.

Edward riu, mas parou de repente, olhando por sobre o ombro.

— Obrigado, Aro. Vamos esperar lá embaixo.

— Adeus, jovens amigos — disse Aro, os olhos brilhantes ao fitar na mesma direção.

— Vamos — disse Edward, agora com urgência.

Demetri gesticulou para que o seguíssemos, depois partiu pelo caminho que havíamos tomado para chegar, a única saída, ao que parecia.

Edward me puxava rapidamente junto de si. Alice estava perto, do outro lado, a expressão severa.

— Não está rápido o suficiente — murmurou ela.

Olhei para ela, assustada, mas ela só parecia pesarosa. Foi então que percebi o balbuciar de vozes — altas, rudes — vindo da antecâmara.

"Ora, isso é incomum", trovejou uma voz vulgar de homem.

"Tão medieval", respondeu entusiasmada uma voz feminina e de um estridente desagradável.

Uma multidão passava pela pequena porta, enchendo a câmara de pedra menor. Demetri fez sinal para abrirmos espaço. Nós nos encostamos na parede fria para que eles passassem.

O casal na frente, aparentemente de americanos, olhou em volta com olhos minuciosos.

— Bem-vindos, convidados! Bem-vindos a Volterra! — pude ouvir Aro cantar da sala grande do torreão.

Os demais, talvez uns quarenta, faziam fila atrás do casal. Alguns examinavam o lugar como turistas. Uns poucos até tiraram fotos. Outros pareceram confusos, como se a história que os levara àquela sala não fizesse sentido algum. Percebi particularmente uma mulher morena e baixinha. Em seu pescoço havia um rosário e ela agarrava firme o crucifixo com uma das mãos. Andava mais devagar do que os outros, tocando alguém de vez em quando e fazendo uma pergunta numa língua desconhecida. Ninguém pareceu entendê-la e o pânico aumentou em sua voz.

Edward puxou meu rosto para seu peito, mas era tarde demais. Eu já havia entendido.

Assim que a menor brecha surgiu, Edward me empurrou depressa para a porta. Pude sentir a expressão de pavor em meu rosto e as lágrimas começando a se acumular em meus olhos.

O corredor ornado de dourado estava silencioso e vazio, a não ser por uma mulher linda e esculteral. Ela nos olhava com curiosidade, a mim em particular.

— Bem-vinda ao lar, Heidi — Demetri a cumprimentou atrás de nós.

Heidi sorriu distraidamente. Ela me lembrava Rosalie, embora não fossem nada parecidas — era apenas sua beleza, também excepcional e inesquecível. Eu não conseguia desviar meus olhos.

Ela estava vestida para destacar seus atributos. As pernas maravilhosamente longas, escurecidas com meias, estavam expostas por uma minissaia curtíssima. A blusa de mangas compridas era alta no pescoço, mas muitíssimo apertada e feita de vinil vermelho. O longo cabelo cor de mogno brilhava e seus olhos tinham o mais estranho tom de violeta — uma cor que podia resultar de lentes de contato azuis sobre íris vermelhas.

— Demetri — respondeu ela numa voz sedosa, os olhos disparando entre meu rosto e o manto cinza de Edward.

— Boa pescaria — Demetri a cumprimentou, e eu de repente entendi a roupa chamativa que ela usava... Ela não era só a pescadora, mas também a isca.

— Obrigada. — Ela abriu um sorriso estonteante. — Não vai entrar?

— Num minuto, guarde um pouco para mim.

Heidi assentiu e passou pela porta com um último olhar de curiosidade dirigido a mim.

Edward seguiu num ritmo que me fez correr para acompanhar. Mas ainda assim não conseguimos passar pela porta ornamentada no final do corredor antes de começarem os gritos.

22. VÔO

DEMETRI NOS DEIXOU NA RECEPÇÃO AGRADAVELMENTE OPULEN-
ta onde a mulher, Gianna, ainda estava em seu posto atrás do balcão encerado.
Uma música animada e inofensiva soava de alto-falantes embutidos.

— Não saiam até que escureça — ele nos alertou.

Edward assentiu e Demetri se afastou às pressas.

Gianna não pareceu nada surpresa com a troca, embora olhasse o manto
emprestado em Edward com uma especulação maliciosa.

— Você está bem? — perguntou Edward em voz baixa, baixa demais para
a mulher humana ouvir. A voz era áspera, se é que veludo pode ser áspero, de
ansiedade. Ainda estressada por nossa situação, imaginei.

— É melhor fazê-la sentar antes que caia — disse Alice. — Ela vai desmoronar.

Foi só então que percebi que eu tremia, tremia muito, todo o meu corpo
vibrando até que meus dentes bateram e a sala em volta de mim pareceu oscilar e ficar embaçada em meus olhos. Em um segundo de desvario, perguntei-
me se era assim que Jacob se sentia antes de explodir em um lobisomem.

Ouvi um som que não fazia sentido, um equivalente cortante e estranho do
fundo musical animado. Distraída pelo tremor, eu não sabia de onde vinha.

— Shhh, Bella, shhh — disse Edward enquanto me puxava para o sofá
mais distante da humana curiosa na recepção.

— Acho que ela está com uma crise histérica. Talvez você deva lhe dar
um tapa — sugeriu Alice.

Edward lançou a ela um olhar frenético.

Depois eu entendi. Ah. O barulho era meu. O som cortante era o choro
subindo de meu peito. Era isso que me fazia tremer.

— Está tudo bem, você está segura, está tudo bem — entoava Edward sem parar. Ele me colocou em seu colo e passou o manto grosso de lã à volta do meu corpo, protegendo-me de sua pele fria.

Eu sabia que era idiotice reagir daquela forma. Quem poderia dizer quanto tempo eu tinha para olhar o rosto dele? Ele estava salvo, eu estava salva, e ele podia me deixar assim que estivéssemos livres. Ter os olhos tão cheios de lágrimas, a ponto de não poder ver as feições dele com clareza, era um desperdício — uma insanidade.

Mas, por trás dos olhos, onde as lágrimas não podiam lavar a imagem, eu ainda conseguia ver o rosto em pânico da mulher baixinha com o rosário.

— Toda aquela gente — solucei.

— Eu sei — sussurrou ele.

— É tão horrível.

— Sim, é. Queria que não tivesse precisado ver isso.

Encostei minha cabeça em seu peito frio, usando o manto grosso para enxugar os olhos. Respirei fundo algumas vezes, tentando me acalmar.

— Posso lhes trazer alguma coisa? — perguntou educadamente uma voz. Era Gianna, inclinando-se por sobre o ombro de Edward com um olhar que era ao mesmo tempo preocupado e, no entanto, profissional e distanciado. Não parecia incomodá-la que seu rosto estivesse a centímetros de um vampiro hostil. Ou era totalmente ignorante, ou era muito boa em seu trabalho.

— Não — respondeu Edward com frieza.

Ela assentiu, sorriu para mim e desapareceu.

Esperei até que Gianna não pudesse ouvir.

— Ela sabe o que está acontecendo aqui? — perguntei, minha voz baixa e rouca. Eu começava a me controlar, minha respiração se acalmava.

— Sim. Ela sabe de tudo — disse-me Edward.

— Ela sabe que um dia eles vão matá-la?

— Sabe que há essa possibilidade — disse ele.

Isso me surpreendeu.

O rosto de Edward era difícil de interpretar.

— Espera que eles decidam ficar com ela.

Senti o sangue fugir de meu rosto.

— Ela quer ser um deles?

Ele assentiu uma vez, os olhos penetrantes em meu rosto, observando minha reação.

Tremi.

— Como ela pode querer isso? — sussurrei, mais para mim mesma do que procurando de fato uma resposta. — Como pode ver as pessoas fazendo fila para entrar naquela sala horrenda e querer participar *daquilo*?

Edward não respondeu. Sua expressão mudou, em reação a alguma coisa que eu dissera.

Enquanto eu fitava seu rosto tão lindo, tentando entender a mudança, de repente me ocorreu que eu realmente estava ali, nos braços de Edward, embora por pouco tempo, e que não estávamos — naquele exato momento — prestes a ser mortos.

— Ah, Edward — eu disse, e estava chorando de novo. Era uma reação tão idiota. As lágrimas eram espessas demais para que eu visse seu rosto de novo, e isso era indesculpável. Eu só tinha até o pôr-do-sol, sem dúvida. Como um conto de fadas outra vez, com prazos que encerravam a magia.

— Qual é o problema? — perguntou ele, ainda ansioso, afagando minhas costas de modo gentil.

Passei os braços em seu pescoço — qual era a pior coisa que ele podia fazer? Só me afastar — e abracei-o com força.

— É muito doentio de minha parte ficar feliz agora? — perguntei. Minha voz falhou duas vezes.

Ele não me afastou. Puxou-me com firmeza para perto de seu peito gelado, tão firme que mal consegui respirar, mesmo com meus pulmões sem dúvida intactos.

— Sei exatamente o que quer dizer — sussurrou ele. — Mas temos muitos motivos para ficar felizes. Primeiro, estamos vivos.

— Sim — concordei. — Esse é um bom motivo.

— E juntos — sussurrou ele. Seu hálito era tão doce que fez minha cabeça girar.

Eu só assenti, certa de que ele não colocara o mesmo peso que eu nessa consideração.

— E com alguma sorte ainda estaremos vivos amanhã.

— Espero que sim — disse, inquieta.

— A perspectiva é muito boa — garantiu-me Alice. Ela estivera tão quieta que quase me esqueci de sua presença. — Vou ver Jasper em menos de vinte e quatro horas — acrescentou num tom satisfeito.

Alice tinha sorte. Podia confiar em seu futuro.

Não conseguia tirar os olhos do rosto de Edward por muito tempo. Eu o fitava, querendo mais do que nunca que o futuro jamais acontecesse. Que aquele momento durasse para sempre ou, se não fosse possível, que eu parasse de existir quando acabasse.

Edward retribuiu meu olhar, seus olhos escuros suaves, e era fácil fingir que ele sentia o mesmo. E foi o que fiz. Eu fingi, para tornar o momento mais maravilhoso.

As pontas de seus dedos acompanharam os círculos sob meus olhos.

— Você parece muito cansada.

— E você parece estar com sede — sussurrei, examinando as manchas roxas sob as íris negras.

Ele deu de ombros.

— Não é nada.

— Tem certeza? Posso me sentar com Alice — propus, de má vontade; eu preferia que ele me matasse ali a que se afastasse um centímetro que fosse de onde eu estava.

— Não seja ridícula. — Ele suspirou; o hálito doce acariciou meu rosto. — Nunca tive mais controle *desse* aspecto de minha natureza do que tenho agora.

Eu tinha um milhão de perguntas para ele. Uma delas escapou para meus lábios naquela hora, mas mordi a língua. Não queria estragar o momento, por mais imperfeito que fosse, ali, naquela sala que me deixava doente, sob os olhos da candidata a monstro.

Ali, nos braços dele, era muito fácil fantasiar que ele me queria. Naquele momento, eu não queria pensar em suas motivações — se ele agia daquela forma para me manter calma enquanto ainda corríamos perigo, ou se apenas se sentia culpado por onde estávamos e aliviado por não ser responsável por minha morte. Talvez o tempo que passamos separados tivesse sido suficiente para que eu não o incomodasse por enquanto. Mas isso não importava. Eu estava feliz demais fingindo.

Fiquei parada em seus braços, memorizando novamente seu rosto, fingindo...

Ele olhava meu rosto como se estivesse fazendo o mesmo, enquanto discutia com Alice como chegar em casa. As vozes eram tão rápidas e baixas que eu sabia que Gianna não podia entender. Eu mesma perdi metade do que disseram. Mas parecia envolver mais algum roubo. Imaginei em vão se o Porsche amarelo já havia voltado para seu dono.

— O que foi toda aquela conversa de *cantoras*? — perguntou Alice a certa altura.

— *La tua cantante* — disse Edward. A voz dele transformava as palavras em música.

— Sim, isso — disse Alice, e eu me concentrei por um momento. Na hora, também me perguntei sobre isso.

Senti Edward encolher os ombros junto a mim.

— Eles têm um nome para quem tem o cheiro que Bella tem para mim. Chamam de minha *cantora*... Porque o sangue dela canta para mim.

Alice riu.

Eu estava cansada o suficiente para dormir, mas tentei combater a exaustão. Não perderia nem um segundo do tempo que tinha com ele. De vez em quando, enquanto conversava com Alice, ele de repente se inclinava e me beijava — os lábios suaves como vidro roçando em meu cabelo, em minha testa, na ponta de meu nariz. A cada vez era como receber um choque elétrico em meu coração há muito dormente. O som de seu batimento parecia encher a sala toda.

Era o paraíso — bem no meio do inferno.

Perdi completamente a noção do tempo. Assim, quando os braços de Edward me apertaram, e ele e Alice olharam preocupados o fundo da sala, entrei em pânico. Encolhi-me contra o peito de Edward enquanto Alec — os olhos agora de um rubi vívido, mas ainda imaculado em seu terno cinza-claro, apesar da refeição da tarde — passou pelas portas duplas.

Eram boas notícias.

— Estão livres para partir agora — disse-nos Alec, o tom de voz tão caloroso que parecia que éramos todos velhos amigos. — Pedimos que não se demorem na cidade.

Edward não se preocupou em fingir ao responder; sua voz era de uma frieza gélida.

— Isso não será problema.

Alec sorriu, aquiesceu e desapareceu novamente.

— Sigam o corredor à direita até o primeiro grupo de elevadores — disse-nos Gianna enquanto Edward me ajudava a me levantar. — Dois andares abaixo ficam o saguão e a saída para a rua. Então, adeus — acrescentou, num tom agradável. Perguntei-me se sua competência seria suficiente para salvá-la.

Alice lançou a ela um olhar sombrio.

Fiquei aliviada por haver outra saída; não tinha certeza se podia lidar com outro *tour* pelos subterrâneos.

Saímos por um saguão luxuoso e de bom gosto. Fui a única a olhar para trás, para o castelo medieval que abrigava a elaborada fachada de empresa. Não consegui ver o torreão e fiquei grata por isso.

A festa ainda estava a todo o vapor nas ruas. As luzes dos postes começavam a se acender enquanto andávamos rápido pelas estreitas vias de pedra. O céu era de um cinza-claro e opaco, mas as construções eram tão próximas nas ruas que parecia mais escuro.

A festa também estava mais sombria. O manto longo de Edward arrastava no chão, mas não se destacava tanto quanto teria ocorrido numa noite normal em Volterra. Agora havia outros vestindo mantos de cetim preto, e as presas de plástico que eu vira na criança na praça pareciam muito populares entre os adultos.

— Ridículo — murmurou Edward.

Não percebi quando Alice desapareceu de meu lado. Olhei para lhe fazer uma pergunta, e ela se fora.

— Onde está Alice? — sussurrei, em pânico.

— Foi buscar as bolsas de vocês onde as escondeu esta manhã.

Eu me esquecera de que tinha acesso a uma escova de dentes. Isso iluminou consideravelmente minha perspectiva.

— Ela está roubando um carro também, não é? — supus.

Ele sorriu.

— Só quando estivermos lá fora.

Parecia um longo caminho até a entrada. Edward percebeu que eu estava exausta; passou o braço em minha cintura e sustentou a maior parte de meu peso enquanto andávamos.

Estremeci quando ele me puxou pelo arco escuro de pedra. A imensa e antiga grade levadiça no alto era como uma porta de gaiola, ameaçando cair sobre nós, nos trancar lá dentro.

Ele me levou para um carro escuro que esperava com o motor ligado numa poça de sombra à direita do portão. Para minha surpresa, ele entrou no banco traseiro comigo, em vez de insistir em dirigir.

Alice se desculpou.

— Sinto muito. — Ela gesticulou vagamente para o painel. — Não havia muitas opções.

— Está tudo bem, Alice. — Ele sorriu. — Não dava para todos serem um Turbo 911.

Ela suspirou.

— Talvez possa adquirir um daquele legalmente. Era fabuloso.

— Vou lhe dar um de presente de Natal — prometeu Edward.

Alice virou-se radiante para ele, o que me preocupou, porque ao mesmo tempo ela já acelerava pela colina escura e sinuosa.

— Amarelo — disse-lhe.

Edward me manteve apertada em seus braços. Dentro do manto cinza, eu estava aquecida e confortável. Mais do que confortável.

— Pode dormir agora, Bella — murmurou ele. — Acabou.

Eu sabia que ele se referia ao perigo, ao pesadelo na cidade antiga, mas ainda tive de engolir em seco antes de responder.

— Não quero dormir. Não estou cansada. — Apenas a segunda parte era mentira. Eu não fecharia os olhos. Só os controles do painel iluminavam um pouco o carro, mas era suficiente para enxergar o rosto dele.

Edward apertou os lábios na depressão sob minha orelha.

— Tente — ele incentivou.

Sacudi a cabeça.

Ele suspirou.

— Você ainda é a mesma teimosa.

Eu *era mesmo* teimosa; lutei contra minhas pálpebras pesadas e venci. A estrada escura foi a parte mais difícil; as luzes fortes no aeroporto de Floren-ça tornaram a situação mais fácil para mim, assim como a oportunidade de escovar os dentes e vestir roupas limpas; Alice comprou roupas para Edward também, e ele largou o manto escuro numa pilha de lixo em um beco. A viagem de avião até Roma foi tão curta que não houve oportunidade real de o cansaço me tomar. Eu sabia que o vôo de Roma para Atlanta seria comple-tamente diferente, então pedi à comissária de bordo uma Coca-Cola.

— Bella — disse Edward, censurando-me. Ele sabia de minha baixa to-lerância à cafeína.

Alice estava atrás de nós. Pude ouvi-la murmurando com Jasper ao tele-fone.

— Não quero dormir — lembrei a ele. Eu lhe dei uma desculpa plausível por ser verdadeira. — Se fechar os olhos agora, vou ver coisas que não quero. Terei pesadelos.

Ele não discutiu comigo depois disso.

Teria sido uma hora muito boa para conversar, para conseguir as respos-tas de que precisava — precisava, mas não queria realmente; já estava me desesperando ao pensar no que podia ouvir. Tínhamos um período de tempo ininterrupto pela frente e ele não podia escapar de mim dentro de um avião — bom, não com facilidade, pelo menos. Ninguém nos ouviria, exceto Alice; era tarde e a maioria dos passageiros estava apagando as luzes e pedindo travesseiros aos sussurros. Conversar me ajudaria a combater a exaustão.

Mas, perversamente, mordi a língua para impedir a enxurrada de perguntas. Meu raciocínio devia estar prejudicado pelo cansaço, mas eu esperava que, adiando a conversa, pudesse ganhar mais algumas horas com ele num momento seguinte — prolongar aquilo por outra noite, no estilo Sherazade.

Então fiquei bebendo refrigerante e resistindo até ao impulso de piscar. Edward parecia perfeitamente satisfeito em me segurar nos braços, os dedos roçando meu rosto sem parar. Eu toquei seu rosto também. Não consegui me controlar, embora tivesse medo de que isso me magoasse mais tarde, quando estivesse sozinha de novo. Ele continuava a beijar meu cabelo, minha testa, meus pulsos... Mas nunca meus lábios, e isso era bom. Afinal, de quantas maneiras um coração pode ser destroçado e ainda continuar batendo? Nos últimos dias, eu tinha passado por muitas experiências que poderiam ter acabado comigo, mas isso não me deixou mais forte. Ao contrário, eu me sentia horrivelmente frágil, como se uma única palavra pudesse me despedaçar.

Edward não falou. Talvez estivesse esperando que eu dormisse. Talvez não tivesse nada a dizer.

Venci a luta contra as pálpebras pesadas. Estava acordada quando chegamos ao aeroporto em Atlanta e até vi o sol começar a nascer sobre o manto de nuvens de Seattle antes de Edward cobrir a janela. Estava orgulhosa de mim mesma. Não perdi nem um minuto.

Nem Alice nem Edward ficaram surpresos com a recepção que esperava por nós no aeroporto Sea-Tac, mas fui pega desprevenida. Jasper foi o primeiro que vi — ele nem pareceu me enxergar. Seus olhos eram só para Alice. Ela foi depressa para o lado dele; eles não se abraçaram como os outros casais que se encontravam lá. Só se olharam nos olhos, e, no entanto, de algum modo, o momento era tão íntimo que ainda senti a necessidade de desviar o rosto.

Carlisle e Esme esperavam num canto silencioso, longe da fila de detectores de metal, na sombra de uma pilastra larga. Esme estendeu os braços para mim, abraçando-me num ímpeto, mas sem jeito, porque Edward também mantinha os braços ao meu redor.

— Muito obrigada — disse ela em meu ouvido.

Depois atirou os braços em Edward e sua aparência era a de quem estaria chorando, se isso fosse possível.

— *Nunca* mais me faça passar por isso — ela quase grunhiu.

Edward sorriu, arrependido.

— Desculpe, mãe.

— Obrigado, Bella — disse Carlisle. — Devemos uma a você.

— De jeito nenhum — murmurei. A noite insone de repente me dominou. Minha cabeça parecia desligada do corpo.

— Ela está morta de cansaço — Esme repreendeu Edward. — Vamos levá-la para casa.

Sem saber se ir para casa era o que eu queria àquela altura, cambaleei quase sem enxergar pelo aeroporto, Edward me carregando de um lado e Esme do outro. Não sabia se Alice vinha ou não atrás de nós e estava exausta demais para olhar.

Acho que eu dormia, embora ainda estivesse andando, quando chegamos ao carro deles. A surpresa de ver Emmett e Rosalie encostados no sedã preto sob as luzes fracas do estacionamento me despertou um pouco. Edward se enrijeceu.

— Não — sussurrou Esme. — Ela está se sentindo péssima.

— Devia mesmo — disse Edward, sem qualquer tentativa de manter a voz baixa.

— Não é culpa dela — eu disse, minhas palavras emboladas pelo cansaço.

— Deixe-a se desculpar — pediu Esme. — Nós vamos com Alice e Jasper.

Edward olhou de cara feia para a vampira loura e absurdamente linda que esperava por nós.

— Por favor, Edward — eu disse. Não queria ir de carona com Rosalie mais do que ele, mas eu já havia causado discórdia demais naquela família.

Ele suspirou e me levou até o carro.

Emmett e Rosalie entraram nos bancos da frente sem falar, enquanto Edward outra vez me empurrou para o banco traseiro. Sabia que não ia conseguir mais lutar contra minhas pálpebras e deitei, derrotada, a cabeça em seu peito, deixando que elas se fechassem. Senti o carro roncar ao ser ligado.

— Edward — começou Rosalie.

— Eu sei. — O tom brusco de Edward não era generoso.

— Bella? — perguntou Rosalie numa voz delicada.

Minhas pálpebras se abriram de choque. Era a primeira vez que ela falava diretamente comigo.

— Sim, Rosalie? — perguntei, hesitante.

— Me desculpe, Bella. Eu me senti péssima com relação a cada parte disso, e muito grata por você ter tido coragem de ir salvar meu irmão depois do que fiz. Por favor, diga que me perdoa.

As palavras eram desajeitadas e formais, devido a seu constrangimento, mas pareciam sinceras.

— Claro, Rosalie — murmurei, agarrando minha oportunidade de fazer com que ela me odiasse um pouco menos. — Não foi sua culpa. Fui eu que pulei da droga do penhasco. É claro que perdôo você.

As palavras saíram piegas.

— Não vale enquanto ela não estiver consciente, Rose — Emmett riu.

— Estou consciente — eu disse; mas pareceu um suspiro deturpado.

— Deixem que ela durma — insistiu Edward, mas sua voz era um pouco mais calorosa.

Fez-se silêncio então, a não ser pelo ronco suave do motor. Devo ter dormido, porque tive a impressão de que se passaram segundos quando a porta se abriu e Edward estava me carregando do carro. Meus olhos não se abriam. No início pensei que ainda estivéssemos no aeroporto.

E depois ouvi Charlie.

— Bella! — gritou ele de certa distância.

— Charlie — murmurei, tentando me arrancar do estupor.

— Shhh — sussurrou Edward. — Está tudo bem; você está em casa e segura. Durma.

— Não posso acreditar que tem coragem de mostrar sua cara aqui — berrou Charlie para Edward, a voz agora muito mais perto.

— Pare com isso, pai — eu grunhi. Ele não me ouviu.

— O que ela tem? — perguntou Charlie.

— Ela só está muito cansada, Charlie — garantiu-lhe Edward em voz baixa. — Por favor, deixe que ela descanse.

— Não me diga o que fazer! — gritou Charlie. — Me dê minha filha. Tire as mãos dela!

Edward tentou me passar para Charlie, mas eu me agarrava a ele com os dedos travados e decididos. Pude sentir meu pai puxando meu braço.

— Pare com isso, pai — eu disse mais alto. Consegui resistir às pálpebras de novo e fitei Charlie com olhos turvos. — Fique chateado *comigo*.

Estávamos na frente de minha casa. A porta estava aberta. A camada de nuvens no alto era densa demais para se saber a hora do dia.

— Pode apostar que ficarei — prometeu Charlie. — Trate de entrar.

— Tá bom. Me ponha no chão — suspirei.

Edward me colocou de pé. Eu podia ver que estava ereta, mas não conseguia sentir minhas pernas. Em todo o caso, arrastei-me para a frente, até que a calçada girou até meu rosto. Os braços de Edward me pegaram antes que eu batesse no concreto.

— Só me deixe colocá-la lá em cima — disse Edward. — Depois vou embora.

— Não! — gritei, em pânico. Eu ainda não tinha minhas respostas. Ele precisava ficar pelo menos para isso, não é?

— Não estarei longe — prometeu Edward, sussurrando tão baixo em meu ouvido que Charlie não tinha a menor chance de escutar.

Não ouvi a resposta de Charlie, mas Edward entrou na casa. Meus olhos só conseguiram ficar abertos até a escada. A última coisa que senti foram as mãos frias de Edward soltando meus dedos de sua camisa.

23. A VERDADE

Tive a sensação de que dormi por muito tempo — meu corpo estava rígido, como se eu não tivesse me mexido nem uma vez em todo esse intervalo. Minha mente estava confusa e lenta; sonhos estranhos e coloridos — sonhos e pesadelos — giravam de forma vertiginosa em minha cabeça. Eram muito nítidos. O terrível e o celestial, todos misturados numa confusão bizarra. Havia impaciência e medo profundos, ambos parte daquele sonho frustrante em que seus pés não se movem rápido o suficiente... E havia muitos monstros, demônios de olhos vermelhos que eram ainda mais medonhos devido a sua cortês civilidade. O sonho ainda permanecia — podia até me lembrar dos nomes. Mas a parte mais intensa e mais clara não foi o pavor. Foi o anjo, o *mais* nítido de todos.

Foi difícil abandoná-lo e acordar. Esse sonho não queria ser afugentado para o cofre de sonhos que eu me recusava a revisitar. Lutei contra ele enquanto minha mente ficava mais alerta, concentrando-se na realidade. Não conseguia lembrar que dia da semana era, mas tinha certeza de que Jacob, a escola, o trabalho ou outra coisa esperavam por mim. Respirei fundo, imaginando como enfrentar mais um dia.

Algo frio tocou minha testa com a mais suave pressão.

Fechei meus olhos ainda mais apertados. Pelo visto eu ainda estava sonhando, e parecia anormalmente real. Estava tão perto de acordar... a qualquer segundo, e ele iria embora.

Mas percebi que parecia real demais, real demais para ser bom para mim. Os braços de pedra que imaginei me envolvendo eram substanciais demais. Se deixasse aquilo ir adiante me arrependeria mais tarde. Com um suspiro resignado, abri minhas pálpebras para dispersar a ilusão.

— Oh! — disse ofegante, e cobri os olhos com os punhos.

Bem, estava claro que eu tinha ido longe demais; talvez tivesse sido um erro ter deixado minha imaginação tão fora de controle. Tudo bem, então "deixar" era a palavra errada. Eu a *obrigara* a sair de controle — na verdade perseguira minhas alucinações — e agora minha mente tinha pifado.

Levei menos de um segundo para perceber que, como estava verdadeiramente louca, podia muito bem desfrutar das ilusões enquanto elas fossem agradáveis.

Abri os olhos de novo — e Edward ainda estava ali, seu rosto perfeito a centímetros do meu.

— Eu a assustei? — Sua voz baixa era ansiosa.

Isso era muito bom, as ilusões continuavam. O rosto, a voz, o aroma, tudo — muito melhor do que me afogar. A linda invenção de minha imaginação observava alarmada a mudança de minhas expressões. Suas íris eram negras, no alto de sombras feito hematomas. Isso me surpreendeu; meus Edwards alucinatórios em geral estavam mais bem alimentados.

Pisquei duas vezes, tentando com desespero me lembrar da última coisa que tinha certeza de que era real. Alice fazia parte de meu sonho, e me perguntei se ela havia realmente voltado ou se era só o preâmbulo. *Pensei* que ela tivesse voltado no dia em que quase me afoguei...

— Ah, *droga* — grasnei. Minha garganta estava áspera com o sono.

— Qual é o problema, Bella?

Franzi infeliz o cenho para ele. Seu rosto ficou ainda mais ansioso do que antes.

— Morri, não é? — gemi. — Eu *me afoguei*. Droga, droga, droga! Isso vai matar Charlie.

Edward franziu o cenho também.

— Você não está morta.

— Então por que não estou acordando? — desafiei, erguendo as sobrancelhas.

— Você *está* acordada, Bella.

Sacudi a cabeça.

— Ah, sim, claro. É o que você quer que eu pense. E depois vai ser pior quando eu acordar. *Se* eu acordar, o que não vai acontecer, porque estou morta. Isso é péssimo. Coitado de Charlie. E Renée e Jake... — Eu me interrompi apavorada com o que tinha feito.

— Entendo que possa me confundir com um pesadelo. — Seu sorriso curto era soturno. — Mas não imagino o que pode ter feito para parar no inferno. Você cometeu muitos assassinatos enquanto estive fora?

Fiz uma careta.

— É claro que não. Se eu estivesse no inferno, você não estaria comigo.

Ele suspirou.

Minha cabeça estava clareando. Meus olhos se desviaram do rosto dele — de má vontade — por um segundo, para a janela aberta e escura, e depois de volta para ele. Comecei a me lembrar dos detalhes... E senti um rubor leve e estranho na pele, no alto das bochechas, enquanto percebia devagar que Edward estava realmente, de verdade, ali comigo, e eu estava desperdiçando tempo sendo uma idiota.

— Então tudo aquilo aconteceu mesmo? — Era quase impossível transferir meu sonho para a realidade. Eu não conseguia assimilar aquilo.

— Depende. — O sorriso de Edward ainda era severo. — Se está se referindo a nós quase sendo massacrados na Itália, então, sim.

— Que estranho — refleti. — Eu fui mesmo à Itália. Sabia que eu nunca tinha ido mais longe do que Albuquerque?

Ele revirou os olhos.

— Talvez deva voltar a dormir. Você está incoerente.

— Não estou mais cansada. — Agora estava ficando claro. — Que horas são? Quanto tempo fiquei dormindo?

— Agora é só uma da manhã. Então, umas catorze horas.

Eu me espreguicei enquanto ele falava. Estava muito rígida.

— Charlie? — perguntei.

Edward franziu a testa.

— Dormindo. Você deve saber que estou quebrando as regras agora. Bem, não tecnicamente, uma vez que ele disse que eu nunca voltaria a passar pela porta, e eu entrei pela janela... Mas, ainda assim, a intenção foi clara.

— Charlie proibiu sua entrada aqui em casa? — perguntei, a incredulidade logo se transformando em fúria.

Os olhos dele estavam tristes.

— Esperava outra reação?

Meus olhos estavam zangados. Ia ter uma conversinha com meu pai — talvez fosse uma boa hora para lembrá-lo de que, legalmente, eu já era maior de idade. Isso não importava tanto, é claro, a não ser na teoria. Muito em breve não haveria motivos para a proibição. Voltei meus pensamentos para rumos menos dolorosos.

— Qual é a história? — perguntei, genuinamente curiosa, mas também tentando de modo desesperado manter a conversa despreocupada, assim não o espantaria com a ansiedade frenética e aflitiva que grassava dentro de mim.

— O que quer dizer?

— O que vou dizer a Charlie? Qual será a desculpa para ter desaparecido por... Quanto tempo fiquei fora, aliás? — Tentei contar as horas mentalmente.

— Só três dias. — Seus olhos se apertaram, mas desta vez ele sorriu com mais naturalidade. — Na verdade, eu estava esperando que você tivesse uma boa explicação. Não tenho nenhuma.

Eu gemi.

— Ótimo.

— Bom, talvez Alice pense em algo — propôs ele, tentando me reconfortar.

E fiquei reconfortada. Quem se importava com o que eu teria de enfrentar mais tarde? Cada segundo em que ele estava ali — tão perto, o rosto impecável cintilando na luz fraca dos números de meu despertador — era precioso e não seria desperdiçado.

— Então — comecei, escolhendo a pergunta menos importante, ainda que de vital interesse, para começar. Eu estava entregue, segura, em casa, e ele poderia decidir partir a qualquer momento. Precisava mantê-lo falando. Além disso, aquele paraíso temporário não estava inteiramente completo sem o som de sua voz. — O que você andou fazendo até três dias atrás?

O rosto dele ficou cauteloso por um instante.

— Nada de terrivelmente emocionante.

— É claro que não — murmurei.

— Por que está fazendo essa cara?

— Bom... — Franzi os lábios, pensando. — Se no final das contas você fosse só um sonho, esse seria o tipo exato de resposta que você daria. Minha imaginação deve estar acostumada.

Ele suspirou.

— Se eu contar, você vai enfim acreditar que não está tendo um pesadelo?

— Pesadelo! — repeti com desdém. Ele esperou por minha resposta. — Talvez — eu disse depois de pensar duas vezes. — Se você me contar.

— Eu estava... caçando.

— É o melhor que pode fazer? — critiquei. — Isso, definitivamente, não prova que estou acordada.

Ele hesitou, depois falou devagar, escolhendo as palavras com cuidado.

— Não estava caçando para me alimentar... Estava me testando em... seguir rastros. Não sou muito bom nisso.

— Que rastro você estava seguindo? — perguntei, intrigada.

— Nada de importante. — As palavras não combinavam com sua expressão; ele parecia aborrecido, pouco à vontade.

— Não entendi.

Ele hesitou; o rosto cintilando com o estranho brilho verde da luz do despertador estava dilacerado.

— Eu... — Ele respirou fundo. — Devo-lhe desculpas. Não, é claro que lhe devo muito, muito mais do que isso. Mas você precisa saber... — As palavras começaram a fluir tão rápido, como eu lembrava que ele falava às vezes, quando estava agitado, que tive de me concentrar para assimilar todas elas. —, precisa saber que eu não fazia a menor idéia. Não percebi a confusão que estava deixando para trás. Pensei que aqui fosse seguro para você. Muito seguro. Não fazia idéia de que Victoria — seus lábios se retraíram quando ele disse o nome — voltaria. Devo admitir que quando a vi daquela vez prestei muito mais atenção aos pensamentos de James. Mas não vi que ela podia ter esse tipo de reação. Tampouco que ela tivesse tamanho vínculo com ele. Acho que agora percebo por quê... Ela era tão confiante com relação a James que nunca lhe ocorreu a idéia de ele falhar. Foi o excesso de confiança que encobriu os sentimentos dela por ele... Isso me impediu de ver a intensidade entre os dois, o vínculo que existia ali.

Ele continuou:

— Não que haja alguma desculpa para o que deixei para você enfrentar. Quando soube do que você contou a Alice... o que ela própria viu... quando percebi que você colocara sua vida nas mãos de *lobisomens*, imaturos, voláteis, a pior coisa que há lá fora, além da própria Victoria. — Ele estremeceu, e a enxurrada de palavras parou por um breve segundo. — Por favor, entenda que eu não fazia idéia de nada disso. Sinto-me aflito, aflito em meu âmago, mesmo agora, quando posso ver e sentir você segura em meus braços. Eu sou o mais miserável pretexto para...

— Pare com isso — eu o interrompi.

Ele me fitou com olhos agoniados, e tentei encontrar as palavras certas, as palavras que o libertariam de sua obrigação imaginária que lhe causava tanta dor. Eram palavras difíceis de dizer. Não sabia se podia pronunciá-las sem sucumbir. Mas eu precisava *tentar* fazer aquilo direito. Não queria ser uma fonte de culpa e angústia na vida dele. Ele devia ser feliz, por mais que isso me custasse.

Na verdade eu esperava deixar de lado essa parte de nossa última conversa. Ia dar um fim a tudo muito mais cedo.

Recorrendo a todos os meus meses de prática tentando ser normal com Charlie, mantive o rosto tranqüilo.

— Edward — disse. O nome ardeu um pouco em minha garganta ao sair. Eu podia sentir o fantasma do buraco, esperando para se abrir de novo assim que ele desaparecesse. Não via como sobreviver desta vez. — Isso tem que parar agora. Não pode pensar nos fatos desse jeito. Você não pode deixar que essa... essa *culpa*... domine sua vida. Não pode assumir a responsabilidade pelo que me acontece aqui. Nada disso é culpa sua, apenas faz parte de como a vida é para mim. Então, se eu tropeçar na frente de um ônibus ou o que quer que seja da próxima vez, precisa perceber que não cabe a você assumir a culpa. Não pode simplesmente correr para a Itália porque se sente mal por não ter me salvado. Mesmo que eu tivesse pulado daquele penhasco para morrer, isso teria sido opção minha, *não culpa sua*. Sei que é da sua... da sua natureza assumir a culpa por tudo, mas não pode deixar que isso o leve a esses extremos! É muito irresponsável... Pense em Esme, Carlisle e...

Eu estava prestes a perder o controle. Parei para respirar fundo, na esperança de me acalmar. Precisava libertá-lo. Tinha de ter certeza de que aquilo nunca mais aconteceria.

— Isabella Marie Swan — sussurrou ele, a expressão mais estranha atravessando seu rosto. Parecia quase louco. — Você acha que pedi aos Volturi para me matarem *porque me sentia culpado*?

Pude sentir a incompreensão absoluta em meu rosto.

— E não foi?

— Sentindo culpa? Intensamente. Mais do que você pode compreender.

— Então... Do que está falando? Não entendo.

— Bella, eu fui aos Volturi porque pensei que você estivesse morta — disse ele, a voz suave, os olhos ferozes. — Mesmo que eu não tivesse nada a ver com sua morte — ele estremeceu ao sussurrar a última palavra —, mesmo que *não fosse* minha culpa, eu teria ido à Itália. Claro que eu devia ter sido mais cuidadoso... Devia ter falado diretamente com Alice, em vez de aceitar o relato repassado por Rosalie. Mas, na realidade, o que eu devia pensar quando o garoto disse que Charlie estava no enterro? Quais eram as chances? As chances... — murmurou então, distraído. A voz era tão baixa que eu não sabia se tinha ouvido direito. — As chances sempre estavam contra nós. Um erro depois do outro. Nunca mais vou criticar Romeu.

— Mas ainda não entendo — eu disse. — Essa é toda a questão para mim. E daí?

— Como?

— E se eu estivesse *mesmo* morta?

Ele me olhou em dúvida por um longo tempo antes de responder.

— Não se lembra de nada do que eu lhe disse antes?

— Lembro-me de *tudo* o que me disse. — Inclusive das palavras que negavam todo o restante.

Ele roçou a ponta do dedo frio em meu lábio inferior.

— Bella, parece que você é vítima de um mal-entendido. — Ele fechou os olhos, sacudindo a cabeça com um meio sorriso no lindo rosto. Não era um sorriso feliz. — Pensei que já tivesse explicado com clareza. Bella, não posso viver num mundo onde você não exista.

— Eu estou... — Minha cabeça girou enquanto eu procurava pela palavra adequada. — confusa. — Essa estava boa. Não conseguia encontrar sentido no que ele dizia.

Ele olhou no fundo de meus olhos; o olhar sincero e franco.

— Eu minto muito bem, Bella, tenho de ser assim.

Fiquei paralisada, meus músculos se contraindo como se recebessem um impacto. O rasgo em meu peito se abriu; a dor me tirou o fôlego.

Ele sacudiu meu ombro, tentando me fazer relaxar.

— Deixe-me terminar! Eu minto bem, mas, ainda assim, você acredita em mim com muita rapidez. — Ele estremeceu. — Foi... doloroso.

Esperei, ainda paralisada.

— Quando estávamos na floresta, quando eu lhe disse adeus...

Não permiti a mim mesma a lembrança. Lutei para me manter só no momento presente.

— Você não ia aceitar — sussurrou ele. — Eu sabia. Não queria fazer aquilo... Parecia que fazer aquilo ia me matar... Mas eu sabia que se não conseguisse convencê-la de que eu não a amava mais você levaria muito mais tempo para seguir com sua vida. Esperava que se você pensasse que eu estava em outra, também partiria para outra.

— Um rompimento sem dor — sussurrei através dos lábios imóveis.

— Exato. Mas nunca imaginei que seria tão fácil fazer você acreditar! Pensei que seria praticamente impossível... Que você teria tanta certeza da verdade que eu teria de mentir por horas para pelo menos plantar a semente da dúvida em sua mente. Eu menti, e lamento muito... Lamento porque magoei você, lamento por ter sido um esforço inútil. Lamento não tê-la protegido do que sou. Menti para salvá-la, e não deu certo. Perdoe-me.

Ele continuou:

— Mas como pôde acreditar em mim? Depois de todos os milhares de vezes que eu disse que a amava, como pôde deixar que uma palavra anulasse sua fé em mim?

Não respondi. Estava chocada demais para formular uma resposta racional.

— Pude ver isso em seus olhos, que você sinceramente *acreditou* que eu não a queria mais. A idéia mais absurda e mais ridícula... Como se houvesse algum modo de *eu* existir sem precisar de *você*!

Eu ainda estava paralisada. As palavras dele eram incompreensíveis, porque eram impossíveis.

Edward sacudiu meus ombros de novo, não com força, mas o bastante para meus dentes baterem um pouco.

— Bella — suspirou ele. — Francamente, o que você estava pensando?

E então comecei a chorar. As lágrimas se acumularam e jorraram de maneira lastimável por meu rosto.

— Eu sabia — falei entre soluços. — *Sabia* que estava sonhando.

— Você é impossível — disse ele, e riu uma vez. Um riso severo e frustrado. — Como posso explicar de modo que acredite em mim? Você não está dormindo e não está morta. Estou aqui e eu amo você. *Sempre* amei você e *sempre* amarei. Fiquei pensando em você, vendo seu rosto em minha mente, durante cada segundo que me ausentei. Quando lhe disse que não a queria, foi o tipo mais atroz de blasfêmia.

Sacudi a cabeça enquanto as lágrimas continuavam a escorrer pelo canto de meus olhos.

— Não acredita em mim, não é? — sussurrou ele, o rosto mais pálido do que o normal; pude ver isso mesmo na luz fraca. — Por que pode acreditar na mentira, mas não na verdade?

— Me amar nunca fez sentido para você — expliquei, minha voz falhou duas vezes. — Sempre soube disso.

Os olhos dele se estreitaram, o maxilar se contraiu.

— Vou provar que está acordada — prometeu ele.

Ele pegou meu rosto com firmeza entre as mãos de ferro, ignorando meu esforço quando tentei desviar a cabeça.

— Não, por favor — sussurrei.

Ele parou, os lábios a um centímetro dos meus.

— Por que não? — perguntou. O hálito soprou em meu rosto, fazendo minha cabeça girar.

— Quando eu acordar... — Ele abriu a boca para protestar, então me corrigi. — Tudo bem, esqueça isso... Quando você partir de novo, já será bem difícil sem isso.

Ele me afastou um pouco para ver meu rosto.

— Ontem, quando eu ia tocar em você, você estava tão... hesitante, tão cautelosa, e no entanto ainda está assim agora. Eu preciso saber por quê. É porque cheguei tarde demais? Porque a magoei muito? Porque você deixou *mesmo* tudo para trás, como dei a entender que fizesse? Isso seria... muito justo. Não vou contestar sua decisão. Então não tente poupar meus sentimentos, por favor... Só me diga agora se você ainda pode me amar ou não, depois de tudo o que a fiz passar. Pode? — sussurrou ele.

— Que tipo de pergunta idiota é essa?

— Só responda. Por favor.

Eu o fitei sombriamente por um longo tempo.

— O que sinto por você jamais vai mudar. É claro que amo você... E não há nada que você possa fazer com relação a isso!

— Era tudo o que eu precisava ouvir.

Depois disso, sua boca estava na minha, e não pude lutar contra ele. Não porque ele fosse muitos milhares de vezes mais forte que eu, mas porque minha vontade virou pó no segundo em que nossos lábios se encontraram. O beijo não era tão cauteloso quanto os outros de que me lembrava, o que me pareceu ótimo. Se ia me dilacerar depois, podia muito bem ganhar o máximo possível em troca.

Então retribuí o beijo, meu coração martelando um ritmo irregular e desarticulado enquanto minha respiração transformava-se num arquejo e meus dedos moviam-se cobiçosos até seu rosto. Pude sentir seu corpo de mármore contra cada linha do meu e fiquei feliz demais por ele não ter me ouvido — não havia dor no mundo que teria justificado não aproveitar. As mãos dele memorizaram meu rosto, como as minhas seguiam suas feições, e nos breves segundos em que seus lábios se libertaram, ele sussurrou meu nome.

Quando estava começando a ficar tonta, ele se afastou, só para colocar o ouvido em meu coração.

Fiquei deitada ali, desnorteada, esperando que meu arfar se acalmasse e sossegasse.

— A propósito — disse ele num tom despreocupado. — Não vou deixar você.

Não falei nada e ele pareceu ouvir o ceticismo em meu silêncio.

Ele levantou a cabeça para contemplar meu olhar.

— Não vou a lugar nenhum. Não sem você — acrescentou num tom mais sério. — Só a deixei antes porque queria que tivesse a oportunidade de ter uma vida humana feliz e normal. Podia ver o que estava fazendo com você... Mantendo-a constantemente à beira do perigo, tirando-a do mundo a que pertencia, arriscando sua vida em cada momento em que estava comigo. Então eu precisava tentar. Tinha que fazer *alguma coisa*, e parecia que o único caminho era deixá-la. Se eu não achasse que você ficaria melhor, jamais teria tido coragem de partir. Sou egoísta demais. Só *você* podia ser mais importante do que o que eu queria... do que eu precisava. O que quero e preciso é ficar com você, e sei que nunca serei forte o bastante para partir de novo. Tenho desculpas demais para ficar... Felizmente! Parece que você *não consegue* ficar segura, por maior que seja a distância que eu coloque entre nós.

— Não me prometa nada — sussurrei. Se eu me permitisse ter esperanças e nada acontecesse... Isso me mataria. Todos aqueles vampiros impiedosos não conseguiram acabar comigo, mas a esperança conseguiria.

A raiva brilhou como metal em seus olhos escuros.

— Acha que estou mentindo para você agora?

— Não... Não está mentindo. — Sacudi a cabeça, tentando pensar em tudo com coerência. Examinar a hipótese de que ele me amava permanecendo ao mesmo tempo objetiva e realista, assim não cairia na armadilha da esperança. — Você pode estar sendo sincero... agora. Mas e amanhã, quando pensar em todos os motivos da sua partida? Ou no mês que vem, quando Jasper me der uma dentada?

Ele vacilou.

Pensei naqueles últimos dias de minha vida antes de ele me deixar, tentando vê-los com a perspectiva do que ele me dizia agora. Desse ângulo, imaginando que ele me abandonou me amando, me deixou *por* mim, seu mau humor e os silêncios frios assumiam um significado diferente.

— Você pensou bem na primeira decisão que tomou, não foi? — deduzi. — Vai terminar fazendo o que acha que é certo.

— Não sou tão forte como você pensa — disse ele. — O certo e o errado deixaram de significar grande coisa para mim; ia voltar de qualquer modo. Antes de Rosalie me dar a notícia, eu já deixara de tentar viver uma semana de cada vez, ou mesmo um dia. Lutava para suportar uma única hora. Era só uma questão de tempo... e não muito... para eu aparecer em sua janela e implorar que me recebesse de volta. Eu imploraria com prazer agora, se assim você quisesse.

Fiz uma careta.

— Não brinque, por favor.

— Ah, não estou brincando — insistiu ele, agora radiante. — Poderia, por favor, procurar ouvir o que estou lhe dizendo? Vai me deixar tentar explicar o que você significa para mim?

Ele esperou, examinando meu rosto enquanto falava, para ter certeza de que eu realmente ouvia.

— Antes de você, Bella, minha vida era uma noite sem lua. Muito escura, mas havia estrelas... Pontos de luz e razão... E depois você atravessou meu céu como um meteoro. De repente tudo estava em chamas; havia brilho, havia beleza. Quando você se foi, quando o meteoro caiu no horizonte, tudo ficou negro. Nada mudou, mas meus olhos ficaram cegos pela luz. Não pude mais ver as estrelas. E não havia mais razão para nada.

Eu queria acreditar nele. Mas era *minha* vida sem *ele* que Edward descrevia, não o contrário.

— Seus olhos vão se acostumar — murmurei.

— É esse o problema... Eles não conseguem.

— E suas distrações?

Ele riu sem nenhum vestígio de humor.

— Só fazem parte da mentira, meu amor. Não existem distrações para a *agonia*. Meu coração não batia havia quase noventa anos, mas isso era diferente. Era como se meu coração não estivesse ali... Como se eu estivesse oco. Como se eu tivesse deixado com você tudo o que havia aqui dentro.

— Engraçado — murmurei.

Ele arqueou uma sobrancelha perfeita.

— Engraçado?

— Eu quis dizer estranho... Pensei que fosse só comigo. Também faltaram muitos pedaços de mim. Não consegui respirar por muito tempo. —

Enchi os pulmões, deleitando-me com a sensação. — E meu coração. Esse estava definitivamente perdido.

Ele fechou os olhos e colocou o ouvido em meu coração de novo. Deixei meu rosto junto de seu cabelo, sentindo a textura em minha pele, sentindo o aroma delicioso.

— Então rastrear não foi uma distração? — perguntei, curiosa e também precisando *me* distrair. Eu corria sério risco de ter esperanças. Não conseguiria me refrear por muito tempo. Meu coração pulsava, cantando em meu peito.

— Não. — Suspirou ele. — Nunca foi uma distração. Era uma obrigação.

— Como assim?

— Embora eu nunca tivesse esperado nenhum perigo de Victoria, não ia deixar que ela se safasse... Bem, como eu disse, fui péssimo nisso. Eu a rastreei até o Texas, mas depois segui uma pista falsa até o Brasil... E ela na verdade tinha vindo para cá. — Ele grunhiu. — Eu não estava nem no continente certo! E nesse meio tempo, pior do que meus piores temores...

— Você estava caçando *Victoria*? — Eu emiti um som agudo assim que consegui encontrar minha voz, subindo duas oitavas.

Os roncos distantes de Charlie falharam, depois recuperaram um ritmo regular.

— Não me saí bem — respondeu Edward, examinando minha expressão de ultraje com um olhar confuso. — Mas farei melhor da próxima vez. Ela não vai poluir o ar perfeito respirando por muito mais tempo.

— Isso está... fora de cogitação — consegui falar. Que insanidade! Mesmo que Emmett ou Jasper o ajudassem. Mesmo que Emmett *e* Jasper o ajudassem. Era pior do que as outras imagens que eu tinha: Jacob Black no caminho da figura violenta e felina de Victoria. Não suportaria imaginar Edward lá, muito embora ele fosse muito mais resistente do que meu melhor amigo semi-humano.

— É tarde demais para ela. Posso ter deixado escapar a outra oportunidade, mas não agora, não depois...

Eu o interrompi de novo, tentando parecer calma.

— Você não prometeu que não ia embora? — perguntei, lutando com as palavras à medida que as dizia, sem deixar que elas se plantassem em meu coração. — Isso não é lá muito compatível com uma longa expedição de rastreamento, não é?

Ele franziu o cenho. Um rosnado começou a se formar em seu peito.

— Vou cumprir minha promessa, Bella. Mas Victoria... — O rosnado tornou-se mais pronunciado — vai morrer. Logo.

— Não sejamos precipitados — eu disse, tentando esconder meu pânico. — Talvez ela não volte. O bando de Jake deve tê-la espantado. Não há motivo real para procurar por ela. Além disso, tenho problemas maiores do que Victoria.

Edward semicerrou os olhos, mas assentiu.

— É verdade. Os lobisomens são um problema.

Eu bufei.

— Não estava falando de *Jacob*. Meus problemas são muito piores do que alguns lobos adolescentes se metendo em encrenca.

Edward parecia estar prestes a dizer algo, mas pensou melhor. Seus dentes trincaram e ele falou baixo, resmungando:

— É mesmo? — perguntou ele. — Então qual seria seu maior problema? O que, em comparação, faria da volta de Victoria uma questão menor?

— Que tal o segundo maior problema? — experimentei.

— Tudo bem — concordou ele, desconfiado.

Eu parei. Não tinha certeza se podia dizer o nome.

— Existem outros que virão atrás de mim — lembrei a ele num sussurro reprimido.

Ele suspirou, mas a reação não foi tão forte como eu imaginava depois de como ele reagira com relação a Victoria.

— Os Volturi são o *segundo* maior problema?

— Você não parece se incomodar muito com isso — observei.

— Bem, temos muito tempo para pensar no assunto. O tempo para eles significa algo muito diferente do que para você, ou até para mim. Eles contam os anos como você conta os dias. Não me surpreenderia se você tivesse 30 anos antes de passar pela cabeça deles de novo — acrescentou ele alegremente.

O pavor me inundou.

Trinta!

Então as promessas que ele fez nada significavam, no final das contas. Se um dia eu ia fazer 30 anos, ele não podia estar pretendendo ficar por muito tempo. A dor severa de saber disso me fez perceber que eu já começara a ter esperanças, sem dar permissão a mim mesma para isso.

— Não precisa ter medo — disse ele, ansioso ao ver as lágrimas se acumularem de novo no canto de meus olhos. — Não vou deixar que a machuquem.

— Enquanto você estiver aqui. — Não que me importasse com o que aconteceria a mim quando ele fosse embora.

Ele pegou meu rosto entre as suas mãos de pedra, segurando-o com firmeza enquanto seus olhos de meia-noite cintilavam nos meus com a força gravitacional de um buraco negro.

— Nunca mais a deixarei.

— Mas você disse *30* — sussurrei. As lágrimas transbordaram. — O quê? Você vai ficar mas deixar que eu envelheça assim mesmo? Tudo bem.

Seus olhos se suavizaram, enquanto a boca continuou severa.

— É exatamente o que vou fazer. Que escolha eu tenho? Não posso viver sem você, mas não vou destruir sua alma.

— Isso é mesmo... — Tentei manter a voz tranqüila, mas a pergunta era muito difícil. Eu me lembrei de seu rosto quando Aro quase implorou a ele que considerasse me tornar imortal. Aquele olhar de repulsa. Será que a fixação por me manter humana realmente dizia respeito a minha alma, ou era porque ele não tinha certeza de que ia me querer por perto por tanto tempo?

— Sim? — indagou ele, esperando por minha pergunta.

Fiz outra pergunta. Quase, mas não tão difícil.

— Mas e quando eu ficar tão velha que as pessoas vão pensar que sou sua mãe? Sua *avó*? — Minha voz era fraca de revolta; eu podia ver o rosto de minha avó de novo no espelho do sonho.

O rosto de Edward agora era totalmente tranqüilo. Ele espalhou as lágrimas de meu rosto com os lábios.

— Isso não significa nada para mim — sussurrou ele em minha pele. — Você sempre será a coisa mais linda de meu mundo. É claro que... — ele hesitou, vacilando um pouco — se você ficar mais madura do que *eu*... Se quiser algo mais... eu entenderei, Bella. Prometo que não vou atrapalhar se você quiser me deixar.

Seus olhos eram de um ônix fluido e completamente sinceros. Ele falava como se tivesse dedicado um tempo interminável pensando naquele plano bobo.

— Entende que um dia vou morrer, não é? — perguntei.

Ele também pensara nessa parte.

— Vou logo depois de você, assim que puder.

— Isso é seriamente... — procurei pela palavra certa — doentio.

— Bella, é a única maneira certa...

— Vamos recapitular por um minuto — eu disse. A sensação de raiva tornou muito mais fácil ser clara e decisiva. — Lembra-se dos Volturi, não é?

Não posso ficar humana para sempre. Eles vão me matar. Mesmo que só pensem em mim quando eu tiver *30* anos — sibilei a palavra —, acha mesmo que vão esquecer?

— Não — respondeu ele devagar, sacudindo a cabeça. — Eles não vão esquecer. Mas...

— Mas?

Ele sorriu enquanto eu o fitava com cautela. Talvez eu não fosse a única louca ali.

— Tenho alguns planos.

— E esses planos — eu disse, minha voz ficando mais áspera a cada palavra. — Esses planos estão baseados na minha permanência como *humana*.

Minha atitude endureceu sua expressão.

— Naturalmente. — Seu tom era rude, o rosto divino, arrogante.

Nós nos encaramos por um longo minuto.

Depois respirei fundo, estiquei os ombros e afastei os braços dele para poder me sentar.

— Quer que eu saia? — perguntou ele, e isso fez meu coração se agitar ao ver que a idéia o magoava, embora ele procurasse não demonstrar.

— Não — eu disse. — *Eu* estou saindo.

Ele me observou desconfiado enquanto eu levantava da cama e remexia pelo quarto escuro, procurando meus sapatos.

— Posso perguntar aonde você vai? — indagou.

— Vou até sua casa — eu disse, ainda tateando às cegas.

Ele se levantou e veio para o meu lado.

— Tome seus sapatos. Como pretende chegar lá?

— Na minha picape.

— Isso provavelmente vai acordar Charlie — sugeriu ele para me dissuadir.

Suspirei.

— Eu sei. Mas, com sinceridade, do jeito como as coisas estão, vou ficar de castigo durante semanas mesmo. Que problemas mais posso ter?

— Nenhum. Ele vai me culpar, não a você.

— Se tiver uma idéia melhor, sou toda ouvidos.

— Fique aqui — sugeriu ele, mas sua expressão não era esperançosa.

— Nada feito. Mas você pode ficar, sinta-se em casa — eu o incentivei, surpresa ao ver como minha ironia parecia natural, e fui para a porta.

Ele chegou antes de mim, bloqueando minha passagem.

Franzi a cara e me virei para a janela. Não ficava muito distante do chão e embaixo havia grama...

— Tudo bem — ele suspirou. — Vou lhe dar uma carona.

Dei de ombros.

— Tanto faz. Mas acho que você talvez *devesse* estar lá também.

— E por que isso?

— Porque você é muito apegado a suas opiniões, e tenho certeza de que vai querer ter a oportunidade de expressá-las.

— Minhas opiniões sobre que assunto? — perguntou ele entre os dentes.

— Não se trata mais de você. Você não é o centro do universo, sabe disso. — É claro que meu universo particular era outra história. — Se você vai trazer os Volturi até nós por algo tão idiota como me manter humana, então sua família deve se pronunciar.

— Se pronunciar sobre o quê? — perguntou ele, cada palavra distinta.

— Minha mortalidade. Vou colocá-la em votação.

24. VOTAÇÃO

Ele não ficou satisfeito, isso foi fácil ver em seu rosto. Mas, sem discutir, pegou-me nos braços e disparou com agilidade pela janela, pousando sem o menor solavanco, como um gato. A altura *era* um pouco maior do que eu imaginara.

— Então, tudo bem — disse ele, a voz agitada de reprovação. — Suba.

Ele me ajudou a subir em suas costas e partiu correndo. Mesmo depois de todo esse tempo, parecia normal. Fácil. Evidentemente, aquilo era algo que nunca se esquece, como andar de bicicleta.

Estava muito silencioso e muito escuro enquanto ele corria pela floresta, sua respiração lenta e constante — bastante escuro para que as árvores que pareciam voar quando passávamos ficassem quase invisíveis —, e só o ar batendo em meu rosto revelava de fato nossa velocidade. O ar era úmido; não ardia em meus olhos como o vento da grande praça, e isso era reconfortante. E também era noite, depois daquela claridade terrível. Como o cobertor grosso sob o qual eu brincava quando criança, o escuro parecia familiar e protetor.

Lembrei-me de que no passado ficava assustada por correr pelo bosque desse jeito, que precisava fechar os olhos. Agora isso me parecia uma reação boba. Mantive os olhos bem abertos, meu queixo encostado em seu ombro, a bochecha contra seu pescoço. A velocidade era estimulante. Cem vezes melhor do que a moto.

Virei o rosto para ele e apertei meus lábios na pele fria de pedra de seu pescoço.

— Obrigado — disse ele, enquanto formas escuras e vagas de árvores disparavam por nós. — Isso significa que você concluiu que está acordada?

Eu ri. O som era relaxado, natural, espontâneo. Soou *como deveria*.

— Para ser bem sincera, não. É que na verdade, seja como for, não estou tentando acordar. Não esta noite.

— Vou de algum jeito recuperar sua confiança — murmurou ele, mais para si mesmo. — Nem que seja meu último ato.

— Eu confio em *você* — garanti. — É em mim que não confio.

— Explique, por favor.

Ele diminuiu o ritmo para o de uma caminhada — só percebi porque o vento cessou —, e imaginei que não estávamos longe da casa. Na realidade, pensei que podia identificar o som do riacho correndo em algum lugar perto, na escuridão.

— Bom... — Lutei para encontrar o modo certo de dizer. — Não confio em mim mesma para ser... o bastante. Para merecer você. Não há nada em mim que possa *prender* você.

Ele parou e voltou-se para me tirar de suas costas. As mãos delicadas não me soltaram; depois de me colocar no chão, ele me tomou nos braços com força e me abraçou contra seu peito.

— Sua prisão é permanente e inviolável — sussurrou ele. — Jamais duvide disso.

Mas como não poderia duvidar?

— Você ainda não me disse... — murmurou ele.

— O quê?

— Qual é seu maior problema.

— Vou deixar que você adivinhe. — Eu suspirei e toquei a ponta de seu nariz com o indicador.

Ele assentiu.

— Sou pior do que os Volturi — disse ele sombriamente. — Acho que mereci isso.

Revirei os olhos.

— O pior que os Volturi podem fazer é me matar.

Ele esperou com os olhos tensos.

— Você pode me deixar — expliquei. — Os Volturi, Victoria... Eles nada são comparados a isso.

Mesmo no escuro, pude ver a angústia distorcendo o rosto dele — lembrou-me de sua expressão sob o olhar torturante de Jane; eu me senti mal e me arrependi de ter falado a verdade.

— Não — sussurrei, tocando seu rosto. — Não fique triste.

Ele ergueu o canto da boca friamente, mas a expressão não chegou a seus olhos.

— Se houvesse uma única maneira de fazer você entender que *não consigo* deixá-la — sussurrou ele. — O tempo, imagino, acabará por convencê-la.

Gostei da idéia do tempo.

— Tudo bem — concordei.

Seu rosto ainda estava atormentado. Tentei distraí-lo com amenidades.

— E, então... já que você vai ficar. Pode devolver minhas coisas? — perguntei, no tom mais tranqüilo que consegui.

Minha tentativa deu certo, até certo ponto: ele riu. Mas seus olhos continuaram sofrendo.

— Suas coisas nunca desapareceram — disse ele. — Eu sabia que era errado, uma vez que lhe prometi paz sem lembranças. Foi idiota e infantil, mas queria deixar algo de mim com você. O CD, as fotos, as passagens... Está tudo debaixo do assoalho de seu quarto.

— *É mesmo?*

Ele assentiu, parecendo um pouco mais animado com o nítido prazer que senti com esse fato banal. Não foi o bastante para curar completamente a dor em seu rosto.

— Eu acho — disse devagar —, não tenho certeza, mas imagino... acho que talvez eu soubesse disso o tempo todo.

— Soubesse do quê?

Eu só queria tirar a agonia de seus olhos, mas as palavras, ao serem pronunciadas, pareciam mais verdadeiras do que eu esperava.

— Parte de mim, talvez meu subconsciente, nunca deixou de acreditar que você ainda se importava se eu estava viva ou morta. Deve ter sido por isso que fiquei ouvindo vozes.

Houve um silêncio profundo por um momento.

— Vozes? — perguntou ele num tom monótono.

— Bom, só uma voz. A sua. É uma longa história. — A preocupação em seu rosto me fez desejar não ter levantado esse assunto. Será que ele, como todos os outros, pensaria que eu estava louca? Será que todo mundo estava certo sobre isso? Mas pelo menos aquela expressão, que dava a entender que algo ardia dentro dele, desapareceu.

— Eu tenho tempo. — Sua voz era artificialmente tranqüila.

— É bem ridículo.

Ele esperou.

Eu não sabia bem como explicar.

— Lembra o que Alice disse sobre esportes radicais?

Ele falou as palavras sem inflexão nem ênfase.

— Você pulou de um penhasco para se divertir.

— Hã, isso mesmo. E, antes disso, com a moto...

— Moto? — perguntou ele.

Eu conhecia sua voz muito bem para ouvir algo borbulhando por trás da calma.

— Acho que não contei essa parte a Alice.

— Não.

— Bom, sobre isso... Olhe, descobri que... quando fazia algo perigoso ou idiota... conseguia me lembrar de você com mais clareza — confessei, sentindo-me completamente retardada. — Conseguia me lembrar de como era sua voz quando você estava com raiva. Podia ouvi-la, como se você estivesse bem ali ao meu lado. Na maior parte do tempo eu tentava não pensar em você, mas desse jeito não doía tanto... Era como se você estivesse me protegendo de novo. Como se não quisesse que eu me machucasse. E, bom, imagino se o motivo para ouvi-lo com tanta clareza não era porque, lá no fundo, eu sempre soube que você não tinha deixado de me amar.

Outra vez, enquanto eu falava, as palavras eram carregadas de convicção. De exatidão. Algum lugar no fundo de mim reconhecia a verdade.

As palavras dele saíram quase estranguladas.

— Você... estava... arriscando sua vida... para ouvir...

— Shhh — eu o interrompi. — Espere um segundo. Acho que estou tendo uma revelação agora.

Pensei naquela noite em Port Angeles, quando tive minha primeira ilusão. Eu pensara em duas opções: insanidade ou satisfação de um desejo. Não vi uma terceira opção.

Mas e se...

E se você sinceramente acreditasse que uma coisa era verdadeira, mas estivesse cem por cento enganada? E se você estivesse tão obstinadamente certa de que tinha razão que nem considerasse a verdade? A verdade seria silenciada ou tentaria irromper?

Opção três: Edward me amava. O vínculo forjado entre nós não era do tipo que podia ser quebrado com a ausência, a distância ou o tempo. E por mais especial, lindo, inteligente ou perfeito que ele pudesse ser, estava tão irreversivelmente transformado como eu. Assim como eu sempre pertenceria a ele, ele sempre seria meu.

Era isso o que eu estivera tentando dizer a mim mesma?

— Ah!

— Bella?

— Ah! Tudo bem. Entendi.

— Sua revelação? — perguntou ele, a voz agitada e tensa.

— Você me ama — disse admirada. A convicção e a correção me inundaram de novo.

Embora seus olhos ainda estivessem angustiados, o sorriso torto que eu amava cintilou em seu rosto.

— Sinceramente, amo.

Meu coração inflou como se fosse estourar por minhas costelas. Ocupava meu peito e bloqueava minha garganta, e assim não consegui falar.

Ele de fato me queria como eu o queria — para sempre. Era só o medo por minha alma, pelas coisas humanas que não queria tirar de mim, que o fazia me manter mortal com tanto desespero. Comparado com o medo de que ele não me quisesse, esse probleminha — minha alma — era quase insignificante.

Ele pegou meu rosto com firmeza entre as mãos frias e me beijou até que fiquei tão tonta que a floresta girava. Depois ele encostou a testa na minha e eu não era a única que tinha dificuldade para respirar.

— Você é melhor nisso do que eu, sabia? — disse ele.

— Melhor em quê?

— Em sobreviver. Você, pelo menos, se esforçou. Levantava-se de manhã, tentava ser normal com Charlie, seguiu o padrão de sua vida. Quando eu não estava rastreando, ficava... totalmente inútil. Não conseguia ficar com minha família... Não podia ficar perto de ninguém. Estou muito constrangido de admitir que, mais ou menos, me voltei para mim mesmo e deixei que a infelicidade me tomasse. — Ele sorriu com timidez. — Foi muito mais ridículo do que ouvir vozes. E é claro que você sabe que ouço também.

Fiquei muitíssimo aliviada por ele parecer entender — reconfortada por tudo aquilo fazer sentido para ele. De qualquer modo, ele não me olhava como se eu fosse louca. Olhava como... se me amasse.

— Só ouvi uma voz — eu o corrigi.

Ele riu e me colocou à sua direita, começando a me conduzir para a frente.

— Só estou satisfazendo sua vontade. — Ele fez um gesto amplo para a escuridão diante de nós à medida que andávamos. Havia ali algo pálido e imenso; a casa, percebi. — O que eles disserem nada importa.

— Isso agora os afeta também.

Ele deu de ombros, indiferente.

Edward me levou pela porta aberta para dentro da casa escura e acendeu as luzes. A sala estava exatamente como eu lembrava — o piano, os sofás alvos e a escada clara e imensa. Sem pó, sem lençóis brancos.

Edward chamou os nomes com um volume que não era mais alto do que o que eu usava numa conversa.

— Carlisle? Esme? Rosalie? Emmett? Jasper? Alice? — Eles ouviriam.

Carlisle de repente estava parado a meu lado, como se estivesse ali havia muito tempo.

— Bem-vinda de volta, Bella. — Ele sorriu. — O que podemos fazer por você? Imagino, devido à hora, que não seja uma visita puramente social.

Assenti.

— Gostaria de conversar com todos vocês, se não houver problema. Sobre um assunto importante.

Não pude deixar de olhar o rosto de Edward. Sua expressão era crítica, mas resignada. Quando voltei a olhar Carlisle, ele também fitava Edward.

— Claro — disse Carlisle. — Por que não conversamos na outra sala?

Carlisle seguiu na frente pelo cômodo muito iluminado, contornou a sala de jantar e acendeu as luzes ao passar. As paredes eram brancas, o teto alto, como o da sala de estar. No meio da sala, sob o candelabro que pendia baixo, havia uma grande mesa oval e encerada, cercada de oito cadeiras. Carlisle puxou uma cadeira para mim na cabeceira.

Nunca vi os Cullen usarem a mesa de jantar — aquilo era só para constar. Eles não comiam na casa.

Assim que me virei para me sentar na cadeira, vi que não estávamos sós. Esme seguia Edward, e atrás dela o restante da família fazia fila.

Carlisle se sentou à minha direita e Edward à minha esquerda. Todos os outros assumiram seus lugares em silêncio. Alice, com um largo sorriso, já estava inteirada da trama. Emmett e Jasper olhavam curiosos, e Rosalie sorria para mim com insegurança. Meu sorriso de resposta foi igualmente tímido. Seria necessário algum tempo para nos acostumarmos com aquilo.

Carlisle acenou para mim.

— A palavra é sua.

Engoli em seco. Os olhos de todos me encarando me deixavam nervosa. Edward pegou minha mão sob a mesa. Olhei para ele, mas ele observava os outros, seu rosto de repente feroz.

— Bom — comecei. — Imagino que Alice já tenha contado a vocês tudo o que aconteceu em Volterra.

— Tudo — garantiu-me Alice.

Lancei-lhe um olhar sugestivo.

— E no caminho para lá?

— Isso também — assentiu ela.

— Que bom! — Suspirei de alívio. — Então estamos todos em pé de igualdade.

Eles esperaram pacientemente enquanto eu tentava ordenar meus pensamentos.

— Então, temos um problema — comecei. — Alice prometeu aos Volturi que eu me tornaria uma de vocês. Eles vão mandar alguém para verificar, e tenho certeza de que isso é ruim... Que deve ser evitado. E assim, agora, a questão envolve vocês todos. Lamento por isso.

Olhei cada um dos lindos rostos, poupando o mais bonito para o fim. A boca de Edward se curvava para baixo numa careta.

— Mas, se vocês não me quiserem, não vou forçar minha presença, quer Alice esteja disposta a isso ou não.

Esme abriu a boca para falar, mas ergui o dedo para impedi-la.

— Por favor, deixe-me terminar. Todos vocês sabem o que quero. E tenho certeza de que também sabem o que Edward pensa. Acho que a única maneira justa de decidir isso é todos darem seu voto. Se vocês decidirem que não me querem, então... Acho que volto para a Itália sozinha. Não posso permitir que *eles* venham *aqui*. — Minha testa se vincou enquanto eu pensava nisso.

Houve um rosnado fraco no peito de Edward. Eu o ignorei.

— Levando em consideração, então, que não vou colocar nenhum de vocês em perigo, seja qual for a decisão, quero que votem sim ou não sobre a questão de me tornar vampira.

Dei um meio sorriso com a última palavra e gesticulei para Carlisle começar.

— Só um minuto — interrompeu-me Edward.

Olhei-o pelos olhos semicerrados. Ele ergueu as sobrancelhas para mim, apertando minha mão.

— Tenho algo a acrescentar antes da votação.

Eu suspirei.

— Sobre o perigo a que Bella se refere — continuou ele. — Não acho que precisemos ficar muito ansiosos com isso.

Sua expressão ficou mais animada. Ele colocou a mão livre na mesa reluzente e se inclinou para a frente.

— Vejam só — explicou ele, olhando em torno da mesa enquanto falava —, houve mais de um motivo para eu não querer apertar a mão de Aro lá no final. Há um detalhe em que eles não pensaram, e eu não quis lembrar isso a eles. — Ele deu um sorriso malicioso.

— Qual? — sondou Alice.

Tive certeza de que minha expressão era tão cética quanto a dela.

— Os Volturi são excessivamente confiantes, e por um bom motivo. Quando decidem encontrar alguém, não é de fato um problema. Lembra-se de Demetri? — Ele olhou para mim.

Eu dei de ombros. Ele tomou isso como um sim.

— Ele encontra as pessoas... É o talento dele, é por isso que eles o mantêm. Agora, todo o tempo em que ficamos com eles, fiquei sondando o cérebro de todos em busca de qualquer indicação que pudesse nos salvar, obtendo o máximo de informações possível. Então vi como funciona o talento de Demetri. Ele é um rastreador... Um rastreador mil vezes mais dotado do que James. Sua capacidade está um pouco relacionada com o que eu faço, ou com o que Aro faz. Ele pega o... sabor? Não sei como descrever... o teor... da mente de alguém e depois o segue. Funciona a distâncias imensas. Mas depois dos pequenos experimentos de Aro, bem... — Edward deu de ombros.

— Você acha que ele não vai conseguir me encontrar — eu disse apática.

Ele ficou presunçoso.

— Tenho certeza disso. Ele depende totalmente desse outro sentido. Quando não funcionou com você, todos eles ficaram cegos.

— E como isso resolve alguma coisa?

— É muito óbvio, Alice poderá dizer quando eles planejam uma visita e eu vou esconder você. Eles vão ficar impotentes — disse ele com um prazer feroz. — Será como procurar uma agulha num palheiro!

Ele e Emmett trocaram um olhar e um sorriso malicioso.

Aquilo não fazia sentido.

— Mas eles podem encontrar você — lembrei a ele.

— E eu posso me cuidar.

Emmett riu e esticou o braço para o irmão sobre a mesa, erguendo o punho.

— Excelente plano, meu irmão — disse com entusiasmo.

Edward esticou o braço para bater o punho no de Emmett.

— Não — sibilou Rosalie.

— Absolutamente não — concordei.

— Que legal. — A voz de Jasper indicava seu prazer.

— Idiotas — murmurou Alice.

Esme só olhava para Edward.

Endireitei-me na cadeira, concentrando-me. Aquela era a *minha* reunião.

— Muito bem, então. Edward propôs uma alternativa para a consideração de todos — eu disse com frieza. — Vamos votar.

Desta vez, olhei para Edward; seria melhor ter a opinião dele de uma vez por todas.

— Quer que eu me una à sua família?

Seus olhos eram duros e pretos como sílex.

— Não desse jeito. Deve continuar humana.

Assenti uma vez, mantendo a expressão pragmática, depois segui adiante.

— Alice?

— Sim.

— Jasper?

— Sim — disse ele, a voz grave. Fiquei um tanto surpresa; eu não tinha certeza de seu voto, mas reprimi minha reação e continuei.

— Rosalie?

Ela hesitou, mordendo o lábio inferior perfeito.

— Não.

Mantive minha expressão vazia e virei a cabeça de leve para continuar, mas ela ergueu as mãos, as palmas para a frente.

— Deixe-me explicar — pediu Rosalie. — Não quis dizer que tenho alguma aversão a você como irmã. É só que... esta não é a vida que eu teria escolhido para mim mesma. Eu queria que tivesse havido alguém para votar "Não" por mim.

Assenti devagar, depois virei-me para Emmett.

— Que diabos, sim! — Ele sorria. — Podemos encontrar outro jeito de arrumar uma briga com esse Demetri.

Eu ainda estava fazendo uma careta quando olhei para Esme.

— Sim, é claro, Bella. Eu já penso em você como parte de minha família.

— Obrigada, Esme — murmurei ao me voltar para Carlisle.

De repente fiquei nervosa, desejando ter pedido o voto dele primeiro. Eu tinha certeza de que este era o voto que mais importava, o voto que contava mais do que qualquer maioria.

Carlisle não olhava para mim.

— Edward — disse ele.

— Não — grunhiu Edward. Seu queixo estava tenso, os lábios repuxados nos dentes.

— É a única opção que faz sentido — insistiu Carlisle. — Você escolheu não viver sem ela e isso não me deixa alternativa.

Edward largou minha mão, deixando a mesa. Saiu da sala, rosnando baixo.

— Acho que você sabe qual é meu voto — suspirou Carlisle.

Eu ainda olhava para Edward.

— Obrigada — murmurei.

Um estrondo ensurdecedor ecoou do outro cômodo.

Eu me encolhi e falei rapidamente.

— É só disso que preciso. Obrigada. Por me aceitarem. Eu sinto exatamente o mesmo com relação a todos vocês. — Minha voz estava entrecortada de emoção no final.

Esme estava a meu lado num átimo, os braços frios em volta de mim.

— Minha querida Bella — sussurrou ela.

Retribuí seu abraço. Pelo canto do olho, notei Rosalie de cabeça baixa e percebi que minhas palavras podiam ser interpretadas de duas maneiras.

— Bom, Alice — eu disse quando Esme me soltou. — Onde quer fazer isso?

Alice me encarou, os olhos arregalados de pavor.

— Não! *Não!* NÃO! — rugiu Edward, voltando às pressas à sala. Estava bem diante do meu rosto antes que eu tivesse tempo para piscar, curvando-se sobre mim, a expressão distorcida de fúria. — Ficou louca? — gritou ele. — Você perdeu todo o juízo?

Eu me afastei, as mãos nos ouvidos.

— Hmmm, Bella — intrometeu-se Alice numa voz ansiosa. — Não acho que eu esteja *pronta* para isso. Vou precisar me preparar...

— Você prometeu — lembrei a ela, olhando por baixo do braço de Edward.

— Eu sei, mas... É sério, Bella! Não faço a menor idéia de como *não* matar você.

— Você pode fazer isso — eu a encorajei. — Eu confio em você.

Edward rosnou de fúria.

Alice sacudiu a cabeça rápido, aparentando pânico.

— Carlisle? — Eu me virei e olhei para ele.

Edward pegou meu rosto, obrigando-me a olhar para ele. A outra mão estava estendida, a palma voltada para Carlisle.

Carlisle ignorou isso.

— Eu posso fazer — respondeu ele à minha pergunta. Eu queria poder ver sua expressão. — Você não correria o perigo de eu perder o controle.

— Que bom. — Eu esperava que ele pudesse entender; era difícil falar com clareza com Edward segurando meu queixo daquele jeito.

— Espere — disse Edward entre os dentes. — Não precisa ser agora.

— Não há motivo para que não seja agora — eu disse, as palavras saindo distorcidas.

— Posso pensar em alguns.

— É claro que pode — eu disse asperamente. — Agora me solte.

Ele libertou meu rosto e cruzou os braços.

— Daqui a duas horas, Charlie estará aqui procurando por você. Não duvido nada que ele vá envolver a polícia.

— Todos os três policiais. — Mas franzi o cenho.

Essa sempre era a parte mais difícil. Charlie, Renée. Agora Jacob também. As pessoas que eu perderia, as pessoas que magoaria. Eu queria que houvesse um modo de ser a única a sofrer, mas sabia que isso era impossível.

Ao mesmo tempo, eu os estava magoando mais permanecendo humana. Colocando Charlie em perigo constante com a minha proximidade. Colocando Jake num perigo ainda maior ao atrair os inimigos dele para o território que ele se sentia destinado a proteger. E Renée — eu não podia sequer arriscar uma visita para ver minha própria mãe por medo de levar meus problemas letais comigo!

Eu era um ímã para o perigo; tinha de admitir isso.

Ao admitir, eu sabia que precisava ser capaz de cuidar de mim mesma e de proteger aqueles a quem amava, mesmo que isso significasse que não podia estar *com* eles. Eu precisava ser forte.

— No interesse de continuarmos *imperceptíveis* — disse Edward, ainda falando entre os dentes, mas olhando agora para Carlisle —, sugiro que deixemos essa conversa de lado pelo menos até que Bella termine o ensino médio e saia da casa de Charlie.

— Este é um pedido razoável, Bella — assinalou Carlisle.

Pensei na reação de Charlie quando ele acordasse naquela manhã, se — depois de tudo que a vida fizera com ele na semana anterior, com a perda de Harry, e depois do que *eu* provocara com meu desaparecimento inexplicado — ele encontrasse minha cama vazia. Charlie merecia mais do que isso. Era só um pouco mais de tempo; a formatura não estava tão longe assim...

Eu franzi os lábios.

— Vou pensar nisso.

Edward relaxou. Seu queixo se distendeu.

— Tenho que levar você para casa — disse ele, mais calmo agora, mas claramente com pressa para me tirar dali. — Para o caso de Charlie acordar cedo.

Olhei para Carlisle.

— Depois da formatura?

— Tem minha palavra.

Respirei fundo, sorri e me virei para Edward.

— Tudo bem. Pode me levar para casa.

Edward correu comigo para fora da casa antes que Carlisle pudesse me fazer alguma outra promessa. Ele me levou pelos fundos, então não pude ver o que estava quebrado na sala de estar.

Foi uma viagem silenciosa para casa. Eu me sentia triunfante e meio presunçosa. Morta de medo também, é claro, mas tentei não pensar nessa parte. Não me fazia bem me preocupar com a dor — física ou emocional. Não até que eu a sentisse.

Quando chegamos em casa, Edward não parou. Disparou parede acima e entrou por minha janela em meio segundo. Depois tirou meus braços do pescoço e me colocou na cama.

Achei que tinha uma boa idéia do que ele estava pensando, mas sua expressão me surpreendeu. Em vez de furiosa, era calculista. Ele andava em silêncio de um lado para outro de meu quarto escuro enquanto eu o observava com uma desconfiança crescente.

— O que quer que esteja planejando, não vai dar certo — eu disse a ele.

— Shhh. Estou pensando.

— Argh — gemi, atirando-me de volta na cama e puxando o cobertor sobre a cabeça.

Não houve som algum, mas de repente ele estava ali. Ele puxou a coberta para me ver. Estava se deitando ao meu lado. Sua mão tirou o cabelo de meu rosto.

— Se não se importa, prefiro que não esconda seu rosto. Eu vivi sem ele por mais tempo do que podia suportar. Agora... me diga uma coisa.

— O quê? — perguntei, de má vontade.

— Se pudesse ter alguma coisa no mundo, qualquer coisa, o que seria?

Pude sentir o ceticismo em seus olhos.

— Você.

Ele sacudiu a cabeça com impaciência.

— Algo que você não tenha.

Eu não sabia aonde ele tentava me levar, então pensei bem antes de responder. Pensei numa coisa que era ao mesmo tempo verdade e provavelmente impossível.

— Eu queria... que Carlisle não tivesse que fazer isso. Queria que *você* me mudasse.

Observei sua reação com cautela, esperando mais da fúria que vira em sua casa. Fiquei surpresa que sua expressão não tivesse se alterado. Ainda era calculista e pensativa.

— O que estaria disposta a dar em troca?

Não consegui acreditar no que ouvia. Fitei pasma seu rosto sério e soltei a resposta antes de pensar nela.

— Qualquer coisa.

Ele deu um sorriso fraco, depois franziu os lábios.

— Cinco anos?

Meu rosto se retorceu numa expressão em algum ponto entre o pesar e o pavor.

— Você disse qualquer coisa — lembrou-me ele.

— Sim, mas... Você vai usar o tempo para encontrar uma maneira de se livrar disso. Tenho que aproveitar enquanto tenho oportunidade. Além disso, é perigoso demais ser humana... Para mim, pelo menos. Então, tudo menos *isso*.

Ele franziu a testa.

— Três anos?

— Não!

— Então não vale qualquer coisa para você?

Pensei no quanto eu queria aquilo. Concluí que era melhor manter uma expressão impassível e não deixar que ele soubesse o *quanto* eu queria. Isso me daria mais poder.

— Seis meses?

Ele revirou os olhos.

— Não basta.

— Então um ano — eu disse. — É meu limite.

— Me dê pelo menos dois.

— De jeito nenhum. Vou fazer 19 anos. Mas não vou chegar a lugar nenhum *perto* dos 20. Se você vai ficar adolescente para sempre, eu também vou.

Ele pensou por um minuto.

— Tudo bem. Esqueça os limites de tempo. Se quer que seja comigo... terá de cumprir uma condição.

— Condição? — Minha voz ficou apática. — Que condição?

Seus olhos eram cautelosos — ele falava lentamente.

— Case-se comigo primeiro.

Eu o fitei, esperando...

— Tudo bem. Qual é a piada?

Ele suspirou.

— Está ferindo meu ego, Bella. Acabo de lhe pedir em casamento e você acha que é brincadeira.

— Edward, por favor, fale sério.

— Estou falando completamente a sério. — Ele me fitou sem humor algum no rosto.

— Ah, sem essa — eu disse com uma pontada de histeria na voz. — Só tenho 18 anos.

— Bom, eu tenho quase 110. Está na hora de sossegar.

Virei a cara, olhando pela janela escura, tentando controlar o pânico antes que ele me entregasse.

— Veja bem, o casamento não é bem uma de minhas prioridades, sabia? Foi como o beijo da morte para Renée e Charlie.

— Uma escolha de palavras interessante.

— Você entendeu o que eu quis dizer.

Ele respirou fundo.

— Francamente, não me diga que tem medo de se comprometer. — Sua voz era incrédula e eu entendi suas implicações.

— Não é bem isso — tentei escapar. — Eu... tenho medo por Renée. Ela tem algumas opiniões fortes sobre se casar antes dos 30 anos.

— Porque ela prefere que você seja uma eterna amaldiçoada a que se case. — Ele deu um riso sombrio.

— Você acha que está brincando.

— Bella, se comparar o nível de compromisso entre uma união conjugal e trocar sua alma pela eternidade como vampira... — Ele sacudiu a cabeça. — Se não tem coragem de se casar comigo, então...

— Bom — interrompi. — E se eu quisesse? E se lhe dissesse para me levar a Las Vegas agora? Eu seria uma vampira em três dias?

Ele sorriu, os dentes faiscando no escuro.

— Claro — disse ele, caindo em meu blefe. — Vou pegar meu carro.

— Mas que droga — murmurei. — Vou lhe dar dezoito meses.

— Nada feito — disse ele, sorrindo. — Eu *gosto* dessa condição.

— Ótimo. Vou pedir a Carlisle para fazer quando me formar.

— Se é o que você quer mesmo. — Ele deu de ombros e seu sorriso tornou-se absolutamente angelical.

— Você é impossível — grunhi. — Um monstro.

Ele riu.

— É por isso que não quer se casar comigo?

Eu grunhi de novo.

Ele se inclinou para mim; seus olhos escuros como a noite derreteram e arderam, estilhaçando minha concentração.

— *Por favor*, Bella? — sussurrou ele.

Por um momento, esqueci como se respira. Quando me recuperei, sacudi a cabeça rapidamente, tentando clarear minha mente de repente confusa.

— Seria melhor se eu tivesse tempo para comprar uma aliança?

— Não! Nada de alianças! — eu quase gritei.

— Agora você conseguiu — sussurrou ele.

— Epa.

— Charlie está se levantando; é melhor eu ir — disse Edward com resignação.

Meu coração parou de bater.

Ele viu minha expressão por um segundo.

— Seria infantilidade minha me esconder em seu armário, então?

— Não — sussurrei ansiosa. — Fique. Por favor.

Edward sorriu e desapareceu.

Fiquei agitada no escuro enquanto esperava que Charlie viesse me ver. Edward sabia exatamente o que estava fazendo, e eu estava disposta a apostar que toda a surpresa magoada era parte da trama. É claro que eu ainda tinha a opção de Carlisle, mas agora que havia uma possibilidade de Edward me modificar, eu queria isso de modo desesperado. Ele era um trapaceiro e tanto.

Minha porta foi entreaberta.

— Bom dia, pai.

— Ah, oi, Bella. — Ele ficou constrangido por ser flagrado. — Não sabia que estava acordada.

— É. Estava esperando que você acordasse para poder tomar banho. — Comecei a me levantar.

— Espere — disse Charlie, acendendo a luz. Pestanejei na claridade repentina e mantive os olhos cuidadosamente longe do armário. — Vamos conversar um minutinho primeiro.

Não consegui controlar minha careta. Eu tinha me esquecido de pedir uma desculpa a Alice.

— Você sabe que está encrencada.

— É, eu sei.

— Eu simplesmente fiquei louco nos últimos três dias, cheguei em casa do *enterro* de Harry e você tinha sumido. Jacob só pôde me dizer que você saíra correndo com Alice Cullen e que ele achava que você tinha algum problema. Você não me deixou telefone nenhum e não ligou. Eu não sabia onde você estava nem quando... ou se... ia voltar. Tem alguma idéia de como... como... — Ele não conseguiu terminar a frase. Inspirou fundo fazendo um som agudo e continuou: — Pode me dar um só motivo para eu não mandar você para Jacksonville neste segundo?

Meus olhos se estreitaram. Então seria por ameaças, é? Era um jogo para dois. Eu me sentei, puxando o cobertor em volta de mim.

— Porque eu não vou.

— Agora espere um minuto, mocinha...

— Olhe, pai, assumo completa responsabilidade por meus atos e você tem o direito de me deixar de castigo pelo tempo que quiser. Vou cumprir todas as tarefas e lavar a roupa e os pratos até que você ache que aprendi a lição. E acho que você tem o direito, se quiser, de me expulsar daqui também... Mas isso não vai me fazer voltar para a Flórida.

Seu rosto ficou vermelho vivo. Ele respirou fundo algumas vezes antes de responder.

— Você poderia explicar onde esteve?

Ah, merda.

— Houve uma... emergência.

Ele ergueu as sobrancelhas de expectativa por minha brilhante explicação. Enchi as bochechas de ar e soprei-o com um ruído.

— Não sei o que dizer a você, pai. Foi principalmente um mal-entendido. Um disse-me-disse. Eu perdi o controle.

Ele esperou com uma expressão desconfiada.

— Ouça, Alice disse a Rosalie que eu pulei do penhasco... — Eu lutava freneticamente para que aquilo desse certo, para me manter o mais próximo da verdade possível, assim minha incapacidade de mentir sendo convincente não estragaria a desculpa. Mas, antes que eu pudesse continuar, a expressão de Charlie me lembrou de que ele não sabia nada do penhasco.

Epa dos grandes. Como se eu já não estivesse ferrada.

— Acho que não lhe contei sobre isso — eu disse com a voz sufocada. — Não foi nada. Só estava brincando, nadando com Jake. De qualquer modo, Rosalie contou a Edward e ele ficou transtornado. Ela meio que por acaso deu a impressão de que eu estava tentando me matar ou algo assim. Ele não atendia o telefone, então Alice me arrastou para... Los Angeles, para explicar em pessoa. — Dei de ombros, esperando desesperadamente que ele não ficasse muito distraído por meu lapso e perdesse a brilhante explicação que lhe dei.

A fisionomia de Charlie estava congelada.

— Você *estava* tentando se matar, Bella?

— Não, é claro que não. Só me divertindo com Jake. Mergulhando do penhasco. Os garotos de La Push fazem isso o tempo todo. Como eu disse, não foi nada.

A fisionomia de Charlie esquentou — foi de congelada a quente de fúria.

— E o que Edward Cullen tem a ver com isso, afinal? — ladrou ele. — Esse tempo todo ele só deixou você esperando, sem dar uma palavra...

Eu o interrompi.

— Outro mal-entendido.

Seu rosto corou de novo.

— Então ele voltou?

— Não sei bem quais são os planos. Eu *acho* que todos eles voltaram.

Ele sacudiu a cabeça, a veia na testa pulsando.

— Quero que fique longe dele, Bella. Não confio nele. Ele não serve para você. Não vou permitir que atrapalhe sua vida daquele jeito de novo.

— Tudo bem — eu disse rapidamente.

Charlie girou nos calcanhares.

— Ah! — Ele pensou por um segundo, suspirando alto de surpresa. — Pensei que iria criar dificuldades.

— Mas eu vou. — Eu o olhei nos olhos. — Eu quis dizer: "Tudo bem, eu vou sair de casa."

Seus olhos esbugalharam; o rosto ficou arroxeado. Minha decisão oscilou enquanto eu começava a me preocupar com a saúde dele. Ele não era mais novo do que Harry...

— Pai, eu não *quero* me mudar — eu disse num tom mais suave. — Eu te amo. Sei que está preocupado, mas precisa confiar em mim. E vai ter que pegar leve com Edward se quiser que eu fique. Quer que eu more aqui ou não?

— Isso não é justo, Bella. Sabe que quero que você fique.

— Então seja legal com Edward, porque ele estará onde eu estiver. — Eu disse isso com confiança. A convicção de minha revelação ainda era forte.

— Não debaixo do meu teto — trovejou Charlie.

Soltei um suspiro pesado.

— Olhe, não vou lhe dar mais nenhum ultimato esta noite... Ou melhor, já é de manhã. Só pense nisso por alguns dias, está bem? Mas não se esqueça de que Edward e eu somos como um pacote só.

— Bella...

— Pense bem — insisti. — E enquanto estiver pensando, poderia me dar alguma privacidade? Eu *realmente* preciso de um banho.

A fisionomia de Charlie era de um tom estranho de roxo, mas ele saiu, batendo a porta ao passar. Ouvi-o marchar com fúria pela escada.

Atirei o cobertor para o lado e Edward já estava ali, sentado na cadeira de balanço como se tivesse estado presente durante toda a conversa.

— Desculpe por isso — sussurrei.

— Acho que mereço coisa muito pior — murmurou ele. — Não comece uma briga com Charlie por minha causa, por favor.

— Não se preocupe — sussurrei, pegando minhas coisas do banheiro e uma muda de roupas limpas. — Vou começar exatamente o que for necessário e não mais do que isso. Ou está tentando me dizer que não tenho para onde ir? — Arregalei os olhos com um falso alarme.

— Você se mudaria para uma casa cheia de vampiros?

— Deve ser o lugar mais seguro para alguém como eu. Além disso... — Eu sorri. — Se Charlie me expulsar, então não há necessidade do prazo da formatura, não é?

Seu queixo enrijeceu.

— Tão ansiosa pela danação eterna — murmurou ele.

— Sabe que não acredita mesmo nisso.

— Ah, não acredito? — Ele ficou furioso.

— Não. Você não acredita.

Ele me fuzilou com os olhos e começou a falar, mas o interrompi.

— Se acreditasse de verdade que perdeu sua alma, então, quando eu o encontrei em Volterra, você teria percebido imediatamente o que estava acontecendo, em vez de pensar que nós dois estávamos mortos juntos. Mas não pensou assim... Você disse: *"Incrível. Carlisle tinha razão."* — lembrei a ele, triunfante. — Há esperanças para você, afinal.

Pela primeira vez, Edward ficou sem fala.

— Então vamos os dois ter esperanças, sim? — sugeri. — Não que isso importe. Se você ficar, não preciso do paraíso.

Ele se levantou devagar e veio colocar as mãos em meu rosto enquanto fitava meus olhos.

— Para sempre — jurou ele, ainda meio confuso.

— É só o que estou lhe pedindo — eu disse, e fiquei na ponta dos pés para colocar meus lábios nos dele.

EPÍLOGO: PACTO

Quase tudo voltou ao normal — o normal bom, de pré-zumbi — em menos tempo do que eu julgava ser possível. O hospital acolheu Carlisle de volta de braços abertos e ansiosos, sem sequer se incomodar em esconder seu deleite por Esme ter achado a vida em Los Angeles medíocre demais para o gosto dela. Graças à prova de cálculo que perdi enquanto estava no exterior, Alice e Edward estavam em melhor situação para se formar do que eu, e de repente a faculdade era uma prioridade (a faculdade ainda era o plano B, a oferta que Edward me fazia na eventualidade de falhar a opção de pós-formatura de Carlisle). Muitos prazos finais passaram por mim, mas Edward tinha uma nova pilha de formulários de universidades para eu preencher a cada dia. Ele já passara por Harvard, então não o incomodava que, graças a meus adiamentos, nós dois terminássemos na Peninsula Community College no ano seguinte.

Charlie não estava satisfeito comigo, nem falava com Edward. Mas pelo menos Edward tinha permissão — durante meu horário de visita — para entrar lá em casa de novo. Eu é que não tinha permissão de *sair* dela.

A escola e o trabalho eram as únicas exceções, e as paredes amarelas, melancólicas e opacas de minhas salas de aula tornaram-se estranhamente convidativas para mim. Isso tinha muito a ver com a pessoa que se sentava na carteira a meu lado.

Edward reassumira seu horário do início do ano, o que o recolocou na maioria de minhas aulas. Meu comportamento fora tal no outono passado, depois da suposta mudança dos Cullen para Los Angeles, que o lugar a meu lado nunca foi ocupado. Até Mike, sempre ansioso para tirar algum proveito, manteve uma distância segura. Com Edward de volta, era quase como se os últimos oito meses tivessem sido só um pesadelo perturbador.

Quase, mas não exatamente. Havia a situação de ficar presa em casa, primeiro. E, além disso, antes eu não tinha Jacob Black como meu melhor amigo. Então é claro que eu não sentia falta dele na época.

Eu não tinha liberdade para ir a La Push e Jacob não vinha me ver. Ele não atendia meus telefonemas.

Eu ligava quase sempre à noite, depois de Edward ter sido expulso — às nove em ponto por um Charlie inflexivelmente alegre — e antes de Edward se esgueirar por minha janela, quando Charlie estava dormindo. Escolhi essa hora para as minhas ligações infrutíferas porque percebi que Edward fazia uma careta toda vez que eu falava no nome de Jacob. Meio reprovadora e preocupada... Talvez até com raiva. Imaginei que ele tinha algum preconceito recíproco contra os lobisomens, embora ele não verbalizasse isso, como Jacob fizera sobre os "sanguessugas".

Assim, eu não falava muito em Jacob.

Com Edward perto de mim, era difícil pensar em coisas tristes — até em meu ex-melhor amigo, que devia estar muito infeliz agora, por minha causa. Quando eu pensava em Jake, sempre me sentia culpada por não pensar mais nele.

O conto de fadas tinha voltado. O príncipe retornara, o feitiço fora quebrado. Eu não sabia exatamente o que fazer com o personagem não resolvido que sobrara. Onde estaria o feliz para sempre *dele*?

As semanas se passaram e Jacob ainda não atendia meus telefonemas. Começou a se tornar uma preocupação constante. Como uma torneira pingando no fundo de minha mente que eu não conseguia fechar nem ignorar. Pinga, pinga, pinga. Jacob, Jacob, Jacob.

Assim, embora eu não falasse *muito* em Jacob, às vezes minha frustração e minha angústia entravam em ebulição.

— É uma grosseria! — Deixei escapar numa tarde de sábado quando Edward me pegou no trabalho. Ficar com raiva dos fatos era mais fácil do que me sentir culpada. — É um insulto completo!

Eu variava meu padrão, na esperança de uma resposta diferente. Dessa vez, eu tinha ligado para Jake do trabalho, mas só consegui falar com um Billy que não ajudou em nada. De novo.

— Billy disse que ele não *quer* falar comigo. — Eu estava furiosa, encarando a chuva que escorria pelo vidro do carona. — Que ele estava lá, e não ia dar três passos para pegar o telefone! Em geral Billy só diz que ele saiu, que está ocupado, dormindo ou algo assim. Quer dizer, até parece que não sei que está mentindo para mim, mas pelo menos é uma forma educada de lidar com isso. Acho que agora Billy me odeia também. Não é justo!

— Não é você, Bella — disse Edward em voz baixa. — Ninguém odeia você.

— Parece que é assim — murmurei, cruzando os braços. Não passava de um gesto de teimosia. Agora não havia buraco ali; eu mal conseguia me lembrar da sensação de vazio.

— Jacob sabe que voltamos e tenho certeza de sabe que estou com você — disse Edward. — Ele não chega perto de mim. A inimizade é profundamente arraigada.

— Isso é idiotice. Ele sabe que você não é... como os outros vampiros.

— Ainda é um bom motivo para guardar uma distância segura.

Olhei às cegas pelo pára-brisa, vendo apenas o rosto de Jacob preso na máscara de amargura que eu odiava.

— Bella, nós somos o que somos — disse Edward baixinho. — Posso me controlar, mas duvido que ele possa. Ele é muito novo. Seria muito provável começar uma briga, e não sei se posso evitar que eu o m... — Ele se interrompeu, depois continuou, depressa: — Que eu o machuque. Você ficaria infeliz. Não quero que isso aconteça.

Lembrei-me do que Jacob tinha dito na cozinha, ouvindo as palavras com a recordação perfeita de sua voz rouca. *Não sei se sou controlado o suficiente para lidar com isso... você, provavelmente, não ia gostar muito se eu matasse sua amiga.* Mas ele fora capaz de lidar com isso, daquela vez...

— Edward Cullen — sussurrei. — Você ia dizer "que eu o *mate*"? Ia?

Ele desviou os olhos, encarando a chuva. Na nossa frente, o sinal vermelho que eu não vira ficou verde e ele partiu com o carro de novo, dirigindo bem devagar. Não era seu jeito habitual de dirigir.

— Eu me esforçaria... muito... para não fazer isso — disse Edward por fim.

Eu o encarei boquiaberta, mas ele continuou a olhar para a frente. Estávamos parados na placa de pare da esquina.

De repente, lembrei-me do que aconteceu com Páris quando Romeu voltou. As orientações de palco eram simples: *Eles brigam. Páris cai.*

Mas isso era ridículo. Impossível.

— Bom — eu disse, e respirei fundo, sacudindo a cabeça para dispersar as palavras de minha mente. — Não vai acontecer nada parecido com isso, então não há motivo para preocupação. E você sabe que Charlie está disparando o cronômetro agora. É melhor me levar para casa antes que eu fique mais encrencada por me atrasar.

Virei na direção dele, para sorrir sem entusiasmo.

Toda vez que eu olhava seu rosto, aquele rosto inacreditavelmente perfeito, meu coração batia com força e saúde, e bem *ali* em meu peito. Dessa vez, a batida foi mais acelerada do que seu ritmo embriagado. Reconheci a expressão no rosto imóvel de estátua.

— Você já está encrencada, Bella — sussurrou ele pelos lábios imóveis.

Eu me aproximei, segurando o braço dele enquanto seguia seu olhar para ver o que ele via. Não sei o que esperava — talvez Victoria parada no meio da rua, o cabelo vermelho de fogo soprando ao vento, ou uma fila de mantos pretos... Ou uma matilha de lobisomens coléricos. Mas não vi nada disso.

— Que foi? O que é?

Ele respirou fundo.

— Charlie...

— Meu pai? — guinchei.

Ele olhou para mim então, e sua expressão era bastante calma para atenuar parte de meu pânico.

— Charlie... provavelmente *não* vai matar você, mas ele está pensando nisso — ele me disse. Começou a dirigir de novo, pela minha rua, mas passou da casa e estacionou na beira do bosque.

— O que foi que eu fiz? — eu disse ofegante.

Edward olhou a casa de Charlie. Eu segui seu olhar e só então percebi o que estava estacionado na entrada, perto da viatura. Vermelha, brilhante, impossível de esquecer. Minha moto, exposta sozinha na entrada de carros.

Edward tinha dito que Charlie estava pronto para me matar, então ele devia saber que... que a moto era *minha*. Só havia uma pessoa que podia estar por trás dessa traição.

— Não! — ofeguei. — *Por quê?* Por que Jacob faria isso comigo? — A pontada da traição inundou meu corpo. Eu confiara em Jacob cegamente, confiara a ele cada segredo que tinha. Ele devia ser meu porto seguro, a pessoa em quem eu sempre confiaria. É claro que a situação agora estava tensa, mas eu não acreditava que nada nos alicerces da nossa amizade tivesse mudado. Não achava que *pudesse* mudar!

O que eu tinha feito para merecer isso? Charlie ficaria tão chateado — e, pior ainda, ele ficaria magoado e preocupado. Será que ele já não tinha muito com que se preocupar? Eu nunca poderia imaginar que Jake pudesse ser tão mesquinho e tão *cruel*. As lágrimas saltaram, ardentes, de meus olhos, mas não eram lágrimas de tristeza. Eu fora traída. De repente estava com tanta raiva que minha cabeça pulsava como se fosse explodir.

— Ele ainda está aqui? — sibilei.

— Está. Está esperando por nós. — Edward me disse, fazendo um sinal para a trilha estreita que dividia em duas a margem escura da floresta.

Pulei do carro, correndo para as árvores com as mãos já cerradas em punhos para o primeiro soco.

Por que Edward tinha de ser tão mais rápido do que eu?

Ele me pegou pela cintura antes que eu chegasse à trilha.

— Me solte! Eu vou matá-lo! *Traidor!* — gritei para as árvores.

— Charlie vai ouvir você — alertou-me Edward. — E depois de colocar você para dentro, talvez lacre a porta com tijolos.

Olhei a casa por instinto, e parecia que a moto vermelha e reluzente era tudo o que eu podia ver. Eu estava vendo vermelho. Minha cabeça latejou de novo.

— Só me dê um *round* com Jacob, depois vou lidar com Charlie. — Eu lutava inutilmente para me libertar.

— Jacob Black quer *me* ver. É por isso que ele ainda está aqui.

Isso me esfriou — arrancou a luta de mim. Minhas mãos ficaram moles. *Eles brigam; Páris cai.*

Eu estava furiosa, mas não *tão* furiosa.

— Para conversar? — perguntei.

— Mais ou menos.

— Mais para mais? — Minha voz tremia.

Edward tirou meu cabelo do rosto.

— Não se preocupe, ele não veio aqui para lutar comigo. Está agindo como... um porta-voz do bando.

— Ah!

Edward olhou a casa de novo, depois envolveu minha cintura com o braço e me empurrou para o bosque.

— Precisamos nos apressar. Charlie está ficando impaciente.

Não foi preciso ir muito longe; Jacob esperava a pouca distância na trilha. Esperava encostado num tronco musgoso, a fisionomia séria e amargurada, exatamente como eu sabia que estaria. Ele olhou para mim, depois para Edward. A boca de Jacob se esticou num esgar sem humor e ele se afastou da árvore. Colocou-se sobre os calcanhares dos pés descalços, inclinando-se um pouco para a frente, as mãos trêmulas cerradas em punhos. Ele parecia maior do que da última vez que eu o vira. De algum modo, impossível, ele ainda estava crescendo. Lado a lado, ele era mais alto que Edward.

Mas Edward parou assim que o vimos, deixando um amplo espaço entre nós e Jacob. Edward virou o corpo, passando-me para trás dele. Fiquei um pouco de lado para encarar Jacob — para acusá-lo com os olhos.

Achava que ver sua expressão ressentida e cínica só me deixaria mais irritada. Em vez disso, lembrei-me da última vez que o vi, com lágrimas nos olhos. Minha fúria se atenuou, vacilante, enquanto eu o fitava. Já se passara um bom tempo desde que o vira — eu odiava que nosso reencontro tivesse de ser *assim*.

— Bella — disse Jacob, inclinando a cabeça para mim sem desviar os olhos de Edward.

— Por quê? — sussurrei, tentando esconder o som do bolo em minha garganta. — Como pôde fazer isso comigo, Jacob?

O esgar desapareceu, mas seu rosto continuava sério e rígido.

— É para o seu bem.

— O que é que *isso* significa? Quer que Charlie me *estrangule*? Ou quer que ele tenha um ataque cardíaco, como Harry? Por mais chateado que você esteja comigo, como pôde fazer isso com *ele*?

Jacob estremeceu e suas sobrancelhas se uniram, mas ele não respondeu.

— Ele não quer magoar ninguém... Só quer que você fique de castigo, assim você não teria permissão para ficar comigo — murmurou Edward, explicando os pensamentos que Jacob não exprimira.

Os olhos de Jacob cintilaram de ódio ao fitarem Edward novamente.

— Ai, Jake! — gemi. — Eu *já* estou de castigo! Por que acha que não fui a La Push para te dar um chute por evitar meus telefonemas?

Os olhos de Jacob lampejaram para mim, confusos pela primeira vez.

— Foi por isso? — perguntou ele, depois cerrou o queixo, como se lamentasse ter falado.

— Ele pensou que *eu* a estivesse impedindo, não Charlie — explicou Edward de novo.

— Pare com isso — rebateu Jacob.

Edward não respondeu.

Jacob deu de ombros uma vez, depois trincou os dentes com a mesma força com que cerrava os punhos.

— Bella não exagerou sobre suas... habilidades — disse ele entre os dentes. — Então já deve saber por que estou aqui.

— Sim — concordou Edward numa voz tranqüila. — Mas, antes que comece, preciso dizer uma coisa.

Jacob esperou, abrindo e cerrando as mãos como se tentasse controlar os tremores que percorriam seus braços.

— Obrigado — disse Edward, e sua voz pulsava com a profundidade de sua franqueza. — Nunca serei capaz de lhe dizer o quanto sou grato. Vou ficar lhe devendo pelo resto de minha... existência.

Jacob o olhou sem expressão, os ombros imobilizados de surpresa. Ele trocou um olhar rápido comigo, mas meu rosto estava igualmente pasmo.

— Por manter Bella viva — esclareceu Edward, a voz áspera e fervorosa. — Quando eu... não fiz isso.

— Edward... — comecei a dizer, mas ele ergueu a mão, os olhos em Jacob.

A compreensão inundou o rosto de Jacob antes que a máscara severa voltasse.

— Não fiz isso por você.

— Sei. Mas isso não anula a gratidão que sinto. Achei que você devia saber. Se houver algo a meu alcance que eu possa fazer por você...

Jacob ergueu uma sobrancelha escura.

Edward sacudiu a cabeça.

— Isso não está a meu alcance.

— De quem, então? — grunhiu Jacob.

Edward olhou para mim.

— Dela. Aprendo rápido, Jacob Black, e não cometo o mesmo erro duas vezes. Fico aqui enquanto ela não me mandar embora.

Por um momento fiquei imersa em seu olhar dourado. Não era difícil entender o que eu perdera na conversa. A única coisa que Jacob podia querer de Edward seria sua ausência.

— Nunca — sussurrei, ainda presa nos olhos de Edward.

Jacob soltou um som nauseado.

Libertei-me, sem vontade, do olhar de Edward para franzir o cenho para Jacob.

— Queria mais alguma coisa, Jacob? Você queria me criar problemas... Missão cumprida. Charlie pode me mandar para a academia militar. Mas isso não vai me afastar de Edward. Não há nada que possa fazer *isso*. O que mais você quer?

Jacob não tirava os olhos de Edward.

— Eu só precisava lembrar a seus amigos sanguessugas de alguns pontos importantes do pacto que fizemos. O pacto que é o único motivo que me impede de dilacerar a garganta dele neste exato minuto.

— Nós não nos esquecemos — disse Edward ao mesmo tempo que eu perguntava: "Que pontos importantes?"

Jacob ainda encarava Edward, mas a resposta foi para mim.

— O pacto é muito específico. Se algum deles morder um humano, a trégua acabou. *Morder*, não matar — destacou ele. Por fim, ele me olhou. Seus olhos eram frios.

Só precisei de um segundo para apreender a distinção, depois meu rosto ficou frio como o dele.

— Isso não é da sua conta.

— Uma ova que... — foi só o que ele conseguiu dizer.

Eu não esperava que minhas palavras rudes provocassem uma reação tão violenta. Apesar do aviso que viera dar, ele não devia saber. Devia ter pensado que o aviso era só precaução. Ele não tinha percebido — ou não queria acreditar — que eu já tomara minha decisão. Que eu já pretendia ser membro da família Cullen.

Minha resposta deixou Jacob quase em convulsões. Ele pressionou com força os punhos contra as têmporas, fechando bem os olhos e curvando-se sobre si mesmo, à medida que tentava controlar os espasmos. Em vez da pele avermelhada, seu rosto tornou-se pálido.

— Jake? Você está bem? — perguntei, ansiosa.

Dei meio passo na direção dele, mas Edward me pegou e me puxou para trás de seu corpo.

— Cuidado! Ele está fora de controle — alertou-me.

Mas Jacob já se recuperava; agora só os braços tremiam. Ele fechou a cara para Edward com puro ódio.

— Argh. *Eu* nunca a machucaria.

Nem Edward nem eu deixamos passar a inflexão, ou a acusação ali. Um silvo baixo escapou dos lábios de Edward. Jacob cerrou os punhos por reflexo.

— BELLA! — O rugido de Charlie ecoou da casa. — ENTRE EM CASA AGORA MESMO!

Todos nós ficamos paralisados, ouvindo o silêncio que se seguiu.

Eu fui a primeira a falar; minha voz tremia.

— Merda.

A expressão furiosa de Jacob vacilou.

— Eu lamento por isso — murmurou ele. — Eu precisava fazer o que pudesse... Tinha que tentar...

— Obrigada. — O tremor em minha voz arruinou o sarcasmo. Olhei a trilha, como se estivesse esperando que Charlie viesse marchando pelas samambaias úmidas como um touro enfurecido. Eu seria a capa vermelha neste cenário.

— Só mais uma coisa — disse-me Edward, depois olhou para Jacob. — Não encontramos rastro de Victoria em nosso lado do limite... Vocês encontraram?

Ele soube a resposta logo que Jacob pensou nela, mas Jacob falou assim mesmo.

— Da última vez foi enquanto Bella estava... fora. Deixamos que ela pensasse que conseguiria passar... Estávamos fechando o círculo, nos preparando para emboscá-la...

O gelo desceu por minha coluna.

— Mas depois ela fugiu como o diabo da cruz. Pelo que sabemos, ela sentiu o cheiro de sua femeazinha e desistiu. Desde então, não chegou perto de nosso território.

Edward assentiu.

— Quando ela voltar, não será mais problema de vocês. Nós vamos...

— Ela matou em nossas terras — sibilou Jacob. — Ela é nossa!

— Não... — Comecei a protestar contra as duas declarações.

— *BELLA!* ESTOU *VENDO* SEU CARRO E *SEI* QUE ESTÁ AÍ FORA! SE NÃO ENTRAR NESTA CASA EM *UM* MINUTO...! — Charlie não se incomodou em terminar a ameaça.

— Vamos — disse Edward.

Olhei para Jacob, dilacerada. Será que o veria outra vez?

— Desculpe — sussurrou ele tão baixo que tive de ler seus lábios para entender. — Tchau, Bells.

— Você prometeu — lembrei a ele com desespero. — Ainda somos amigos, não é?

Jacob sacudiu a cabeça devagar e o nó em minha garganta quase me estrangulou.

— Sabe o quanto tentei manter a promessa, mas... não vejo como continuar tentando. Não agora... — Ele lutava para manter a máscara severa, mas ela oscilou e depois desapareceu. — Sinto sua falta — murmurou. Uma de suas mãos se estendeu para mim, os dedos esticados, como se ele quisesse que fossem bastante longos para cruzar a distância entre nós.

— Eu também — eu disse, engasgada. Minha mão se estendeu para ele no espaço amplo.

Como se estivéssemos conectados, o eco de sua dor se retorceu dentro de mim. A dor dele, minha dor.

— Jake... — Dei um passo para ele. Eu queria abraçá-lo e apagar a expressão de infelicidade em seu rosto.

Edward me puxou de volta, os braços restritivos, não defensivos.

— Está tudo bem — garanti a ele, olhando para ver seu rosto com a confiança em meus olhos. Ele entenderia.

Seus olhos eram insondáveis, sua face, sem expressão. Fria.

— Não está, não.

— Solte-a — rosnou Jacob, furioso de novo. — Ela *quer*! — Ele avançou dois passos longos. Uma centelha de expectativa faiscava em seus olhos. Seu peito parecia inchar enquanto tremia.

Edward me puxou para trás, girando para encarar Jacob.

— Não! Edward...!

— ISABELLA *SWAN*!

— Vamos! Charlie está irritado! — Minha voz era de pânico, mas agora não por causa de Charlie. — Rápido!

Eu dei um puxão e ele relaxou um pouco. Ele me puxou para trás devagar, sempre de olho em Jacob enquanto nos retirávamos.

Jacob nos observou com uma carranca sombria na face amargurada. A expectativa desaparecera de seus olhos e depois, pouco antes de a floresta se interpor entre nós, seu rosto de repente se enrugou de dor.

Eu sabia que o último vislumbre de seu rosto me assombraria até que eu o visse sorrir outra vez.

E exatamente ali eu jurei que o *veria* sorrir, e em breve. Eu encontraria um jeito de manter meu amigo.

Edward mantinha o braço apertado em minha cintura, segurando-me perto dele. Só por isso as lágrimas não despencaram de meus olhos.

Eu tinha sérios problemas.

Meu melhor amigo me colocava na conta de seus inimigos.

Victoria ainda estava à solta, colocando em perigo todos a quem eu amava.

Se eu não me tornasse vampira logo, os Volturi me matariam.

E agora parecia que se eu *fizesse* isso os lobisomens quileutes tentariam fazer eles mesmos o trabalho — além de tentar matar minha futura família. Eu não acreditava que tivessem alguma chance, mas será que meu melhor amigo iria morrer tentando?

Problemas muito graves. Então, por que de repente eles pareciam insignificantes quando passamos pela última árvore e eu vi a expressão na fisionomia arroxeada de Charlie?

Edward me apertou com suavidade.

— Estou aqui.

Respirei fundo.

Era verdade. Edward estava ali, com os braços me envolvendo.

Eu podia enfrentar qualquer coisa, uma vez que aquilo era verdade.

Alinhei os ombros e andei para encontrar minha sina, com meu destino solidamente a meu lado.

Agradecimentos

-+ +-

Muito amor e gratidão a meu marido e a meus filhos,
pela compreensão e pelo sacrifício constantes em apoio à
redação de meus livros. Pelo menos não sou a única a me
beneficiar disso — tenho certeza de que muitos restaurantes
de meu bairro são gratos por eu não cozinhar mais.

Obrigada, mãe, por ser a melhor amiga e me deixar alugar seus
ouvidos em todos os momentos ruins. Obrigada também por
ser tão insanamente criativa e inteligente e legar uma pequena
parte das duas qualidades a minha composição genética.

Obrigada a todos os meus irmãos Emily, Heidi, Seth e Jacob
por me deixarem tomar seus nomes emprestados. Espero não
ter feito nada com eles que os faça desejar ter discordado.

Minha gratidão especial a meu irmão Paul, pelas aulas de
direção de moto — você tem um dom verdadeiro para ensinar.

Nem toda minha gratidão a meu irmão Seth é suficiente pelo
trabalho árduo e pelo talento que ele colocou na criação de
www.stepheniemeyer.com. Sou igualmente grata pelo esforço
que ele continua a despender como meu webmaster. Dê uma
olhada no e-mail, garoto. Desta vez, falei sério.

Obrigada *de novo* a meu irmão Jacob, por seus conselhos
contínuos sobre todas as minhas opções automotivas.

Um grande agradecimento a minha agente, Jodi Reamer,
pela orientação e assistência constantes em minha carreira.
E também por suportar minha loucura com um sorriso
quando sei que gostaria de usar algumas
de suas táticas ninjas em mim.

Amor, beijos e gratidão a minha assessora de imprensa, a linda Elizabeth Eulberg, por fazer de minha experiência de turnê menos uma tarefa enfadonha e mais uma festinha do pijama, por auxiliar no assédio pela Internet, por convencer aqueles esnobes exclusivistas do CEE (Clube Elizabeth Eulberg) a me deixar entrar e, ah, sim, também por me colocar na lista de *best-sellers* do *The New York Times*.

Um tonel enorme de gratidão a todos da Little, Brown and Company pelo apoio e por acreditarem no potencial de minhas histórias.

E, finalmente, obrigada aos músicos talentosos que me inspiraram, particularmente a banda Muse — há emoções, cenas e tramas neste romance que nasceram das canções da Muse e não existiriam sem sua genialidade. Linkin Park, Travis, Elbow, Coldplay, Marjorie Fair, My Chemical Romance, Brand New, The Strokes, Armor for Sleep, The Arcade Fire e The Fray também foram fundamentais para espantar o bloqueio de escritor.

Uma espiada em

ECLIPSE,

a irresistível seqüência de *Lua nova*

1. ULTIMATO

Bella,

~~Não sei por que você está fazendo Charlie levar bilhetes ao Billy como se estivéssemos na segunda série — se eu quisesse falar com você, teria atendido o~~

~~Foi você quem escolheu, tá legal? Não pode ter as duas coisas quando~~

~~Que parte de "inimigos mortais" é complicada demais para você~~

~~Olha, sei que estou sendo um imbecil, mas não há como~~

~~Não podemos ser amigos quando você fica o tempo todo com um bando de~~

~~As coisas só ficam piores quando eu penso demais em você, então não escreva mais~~

Sim, eu sinto sua falta também. Muito.
Isso não muda nada. Desculpe.

Jacob

Passei os dedos pela folha de papel, sentindo as marcas onde ele pressionara tanto a caneta que quase o rasgou. Eu podia imaginá-lo escrevendo isso

— rabiscando as letras furiosas com sua caligrafia rude, riscando linha após linha quando as palavras saíam erradas, talvez até quebrando a caneta em sua mão grande demais; isso explicaria as manchas de tinta. Eu podia imaginar a frustração unindo suas sobrancelhas pretas e enrugando sua testa. Se eu estivesse lá, poderia até rir. *Não tenha um derrame cerebral por isso, Jacob*, eu teria dito a ele. *É só colocar para fora.*

Rir era a última coisa que eu queria fazer agora, ao reler as palavras que eu já memorizara. Sua resposta a meu pedido — passado de Charlie a Billy e depois a ele exatamente como na segunda série, como ele observara — não era surpresa. Eu sabia a essência do que ele ia dizer antes de abrir o papel.

O que era surpreendente era o quanto cada linha riscada me feria — como se as pontas das letras tivessem bordas afiadas. Mais do que isso, por trás de cada começo irritado pairava um enorme poço de mágoa; a dor de Jacob me cortava mais fundo do que a minha própria.

Enquanto pensava nisso, senti o aroma inconfundível de queimado subindo da cozinha. Em outra casa, o fato de uma pessoa que não fosse eu estar cozinhando não devia ser motivo de pânico.

Enfiei o papel amarrotado no bolso de trás e corri. Desci a escada num átimo.

O vidro de molho de espaguete que Charlie colocara no microondas só estava em sua primeira volta quando abri a porta e o tirei de lá.

— O que foi que eu fiz de errado? — perguntou Charlie.

— Você devia ter tirado a tampa primeiro, pai. Não pode colocar metal no microondas. — Retirei rapidamente a tampa enquanto falava, despejei metade do molho numa tigela e a coloquei dentro do microondas e o vidro de volta à geladeira; determinei o tempo e apertei o botão "Ligar".

Charlie observava meus ajustes com os lábios franzidos.

— Eu fiz o macarrão direito?

Olhei a panela no fogão — a origem do cheiro que me alertara.

— É bom mexer — eu disse com doçura. Peguei uma colher e tentei desfazer a papa grudenta que queimava no fundo.

Charlie suspirou.

— Mas o que significa isso tudo? — perguntei a ele.

Ele cruzou os braços e olhou pelo vidro dos fundos a chuva que caía forte.

— Não sei do que você está falando — grunhiu ele.

Fiquei pasma. Charlie cozinhando? E por que aquela atitude ríspida? Edward ainda não estava aqui; em geral, meu pai reservava esse tipo de comportamento para meu namorado, fazendo o máximo para ilustrar o tema "incômodo" em cada palavra e gesto. Os esforços de Charlie não eram necessários — Edward sabia exatamente o que meu pai estava pensando sem que ele demonstrasse.

A palavra *namorado* foi revirada por dentro da bochecha com uma tensão familiar enquanto eu mexia a panela. Não era a palavra certa, de forma alguma. Eu precisava de alguma que expressasse melhor o compromisso eterno... Mas palavras como *destino* e *sina* pareciam piegas quando usadas numa conversa comum.

Edward tinha outra palavra em mente, e essa palavra era a origem da tensão que eu sentia. Eu tinha arrepios só de pensar nela sozinha.

Noiva. Argh. Dei de ombros para me livrar da idéia.

— Perdi alguma coisa? Desde quando você faz o jantar? — perguntei a Charlie. O bolo de massa borbulhou na água fervente enquanto eu a cutucava. — Ou *tentar* fazer o jantar, melhor dizendo.

Charlie deu de ombros.

— Não há nenhuma lei que me proíba de cozinhar em minha própria casa.

— Você saberia disso — respondi, sorrindo ao olhar o distintivo alfinetado em sua jaqueta de couro.

— Rá. Essa é boa. — Ele tirou a jaqueta como se meu olhar o lembrasse de que ainda a estava vestindo e a pendurou no gancho reservado para suas roupas. O cinto com a arma já estava em seu lugar — ele não sentia a necessidade de usá-la na delegacia havia algumas semanas. Não tinha havido mais desaparecimentos perturbadores para transtornar a cidadezinha de Forks, em Washington, ninguém mais vira lobos gigantescos e misteriosos nos bosques sempre chuvosos...

Eu mexia o macarrão em silêncio, imaginando que Charlie acabaria por falar sobre o que o incomodava em seu próprio tempo. Meu pai não era um homem de muitas palavras, e o esforço que gastara tentando preparar um jantar para nós dois deixava claro que havia um número incomum de palavras em sua mente.

Olhei o relógio, por hábito, algo que eu sempre fazia mais ou menos nesse horário. Agora faltava menos de meia hora.

As tardes eram a parte mais difícil de meu dia. Desde que meu ex-melhor amigo (e lobisomem) Jacob Black me dedurara sobre a moto que eu pilotara escondido — uma traição que ele concebera a fim de me deixar de castigo para que eu não pudesse ficar com meu namorado (e vampiro) Edward Cullen —, Edward tinha permissão para me ver só das sete às nove e meia da noite, sempre no recesso de minha casa e sob a supervisão do olhar infalivelmente rabugento de meu pai.

Isso era uma evolução do castigo anterior e menos restritivo que eu ganhara por um desaparecimento inexplicado de três dias e um episódio de mergulho de penhasco.

É claro que eu ainda via Edward na escola, porque não havia nada que Charlie pudesse fazer a respeito disso. E, também, Edward passava quase todas as noites em meu quarto também, mas Charlie não sabia. A capacidade de Edward de escalar facilmente e em silêncio até minha janela no segundo andar era quase tão útil quanto sua habilidade de ler a mente de Charlie.

Embora fosse só na parte da tarde que eu ficava longe de Edward, era o suficiente para me deixar inquieta, e as horas sempre se arrastavam. Ainda assim, suportava minha punição sem reclamar porque — primeiro — eu sabia que merecia e — segundo — porque eu não podia suportar magoar meu pai saindo de casa agora, quando pairava uma separação muito mais permanente, invisível para Charlie, tão perto em meu horizonte.

Meu pai se sentou à mesa com um grunhido e abriu o jornal úmido que estava ali; segundos depois, estava estalando a língua de reprovação.

— Não sei por que lê o jornal, pai. Isso só o aborrece.

Ele me ignorou, resmungando para o jornal nas mãos.

— É por isso que todo mundo quer morar numa cidade pequena! Ridículo.

— O que as cidades grandes fizeram de errado agora?

— Seattle está se tornando a capital de homicídios do país. Cinco assassinatos sem solução nas últimas duas semanas. Dá para imaginar viver assim?

— Acho que Phoenix tem uma taxa de homicídios mais alta, pai. Eu *vivi* assim. — E nunca cheguei mais perto de ser uma vítima de assassinato depois de me mudar para esta cidadezinha segura. Na verdade, eu ainda estava em várias estatísticas de risco... A colher tremeu em minhas mãos, agitando a água.

— Bom, você não tem como me pagar por isso — disse Charlie.

Eu desisti de salvar o jantar e preparei-me para servi-lo; tive de usar uma faca de carne para cortar uma porção de espaguete para Charlie e depois para mim, enquanto ele observava com uma expressão tímida. Charlie cobriu sua porção com molho e comeu. Eu disfarcei meu próprio monturo ao máximo que pude e segui seu exemplo sem muito entusiasmo. Comemos em silêncio por um momento. Charlie ainda olhava as notícias, então peguei meu exemplar muito surrado de *O morro dos ventos uivantes* de onde deixara naquela manhã e tentei me perder na Inglaterra da virada do século XX enquanto esperava que ele começasse a falar.

Eu estava na parte em que Heathcliff volta quando Charlie deu um pigarro e atirou o jornal no chão.

— Você tem razão — disse Charlie. — Eu tinha um motivo para fazer isso. — Ele agitou o garfo para a gororoba. — Eu queria conversar com você.

Deixei o livro de lado.

— Podia simplesmente ter pedido.

Ele assentiu, as sobrancelhas se unindo.

— É. Vou me lembrar disso da próxima vez. Pensei que tirar o jantar de suas mãos amoleceria você.

Eu ri.

— Funcionou... Suas habilidades culinárias me deixaram mole feito marshmallow. Do que você precisa, pai?

— Bom, é sobre Jacob.

Senti meu rosto enrijecer.

— O que tem ele? — perguntei por entre os lábios rígidos.

— Calma, Bells. Sei que você ainda está chateada por ele ter delatado você, mas foi a atitude certa a tomar. Ele estava sendo responsável.

— Responsável — repeti com sarcasmo, revirando os olhos. — Muito bem, então, o que tem Jacob?

A pergunta despreocupada se repetiu em minha cabeça, era tudo, menos banal. *O quem tem Jacob?* O que eu ia fazer com ele? Meu ex-melhor amigo que agora era... o quê? Meu inimigo? Eu me encolhi.

A expressão de Charlie de repente era preocupada.

— Não fique chateada comigo, está bem?

— Chateada?

— Bom, é sobre Edward também.

Meus olhos se estreitaram.

A voz de Charlie ficou mais ríspida.

— Eu o deixo entrar aqui em casa, não é?

— Deixa mesmo — admiti. — Por curtos períodos de tempo. É claro que você também podia me deixar *sair* de casa por curtos períodos de vez em quando — continuei, só de brincadeira; eu sabia que ficaria trancafiada aqui por todo o ano letivo. — Tenho sido muito boazinha ultimamente.

— Bom, era aí que eu ia chegar... — E então o rosto de Charlie se esticou num sorriso inesperado que fez rugas nos olhos; por um segundo ele parecia vinte anos mais novo.

Eu vi um brilho fraco de possibilidade naquele sorriso, mas continuei devagar.

— Estou confusa, pai. Está falando de Jacob, de Edward ou de meu castigo?

O sorriso faiscou de novo.

— Mais ou menos dos três.

— E qual é a relação entre eles? — perguntei, cautelosa.

— Tudo bem. — Ele suspirou, erguendo as mãos como se estivesse se rendendo. — Estou pensando que talvez você mereça uma condicional por bom comportamento. Para uma adolescente, você reclama muito pouco.

Minha voz e as sobrancelhas se ergueram.

— É sério? Estou livre?

De onde vinha isso? Eu tinha certeza de que ficaria em prisão domiciliar até que realmente me mudasse, e Edward não captara nenhuma oscilação nos pensamentos de Charlie...

Charlie ergueu um dedo.

— Sob uma condição.

O entusiasmo desapareceu.

— Ótimo — suspirei.

— Bella, isto é mais um pedido do que uma ordem, está bem? Você está livre. Mas espero que vá usar a liberdade... com critério.

— O que isso quer dizer?

Ele suspirou de novo.

— Sei que está satisfeita por ficar o tempo todo com Edward...

— Também fico com Alice — interrompi. A irmã de Edward não tinha hora de visita; entrava e saía quando bem entendia. Charlie era massa de modelar nas mãos eficientes de Alice.

— Isso é verdade — disse ele. — Mas você tem outros amigos além dos Cullen, Bella. Ou *tinha*, antigamente.

Nós nos olhamos por um longo momento.

— Quando foi a última vez que você falou com Angela Weber? — ele atirou para cima de mim.

— Na sexta-feira, no almoço — respondi de imediato.

Antes da volta de Edward, meus amigos da escola se polarizaram em dois grupos. Eu preferia pensar nesses grupos como *os bons* e *os maus*. *Nós* e *eles* também funcionava. Os bons eram Angela, o namorado firme dela, Ben Cheney, e Mike Newton; estes três me perdoaram de modo generoso por ter enlouquecido quando Edward foi embora. Lauren Mallory era o núcleo mau do lado *deles*, e quase todos os outros, inclusive minha primeira amiga em Forks, Jessica Stanley, pareciam satisfeitos em continuar no programa anti-Bella.

Com Edward de volta à escola, a linha divisória ficara ainda mais distinta. A volta de Edward cobrara seu tributo sobre a amizade de Mike, mas Angela era inabalavelmente fiel, e Ben seguia seu exemplo. Apesar da aversão natural que sentiam pelos Cullen, Angela se sentava por educação ao lado de Alice todo dia no almoço. Depois de algumas semanas, Angela até parecia à vontade ali. Era difícil não se encantar com os Cullen — depois que eles lhe dessem a chance de ficar encantado.

— Fora da escola? — perguntou Charlie, recuperando minha atenção.

— Eu não vejo *ninguém* fora da escola, pai. De castigo, lembra? E Angela tem namorado também. Ela sempre está com o Ben. *Se* eu fosse mesmo livre — acrescentei, cheia de ceticismo —, talvez pudéssemos sair juntos.

— Tudo bem. Mas então... — ele hesitou. — Você e Jake costumavam ser como unha e carne, e agora...

Eu o interrompi.

— Pode dizer aonde quer chegar, pai? Qual é a sua condição... exatamente?

— Não acho que você deva abandonar todos os seus outros amigos por causa de seu namorado, Bella — disse ele numa voz severa. — Não é bom, e acho que sua vida será mais equilibrada se você tiver outras pessoas nela. O que aconteceu em setembro...

Eu me encolhi.

— Bom — disse ele, na defensiva. — Se você tivesse uma vida à parte de Edward Cullen, poderia não ter sido daquele jeito.

— Teria sido exatamente igual — murmurei.

— Talvez sim, talvez não.

— E então? — lembrei a ele.

— Use sua nova liberdade para ver seus outros amigos também. Tenha equilíbrio.

Assenti devagar.

— Equilíbrio é bom. Mas tenho algumas quotas específicas para cumprir?

Ele fez uma careta, mas sacudiu a cabeça.

— Não quero dificultar nada. Só não se esqueça de seus amigos... Em particular de Jacob.

Levei um momento para encontrar as palavras certas.

— Com Jacob pode ser... complicado.

— Os Black são praticamente da família, Bella — disse ele, severo e paternal de novo. — E Jacob foi um amigo muito, *muito* bom para você.

— Sei disso.

— Você não sente falta dele? — perguntou Charlie, frustrado.

Minha garganta de repente parecia inchada; tive de pigarrear duas vezes para responder.

— Sim, sinto falta dele — admiti, ainda olhando para baixo. — Sinto muita saudade dele.

— Então, por que é difícil?

Não era uma questão que eu tivesse liberdade para explicar. Contrariava as regras para pessoas normais — pessoas *humanas*, como eu e Charlie — saber do mundo clandestino cheio de mitos e de monstros que existia em segredo em volta de nós. Eu sabia desse mundo — e, como conseqüência, os problemas não eram poucos. Eu não ia envolver Charlie nas mesmas confusões.

— Com Jacob existe um... conflito — eu disse devagar. — Um conflito sobre a amizade, quero dizer. A amizade nem sempre parece ser suficiente para Jake. — Encobri minha desculpa com os detalhes que eram verdadeiros porém insignificantes, em nada cruciais quando comparados ao fato de que o bando de lobisomens de Jake odiava amargamente a família de vampiros de Edward — e, portanto, a mim também, porque eu pretendia me unir de modo pleno a essa família. Não era um assunto que eu pudesse resolver com ele num bilhete, e ele não atendia meus telefonemas. Mas meu plano de lidar com o lobisomem em pessoa, com certeza, não se coadunava com os vampiros.

— Edward não está preparado para uma pequena competição saudável? — A voz de Charlie agora era sarcástica.

Olhei sombriamente para ele.

— Não existe competição.

— Você está ferindo os sentimentos de Jake, evitando-o desse jeito. Ele prefere ser amigo a nada.

Ah, agora *eu* é que o estava evitando?

— Tenho certeza absoluta de que Jake não quer ser amigo coisa nenhuma. — As palavras arderam em minha garganta. — Aliás, de onde você tirou essa idéia?

Charlie ficou constrangido.

— O assunto talvez tenha surgido hoje numa conversa com Billy...

— Você e Billy fofocam feito umas velhinhas — reclamei, enfiando a faca com violência no espaguete congelado em meu prato.

— Billy está preocupado com Jacob — disse Charlie. — Jake está passando por dificuldades agora... Está deprimido.

Eu estremeci, mas não tirei os olhos da maçaroca.

— E você sempre ficava muito feliz depois de passar o dia com Jake. — Charlie suspirou.

— Eu estou feliz *agora*. — Grunhi ferozmente entre os dentes.

O contraste entre minhas palavras e o tom rompeu a tensão. Charlie explodiu numa gargalhada e eu tive de me unir a ele.

— Tá legal, tudo bem — concordei. — Equilíbrio.

— E Jacob — insistiu ele.

— Vou tentar.

— Ótimo. Encontre esse equilíbrio, Bella. E, ah, sim, você recebeu correspondência — disse Charlie, encerrando o assunto sem sutileza alguma. — Está ao lado do fogão.

Não me mexi, meus pensamentos girando confusos em torno do nome de Jacob. Era mais provável que fosse mala direta; tinha acabado de receber um pacote de minha mãe no dia anterior e não estava esperando mais nada.

Charlie afastou a cadeira da mesa e se espreguiçou ao se colocar de pé. Levou o prato dele à pia mas, antes de abrir a água para lavá-lo, parou para atirar um envelope para mim. A carta escorregou pela mesa e parou em meu cotovelo.

— Hã, obrigada — murmurei, confusa por sua pressão. Depois vi o endereço do remetente. A carta era da Universidade do Sudeste do Alasca. — Essa foi rápida. Acho que esqueci o prazo desta também.

Charlie riu.

Virei o envelope e olhei para ele.

— Está aberta.

— Eu fiquei curioso.

— Estou chocada, xerife. Isso é crime federal.

— Ah, leia isso logo.

Eu saquei a carta e alguns palavrões.

— Meus parabéns — disse ele antes que eu pudesse ler alguma coisa. — Sua primeira admissão.

— Obrigada, pai.

— Precisamos conversar sobre os custos. Tenho algum dinheiro guardado...

— Ei, ei, nada disso. Não vou tocar na sua aposentadoria, pai. Eu tenho meu fundo universitário. — O que restava dele; nem havia muito no começo.

Charlie franziu o cenho.

— Alguns desses lugares são muito caros, Bella. Quero ajudar. Você não tem que ir para o Alasca só porque é mais barato.

Não era mais barato, de forma alguma. Mas ficava bem longe e Juneau tinha uma média de trezentos e vinte e um dias nublados por ano. O primeiro era meu pré-requisito, o segundo era de Edward.

— Eu posso pagar. Além disso, tem muito apoio financeiro por lá. É fácil conseguir crédito. — Eu esperava que meu blefe não fosse óbvio demais. Não tinha pesquisado muito sobre o assunto.

— Então... — começou Charlie, depois franziu os lábios e desviou os olhos.

— Então o quê?

— Nada. Eu só estava... — Ele fechou a cara. — Só me perguntava... Quais são os planos de Edward para o ano que vem?

— Ah!

— E então?

Três batidas rápidas na porta me salvaram. Charlie revirou os olhos e eu me levantei num salto.

— Já vou! — gritei enquanto Charlie murmurava alguma frase que parecia "Suma daqui". Eu o ignorei e fui abrir a porta para Edward.

Eu escancarei a porta — ridiculamente ansiosa — e lá estava ele, meu milagre pessoal.

O tempo não me deixara imune à perfeição de seu rosto, e eu tinha certeza de que nenhum aspecto dele deixaria de me surpreender. Meus olhos acompanharam suas feições pálidas: o quadrado de seu queixo, a curva suave de seus lábios cheios — agora retorcidos num sorriso, a linha reta de seu nariz, o ângulo agudo das maçãs do rosto, o mármore macio de sua testa — parcialmente oculta por uma mecha de cabelo bronze, escuro da chuva...

Deixei os olhos para o final, sabendo que, quando olhasse dentro deles, talvez perdesse o fio do pensamento. Eles eram grandes, calorosos, de ouro líquido, e emoldurados por uma franja grossa de cílios escuros. Olhar seus olhos sempre fazia com que eu me sentisse extraordinária — meio como se meus ossos tivessem virado esponja. Eu também ficava um pouco tonta, mas isso devia ser porque eu me esquecia de respirar. De novo.

Era um rosto que qualquer modelo no mundo daria a alma para ter. É claro que este podia ser exatamente o preço pedido: uma alma.

Não. Eu não acreditava nisso. Sentia-me culpada até de pensar nisso e estava feliz — como sempre ficava — por ser a única pessoa cujos pensamentos fossem um mistério para Edward.

Peguei a mão dele e suspirei quando seus dedos frios encontraram os meus. Seu toque vinha com a sensação estranha de alívio — como se eu estivesse com dor e o sofrimento de repente cessasse.

— Oi. — Eu sorri um pouco para minha recepção anticlimática.

Ele ergueu nossos dedos entrelaçados para afagar meu rosto com as costas da mão.

— Como foi sua tarde?

— Lerda.

— Para mim também.

Ele puxou meu punho até seu rosto, nossas mãos ainda entrelaçadas. Seus olhos se fecharam à medida que o nariz roçava a pele ali, e ele sorriu delicadamente, sem abri-los. Desfrutando o buquê enquanto resistia ao vinho, como certa vez ele mencionou.

Eu sabia que o cheiro do meu sangue — mais doce para ele do que o sangue de qualquer outro, do mesmo modo que vinho ao lado da água para um alcoólatra — causava-lhe dor pela sede ardente que produzia. Mas ele não parecia fugir dele, como fizera um dia. Eu só podia imaginar o esforço hercúleo por trás desse gesto simples.

Entristecia-me que ele tivesse de se esforçar tanto. Eu me reconfortava por saber que não seria a causa de sua dor por muito mais tempo.

Ouvi Charlie se aproximando então, batendo os pés para expressar seu costumeiro desprazer com nosso convidado. Os olhos de Edward se abriram e ele deixou nossas mãos caírem, mantendo-as entrelaçadas.

— Boa noite, Charlie. — Edward era sempre impecavelmente educado, embora Charlie não merecesse isso.

Charlie grunhiu para ele, depois ficou parado ali de braços cruzados. Nos últimos tempos levava a idéia de supervisão paterna a extremos.

— Trouxe mais alguns formulários de universidades — disse-me Edward depois, estendendo um envelope pardo estufado. Ele trazia um rolo de selos feito um anel em seu dedo mínimo.

Eu gemi. Como era possível que ainda existissem tantas universidades a que ele ainda não me obrigara a me candidatar? E como ele continuava encontrando essas brechas? O prazo já estava se esgotando.

Ele sorriu como se *pudesse* ler meus pensamentos; deviam ter ficado muito evidentes em meu rosto.

— Ainda há alguns prazos abertos. E alguns lugares dispostos a abrir exceções.

Eu podia imaginar as motivações por trás dessas exceções. E a quantia em dólares envolvida.

Edward riu da minha expressão.

— Podemos? — perguntou ele, conduzindo-me para a mesa da cozinha.

Charlie bufou e nos seguiu, embora não pudesse se queixar da atividade programada para a noite. Ele me atormentava diariamente para tomar uma decisão sobre a universidade.

Limpei a mesa enquanto Edward organizava uma pilha intimidadora de formulários. Quando passei *O morro dos ventos uivantes* para a bancada, Edward ergueu uma sobrancelha. Eu sabia o que ele estava pensando, mas Charlie interrompeu antes que Edward pudesse comentar.

— Por falar em formulários de universidades, Edward — disse Charlie, seu tom ainda mais rabugento. Ele evitava se dirigir diretamente a Edward e, quando tinha de fazer isso, exagerava no mau humor —, Bella e eu acabamos de conversar sobre o ano que vem. Já decidiu para onde vai?

Edward sorriu para Charlie e sua voz era simpática.

— Ainda não. Recebi algumas cartas de admissão, mas ainda estou pensando em minhas opções.

— Onde você foi admitido? — pressionou Charlie.

— Syracusa... Harvard... Dartmouth... e recebi a carta de admissão da Universidade do Sudeste do Alasca hoje. — Edward virou o rosto um pouco para o lado, de modo que pudesse piscar para mim. Reprimi uma risada.

— Harvard? Dartmouth? — murmurou Charlie, incapaz de esconder o pasmo. — Bom, isso é bem... é muito coisa. É, mas a Universidade do Alasca...

Você não pensaria de verdade nela quando pode ir para a Ivy League. Quero dizer, seu pai ia querer que você...

— Carlisle sempre apóia as decisões que eu tomo — disse Edward com serenidade.

— Umpf.

— Adivinha só, Edward? — eu disse numa voz animada, entrando no jogo.

— Que foi, Bella?

Apontei para o envelope grosso na bancada.

— Acabo de receber *minha* admissão na Universidade do Alasca!

— Meus parabéns! — Ele sorriu. — Que coincidência.

Os olhos de Charlie se estreitaram e ele olhou de um para o outro.

— Ótimo — murmurou ele depois de um minuto. — Vou ver o jogo, Bella. Nove e meia.

Este era o comando de partida de sempre.

— Hã, pai? Lembra do que acabamos de conversar sobre minha liberdade...?

Ele suspirou.

— É verdade. Tudo bem, *dez* e meia. Você ainda tem um toque de recolher nos dias úteis.

— Bella não está mais de castigo? — perguntou Edward.

Embora eu soubesse que ele não estava realmente surpreso, não consegui detectar nenhuma nota falsa na emoção súbita de sua voz.

— Com uma condição — corrigiu Charlie entre os dentes. — O que você tem a ver com isso?

Fiz uma cara bem feia para meu pai, mas ele não viu.

— É só que é bom saber — disse Edward. — Alice anda ansiosa por uma companhia nas compras e tenho certeza de que Bella adoraria ver algumas luzes da cidade. — Ele sorriu para mim.

Mas Charlie grunhiu.

— Não! — Sua fisionomia ficou roxa.

— Pai! Qual é o problema?

Ele fez um esforço para descerrar os dentes.

— Não quero que você vá a Seattle agora.

— Hein?

— Eu lhe falei da reportagem no jornal... Tem uma espécie de gangue de assassinos solta em Seattle e quero que você fique longe disso, está bem?

Revirei os olhos.

— Pai, há uma probabilidade maior de eu ser atingida por um raio do que um dia eu ir a Seattle...

— Não, está tudo bem, Charlie — disse Edward, interrompendo-me.

— Eu não quis dizer Seattle. Estava pensando em Portland. Eu não deixaria Bella ir a Seattle também. É claro que não.

Eu o fitei incrédula, mas ele estava com o jornal de Charlie nas mãos e lia a primeira página com atenção.

Ele devia estar tentando aplacar meu pai. A idéia de correr perigo até do mais letal dos humanos enquanto eu estivesse com Alice ou com Edward era completamente hilariante.

Funcionou. Charlie olhou para Edward por um segundo mais, depois deu de ombros.

— Ótimo. — Ele foi para a sala de estar, agora meio com pressa; talvez não quisesse perder o aviso.

Esperei até que a tevê estivesse ligada, para que Charlie não conseguisse me ouvir.

— O que... — comecei a perguntar.

— Espere — disse Edward sem tirar os olhos do jornal. Seus olhos continuaram focalizados na página enquanto ele empurrava o primeiro formulário para mim pela mesa. — Você pode aproveitar suas respostas para este. Mesmas perguntas.

Charlie ainda devia estar ouvindo. Eu suspirei e comecei a preencher as informações repetitivas: nome, endereço, estado civil... Depois de alguns minutos, olhei para cima, mas Edward agora mirava, pensativo, além da janela. Enquanto inclinava a cabeça para meu trabalho, percebi pela primeira vez o nome da universidade.

Eu bufei e atirei a folha de papel de lado.

— Bella?

— Fala sério, Edward. *Dartmouth?*

Edward levantou o formulário descartado e o recolocou delicadamente diante de mim.

— Acho que você ia gostar de New Hampshire — disse ele. — Há todo um complemento de cursos noturnos para mim e as florestas são convenientemente localizadas para o andarilho ávido. Muita vida selvagem. — Ele abriu o sorriso torto a que eu não resistiria.

Respirei fundo.

— Vou deixar que me pague depois, se isso a faz feliz — prometeu ele. — Se quiser, posso lhe cobrar juros.

— Como se eu pudesse entrar sem um suborno enorme. Ou isso faz parte do empréstimo? A ala Cullen da biblioteca? Argh. Por que estamos tendo essa discussão de novo?

— Pode preencher o formulário, por favor, Bella? Não vai doer nada se candidatar.

Meu queixo destravou.

— Quer saber? Não acho que eu vá.

Estendi a mão para a papelada, pretendendo amassá-la numa forma adequada para atirar na lixeira, mas já não estava mais ali. Olhei a mesa vazia por um momento, depois para Edward. Ele não parecia ter se mexido, mas os formulários já deviam estar metidos em seu casaco.

— O que está fazendo? — perguntei.

— Eu assino seu nome melhor do que você mesma. Você já escreveu essas respostas.

— Sabe que está exagerando nisso. — Sussurrei para o caso de Charlie não estar totalmente imerso no jogo. — Não preciso me candidatar a mais lugar nenhum. Fui aceita na Alasca. Quase posso pagar as taxas do primeiro semestre. É um álibi tão bom quanto qualquer outro. Não há necessidade de gastar um monte de dinheiro, qualquer que seja a origem.

Um olhar de dor enrijeceu seu rosto.

— Bella...

— Não comece. Concordo que preciso passar por tudo isso pelo bem de Charlie, mas nós dois sabemos que não estarei em condições de ir a nenhuma universidade no outono que vem. Nem ficar perto de gente.

Meu conhecimento dos primeiros anos como uma recém-vampira era vago. Edward nunca entrara em detalhes — não era seu assunto preferido —, mas eu sabia que não era agradável. O autocontrole aparentemente era uma habilidade adquirida. Qualquer coisa além de educação a distância estava fora de cogitação.

— Pensei que ainda não tivéssemos decidido o momento — lembrou-me Edward num tom delicado. — Você pode desfrutar de um ou dois semestres de faculdade. Há muitas experiências humanas que você nunca teve.

— Eu as terei depois.

— Elas não serão experiências *humanas* depois. Não se tem uma segunda chance como humana, Bella.

Suspirei.

— Você precisa ser razoável com a escolha do momento, Edward. É perigoso demais fazer confusão com isso.

— Ainda não há perigo — insistiu ele.

Olhei para ele. Não há perigo? Claro. Só havia uma vampira sádica tentando vingar a morte do companheiro com a minha morte, de preferência por um método lento e torturante. Quem estava preocupado com Victoria? Ah, e sim, os Volturi — a família real vampira com seu pequeno exército de guerreiros vampiros —, que insistiram que meu coração parasse de bater de uma ou outra maneira no futuro próximo, porque os humanos não podem saber que eles existem. É verdade. Não havia motivo para todo esse pânico.

Mesmo com Alice mantendo vigilância — Edward dependia de suas visões pouco precisas do futuro para nos dar alertas antecipados — era insanidade correr o risco.

Além disso, eu já ganhara essa discussão. A data de minha transformação estava marcada para algum momento logo depois de minha formatura no ensino médio, dali a algumas semanas.

Um abalo forte de inquietude perfurou meu estômago enquanto eu percebia que me restava pouco tempo. É claro que essa mudança era necessária — e era a chave para o que eu queria mais do que tudo no mundo —, mas eu estava profundamente consciente de Charlie sentado no outro cômodo, desfrutando de seu jogo, como em qualquer outra noite. E minha mãe, Renée, longe, na ensolarada Flórida, ainda me pedindo para passar o verão na praia com ela e o novo marido. E Jacob que, ao contrário de meus pais, sabia exatamente o que ia acontecer quando eu desaparecesse para alguma universidade distante. Mesmo que meus pais não ficassem desconfiados por um bom tempo, mesmo que eu pudesse dispensar as visitas com desculpas sobre despesas de viagem, carga de estudos ou doenças, Jacob saberia da verdade.

Por um momento, a idéia da revolta certa de Jacob ensombreou qualquer outra dor.

— Bella — murmurou Edward, seu rosto se retorcendo quando leu a aflição no meu. — Não há pressa. Não vou deixar ninguém ferir você. Pode levar o tempo que precisar.

— Eu tenho pressa — sussurrei sorrindo amarelo, tentando fazer piada disso. — Quero ser um monstro também.

Seus dentes trincaram; ele falou através deles.

— Não faz idéia do que está dizendo. — De repente, ele colocou o jornal úmido na mesa entre nós. Seu dedo apontou a manchete na primeira página:

AUMENTAM AS MORTES, POLÍCIA TEME ATIVIDADE DE GANGUE

— O que isso tem a ver?

— Os monstros não são uma piada, Bella.

Olhei a manchete outra vez, depois sua expressão séria.

— Um... um *vampiro* está fazendo isso? — sussurrei.

Ele sorriu sem humor algum. Sua voz era baixa e fria.

— Ficaria surpresa, Bella, em ver com que freqüência minha espécie é a origem dos horrores de seu noticiário humano. É fácil reconhecer, quando você sabe o que procurar. As informações aqui indicam um vampiro recém-formado à solta em Seattle. Sedento de sangue, louco e descontrolado. Como todos nós somos.

Deixei meus olhos caírem no jornal de novo, evitando os olhos dele.

— Estamos monitorando a situação há algumas semanas. Todos os sinais estão lá... Os desaparecimentos improváveis, sempre à noite, os corpos mal desovados, a ausência de outras evidências... Sim, alguém novinho em folha. E ninguém parece estar assumindo a responsabilidade pelo neófito... — Ele respirou fundo. — Bom, não é problema nosso. Não teríamos prestado atenção na situação se não estivesse tão perto de casa. Como eu disse, isso acontece o tempo todo. A existência de monstros resulta em conseqüências monstruosas.

Tentei não ver os nomes nas páginas, mas eles saltaram do texto impresso como se estivessem em negrito. As cinco pessoas cuja vida terminara, cujas famílias agora estavam de luto. Era diferente de considerar o assassinato em nível abstrato, lendo aqueles nomes. Maureen Gardiner, Geoffrey Campbell, Grace Razi, Michelle O'Connell, Ronald Albrook. Pessoas que tinham pais, filhos, amigos, animais de estimação, empregos, esperanças, planos, lembranças e futuros...

— Não seria o mesmo para mim — sussurrei, meio para mim mesma. — Você não deixaria que eu fosse assim. Vamos morar na Antártida.

Edward bufou, rompendo a tensão.

— Pingüins. Que lindo.

Soltei uma risada trêmula e tirei o jornal da mesa para não ter de ver os nomes; ele caiu no linóleo com um baque. É claro que Edward não pensaria nas possibilidades de caça. Ele e sua família "vegetariana" — todos comprometidos em proteger a vida humana — preferiam o sabor de grandes predadores para satisfazer suas necessidades alimentares.

— Alasca, então, como planejamos. Só um lugar muito mais distante de Juneau... Um lugar com muitos ursos.

— Melhor — ele cedeu. — Lá tem urso polar também. Muito feroz. E os lobos são bem grandes.

Minha boca se abriu e minha respiração soprou numa lufada áspera.

— Que foi? — perguntou ele, antes que eu pudesse me recuperar. A confusão desapareceu e todo seu corpo pareceu enrijecer. — Ah! Deixe os lobos para lá, então, se a idéia é ofensiva para você. — Sua voz era dura e formal, os ombros rígidos.

— Ele era meu melhor amigo, Edward — murmurei. Doía usar o verbo no passado. — É claro que a idéia me ofende.

— Por favor, perdoe-me por minha falta de consideração — disse ele, ainda muito formal. — Eu não devia ter sugerido isso.

— Não se preocupe. — Olhei minhas mãos, fechadas em punhos sobre a mesa.

Nós dois ficamos em silêncio por um momento, depois seu dedo frio estava sob meu queixo, erguendo meu rosto. Sua expressão era muito mais suave agora.

— Desculpe. De verdade.

— Eu sei. Sei que não é a mesma coisa. Eu não devia ter reagido desta forma. É só que... Bom, eu já estava pensando em Jacob antes de você chegar. — Hesitei. Seus olhos castanhos pareciam ficar um pouco mais escuros sempre que eu dizia o nome de Jacob. Minha voz ficou suplicante em resposta a isso. — Charlie disse que Jake está passando por dificuldades. Ele agora está sofrendo, e... a culpa é minha.

— Você não fez nada de errado, Bella.

Respirei fundo.

— Preciso dar um jeito nisso, Edward. Devo isso a ele. E é uma das condições de Charlie, de qualquer modo...

Seu rosto mudou enquanto eu falava, ficando rígido de novo, como o de uma estátua.

— Sabe que está fora de cogitação você andar desprotegida com um lobisomem, Bella. E seria quebra do pacto se qualquer um de nós entrasse no território deles. Quer que comecemos uma guerra?

— É claro que não!

— Então não tem sentido continuar discutindo a questão. — Ele baixou a mão e virou o rosto, tentando mudar de assunto. Seus olhos pararam em algo atrás de mim e ele sorriu, embora os olhos continuassem preocupados.

— Fico feliz por Charlie ter decidido deixar você sair... Você precisa muitíssimo de uma visita à livraria. Nem acredito que está lendo *O morro dos ventos uivantes* de novo. Ainda não sabe de cor?

— Nem todos nós temos memória fotográfica — eu disse asperamente.

— Com ou sem memória fotográfica, não entendo por que gosta dele. Os personagens são pessoas medonhas que arruínam a vida um do outro. Não sei como Heathcliff e Cathy terminaram ao lado de casais como Romeu e Julieta, ou Elizabeth Bennet e o Sr. Darcy. Não é uma história de amor, é uma história de ódio.

— Você tem problemas sérios com os clássicos — eu disse.

— Talvez porque não fique impressionado com a antiguidade. — Ele sorriu, evidentemente satisfeito por ter me distraído. — Falando sério, por que você *lê* isso sem parar? — Seus olhos agora eram vívidos de interesse, tentando, de novo, revelar o funcionamento convoluto de minha mente. Ele estendeu a mão sobre a mesa para aninhar meu rosto. — Que apelo tem para você?

Sua curiosidade sincera me desarmou.

— Não sei bem — eu disse, lutando para ter coerência enquanto seu olhar esfacelava meus pensamentos sem ter essa intenção. — Acho que tem algo a ver com a inevitabilidade. Nada pode separá-los... Nem o egoísmo dela, nem a maldade dele, nem mesmo a morte, no final...

Seu rosto estava pensativo enquanto ele considerava minhas palavras. Depois de um instante, ele deu um sorriso zombeteiro.

— Ainda acho que seria uma história melhor se um deles tivesse uma qualidade que os redimisse.

— Acho que esta é a questão — discordei. — O amor dos dois *é* sua única qualidade redentora.

— Espero que você tenha mais juízo do que isso... Para se apaixonar por alguém tão... maligno.

— É meio tarde para me preocupar com quem se apaixonou por quem — assinalei. — Mas, mesmo sem o aviso, parece que eu me saí muito bem.

Ele riu baixinho.

— Fico feliz que *você* pense assim.

— Bom, espero que você seja bastante inteligente para ficar longe de alguém tão egoísta. É Catherine a origem de todos os problemas, não Heathcliff.

— Vou ficar em guarda — prometeu ele.

Suspirei. Ele era tão bom nas distrações!

Coloquei a mão sobre a dele para mantê-la em meu rosto.

— Preciso ver Jacob.

Ele fechou os olhos.

— Não.

— Sinceramente, não há perigo algum — eu disse, de novo suplicante. — Eu costumava passar o dia todo em La Push com todos eles, e nunca aconteceu nada.

Mas pisei em falso; minha voz falhou no final porque percebi, enquanto dizia as palavras, que elas eram uma mentira. Não era verdade que nunca acontecia *nada*. Um breve lampejo de memória — um lobo cinza enorme agachado para atacar, arreganhando os dentes de adaga para mim — fez as palmas de minhas mãos suarem como um eco do pânico recordado.

Edward ouviu meu coração se acelerar e assentiu como se eu tivesse reconhecido a mentira em voz alta.

— Os lobisomens são instáveis. Às vezes, as pessoas perto deles se machucam. Às vezes, elas morrem.

Eu queria negar isso, mas outra imagem sufocou minha réplica. Vi em minha mente a cara antes linda de Emily Young, agora desfigurada por três cicatrizes escuras que baixavam o canto de seu olho direito e deixavam sua boca presa para sempre numa careta de lado.

Ele esperou, implacavelmente triunfante, que eu encontrasse minha voz.

— Você não os conhece — sussurrei.

— Conheço-os melhor do que você pensa, Bella. Eu estava aqui da última vez.

— Da última vez?

— Nosso caminho começou a se cruzar com o dos lobos há setenta anos... Tínhamos acabado de nos acomodar perto de Hoquiam. Isso foi antes de Alice e Jasper estarem conosco. Nós estávamos em maior número, mas isso não os teria impedido de entrar numa luta, se não fosse por Carlisle. Ele conseguiu convencer Ephraim Black de que era possível coexistirmos, e por fim fizemos uma trégua.

O nome do bisavô de Jacob me sobressaltou.

— Pensamos que os limites tinham desaparecido com Ephraim — murmurou Edward; agora parecia que ele falava consigo mesmo. — Que a singularidade genética que permitia a transmutação tivesse se perdido... — Ele se interrompeu e me fitou de um jeito acusatório. — Sua falta de sorte parece ficar mais poderosa a cada dia. Percebe que sua atração implacável por tudo que é letal é bastante forte para arrancar da extinção um bando de caninos mutantes? Se pudéssemos engarrafar sua sorte, teríamos uma arma de destruição em massa.

Ignorei a provocação, minha atenção presa pelo pressuposto dele — ele falava a sério?

— Mas não fui *eu* que os trouxe de volta. Não sabia?

— Sabia do quê?

— Minha falta de sorte nada tem a ver com isso. Os lobisomens voltaram porque os vampiros voltaram.

Edward me encarou, seu corpo imóvel de surpresa.

— Jacob me disse que a presença de sua família aqui deu a partida nisso. Pensei que você já soubesse...

Seus olhos se estreitaram.

— É isso que eles acham?

— Edward, considere os fatos. Há setenta anos, você veio para cá e os lobisomens apareceram. Você voltou agora, e os lobisomens apareceram de novo. Acha que é só uma coincidência?

Ele pestanejou e seu olhar relaxou.

— Carlisle ficará interessado nesta teoria.

— Teoria — zombei.

Ele ficou em silêncio por um momento, olhando a chuva pela janela; imaginei que estivesse contemplando o fato de que a presença de sua família estava transformando os habitantes em cães gigantes.

— Curioso, mas não é exatamente relevante — murmurou ele depois de um momento. — A situação continua a mesma.

Eu podia traduzir isso muito bem: nada de amigos lobisomens.

Eu sabia que devia ter paciência com Edward. Não era que ele não estivesse sendo razoável, era só que ele não *entendia*. Ele não fazia idéia do quanto eu devia a Jacob Black — muitas vezes minha vida, e talvez minha sanidade também.

Eu não gostava de falar daquela época enfadonha com ninguém, em especial com Edward. Ele só estava tentando me salvar quando partiu, tentando salvar minha alma. Eu não o considerava responsável por todas as idiotices que eu fizera em sua ausência, ou pela dor que sofrera.

Mas ele era.

Então eu teria de exprimir meus esclarecimentos com muito cuidado.

Levantei-me e contornei a mesa. Ele abriu os braços para mim e me sentei em seu colo, aninhando-me em seu abraço frio de pedra. Olhei suas mãos enquanto falava.

— Por favor, ouça por um minuto. Isto é muito mais importante do que atender a alguns caprichos de um velho amigo. Jacob está *sofrendo*. — Minha voz distorceu a palavra. — Não posso me *negar* a ajudá-lo... Não posso desistir dele agora, quando ele precisa de mim. Só porque ele não é humano o tempo todo... Bom, ele estava ao meu lado quando eu mesma... não era tão humana. Você não sabe como foi... — Eu hesitei. Os braços de Edward estavam rígidos à minha volta; suas mãos agora em punhos, os tendões se destacando. — Se Jacob não tivesse me ajudado... Não tenho certeza se você teria por que voltar. Tenho que tentar consertar isso. Eu devo a ele mais do que isso, Edward.

Olhei seu rosto, preocupada. Seus olhos estavam fechados e o queixo, tenso.

— Nunca vou me perdoar por tê-la deixado — sussurrou ele. — Nem que eu viva cem mil anos.

Coloquei a mão em seu rosto frio e esperei até que ele suspirou e abriu os olhos.

— Você estava tentando fazer o que era certo. E tenho certeza de que teria funcionado com qualquer pessoa menos retardada do que eu. Além disso, você está aqui agora. É só isso que importa.

— Se eu não tivesse partido, você não teria necessidade de arriscar sua vida para consolar um *cão*.

Eu me encolhi. Estava acostumada com Jacob e todas as suas calúnias pejorativas — *sanguessuga, parasita...* De certo modo, parecia mais áspero na voz aveludada de Edward.

— Não sei como expressar isso adequadamente — disse Edward, e seu tom de voz era triste. — Imagino que vá parecer cruel. Mas estive perto demais de perder você no passado. Sei o que é pensar que perdi. Eu *não* vou tolerar nenhum risco.

— Tem de confiar em mim neste caso. Eu vou ficar bem.

Seu rosto era de dor outra vez.

— Por favor, Bella — sussurrou ele.

Olhei em seus olhos dourados subitamente ardentes.

— Por favor o quê?

— Por favor, por mim. Por favor, procure ficar segura. Farei tudo o que eu puder, mas agradeceria se tivesse uma ajudazinha.

— Vou dar um jeito — murmurei.

— Você faz mesmo alguma idéia da importância que tem para mim? Alguma noção do quanto eu te amo? — Ele me puxou para mais perto de seu peito duro, colocando minha cabeça sob seu queixo.

Apertei os lábios em seu pescoço frio como neve.

— Eu sei o quanto *eu* te amo — respondi.

— Você compara uma árvore pequena com toda uma floresta.

Revirei os olhos, mas ele não pôde ver.

— Impossível.

Ele beijou o alto de minha cabeça e suspirou.

— Nada de lobisomens.

— Não vou concordar com isso. Preciso ver Jacob.

— Então terei de impedi-la.

Ele parecia totalmente confiante de que isso não seria um problema.

Eu tinha certeza de que ele estava com a razão.

— Veremos — blefei mesmo assim. — Ele ainda é meu amigo.

Pude sentir o bilhete de Jacob em meu bolso, como se de repente pesasse dez quilos. Pude ouvir as palavras em sua voz, e ele parecia concordar com Edward — algo que nunca aconteceria na realidade.

Isso não muda nada. Desculpe.